Juliette

Anne Fortier

Juliette

Traduit de l'anglais (États-Unis)
par Cécile Dutheil de la Rochère

Titre original : *Juliet*

7-13, boulevard Paul-Émile-Victor – Île de la Jatte
92521 Neuilly-sur-Seine Cedex
www.michel-lafon.com

À ma mère adorée
dont la magnanimité et les recherches herculéennes
ont rendu ce livre possible.

Partons, allons parler encore de ces tristes événements.
D'aucuns seront punis, d'autres pardonnés.
Ah, jamais il n'y eut plus douloureuse histoire
Que celle de Juliette et de son Roméo !

William SHAKESPEARE

N.B. Toutes les citations de *Roméo et Juliette*, de Shakespeare, sont extraites de la traduction d'Yves Bonnefoy, collection « Folio », Gallimard, © Mercure de France, 1968 et 1985.

PROLOGUE

Il paraît que je suis déjà morte.

Mon cœur avait cessé de battre, je ne respirais plus. Aux yeux du monde, mon trépas était bien réel. Certains affirment que je suis partie pendant trois ou quatre minutes.

J'aurais dû m'en douter, puisque je m'appelle Juliette. Mais j'avais tellement envie d'y croire ! Croire que cette fois-ci nous échapperions, Roméo et moi, à l'antique tragédie, que nous serions réunis pour l'éternité et que, plus jamais, notre amour ne serait entravé par des siècles de bannissement et de mort !

Hélas, nul ne peut dépasser Shakespeare. J'ai donc péri comme je le devais, une fois ma dernière réplique prononcée et restituée, au-delà du temps, à l'imaginaire.

Ô bienheureuse plume ! Cette page est à toi.

Voici de l'encre, afin que je puisse commencer mon récit.

I, I

Hélas, hélas, qu'est-ce que ces taches de sang
Sur les dalles du seuil de ce sépulcre ?

Mon histoire a peut-être commencé il y a plus de six cents ans, lors d'une attaque de bandits de grands chemins sur les routes de la Toscane médiévale. Ou, plus récemment, au cours d'une soirée où mes parents se sont rencontrés, ont dansé et échangé un baiser au *castello* Salimbeni…

Je n'aurais prêté aucune attention à tout cela sans l'événement qui, un soir, a bouleversé ma vie et m'a décidée à partir pour l'Italie à la recherche de mon passé. C'était juste après la mort de ma grand-tante Rose.

Umberto avait mis trois jours pour me retrouver et m'apprendre la triste nouvelle. Vu mon génie dans l'art de disparaître, j'ignore comment il s'y était pris. Il faut dire que, capable de deviner mes pensées, il avait toujours su anticiper le moindre de mes déplacements ; et que, cet été-là, les camps de vacances ayant choisi le thème de Shakespeare se comptaient sur les doigts de la main.

Combien de temps est-il resté immobile, à suivre la pièce du fond de la salle ? Je n'en ai aucune idée. Trop concentrée pour remarquer quoi que ce soit, je surveillais les jeunes acteurs depuis les coulisses, au cas où l'un d'eux aurait oublié une réplique ou un accessoire. L'après-midi même, après la générale, quelqu'un avait placé la fiole contenant le poison au mauvais endroit et Roméo avait dû se suicider en absorbant des Tic-Tac.

– Ça me donne des brûlures d'estomac ! avait gémi le garçon qui interprétait le rôle.

– Parfait ! avais-je répliqué, luttant pour ne pas bondir sur lui et ajuster son chapeau de velours. C'est très bien pour la composition de ton personnage.

Les lumières se sont rallumées et les comédiens en herbe m'ont traînée sur la scène pour me remercier. C'est à ce moment-là que j'ai aperçu une silhouette familière qui, près de la sortie, m'observait au milieu des applaudissements. Sévère et roide dans son costume cravate sombre, Umberto évoquait un roseau solitaire incarnant la civilisation au milieu d'un marais de l'ère primaire. Égal à lui-même. Jamais je ne l'avais vu vêtu de façon négligée. À ses yeux, s'exhiber en short de coton kaki et en polo était l'apanage des hommes dépourvus de distinction et de pudeur.

Peu après, l'assaut des parents ayant pris fin, je me suis retirée. Le directeur des programmes est venu me féliciter, m'a prise par les épaules avec chaleur. Il me connaissait suffisamment pour savoir que je redoutais les effusions en public.

– Tu t'es sacrément bien débrouillée avec ces gosses, Julie ! J'espère pouvoir compter sur toi l'été prochain !

J'ai menti sans vergogne.

– Pas de problème. Je serai là.

Enfin, j'ai pu rejoindre Umberto. J'ai cherché en vain la petite étincelle de joie qui brillait au coin de ses yeux chaque fois qu'il me retrouvait après une longue séparation. Je n'ai pas discerné, sur son visage, l'ombre d'un sourire. Il m'a annoncé que ma grand-tante venait de mourir et je me suis jetée dans ses bras, sans un mot. Je pensais : *Si seulement je pouvais renverser la réalité comme un sablier, la vie ne serait plus vouée à la finitude et à la mort. Ce serait un éternel retour à travers une petite brèche dans le temps.*

– Ne pleure pas, *principessa*, a-t-il chuchoté à mon oreille. Elle n'aurait pas aimé. Personne ne vit éternellement. Elle avait quatre-vingt deux ans.

– Je sais, mais…

J'ai reculé, essuyant mes larmes.

– Janice était là ?

Il a plissé les paupières, comme toujours lorsque je mentionnais ma sœur jumelle.

– Qu'est-ce que tu crois ?

Il semblait aussi anéanti que s'il avait passé plusieurs nuits à boire jusqu'à sombrer dans l'inconscience. Sans ma tante Rose, qu'allait-il devenir ? Tous deux étaient liés par une sorte de pacte. Elle jouait le rôle de la jeune fille du Sud, fortunée mais sur le déclin, lui celui du majordome dévoué et protecteur. Jamais ils n'avaient envisagé de vivre l'un sans l'autre.

La Lincoln était discrètement garée à l'écart du bâtiment. Personne n'a vu Umberto ranger mon vieux sac à dos dans le coffre avant de m'ouvrir la portière arrière, avec son élégance coutumière.

– Je peux m'asseoir devant, s'il te plaît ?

– Je savais que ce serait le début de la fin, a-t-il murmuré en m'ouvrant la portière du passager.

Ma tante Rose était beaucoup moins à cheval sur les conventions. Umberto avait beau être son employé, elle l'avait toujours traité comme un membre de la famille. Lui n'avait jamais joué le jeu. Chaque fois qu'elle lui proposait de se joindre à nous à table, il répondait par un regard amusé, empreint d'une légère condescendance, étonné qu'elle ose émettre une telle proposition sans en saisir l'absurdité. Il prenait tous ses repas dans la cuisine. Même le nom de « Doux Jésus », juron prononcé sur un ton d'exaspération croissante, n'aurait pu le persuader de venir s'asseoir avec nous, y compris le jour de Thanksgiving.

Tante Rose justifiait son comportement en affirmant que tels étaient les usages en Europe. Elle se lançait aussitôt dans une longue tirade sur la tyrannie, la liberté et l'indépendance, finissant invariablement par aboyer, la fourchette brandie vers nous :

– Voilà pourquoi nous n'irons pas en vacances en Europe ! Et surtout pas en Italie ! Jamais !

Quant à moi, j'étais convaincue qu'Umberto préférait déjeuner et dîner seul parce qu'il estimait sa propre compagnie supérieure à la nôtre. Paisiblement installé dans la cuisine, il écoutait ses opéras préférés en savourant un verre de vin et un morceau de parmesan, alors que tante Rose, Janice et moi, nous nous crêpions le chignon dans la salle à manger pleine de courants d'air. Si j'avais eu le choix, je me serais précipitée dans la cuisine sans hésiter.

En traversant, cette nuit-là, la vallée de Shenandoah, il m'a raconté les dernières heures de ma tante. Elle s'était éteinte en paix, dans son sommeil, ayant passé la soirée à écouter Fred Astaire sur ses vieux vinyles rayés. Après l'ultime accord du dernier disque, elle était allée ouvrir la porte-fenêtre donnant sur le jardin, sans doute pour humer le délicat parfum du chèvrefeuille. Alors qu'elle était debout devant ses parterres de fleurs, les yeux clos, les longs rideaux de dentelle avaient enveloppé son corps fluet en tournoyant, sans un bruit. Déjà, elle n'était plus qu'un fantôme.

– J'ai bien fait ? avait-elle demandé d'une voix calme.

– Bien sûr, avait-il répondu, en parfait diplomate.

*
* *

Il était minuit lorsque nous avons remonté l'allée qui menait chez elle. Umberto m'avait prévenue : Janice était rentrée de Floride l'après-midi même, avec une calculatrice et une bouteille de champagne. Cela n'expliquait pas la présence d'une seconde voiture, rutilante, devant le perron.

– J'espère que ce n'est pas l'entrepreneur de pompes funèbres, ai-je grommelé en prenant mon sac dans le coffre avant qu'il le fasse pour moi.

J'ai tout de suite regretté ma phrase. Quel mauvais goût ! Mais, dès que ma sœur rôdait dans les parages, j'avais du mal à me maîtriser.

Daignant à peine jeter un regard sur la mystérieuse voiture, Umberto a ajusté sa veste, tel un gilet pare-balles.

– J'ai bien peur qu'il n'existe différents styles de pompes funèbres.

À peine à l'intérieur, j'ai compris. Tous les portraits du vestibule avaient été décrochés et étaient alignés par terre, semblables à une rangée de criminels devant un peloton d'exécution. Et tous les vases vénitiens du grand guéridon placé sous le lustre avaient disparu.

– Il y a quelqu'un ? ai-je hurlé, furibarde. Quelqu'un d'encore vivant ?

L'écho de ma voix a résonné dans la maison silencieuse. Peu après, j'ai entendu un bruit de course dans le couloir du premier étage. En dépit de sa précipitation de gamine prise en faute, Janice nous a gratifiés de son habituelle apparition au sommet du grand escalier, sa robe d'été transparente mettant subtilement en valeur ses courbes somptueuses, avec beaucoup plus d'impudeur que si elle avait été nue. Comme si elle posait face aux médias du monde entier, elle a rejeté sa longue chevelure en un geste plein de langueur et de suffisance, avant de m'accorder un sourire hautain et d'entamer sa descente.

– Qui vois-je devant moi ? s'est-elle exclamée d'un ton à la fois suave et glacial. Ah ! notre pucelle végétarienne a débarqué !

C'est alors que j'ai remarqué son mâle de la semaine. Il traînait derrière elle, débraillé et les yeux injectés de sang, comme quiconque ayant passé un certain temps en tête à tête avec ma sœur.

– Désolée de te décevoir, ai-je répondu en lâchant mon sac à dos. Tu veux que je t'aide à dévaliser la maison, ou tu préfères continuer seule ?

Le rire de Janice ressemblait au carillon de la porte du voisin, installé uniquement pour nous irriter.

– Je te présente Archie, a-t-elle susurré. Il est prêt à nous filer un paquet de thunes en échange de tout ce merdier.

– Quelle générosité de sa part ! Manifestement, monsieur aime les ordures.

Janice m'a fusillée du regard, avant de se reprendre. Elle savait que je me fichais de ce qu'elle pensait, mais aussi que je jubilais dès qu'elle perdait ses moyens.

Je suis née quatre minutes avant elle. Elle pouvait donc dire et faire tout ce qu'elle voulait, je serais toujours plus âgée de quatre fois soixante secondes. Elle avait beau, du moins dans son esprit, être le lièvre supersonique et moi la tortue rampant derrière, jamais elle ne comblerait ce minuscule abîme entre nous. Sa façon de m'humilier et de m'écraser de sa superbe n'y changerait rien.

– Bon, a lancé Archie en louchant sur la porte d'entrée ouverte. Je me tire. C'était sympa de faire ta connaissance, Julie… C'est bien Julie, hein ? Janice m'a parlé de toi.

Il a gloussé nerveusement avant d'ajouter :

– Je vous souhaite bon courage. Et, comme on dit, faites la paix, pas l'amour !

Janice a agité la main avec douceur en le regardant s'en aller et laisser claquer la porte. Soudain, son visage d'ange s'est métamorphosé en un masque démoniaque, véritable hologramme de Halloween.

– Je t'interdis de me juger ! Je fais ce que je peux pour que ça nous rapporte du fric ! Tu gagnes combien, toi ?

– Pas grand-chose, sauf que je n'ai pas les mêmes… besoins que toi.

J'ai hoché la tête en montrant sa nouvelle lingerie de luxe mise en valeur par sa robe moulante.

– Comment arrives-tu à fourrer tout ça sous ta robe ? Par le nombril ?

– Et toi, Julie, a-t-elle repris en m'imitant, quel effet ça te fait de n'avoir rien de rien à fourrer là-dedans ?

– Pardonnez-moi, mesdemoiselles, a bredouillé Umberto en s'interposant poliment, si nous poursuivions cet échange passionnant dans la bibliothèque ?

Janice a filé devant nous. Nous l'avons retrouvée installée comme une princesse dans le fauteuil préféré de tante Rose, un gin-tonic calé contre le coussin au motif de chasse au renard que j'avais brodé au lycée, pendant que mademoiselle sortait pour trouver une proie à se mettre sous la dent.

– Quoi ? a-t-elle protesté avec hargne. La vieille ne m'a même pas laissé la moitié de la bouteille ?

Accuser quelqu'un dont le cadavre était encore chaud... C'était Janice tout craché. Je me suis réfugiée près de la fenêtre. Sur la terrasse, les fleurs dans les pots de terre cuite, que tante Rose adorait, étaient alignées telle une rangée de pleureuses à la tête inclinée. Spectacle inattendu, car Umberto entretenait le jardin de main de maître. Peut-être avait-il perdu le goût du travail bien fait, maintenant que sa maîtresse, si bon public, n'était plus.

– Je m'étonne de te voir ici, Umberto, a ironisé Janice en faisant tournoyer son gin. À ta place, j'aurais déjà filé à Las Vegas avec l'argenterie.

Umberto n'a pas bronché. Il ne lui adressait plus directement la parole depuis des années.

– Les obsèques ont lieu demain, a-t-il déclaré en se tournant vers moi.

– Je n'y crois pas, a couiné Janice, balançant une jambe au-dessus de l'accoudoir. Tu as tout organisé sans nous consulter !

Cette fois, il s'est forcé à répondre :

– C'est ce qu'elle voulait.

– Tu as d'autres révélations à faire ? J'imagine que nous avons chacune notre part ? J'espère que la vioque ne s'est pas entichée d'une société de protection des animaux, ou autre débilité du même tonneau.

– Qu'est-ce que ça pourrait te faire ? ai-je grommelé.

Une seconde, elle a marqué le coup, avant de réagir, selon son habitude, en haussant les épaules et en tendant la main vers la bouteille de gin.

Je l'avais toujours connue ainsi : insatiable. Quand nous étions petites, tante Rose s'exclamait en riant :

– Cette gamine serait capable de s'enfuir d'une prison de pain d'épice en la grignotant jusqu'à la dernière miette, comme si son avidité constituait un motif de fierté.

Ma sœur réussissait toujours à dénicher mes bonbons, quel que fût l'endroit où je les cachais. Le jour de Pâques, la matinée s'achevait très vite en pugilat. Umberto finissait par intervenir pour reprocher vertement à Janice de m'avoir volé mes œufs. Les dents maculées de chocolat, elle répliquait d'un ton persifleur que, de toute façon, il n'était pas notre père et n'avait pas à lui dicter sa conduite.

Pourtant, on lui aurait donné le bon Dieu sans confession. Elle avait l'air d'une petite fille modèle, avec une peau lisse comme le glaçage d'un gâteau de mariage et des traits qui semblaient avoir été dessinés en pâte d'amande par la main délicate d'un confiseur. Ni le gin, ni le café, ni la honte, ni le remords ne parvenaient à craqueler cette façade vernissée. Janice semblait s'abreuver à une fontaine de jouvence infinie, puisant tous les matins dans cette réserve d'éternité, sans prendre un gramme ni accuser la moindre lassitude, animée par une soif de vivre ravageuse.

Hélas, nous n'étions pas de vraies jumelles. Un jour, dans la cour de récréation, quelqu'un m'avait traitée de « Bambi sur échasses ». Umberto avait eu beau s'esclaffer en m'assurant qu'il s'agissait d'un compliment, je l'avais très mal pris. Même après mon adolescence, je paraissais dégingandée et anémique à côté de ma sœur. Quoi que nous fassions, où que nous allions, elle était aussi brune et expansive que j'étais pâle et réservée. Il suffisait que nous pénétrions ensemble dans une pièce pour que tous les projecteurs se braquent sur elle. J'étais éclipsée sur-le-champ.

Avec le temps, je finis par trouver un certain confort à jouer le second rôle. Nul besoin de terminer mes phrases : Janice le faisait pour moi. Les rares fois où une bonne âme, en général un voisin de tante Rose venu prendre le thé, m'interrogeait poliment sur mes rêves et mes projets, elle m'attrapait par la manche et me traînait jusqu'au piano, avant de commencer à jouer tandis que je tournais les pages. Aujourd'hui encore, à vingt-cinq ans, il m'arrivait de bafouiller et de m'arrêter en pleine conversation avec des inconnus, la mine contrite, comme si je craignais d'exprimer ma pensée.

L'enterrement de tante Rose eut lieu sous une pluie battante. J'étais figée devant la tombe. D'épaisses gouttes d'eau ruisselaient de mes cheveux, se mêlant à mes larmes. Ma réserve de mouchoirs en papier formait une bouillie au fond de mes poches.

J'avais pleuré toute la nuit. Je ne m'attendais pas à éprouver un tel sentiment de vide, une telle désolation, en voyant descendre tant bien que mal le cercueil dans la terre. Un si grand cercueil pour un corps si gracile… Soudain, j'ai regretté de ne pas avoir demandé à vérifier si c'était bien le sien, d'autant qu'elle n'aurait rien trouvé à y redire. Enfin, c'est ce que je pensais. Qui sait si elle ne nous surveillait pas de là-haut, frustrée de ne pas pouvoir nous assurer qu'elle était bien arrivée ? Cette idée me réconfortait, adoucissait une réalité trop cruelle.

La seule personne qui, à la fin des obsèques, ne ressemblait pas à un rongeur noyé, c'était Janice. Ses bottes en plastique aux talons démesurés et son chapeau noir évoquaient tout, sauf le deuil. Quant à moi, je portais ce qu'Umberto avait baptisé mon ensemble « Attila version bonne sœur ». Autant les bottes et le décolleté de Janice semblaient chuchoter à ces messieurs : « Approchez, approchez », autant mes godasses et ma robe boutonnée jusqu'au cou signifiaient : « Allez au diable ! »

Une petite poignée de gens étaient venus au cimetière. Mais seul M. Gallagher, l'avocat de la famille, est resté pour s'entretenir avec nous. Ni moi ni Janice ne l'avions jamais rencontré. Toutefois, tante Rose nous en avait tellement parlé, et avec un tel enthousiasme, qu'il ne pouvait que nous décevoir.

– Si je comprends bien, vous êtes pacifiste, m'a-t-il dit en m'accompagnant vers la sortie.

– Julie raffole de la bagarre, a observé Janice en s'interposant allègrement, négligeant le filet d'eau qui s'écoulait du rebord de son chapeau sur l'avocat et moi. Elle adore balancer des perfidies sur les gens. Vous savez ce qu'elle a fait à *La Petite Sirène* de Copenhague, un jour ?

– Ça suffit, l'ai-je coupée en tentant de trouver un petit coin sec sur ma manche pour essuyer mes larmes.

– Oh, avoue ! Tu as fait la une des journaux !

– J'ai entendu dire que votre affaire marchait très fort, est intervenu M. Gallagher en gratifiant Janice d'un vague sourire. Rendre les gens heureux doit être un sacré défi.

– Heureux ? Beurk ! Le bonheur est tout ce que je redoute. Du rêve, voilà ce que je vends. Des frustrations, des fantasmes qui ne se réalisent jamais. Des hommes qui n'existent pas. Des femmes inaccessibles. C'est là qu'il y a du fric, rendez-vous après rendez-vous…

Quelle ironie ! Ma sœur, la personne la plus cynique au monde, était marieuse professionnelle. Non seulement elle avait une rage de séduire irrépressible, mais, à ses yeux, les hommes n'étaient que des instruments qu'il lui suffisait de brancher quand elle en éprouvait le désir et de débrancher une fois satisfaite.

Curieusement, quand nous étions petites, Janice classait et rangeait tout par deux : deux ours en peluche, deux coussins, deux brosses à cheveux… Même après nos disputes les plus acharnées, elle tenait à aligner nos poupées côte à côte sur l'étagère avant de se coucher, allant parfois jusqu'à les enlacer les unes aux autres. De ce point de vue, il n'était pas surprenant qu'elle ait choisi une carrière de marieuse. C'était son côté arche de Noé, sauf que, contrairement au vieux patriarche, elle avait oublié le sens de sa mission depuis de nombreuses années.

J'aurais du mal à pointer le moment où les choses ont commencé à changer. À une époque, au lycée, j'ai cru qu'elle s'était donné pour tâche de saccager le moindre de mes rêves amoureux. Alors qu'elle changeait de petit copain comme de chemise, elle prenait un malin plaisir à me dégoûter des hommes en ne m'épargnant aucun détail, en termes si orduriers que je me demandais pourquoi les femmes souhaitaient convoler à tout prix.

– Je te le rappelle, avait-elle insisté, la veille du bal du lycée, en me posant des rouleaux roses dans les cheveux. C'est ta dernière chance.

Je la regardai dans le miroir, surprise par cet ultimatum, mais incapable de répondre, à cause d'un de ses masques d'argile vert menthe qui avait séché en se craquelant sur mon visage.

– Tu vois ce que je veux dire : ta dernière chance de rompre ton hymen. Voilà à quoi ça sert, les sauteries. Pourquoi crois-tu que les mecs se mettent sur leur trente et un ? Parce qu'ils aiment danser ? Tu parles !

Elle jeta un coup d'œil dans le miroir, pour épier ma réaction.

– Si tu n'en profites pas ce soir, tu auras une réputation de pauvre petite prude. Il n'y a rien de pire.

Le lendemain matin, je me réveillai avec d'épouvantables spasmes dans le ventre qui ne firent qu'empirer dans la journée. À tel point que tante Rose dut appeler les voisins pour leur annoncer que leur fils ferait mieux de prévoir une autre cavalière pour la soirée. En attendant, Janice avait été enlevée par un certain Troy, un bellâtre musclé qui l'amena danser au milieu de grincements de pneus spectaculaires.

Craignant une appendicite, tante Rose insista pour que nous allions aux urgences. Umberto la rassura en affirmant qu'il ne s'agissait que d'une simple poussée de fièvre. Rien de sérieux. Il était là, debout au-dessus de mon lit, à m'observer tandis que je lui jetais des coups d'œil complices sous ma couverture. Pas dupe pour un sou. Au fond, mon petit numéro le réjouissait. Nous savions tous deux que le malheureux fils des voisins n'avait rien à se reprocher. Simplement, il ne correspondait pas à l'image que je me faisais de mon futur prince charmant. Mieux valait louper le bal du lycée que d'y aller avec un minus.

– Alors, mon petit monsieur, a lancé Janice en gratifiant M. Gallagher d'un sourire enjôleur, si on discutait tout de suite des affaires sérieuses ? Elle nous a laissé combien, notre tante ?

Je n'ai pas cherché à intervenir. Après tout, dès qu'elle aurait touché son dû, elle s'empresserait de regagner son éternel terrain de chasse, à la poursuite du premier crétin au torse velu. Et plus jamais je ne la reverrais.

– En fait, a répondu timidement M. Gallagher en s'arrêtant au milieu du parking, à côté d'Umberto, j'ai bien peur que sa fortune ne se limite à sa propriété.

– Tout le monde sait que nous avons droit à la moitié chacune. Coupons donc la poire en deux et basta. Ma tante voulait qu'on trace une ligne blanche au milieu de la maison, non ? Je ne suis pas contre. Ou alors, on vend tout et on partage l'argent. Vous avez fait une estimation de l'ensemble ?

– En réalité, a bredouillé M. Gallagher avec un regard compatissant de mon côté, Mme Jacobs a changé d'avis. Elle a décidé de tout léguer à Mlle Janice.

– Quoi ? ai-je hurlé en dévisageant tour à tour ma sœur, l'avocat et Umberto, sans trouver de renfort.

– Putain ! a braillé Janice. Elle avait le sens de l'humour, la vieille !

– Il va de soi, a repris M. Gallagher plus sévèrement, qu'une certaine somme a été prévue pour M... Pour Umberto. Le testament mentionne également un certain nombre de photos encadrées qui reviennent à Mlle Julie.

– Super ! Je me sens hypergénéreuse, a commenté Janice en ouvrant les bras.

– Attendez, ai-je bredouillé en tâchant d'encaisser le choc. Tout ça n'a aucun sens !

Depuis toujours, tante Rose veillait à nous réserver, à moi et ma sœur, le traitement le plus équitable possible. Un jour, je l'avais même vue compter le nombre de noix de pécan dans le müesli du petit déjeuner, pour être sûre de n'avantager ni l'une ni l'autre. En outre, elle parlait de sa maison comme d'un bien dont, plus tard, nous jouirions en commun. « Les filles, disait-elle, vous devez apprendre à cohabiter. Je ne suis pas éternelle. Le jour où je serai partie, il vous faudra partager cette maison. »

– Je comprends votre déception, a concédé M. Gallagher.

– Ma déception ?

J'ai failli lui sauter dessus pour l'étrangler.

– Je ne crois pas un mot de ce que vous venez de nous annoncer ! J'exige de voir son testament !

Je l'ai fixé droit dans les yeux et je l'ai vu se tortiller.

– Je suis sûre que vous êtes en train de comploter dans mon dos !

– Tu as toujours été du côté des perdants, m'a balancé Janice, que ma rage mettait en joie.

– Tenez…

M. Gallagher a ouvert son attaché-case et m'a remis un document.

– Voici votre exemplaire du testament. Je crains que vous n'ayez peu de marge pour le contester.

*
* *

Umberto m'a rejointe dans la cabane qu'il avait construite pour nous un jour où tante Rose était clouée au lit par une pneumonie. Il s'est assis à côté de moi sur le banc mouillé, m'a tendu un mouchoir parfaitement repassé avant de me regarder me moucher.

– Ce n'est pas pour l'argent, me suis-je défendue. Tu as vu le sourire de Janice ? Tu l'as entendue ricaner ? Elle s'en fiche, de tante Rose. C'est trop injuste !

– Qui a prétendu que la vie était juste ?

– Je sais, mais je ne comprends pas. Je suis trop bête. J'ai toujours compté sur le fait que Rose veillait à ne jamais favoriser ni l'une ni l'autre. J'ai même emprunté de l'argent…

Mortifiée, j'ai enfoui mon visage dans mes mains.

– Ne dis rien !

– Tu as fini ?

– Tu ne peux pas savoir à quel point je me sens finie, oui !

– Bien.

Il a sorti de la poche intérieure de sa veste une enveloppe en papier kraft, sèche mais légèrement abîmée.

– Ta tante m'a demandé de te remettre ça. C'est un secret. Gallagher n'est pas au courant. Ni Janice. Ça te concerne toi, exclusivement.

Sur le moment, je me suis méfiée. Cela ressemblait trop peu à ma tante de me léguer quelque chose dans le dos de ma sœur. Cela dit, cela ne lui ressemblait guère, non plus, de m'exclure de son testament. De toute évidence, je la connaissais moins bien que ce que je pensais. Et je me connaissais mal. Comment aurais-je pu imaginer que je me retrouverais assise là, le jour de son enterrement, en train de pleurer pour de l'argent ? Elle avait plus de cinquante ans lorsqu'elle nous avait adoptées, mais elle avait été une vraie mère pour nous. J'aurais dû avoir honte d'espérer obtenir davantage de sa part.

J'ai fini par ouvrir l'enveloppe. Elle contenait une lettre, un passeport et une clé.

– C'est mon passeport ! Comment a-t-elle pu…

J'ai vérifié. Sur le document figuraient bien ma photo et ma date de naissance. Mais un autre nom que le mien.

– Giulietta ? Giulietta Tolomei ?

– C'est ton vrai nom. Ta tante a changé vos identités quand elle vous a ramenées d'Italie.

– Pourquoi ? Depuis quand es-tu au courant ?

– Si tu lisais la lettre ?

– C'est toi qui l'as écrite ?

– Oui et non. Elle me l'a dictée. Elle voulait être certaine que tu n'aurais aucun mal à la déchiffrer.

Ma chère Julie,

Si Umberto vient, à ma demande, de te remettre cette lettre, c'est que je suis bien morte. Je sais que tu m'en veux de ne jamais vous avoir emmenées en Italie, toi et ta sœur. Crois-moi : c'était pour vous protéger. Comment aurais-je pu me pardonner s'il vous était arrivé quoi que ce soit ? Mais, aujourd'hui, tu es plus âgée.

Il existe, à Sienne, un objet que ta mère a laissé pour toi. Pour toi seule. Ne me demande pas pourquoi. C'est ce que Diane, paix à son âme, souhaitait. À mon avis, il s'agit d'un bien d'une valeur exceptionnelle. Voilà pourquoi j'ai décidé de procéder ainsi, en donnant la maison à Janice. J'espérais pouvoir éviter toute cette histoire et oublier l'Italie. Pourtant, peu à peu, je comprends que j'avais eu tort de te cacher la vérité.

Voici ce que tu dois faire. Prends cette clé et va à la banque sise au palazzo Tolomei, à Sienne. À mon avis, c'est la clé d'un coffre-fort. Ta mère l'avait dans son porte-monnaie au moment de sa mort. Elle avait là-bas un conseiller financier : Francesco Maconi. Tâche de le retrouver et dis-lui que tu es la fille de Diane Tolomei. À ce propos, sache que j'ai modifié vos identités. Ton vrai nom est Giulietta Tolomei. Mais nous sommes en Amérique. Julie Jacobs me semblait sonner mieux, sauf que personne n'est fichu d'épeler correctement ce nom-là non plus. Dans quel monde vivons-nous ? Remarque, j'ai eu une vie heureuse. Et grâce à toi. Autre chose : Umberto doit te procurer un passeport à ton vrai nom. Je n'ai aucune idée des démarches à entreprendre, mais je lui fais confiance.

Je ne terminerai pas en prenant définitivement congé de toi, car je sais que nous nous reverrons au Ciel, si Dieu le veut. Je voulais m'assurer que tu obtiendrais ce qui te revient de plein droit. Sois très prudente en Italie. Pense à ce qui est arrivé à ta mère. L'Italie est un pays surprenant. C'est là qu'est née ton arrière-grand-mère. Je vais te confier un secret : pour rien au monde, elle n'y serait retournée. Je te demande instamment de ne jamais révéler à quiconque ce que je viens de te confier. Et essaie d'être un peu plus souriante. Tu as un si joli sourire, quand tu veux…

Ta grand-tante qui t'aime. Paix à toi,

tante Rose

J'ai mis quelques instants à me remettre. J'avais l'impression d'entendre ma tante dicter la lettre à Umberto, reconnaissant derrière ses mots son esprit délicieusement loufoque. J'ai pleuré, pleuré… Et épuisé le mouchoir qu'Umberto n'a pas voulu récupérer, me conseillant de l'emporter en Italie, en souvenir de lui le jour où je trouverais le fameux trésor.

– Penses-tu ! me suis-je exclamée en me mouchant une dernière fois, il n'y a aucun trésor ! C'est du pipeau.

– Tu n'es pas plus curieuse que ça ? m'a-t-il répondu en prenant la clé. Ta grand-tante était persuadée que ta mère avait fait une découverte exceptionnelle.

– Pourquoi ne m'en a-t-elle pas parlé plus tôt ? Pourquoi attendre de… C'est absurde.

– Elle a essayé. Mais tu n'étais jamais là quand il le fallait.

– De toute façon, je suis interdite de séjour en Italie. Ils auraient tôt fait de me mettre sous les verrous. Tu sais que les policiers italiens m'ont menacée de…

Ils avaient été très clairs. À dix-huit ans, j'avais été arrêtée à Rome alors que je participais à une manifestation contre la guerre en Irak. J'avais passé la nuit en garde à vue, avant d'être expulsée du pays, à l'aube, avec ordre de ne plus jamais y remettre les pieds.

Tout avait commencé devant les panneaux de la fac, où étaient placardées des annonces, toutes plus séduisantes les unes que les autres, pour des séjours linguistiques hors de prix à Florence. J'étais tombée sur un tract dénonçant la guerre en Irak et énumérant les pays qui y avaient participé. Dont l'Italie. En bas de l'affichette, on proposait une série de dates et de destinations. Toute personne intéressée était invitée à rejoindre le mouvement. Une semaine à Rome coûtait quatre cents dollars, voyage compris, ce qui correspondait à peu près au montant de mon compte en banque. J'étais loin de me douter que la faiblesse du coût était liée au fait que nous étions quasiment certains de ne pas passer la semaine entière à Rome : le prix du retour et des dernières nuits, si tout se passait comme prévu, serait pris en charge par les autorités, autrement dit, les contribuables italiens.

N'y voyant que du feu, j'étais repassée plusieurs fois devant l'affichette avant de signer. Le soir même, j'avais eu du mal à m'endormir. J'étais persuadée d'avoir pris la mauvaise décision. Le lendemain matin, lorsque je lui en avais parlé, Janice avait levé les yeux au ciel en s'exclamant :

– Je vous présente Julie, dont la vie fut triste à mourir, mais qui, un jour, faillit partir pour l'Italie !

J'avais compris. Il fallait que j'y aille.

À peine les premières pierres lancées en direction du Parlement italien par mes deux compagnons de voyage, je n'avais plus rêvé que d'une chose : me réfugier dans ma chambre et me cacher sous mon oreiller. Mais j'étais piégée par la foule. Une fois la police lassée de recevoir des pierres et des cocktails Molotov, j'avais eu droit, comme tous les manifestants, à mon baptême de gaz lacrymogène.

Pour la première fois de ma vie, je songeai : *Je vais mourir*. Allongée sur la chaussée, au milieu des vomissures et d'un amas de corps, incrédule, tenaillée par la douleur, je ne savais plus ni qui j'étais, ni ce que j'allais faire de mon existence. Comme les martyrs d'autrefois, je crus entrevoir, un instant, un espace entre la vie et la mort. Très vite, pourtant, la douleur revint, accompagnée d'un sentiment de panique ; et mon expérience mystique tourna court.

– Tu as raison, a dit Umberto en scrutant la photo de mon passeport. Julie Jacobs est interdite de séjour en Italie. Mais Giulietta Tolomei ?

Il fallait savoir. D'un côté, il me reprochait de m'habiller en hippie, de l'autre, il m'encourageait à transgresser la loi.

– Tu voudrais que… ?

– À ton avis, pourquoi me suis-je donné tout ce mal pour que tu aies un nouveau passeport ? La dernière volonté de ta tante est claire. Elle te demande d'aller en Italie. Allez-y, *principessa*, a-t-il ajouté en souriant.

J'ai lutté pour ne pas éclater en sanglots.

– Et toi ? Pourquoi ne m'accompagnerais-tu pas ? On pourrait partir à la recherche du trésor ensemble. Et si on ne trouve rien, tant pis ! On deviendra pirates, on sillonnera les mers…

Umberto m'a délicatement caressé la joue, comme s'il savait qu'une fois partie je ne reviendrais pas. Ou, plutôt, conscient que si nous étions amenés à nous revoir, ce ne serait pas assis l'un à côté de l'autre dans une cabane d'enfant, tournant le dos au monde extérieur.

– Une princesse doit affronter seule un certain nombre d'épreuves. Tu te souviens de ce que je t'ai affirmé un soir ? « Un jour, tu découvriras le royaume qui t'appartient. »

– C'était un conte. La vie n'est pas un roman.

– Pourtant, certains contes se réalisent.

Je l'ai pris dans mes bras, bouleversée.

– Et toi ? Tu ne vas quand même pas rester ici ?

Il a contemplé les planches ruisselantes de la cabane.

– Janice a raison. Je ferais mieux de piquer l'argenterie et de filer à Las Vegas. Mais, avec la chance que j'ai, je claquerais tout dans la semaine. Alors, n'oublie pas de m'appeler le jour où tu découvriras le trésor.

– Tu seras le premier prévenu, ai-je murmuré en posant la tête sur son épaule.

I, II

Allons, tire-moi ton instrument :
car en voici deux qui viennent, de la maison Montaigu.

Toute sa vie, tante Rose avait lutté pour nous empêcher d'aller en Italie, moi et ma sœur.

– Pour la millième fois, je vous répète que ce n'est pas un pays pour les jeunes filles ! se justifiait-elle inlassablement.

Plus tard, comprenant qu'il fallait changer de discours, elle secouait la tête dès que quelqu'un abordait le sujet, ou se frappait la poitrine, comme au bord de l'évanouissement.

– Croyez-moi, martelait-elle, vous serez déçues. D'autant que les Italiens sont des porcs !

Je lui en voulais. Pourquoi se complaire dans ce ressentiment et ces préjugés contre le pays où j'étais née ? Cela dit, en revenant de Rome, j'avais fini par me ranger de son côté. L'Italie était un pays plus que décevant ; et, à côté des Italiens, du moins l'espèce portant uniforme, les porcs ne s'en sortaient pas mal.

De même, dès que nous lui posions des questions sur nos parents, elle esquivait les réponses et nous serinait la même rengaine.

– Combien de fois faudra-t-il que je vous le répète, grognait-elle en lisant son journal avec ses jolis gants de coton pour éviter de se salir les mains. Vos parents sont morts dans un accident de voiture en Toscane, alors que vous aviez trois ans.

Heureusement, poursuivait-elle, elle et le pauvre oncle Jim, paix à son âme, nous avaient adoptées après le drame, ce qui avait été leur chance, et la nôtre, puisqu'ils n'avaient jamais pu avoir d'enfants. Nous aurions dû leur être reconnaissantes de ne pas avoir échoué dans un orphelinat italien, condamnées à manger des spaghettis matin, midi et soir. De quoi nous plaignions-nous ?

Nous vivions dans une superbe propriété au cœur de la Virginie, gâtées comme des infantes. Cesser de la bombarder de questions auxquelles elle était incapable de répondre eût été la moindre des choses. D'ailleurs, l'une de nous deux aurait-elle la bonté de lui préparer un second whisky glacé à la menthe ? Cela la soulagerait de sa douleur aux articulations, que notre harcèlement ne faisait qu'amplifier.

À présent, assise dans l'avion en direction de l'Italie, j'admirais la nuit étoilée au-dessus de l'Atlantique en songeant à ces petites querelles… Que n'aurais-je donné pour passer une heure, rien qu'une heure avec elle, ne fût-ce que pour nous chamailler ! Comment avais-je pu claquer tant de portes et filer dans ma chambre comme une furie ? Quel temps perdu, toutes ces heures enfermée à clé, refusant de répondre !

J'ai essuyé une larme sur ma joue avec la serviette rafraîchissante de la compagnie aérienne. Oui, j'aurais dû lui écrire plus régulièrement. Oui, j'aurais dû l'appeler plus souvent pour lui dire que je l'aimais. Il était trop tard. Impossible de revenir sur les erreurs du passé.

En outre, j'éprouvais une curieuse angoisse. Je ne savais pas vers quoi je me dirigeais, ni même s'il allait m'arriver quoi que ce soit. Ce voyage finirait peut-être par une immense désillusion. Cela dit, une seule personne était responsable : moi-même.

J'avais toujours vécu avec l'idée que j'hériterais de la moitié de la fortune de tante Rose, si bien que je n'avais jamais cherché à en bâtir une. Alors que la plupart des filles de mon âge grimpaient la pente, ô combien traître, de la vie professionnelle en s'y accrochant à tout prix avec leurs ongles soigneusement manucurés, je me contentais d'accumuler les petits boulots qui m'amusaient : enseigner le théâtre dans un camp de vacances, par exemple. J'étais persuadée que, tôt ou tard, mon patrimoine comblerait le trou de mon compte en banque, qui sombrait dans le rouge. Résultat : je n'avais plus grand-chose sur quoi m'appuyer, hormis ce vague legs abandonné à l'autre bout du monde par une mère dont je me souvenais à peine.

Depuis que j'avais arrêté la fac, je vivais à droite et à gauche, dormant sur le canapé chez des amis liés aux mouvements pacifistes, ou logeant là où se déroulaient les stages d'art dramatique que je dirigeais. Je n'avais qu'un seul Dieu : Shakespeare. Jamais je ne me lassais de lire et relire *Roméo et Juliette*.

Il m'arrivait de donner des cours à des adultes. Toutefois, je préférais de loin les enfants, qui m'appréciaient. Ils me parlaient du monde des « grandes personnes » comme si je n'en faisais pas partie. J'étais ravie qu'ils m'acceptent comme l'une des leurs, même si c'était une piètre consolation. Ils devinaient que je n'avais jamais vraiment grandi. À vingt-cinq ans, je ressemblais à une adolescente maladroite luttant pour exprimer ou, le plus souvent, dissimuler la poésie qui fait rage au fond de son cœur.

Lorsqu'on me demandait ce que je voulais faire dans la vie, je ne savais que répondre. Me projeter dans les cinq ans à venir ? Impossible. Je ne discernais qu'un énorme trou noir. Les jours de cafard, cet abîme m'apparaissait comme une fatalité. Si j'étais incapable d'envisager mon avenir, c'était parce que je n'en avais pas. Ma mère était morte dans la fleur de l'âge, comme ma grand-mère, la sœur cadette de tante Rose. Le sort semblait s'acharner sur nous. J'étais persuadée, moi aussi, que je connaîtrais le même destin, sans avoir eu le temps de me réaliser.

Chaque fois que je rentrais à la maison, à Noël ou pour les vacances d'été, tante Rose me suppliait de rester vivre avec elle, plutôt que de poursuivre cette existence sans but.

– Tu sais, Julie, disait-elle en ramassant les feuilles mortes d'une plante d'intérieur ou en décorant le sapin de Noël, posant délicatement un ange sur chaque branche, tu peux t'installer ici pour réfléchir à ton avenir.

J'étais tentée. Mais je ne pouvais m'y résoudre. Janice gagnait beaucoup d'argent avec son agence matrimoniale. Elle louait un vrai deux-pièces, qui donnait sur un lac. En rentrant à la maison, j'aurais accepté sa victoire.

À présent, la question ne se posait plus. Le monde tel que je l'avais connu appartenait à ma sœur. Je n'avais, pour toute possession, que cette lettre sous enveloppe kraft. Alors que je la relisais en buvant du mauvais vin dans un gobelet de plastique, j'ai pris subitement conscience de ma solitude.

Je n'avais jamais eu beaucoup d'amis. Janice, elle, aurait eu du mal à enfermer tous les siens dans un bus à impériale. Quand elle sortait le soir avec sa petite bande gloussant pour un rien, tante Rose venait tournicoter autour de moi sous prétexte de chercher sa loupe ou le crayon qu'elle utilisait pour ses mots croisés. Elle s'asseyait à côté de moi sur le canapé, feignait de s'intéresser au livre que je lisais. Je n'étais pas dupe.

– Ma chérie, disait-elle en retirant une par une les peluches de mon haut de pyjama, tu sais, je ne m'ennuie pas quand je suis seule. Si tu veux sortir avec tes amis…

Sa phrase demeurait un instant en suspens, jusqu'à ce que je trouve une réponse appropriée.

Certes, il m'arrivait de me laisser entraîner dans un bar, mais je me retrouvais toujours entourée d'andouilles cravatées qui s'imaginaient que nous étions dans un conte de fées et qu'il ne me restait plus qu'à choisir l'élu de mon cœur : avant l'aube, bien entendu.

Le souvenir de tante Rose m'encourageant, de sa voix si douce, à construire ma vie me brisait le cœur. Contemplant le vide derrière le hublot sale, je me suis demandé : *Et si ce voyage était une punition pour avoir été si indélicate avec elle ?* Dieu n'allait-Il pas provoquer un accident d'avion pour me châtier ? Ou préférerait-Il me laisser atterrir à Sienne pour, une fois arrivée, que je découvre qu'un voleur avait dérobé le trésor ?

Plus j'y pensais, plus je soupçonnais tante Rose d'avoir esquivé le sujet parce que ce fameux trésor n'existait pas. Peut-être avait-elle dilapidé l'argent de ma mère, inventant après coup cette histoire rocambolesque. Et si, contre toute vraisemblance, le trésor existait, quelles chances avais-je de le retrouver vingt ans après ?

Au cours de ce long vol sans sommeil, une seule pensée me réconforta : chaque petite bouteille offerte par les hôtesses m'éloignait un peu plus de ma sœur. Je l'imaginais en train de danser de joie dans la maison qui, désormais, lui appartenait, ravie de ma déconfiture. Heureusement, elle n'était au courant ni de mon voyage en Italie ni de la mission que m'avait confiée notre pauvre tante. Si mon expédition s'achevait par un échec, au moins échapperais-je à ses sarcasmes.

*
* *

Nous avons atterri à Francfort sous un pâle soleil. Je suis descendue de l'avion en tongs, les yeux gonflés, avec un gros morceau d'*applestrudel* sur l'estomac. J'avais deux heures à tuer avant ma correspondance pour Florence. Je me suis précipitée dans la salle d'embarquement et me suis étalée sur trois chaises en fermant les yeux, la tête sur mon sac en macramé, trop épuisée pour surveiller quiconque chercherait à me voler le reste de mes affaires.

J'étais entre veille et sommeil lorsque j'ai senti une main douce sur mon bras.

– *Scusi,* s'est écriée une voix fleurant le café et le tabac, *scusi* !

J'ai ouvert les yeux. Assise à côté de moi, une femme retirait les miettes tombées sur ma manche. La salle d'embarquement s'était remplie pendant que je somnolais et tout le monde m'observait comme on considère un clochard, avec un mélange de dédain et de compassion.

– Ne vous inquiétez, pas, ai-je dit en me redressant. De toute façon, je ne suis pas vraiment propre.

– Tenez, je suis sûre que vous mourez de faim, a-t-elle répondu en m'offrant un croissant.

– Merci.

Sa gentillesse m'a surprise.

Dire que cette femme était élégante serait un euphémisme. Tout ce qu'elle portait était parfaitement assorti, à commencer par la teinte de son rouge à lèvres et celle de son vernis à ongles, mais aussi les scarabées dorés sur ses chaussures, sur son sac et sur le petit bibi coquin qui coiffait ses cheveux teints de manière impeccable. Je la soupçonnais, ce que son sourire taquin confirmait, d'avoir toutes les raisons d'être contente d'elle. Elle était certainement à la tête d'une belle fortune ou mariée à un milliardaire et semblait n'avoir d'autre souci que de dissimuler son âme usée dans un corps parfaitement entretenu.

– Vous allez à Florence ? s'est-elle enquise avec un accent italien prononcé mais charmant. Pour admirer tous ces chefs-d'œuvre officiels, j'imagine ?

– À Sienne, à vrai dire. Je suis née là-bas, mais j'y retourne pour la première fois.

– Fabuleux ! Pourquoi ?

– C'est une longue histoire.

– Racontez-moi tout.

Me voyant hésiter, elle m'a tendu la main.

– Pardonnez-moi. Je suis curieuse. Je me présente : Eva Maria Salimbeni.

– Julie… Giulietta Tolomei.

J'ai cru qu'elle allait défaillir.

– Tolomei ? Vous vous appelez Tolomei ? Je n'y crois pas ! C'est impossible ! Attendez... Quel est le numéro de votre siège dans l'avion ? Montrez-moi...

Elle a jeté un œil sur ma carte d'embarquement avant de me l'arracher des mains.

– Ne bougez pas !

Elle a couru vers le comptoir d'enregistrement. Sans doute voulait-elle changer nos places pour être assise à côté de moi. À en juger par son sourire lorsqu'elle est revenue, elle avait obtenu ce qu'elle voulait.

– *Ecco*, s'est-elle exclamée en me remettant une nouvelle carte.

J'étais maintenant en première, condition sine qua non, aux yeux de cette grande dame, pour que nous poursuivions notre conversation.

Une fois dans l'avion, je n'ai pas mis très longtemps à lui raconter mon histoire. Je ne lui ai caché que deux détails : ma double identité et le legs éventuel de ma mère.

– Si je comprends bien, vous allez à Sienne pour assister au Palio ?

– Au quoi ?

– Au Palio, voyons ! La fameuse course de chevaux de Sienne. Le majordome de votre tante, ce merveilleux Alberto, ne vous en a jamais parlé ?

– Umberto, ai-je rectifié. Si, bien sûr. Mais je croyais que cette course avait disparu. Je pensais qu'il s'agissait d'une tradition médiévale, avec chevaliers, armures rutilantes et tutti quanti.

– L'histoire du Palio remonte, effectivement, au haut Moyen Âge. Autant dire à la nuit des temps. Aujourd'hui, la course a lieu sur le Campo, devant le Palazzo Pubblico, et les concurrents sont des jockeys professionnels. À l'époque, les cavaliers étaient des hommes issus de la noblesse qui, sur leurs chevaux de guerre, galopaient depuis leurs terres jusqu'à la cathédrale... La passion pour cette épreuve n'a pas faibli. C'est même une obsession. Pendant des mois, les habitants de Sienne ne parlent que de ça : chevaux, tournois, accords signés avec tel ou tel jockey... C'est ce que nous appelons une *dolce pazzia*, une folie douce. Une fois qu'on y a pris goût, impossible de s'en défaire.

– D'après Umberto, on ne peut comprendre Sienne si l'on n'est pas sur place pour entendre les roulements de tambour.

– C'est vrai, a répondu Eva Maria avec un sourire plein de grâce. Il faut sentir le...

Elle a pris ma main pour la poser sur son cœur.

– Là, vous sentez ?

Le geste aurait semblé déplacé chez n'importe qui d'autre, mais Eva Maria avait assez de classe pour se le permettre.

Un steward nous a proposé une seconde coupe de champagne et elle a poursuivi :

– Soyez vigilante, Giulietta. Les touristes ne le sont jamais assez. Ils ne réalisent pas que Sienne n'est pas seulement une ville, mais un ensemble de dix-sept quartiers, que nous appelons *contrade*. Chaque *contrada* revendique son territoire, ses magistrats, ses armes. Si vous êtes perdue, regardez le coin des maisons. Les petites enseignes de porcelaine vous indiqueront celle dans laquelle vous vous trouvez. Les membres de votre famille, les Tolomei, appartiennent à la *contrada* de la Chouette, alliée à celle de l'Aigle, du Porc-épic et… j'ai oublié les autres. Cette division en *contrade* est essentielle. C'est elle qui détermine les amis, la communauté, les alliés, les rivaux de chacun…

– Ma *contrada* est donc celle de la Chouette, ai-je répété, me rappelant qu'une ou deux fois Umberto m'avait traitée de chouette boudeuse. Et la vôtre ?

Pour la première fois, Eva Maria, troublée, a détourné le regard.

– Je n'en ai pas, a-t-elle répondu avec un geste de dépit. Ma famille a été bannie de la cité il y a plusieurs centaines d'années.

Un peu plus tard, avant notre atterrissage à Florence, Eva Maria m'a proposé de m'accompagner jusqu'à Sienne en voiture. Elle se rendait dans le val d'Orcia, où elle habitait. Il lui serait donc très facile de me déposer entre Florence et chez elle. Je pensais prendre le bus, ce qui lui fit pousser les hauts cris.

– *Dio santo !* Vous voulez faire le pied de grue pour un bus qui n'arrivera jamais ! Venez avec moi ! Je vous promets que la route sera très agréable, surtout dans la nouvelle voiture de mon filleul.

Elle m'a gratifié d'un sourire charmant avant d'avancer l'argument imparable.

– Giulietta, je serai trop déçue si vous ne m'accordez pas le plaisir de poursuivre notre délicieuse conversation.

Ainsi avons-nous passé la douane, bras dessus, bras dessous. Le fonctionnaire de service, louchant sur le décolleté d'Eva Maria, jeta à peine un œil sur mon passeport. Peu après, je dus pourtant remplir une liasse de formulaires de toutes les couleurs, pour signaler l'absence de mes bagages. Eva Maria martela le sol avec ses escarpins Gucci, jusqu'au moment où le préposé s'engagea à transporter mes deux valises jusqu'à Sienne dans son véhicule personnel, quelle que fût leur provenance et à toute heure du jour ou de la nuit, pour les déposer à l'hôtel Chiusarelli, où j'avais réservé. Eva Maria nota, au rouge à lèvres, l'adresse de l'établissement sur une feuille de papier qu'elle fourra dans la poche de ce galant homme.

Quelques instants plus tard, nous sommes sorties de l'aéroport. Tirant derrière elle une minuscule valise à roulettes, Eva Maria a agité la main en direction d'une Sedan noire garée dans la contre-allée.

– Hé, oh ! la voilà ! Jolie voiture, non ? Dernier modèle, a-t-elle précisé en m'envoyant un coup de coude.

– Vraiment ?

Les voitures, forcément liées à la gent masculine, n'étaient pas ma tasse de thé. Janice, elle, m'aurait sans doute donné le nom du modèle illico, en se faisant un devoir de coucher dès que possible avec le propriétaire. Eva Maria m'a serrée contre elle pour me chuchoter à l'oreille, indifférente à mon manque d'enthousiasme :

– Ne dites rien, c'est une surprise. Regardez ! N'est-il pas mignon ? a-t-elle gloussé en se dirigeant vers l'homme qui sortait de la voiture. *Ciao, Sandro !*

– *Ciao, madrina !* a-t-il répondu en embrassant sa marraine sur les deux joues, tandis qu'elle caressait tendrement sa chevelure noire. *Bentornata !*

Eva Maria avait raison. Non seulement son filleul était un régal pour l'œil, mais il avait une élégance folle. Ses victimes consentantes devaient être légion.

– Alessandro, je voudrais te présenter une nouvelle amie. Tu ne devineras jamais son nom : Giulietta Tolomei !

Alessandro a tourné vers moi des yeux vert romarin qui auraient foudroyé Janice.

– Ciao ! ai-je lancé, en me demandant s'il allait m'embrasser moi aussi.

Mais non. Il m'a déshabillée du regard : mes nattes, mon short dix fois trop grand, mes tongs, avant de daigner me sourire en prononçant deux ou trois mots auxquels je n'ai rien compris.

– Excusez-moi, ai-je bafouillé, je ne…

Comprenant qu'en plus de mon look catastrophique je ne parlais pas italien, il a perdu tout intérêt pour ma personne.

– Pas de bagages ? a-t-il simplement ajouté, sans prendre la peine de traduire.

– Si. Apparemment, ils sont en route pour Vérone.

Peu après, j'étais assise sur le siège arrière de sa voiture à côté d'Eva Maria, admirant au passage les merveilles de Florence. Je me sentais fébrile. J'étais de retour dans le pays qui m'avait rejetée à deux reprises. En outre, je pénétrais au cœur de la fine fleur de sa société.

– Giulietta, a repris Eva Maria, passant au tutoiement, ne t'inquiète pas, je veillerai à ne pas révéler ton identité à n'importe qui.

– Mon identité ? Mais elle n'a rien de spécial !

– Rien de spécial, une Tolomei ?

– Vous venez de me dire que cette famille vivait ici depuis toujours !

– Écoute-moi bien, toi qui viens du Nouveau Monde ; et tourne sept fois ta langue dans ta bouche avant de parler. C'est ici qu'est née ton âme, Giulietta. Crois-moi, il y en a plus d'un pour qui tu es loin d'être anonyme. Tu sous-estimes l'influence du passé, aussi lointain soit-il.

J'ai jeté un coup d'œil dans le rétroviseur. Alessandro m'observait. Manifestement, il ne partageait pas la fascination de sa marraine pour ma personne. Trop bien élevé pour dire ce qu'il pensait, il ne tolérait ma présence dans sa voiture que parce que je me montrais humble et reconnaissante. Eva Maria reprit, négligeant ces mauvaises ondes :

– Issus d'une lignée de banquiers immensément riches, les Tolomei ont joué un rôle capital dans l'histoire de Sienne. Ils haïssaient ma famille, les Salimbeni. Chacune voulait imposer son pouvoir sur la cité. Au Moyen Âge, leur rivalité fut d'une telle violence que leurs membres allaient jusqu'à brûler leurs demeures respectives et à tuer leurs enfants dans leurs lits.

– Ils étaient ennemis ? ai-je demandé bêtement.

– Ennemis mortels ! Tu crois au destin, Giulietta ? Moi, oui. Nos deux maisons, les Tolomei et les Salimbeni, ont toujours réglé leurs différends dans le sang… Si nous étions encore au Moyen Âge, nous nous ferions la guerre pour de bon, comme les Montaigu et les Capulet dans *Roméo et Juliette*. « Deux illustres maisons, d'égale dignité, dans la belle *Sienne* où nous plaçons la scène… » Tu te souviens de la pièce ?

J'étais trop impressionnée pour commenter ses propos. Elle m'a tapoté la main d'un geste maternel.

– Ne t'inquiète pas. Je suis sûre que notre nouvelle amitié contribuera à enterrer cette vieille querelle. D'ailleurs… Sandro ! Je compte sur toi pour assurer la sécurité de Giulietta pendant son séjour à Sienne.

– Ici, mademoiselle Tolomei ne sera jamais en sécurité nulle part. Et avec personne.

– Qu'est-ce que tu racontes ? C'est une Tolomei ! Nous devons la protéger.

Alessandro m'a fusillée du regard dans le rétroviseur. J'ai eu la désagréable impression qu'il me perçait à jour, alors que je ne devinais rien de lui.

– Qui dit qu'elle a envie qu'on la protège ?

Il avait lancé ça comme un défi. Et dans un anglais parfait.

– C'est très gentil à vous de m'accompagner à Sienne en voiture, ai-je répondu avec mon plus beau sourire. Cela dit, je suis sûre que je ne risquerai rien.

– Vous êtes venue pour des raisons professionnelles, ou personnelles ?

– Euh… plutôt personnelles.

– Pas question de la décevoir ! s'est écriée Eva Maria avec enthousiasme. Alessandro connaît Sienne comme sa poche. C'est vrai, mon amour, non ? Il sera un guide parfait et te révélera des lieux impossibles à découvrir seule. Vous allez vous amuser comme des fous.

L'expression d'Alessandro montrait qu'il n'avait pas vraiment prévu de jouer le rôle de guide ni de chaperon.

– Sandro ! a repris Eva Maria de sa voix aiguë. Jure-moi que tu t'occuperas de notre amie.

– Avec plaisir, a-t-il marmonné en allumant la radio.

– Tu vois ? En dépit de Shakespeare, aujourd'hui, nous sommes réconciliés.

Nous traversions d'immenses vignes protégées par l'infinie cape bleue du ciel. *Je suis née au cœur de ce paysage*, pensai-je. Pourtant, je me sentais totalement étrangère, telle une intruse frappant à la porte pour réclamer quelque chose qui ne lui avait jamais appartenu.

*
* *

Enfin, nous sommes arrivés à l'hôtel Chiusarelli. J'étais soulagée. Eva Maria avait été d'une gentillesse inouïe. J'avais du mal à lui rendre la pareille, épuisée par le manque de sommeil et ce voyage sans fin. Et sans bagages.

Je me retrouvais à Sienne avec une brosse à dents, une paire de boules Quies et trois misérables petits gâteaux.

Alessandro m'a ouvert la portière avec courtoisie avant de m'accompagner dans le vestibule. De toute évidence, il faisait un effort, tout comme moi. Mais sa marraine, qui nous observait depuis la voiture, tenait à ces usages.

– Je vous en prie, après vous.

Je n'ai eu d'autre choix que de pénétrer dans l'hôtel. J'y fus accueillie par une fraîcheur bienfaisante, un calme reposant et un immense plafond soutenu par de hautes colonnes de marbre. On distinguait à peine, montant des étages inférieurs, l'écho de voix chantonnant au milieu de bruits de casseroles.

– *Buongiorno !*

Un homme très distingué, en costume trois pièces, s'est redressé derrière le comptoir de la réception, arborant un badge à son nom : « M. Rossini, directeur ».

– Bienvenue ! s'est-il exclamé, avant de reconnaître Alessandro. *Benvenuto, capitano !*

J'ai posé les mains sur le comptoir de marbre vert, avec mon sourire le plus irrésistible. Du moins l'espérais-je.

– Bonjour, monsieur. Je me présente : Mlle Giulietta Tolomei. J'ai réservé une chambre. Excusez-moi une seconde…

Je me suis tournée vers Alessandro, lui disant :

– Me voilà à bon port, et en sécurité.

– Je suis désolé, chère mademoiselle, a répondu le directeur. Je n'ai pas de réservation à ce nom.

– Ah ? J'étais sûre de… Auriez-vous quand même une chambre ?

– Nous sommes complets. À cause du Palio. Attendez…

Il a tapoté sur le clavier de son ordinateur.

– J'ai ici un paiement par carte de crédit au nom de Julie Jacobs. Une chambre simple pour une semaine, arrivée aujourd'hui des États-Unis. Ne serait-ce pas vous, par hasard ?

J'ai jeté un œil sur mon escorte, qui semblait d'une indifférence absolue.

– Si, c'est moi.

– Julie Jacobs ? a demandé le directeur. Ou Giulietta Tolomei ?

– Euh… oui.

– Mais…

Il a fait un pas du côté d'Alessandro, en murmurant :

– *C'è un problema ?*

– *Nessun problema*, a grommelé mon mentor, affichant une neutralité absolue. Mademoiselle Jacobs, je vous souhaite un agréable séjour à Sienne.

Sans me laisser le temps de réagir, il a disparu en me plantant face au directeur. J'ai rempli les différents formulaires. M. Rossini a, enfin, daigné sourire.

– Si je comprends bien, vous êtes une amie du capitaine Santini ?

– Le garçon qui vient de nous quitter ? Non, nous nous connaissons à peine. Comment s'appelle-t-il, déjà ? Santini ?

Le directeur m'a sans doute trouvée particulièrement bécasse.

– Le capitaine Santini est le chef de la sécurité de Monte Paschi. Au palazzo Salimbeni.

J'ai dû paraître déstabilisée, car il a poursuivi, sur un ton rassurant :

– Faites-moi confiance. Sienne est une ville très sûre. Les brigands ont disparu depuis très longtemps. Récemment, c'est vrai, nous en avons eu un dans notre établissement… Nous nous en sommes occupés, croyez-moi !

Il a sonné pour appeler un groom.

J'avais beau rêver d'un lit depuis des heures, une fois dans ma chambre, j'ai été incapable de m'allonger. J'ai fait les cent pas en réfléchissant, terrifiée à l'idée qu'Alessandro Santini fasse des recherches sur mon nom et fouille dans mon passé. C'était la dernière chose dont j'avais besoin : que quelqu'un, à Sienne, ressorte le vieux dossier de Julie Jacobs, découvre ma débâcle à Rome et mette fin, sur-le-champ, à ma chasse au trésor !

Peu après, j'ai appelé Umberto, pour lui dire que j'étais bien arrivée. Ma voix a dû trahir mon inquiétude.

– Qu'est-ce qui ne va pas ?

– Oh, rien. Juste un type qui a avalé son parapluie et découvert que j'avais deux noms.

– Un Italien ? Dans ce cas, pas de problème. Tu peux te permettre ce genre de petite entorse, du moment que tu portes des chaussures assez chic. Tu as ce qu'il te faut, n'est-ce pas ? Portes-tu celles que je t'ai données ?

– Je suis grillée, ai-je répondu en regardant mes tongs.

*

* *

J'ai fini par m'endormir. Un rêve m'est revenu, que je n'avais pas fait depuis des mois, mais qui me hantait depuis l'enfance.

Je marche dans un superbe château au sol couvert de mosaïques et dont les voûtes, appuyées sur de gigantesques colonnes de marbre, ont une hauteur de cathédrale. Je pousse une série de portes dorées donnant sur des salles désertes. Une pâle lumière, filtrant à travers de hauts vitraux étroits, atténue à peine l'obscurité qui m'enserre.

Je traverse d'immenses salles, telle une enfant perdue au milieu des bois. Je sens la présence de créatures qui n'apparaissent jamais. Dès que je m'arrête, je les entends soupirer, bruire comme des fantômes. Elles sont prisonnières, et cherchent à s'échapper. Comme moi.

Je découvris plus tard, en lisant la pièce au lycée, que les mots de ces êtres invisibles étaient des extraits de *Roméo et Juliette* : non pas déclamés, ainsi que l'auraient fait des acteurs sur scène, mais chuchotés, à peine audibles. Tels un sortilège, une malédiction.

I, III

D'ici trois heures la belle Juliette va s'éveiller.

Les cloches de la basilique sonnaient quand je me suis enfin réveillée. Deux secondes plus tard, M. Rossini frappait à ma porte, comme s'il était impensable que je dorme avec un chahut pareil.

– Excusez-moi, s'est-il exclamé en débarquant avec une grosse valise qu'il a posée sur le meuble porte-bagages. Elle est arrivée hier soir.

– Attendez ! ai-je répondu en serrant mon peignoir de toutes mes forces. Je suis désolée. Ce n'est pas ma valise !

– Je sais.

Il a sorti une pochette en soie de sa poche de poitrine pour essuyer une goutte de sueur sur son front.

– Tenez, de la part de la *contessa* Salimbeni. Elle a déposé ce mot pour vous.

– Qu'est-ce que vous appelez une *contessa*, exactement ? ai-je demandé en prenant le mot.

– En principe, a-t-il déclaré, très digne, je ne transporte pas les bagages. Mais cette valise appartenant à la *contessa*…

– Elle me prête des vêtements ? ai-je répliqué en lisant le mot. Et des chaussures ?

– Jusqu'à ce que vos valises arrivent. Elles sont à Frittoli.

Eva Maria avait peur que ses toilettes ne soient pas exactement à mes mesures, avouait-elle avec une écriture d'une élégance inouïe. Cela valait quand même mieux que de se promener toute nue dans les rues.

J'ai examiné les vêtements un par un, soulagée que Janice ne soit pas là pour me voir. La maison où nous avions grandi n'étant pas assez vaste pour abriter deux *fashionistas*, j'avais choisi, au grand regret d'Umberto, d'être celle qui se moquait éperdument de son apparence. Autant Janice ne se lassait jamais des compliments de ses amies, dont la vie entière tournait autour des noms des stylistes les plus en vue, autant le peu d'admiration dont je bénéficiais émanait de filles qui avaient déniché chez Emmaüs deux ou trois vieilleries qu'elles ne savaient pas assortir. Je me serais volontiers mieux habillée, mais je n'allais quand même pas offrir à ma sœur ce plaisir. De toute façon, question mode, elle me battait à plate couture.

À la fin de mes années de lycée, je ressemblais à ce que j'étais au fond de moi : une fleur de pissenlit pas trop moche, mais un peu mauvaise herbe. Le soir où tante Rose avait posé nos diplômes sur le piano, elle avait souri tristement en faisant remarquer que l'option : « Comment devenir l'antithèse de Janice », était sans doute celle où j'avais eu la meilleure note.

Heureusement, je me suis rappelé ma conversation téléphonique de la veille avec Umberto. J'ai balancé mes tongs et décidé d'être un peu plus attentive à ma *bella figura*. Je devais rencontrer Francesco Maconi, conseiller financier de ma mère, et il fallait que je présente bien pour lui inspirer confiance.

J'ai essayé toutes les tenues d'Eva Maria, tournoyant devant le grand miroir jusqu'à ce que je trouve la moins provocante : une petite jupe moulante et une veste assortie, rouge et noir. Je ressemblais à une pétasse sortant d'une Jaguar avec quatre valises de luxe et un toutou nommé Bijou. Bref, à une croqueuse d'héritages et de conseillers financiers…

*
* *

Pour aller au palazzo Tolomei, m'indiqua M. Rossini, je pouvais remonter la via del Paradiso ou descendre la via della Sapienza. Deux rues interdites à la circulation, comme la plus grande partie du centre de Sienne. Néanmoins, la via del Paradiso était plus sûre.

J'ai choisi celle-là, m'enfonçant dans cette voie étroite encastrée entre de très anciennes maisons de brique, bientôt prise au piège de ce labyrinthe dont le tracé révélait un mode de vie d'un autre âge. Seul signe de modernité sous le bleu du ciel : les affiches publicitaires de couleurs vives et les jeans suspendus aux fenêtres.

Les Siennois, m'avait expliqué M. Rossini, considéraient l'époque médiévale comme l'âge d'or de leur ville. Je me rendis compte qu'il disait vrai en déambulant dans les ruelles. La cité s'accrochait à cette identité et refusait le progrès avec un mépris obstiné. Çà et là apparaissaient des traces de la Renaissance. Mais, globalement, avait persiflé le directeur de l'hôtel, la ville avait eu la sagesse de ne pas se laisser séduire par ces playboys de l'histoire qu'on appelait des « maîtres » parce qu'ils avaient transformé les maisons en pièces montées d'un goût douteux.

Résultat : la beauté de la ville tenait à son intégrité. Aujourd'hui encore, dans un monde où l'on n'avait plus guère ce genre de préoccupations, Sienne demeurait *Sena Vetus, Civitas Virginis,* Sienne l'ancienne, cité de la Vierge.

– Voilà pourquoi c'est la seule ville où il vaille la peine de vivre, avait conclu M. Rossini, les mains étalées sur son comptoir de marbre vert.

– Vous avez vécu ailleurs ? avais-je hasardé innocemment.

– J'ai passé deux jours à Rome. À quoi bon y rester plus longtemps ? Imaginez que vous croquiez une mauvaise pomme. Continuerez-vous à la manger ?

J'ai fini par sortir de ce dédale silencieux pour tomber dans une avenue piétonne grouillante de monde. C'était le Corso, cette longue promenade connue pour les très vieilles banques qui la flanquaient des deux côtés. Au Moyen Âge, déjà, le Corso se trouvait sur le chemin qu'empruntaient les pèlerins étrangers pour traverser la ville. Des millions de voyageurs étaient ainsi passés par Sienne, où s'échangeaient des devises et des biens provenant de toute l'Europe. Au fond, le flot continu de touristes actuels ne faisait que prolonger une tradition très lucrative depuis les origines.

C'est ainsi, avait souligné M. Rossini, que les Tolomei avaient fait fortune, tout comme les Salimbeni, leurs éternels rivaux, négociants et banquiers plus fastueux encore. Leurs palais fortifiés dominaient cette artère centrale, flanqués chacun d'une tour vertigineuse qui symbolisait leur puissance et dont ils n'avaient cessé d'augmenter la hauteur, jusqu'à ce qu'elles finissent toutes les deux par s'écrouler.

Je suis passée devant le palazzo Salimbeni, cherchant en vain les traces de son ancienne tour. Le bâtiment était impressionnant, avec une porte d'entrée digne du comte Dracula, même s'il n'avait plus rien de la forteresse originale. Quelque part, à l'intérieur, pensai-je en passant tête baissée devant l'entrée, Alessandro, le filleul d'Eva Maria, avait son bureau. J'ai prié pour qu'il ne soit pas en train de fouiller dans des registres criminels pour percer le secret de Julie Jacobs…

Un peu plus loin se dressait le palazzo Tolomei, l'antique demeure de mes ancêtres. En admirant la majestueuse façade médiévale, je n'ai pu m'empêcher d'éprouver une certaine fierté. Peu de choses semblaient avoir changé depuis le XIVe siècle. Le seul élément indiquant que les Tolomei avaient quitté les lieux pour laisser la place à une banque moderne étaient les affiches publicitaires aux teintes criardes, placardées dans les encadrements profonds des fenêtres protégées par des barreaux métalliques.

L'intérieur du bâtiment n'était guère plus riant. Un gardien s'est précipité pour me tenir la porte, aussi galamment que le lui permettait le semi-automatique qu'il avait à l'épaule. J'étais trop époustouflée par la beauté du lieu pour me sentir indisposée par sa présence. Le plafond reposait sur de gigantesques piliers de brique rouge. Il y avait une multitude de comptoirs, de sièges, de gens allant et venant. Toutefois, l'espace était tellement vaste que les têtes de lion blanches qui jaillissaient des murs semblaient d'une placidité absolue, indifférentes à l'agitation des humains.

– *Sì ?*

La caissière m'observait derrière des lunettes d'une finesse exquise.

– Pourrais-je parler au signor Francesco Maconi, s'il vous plaît ?

Elle m'a toisée de la tête aux pieds, puis a lâché en anglais, avec un accent prononcé et sans dissimuler son mépris :

– Il n'y a pas de signor Francesco.

– Pas de Francesco Maconi ?

Elle a retiré ses lunettes, les a soigneusement repliées sur le comptoir et m'a décoché un de ces sourires dont l'extrême amabilité annonce la morsure dans le cou qui va suivre.

– Non.

– Pourtant, il travaillait ici il n'y a encore pas si longtemps…

La caissière du guichet voisin s'est penchée pour chuchoter quelques mots à sa collègue. Mon interlocutrice a réagi par un geste irrité de la main, avant de se reprendre.

– Excusez-moi, vous voulez dire le président Maconi ?

– C'est bien lui qui travaillait ici il y a vingt ans ?

– Le président Maconi a toujours travaillé ici.

– Dans ce cas-là, serait-il possible de le voir ? C'est un vieil ami de ma mère, Diane Tolomei. Je m'appelle Giulietta Tolomei.

Les deux femmes m'ont jeté un regard interloqué, comme si j'étais une apparition. Sans un mot, celle qui avait dédaigné ma requête a chaussé ses lunettes, décroché son téléphone et prononcé quelques mots d'un ton humble et soumis. Elle a raccroché, s'est tournée vers moi avec un sourire forcé.

– Il vous attend dans son bureau après le déjeuner, à 15 heures.

*

* *

J'ai pris mon premier repas à Sienne dans une pizzeria bruyante baptisée *Cavallino Bianco*. Je me suis assise en feignant de compulser le dictionnaire anglais-italien que je venais d'acheter. J'avais vite compris que trois ou quatre expressions toutes faites et une tenue d'emprunt ne me suffiraient pas à apprivoiser les habitants de la ville. Autour de moi, les femmes dont j'observais discrètement les sourires au beau serveur, Giulio, dégageaient cette aura difficile à définir, que je n'avais jamais possédée : sans doute une des clés de cet état insaisissable qu'on appelle le bonheur.

Ma pizza terminée, je suis allée boire un espresso, debout dans un café de la piazza Postierla. J'ai demandé à la serveuse bien en chair si elle avait un magasin de vêtements bon marché à me conseiller. Après tout, la valise d'Eva Maria ne contenait ni petites culottes ni soutiens-gorge. Indifférente aux clients alentour, la fille m'a répondu à haute voix, d'un air intrigué :

– Vous voulez vous offrir la totale ? Nouvelle coupe de cheveux, nouvelle lingerie, nouveaux habits ?

– Euh…

– Pas de souci. Mon cousin est le meilleur coiffeur de la ville. Il va vous transformer. Venez.

Elle m'a prise par le bras en me priant de l'appeler Malèna. Les clients ont protesté : c'était l'heure du sacro-saint café d'après le déjeuner. Elle a haussé les épaules en riant, sûre de son pouvoir. Pourquoi s'en faire ? Ils seraient tous à ses pieds dès son retour.

Luigi balayait le sol lorsque nous sommes entrées dans le salon de coiffure. À peine plus âgé que moi, il avait déjà un œil de professionnel. Je l'ai tout de suite senti. Lui, en revanche, n'a pas paru impressionné par moi.

– Ciao, *caro*, a lancé Malèna en lui faisant la bise. Je te présente Giulietta. Elle a besoin d'un vrai relooking.

– Non, non, ai-je protesté, juste une égalisation. Deux ou trois centimètres.

Une discussion houleuse a suivi. À mon grand soulagement, je n'en ai pas saisi un mot. Finalement, Malèna a autorisé son cousin à me prendre en main. Après son départ, il m'a installée sur une chaise de barbier en étudiant mon reflet dans le miroir, tournant la chaise de droite et de gauche pour m'examiner sous tous les angles. Il a retiré l'élastique de mes nattes, l'a jeté dans la poubelle avec une mine dégoûtée.

– *Bene*, a-t-il conclu en ébouriffant mes cheveux d'une main désinvolte, avec un dernier regard dans le miroir, cette fois un peu moins critique.

*
* *

Trois heures plus tard, j'ai repris la direction du palazzo Tolomei, fauchée, mais ravie. J'avais enlevé l'ensemble rouge et noir d'Eva Maria pour le poser au sommet d'un de mes sacs de courses, avec les chaussures assorties par-dessus, et je portais une des cinq nouvelles tenues que Luigi et son oncle, Paolo, avaient approuvées. Par le plus grand des hasards, bien entendu, Paolo possédait un magasin de vêtements juste à côté du salon de son neveu. Il ne parlait pas un mot d'anglais, mais la mode n'avait pas de secret pour lui. Il m'avait accordé une réduction de trente pour cent en me faisant jurer de ne jamais remettre mon tailleur de coccinelle.

J'avais d'abord cherché à me défendre en expliquant que je n'avais pas récupéré mes bagages, mais la tentation était trop forte. Qu'allais-je faire si mes valises étaient effectivement arrivées ? Bah ! Elles ne contenaient rien que je puisse porter ici, sauf, et encore, les chaussures qu'Umberto m'avait offertes pour Noël et que je n'avais pas encore essayées.

J'ai déambulé tranquillement dans les rues de Sienne en admirant mon reflet dans toutes les vitrines des boutiques. Pourquoi était-ce la première fois que j'osais me regarder ainsi ? Depuis le lycée, je coupais, ou plutôt j'égalisais moi-même mes cheveux avec une paire de ciseaux de cuisine, une fois par an en moyenne. Personne ne remarquait rien. À présent, je mesurais la différence ! Luigi avait réussi à donner vie à mes cheveux qui s'épanouissaient déjà, enchantés de leur nouvelle liberté, ondulant sous la brise en encadrant mon visage, qui valait la peine d'être encadré.

Quand j'étais petite, tante Rose m'emmenait chez le coiffeur du coin quand ça lui chantait. Elle était assez fine pour ne jamais nous y conduire en même temps, ma sœur et moi. Une fois, seulement, nous nous étions retrouvées assises l'une à côté de l'autre, réagissant par un concours de grimaces face aux grands miroirs, lorsque le coiffeur avait attrapé nos queues de cheval en s'exclamant :

– Incroyable ! L'une a du crin de jument, l'autre des cheveux de princesse !

Tante Rose n'avait pas bronché, attendant qu'il ait fini de couper et de sécher. Elle l'avait payé très poliment en le remerciant de sa petite voix cassante, puis nous avait brutalement entraînées hors de la boutique, furieuse, comme si c'était nous, et non le coiffeur, qui nous nous étions mal comportées.

Depuis ce jour, Janice n'avait raté aucune occasion de me rappeler que j'avais du crin à la place des cheveux.

J'avais beau être là, arpentant les rues de Sienne, parfaitement coiffée et pomponnée, j'ai failli éclater en sanglots en me remémorant cette humiliation. Ma tante chérie était partie pour toujours, sans avoir pu assister à ma métamorphose. Elle aurait été si heureuse de me voir ainsi, ne fût-ce qu'une fois, moi qui avais toujours tout fait pour m'enlaidir et ne pas ressembler à ma sœur…

*
* *

Le président Maconi était un homme d'une soixantaine d'années, très courtois. Vêtu d'un costume discret, il passait régulièrement les doigts dans ses longs cheveux, pour les recoiffer dans un sens ou dans l'autre. Il était empreint d'une certaine raideur, mais une chaleur authentique émanait de son regard.

– Mademoiselle Tolomei ?

Il a traversé l'immense vestibule de la banque pour venir me serrer la main avec ardeur, comme si nous nous connaissions depuis toujours.

– Quel plaisir ! Je ne m'attendais pas à une telle surprise.

Il m'a entraînée dans un vaste escalier en s'excusant, dans un anglais impeccable, pour les murs irréguliers et le sol un peu de guingois. La décoration la plus moderne, m'a-t-il expliqué, ne pouvait rien contre la vétusté de ce bâtiment, vieux de plus de huit cents ans.

J'étais soulagée de rencontrer, après vingt-quatre heures de malentendus, quelqu'un parlant couramment ma langue maternelle. Une légère pointe british laissait penser qu'il avait dû vivre en Angleterre. Peut-être y avait-il fait des études. C'était sans doute une des raisons pour lesquelles ma mère l'avait choisi comme conseiller financier.

Son bureau était situé au dernier étage du palazzo. Ses fenêtres à meneaux offraient une vue superbe sur l'église San Cristoforo et sur plusieurs édifices magnifiques. J'ai failli me casser la figure en le suivant, trébuchant contre un seau en plastique qui trônait au milieu d'un beau tapis persan. Il m'a rattrapée avec élégance, avant de replacer le seau au centre.

– Le toit a une fuite. Personne n'a encore réussi à la localiser. C'est étrange. Même quand il ne pleut pas, l'eau s'écoule toute la journée.

Il m'a invitée à m'asseoir sur un des deux sièges en acajou sculpté, face à son bureau.

– Mon prédécesseur disait : « Notre vieux palazzo pleure. » Il connaissait votre père. Le saviez-vous ?

Il s'est calé au fond de son fauteuil de cuir en croisant les mains.

– Que puis-je pour vous, mademoiselle Tolomei ?

Curieusement, sa question m'a déconcertée. Obtenir ce rendez-vous m'avait tellement obsédée que je n'avais guère réfléchi à l'étape suivante. Dans mon esprit, le Francesco Maconi que j'avais imaginé savait parfaitement que j'étais venue à Sienne pour retrouver le trésor maternel et attendait patiemment, depuis des années, de le remettre à qui de droit. En revanche, le vrai Francesco Maconi était moins accommodant. Je lui ai exposé les raisons de ma venue. Il m'a écoutée avec attention, hochant parfois la tête. Ensuite, il m'a regardée fixement, sans trahir la moindre émotion.

– Voilà pourquoi je me demandais, ai-je ajouté, si vous auriez la gentillesse de m'accompagner jusqu'à son coffre.

J'ai sorti la clé de mon sac à main et je l'ai posée sur son bureau. Il y a jeté à peine un regard. Il s'est levé pour aller à la fenêtre, les mains dans le dos, et contempla les toits de la cité.

– Votre mère était une femme très sage, a-t-il enfin déclaré. Et lorsqu'il plaît à Dieu d'emporter les sages au Ciel, Il nous accorde un peu de leur sagesse pour nous accompagner sur terre. Ainsi, leur esprit nous protège en silence, telle la chouette capable de voir la nuit, alors que vous et moi sommes aveuglés par l'obscurité.

Il s'est interrompu pour caler un des petits carreaux de la fenêtre qui se descellait.

– Au fond, la chouette est un emblème qui vaut pour toute la ville de Sienne, pas seulement pour notre *contrada*.

– Parce que… tous les habitants de la ville sont sages ?

– Parce que la chouette est un de nos plus anciens oiseaux tutélaires. Chez les Grecs, c'était l'attribut d'Athéna, déesse vierge, mais guerrière. Les Romains, eux, l'appelaient Minerve. Elle avait même un temple ici, à Sienne. Voilà pourquoi nous étions destinés à adorer la Vierge Marie, avant même la naissance du Christ. La Vierge a toujours été là, auprès de nous.

– Monsieur le président…

– Mademoiselle, a-t-il répondu, daignant enfin se retourner, j'essaie de réfléchir à ce que votre mère aurait aimé que je fasse. Vous m'avez demandé de vous remettre quelque chose qui lui a causé beaucoup de chagrin. Souhaitait-elle vraiment que je vous le confie ?

Il a conclu, avec un léger sourire :

– Cela ne tient pas vraiment à moi, n'est-ce pas ? Si elle l'a déposé ici, c'est parce qu'elle désirait que je vous le transmette. La question est donc la suivante : êtes-vous certaine de le vouloir ?

Un long silence a suivi. Nous avons entendu très nettement une goutte d'eau tomber dans le seau, alors que le soleil brillait derrière les vitres.

*
* *

Après avoir convoqué un second détenteur de la clé, le sombre signor Virgilio, le président Maconi m'a précédée dans un petit escalier en spirale qui, à en croire ses vieilles pierres, devait être là depuis l'origine. Tous trois, nous sommes descendus dans les sous-sols de la banque. J'ai découvert qu'il existait à Sienne un véritable univers souterrain, un monde d'ombres et de caves, qui contrastait de façon saisissante avec la luminosité du dehors.

– Bienvenue dans le Bottini ! a clamé le président en traversant un boyau qui ressemblait à une grotte. Nous sommes dans le vieil aqueduc de Sienne, construit il y a environ mille ans, pour canaliser l'eau vers la ville. Tout est en grès, mais les ingénieurs de l'époque ont réussi, avec leurs outils très rudimentaires, à creuser un immense réseau de tunnels qui apportait de l'eau fraîche jusqu'aux fontaines publiques, parfois jusqu'aux maisons privées. Bien entendu, ce réseau n'est plus utilisé aujourd'hui.

– Les gens descendent-ils souvent ici ?

– Non ! s'est-il écrié, amusé par ma naïveté. C'est trop dangereux. On s'y perd très facilement. Personne ne connaît la totalité du Bottini. De nombreuses légendes parlent de tunnels secrets, qu'il est hors de question d'explorer. Le grès est poreux et friable. Or, toute la ville est bâtie sur cette pierre.

– Ce mur n'est pas… fortifié ?

– Non, m'a-t-il répondu, légèrement penaud.

– Nous sommes dans une banque, pourtant. N'est-ce pas risqué ?

– Une fois, nous avons eu une tentative de cambriolage. Les types avaient creusé un tunnel. Ils avaient travaillé plusieurs mois.

– Ont-ils réussi ?

Le président m'a indiqué une caméra suspendue dans un coin sombre.

– Quand l'alarme s'est déclenchée, ils ont réussi à s'enfuir par leur tunnel. Heureusement, ils n'ont rien emporté.

– Qui était-ce ? Vous l'avez su ?

– Des malfrats napolitains. Personne n'a plus jamais entendu parler d'eux.

Nous sommes enfin arrivés devant la chambre forte. Le président et le signor Virgilio ont dû tous deux insérer une carte pour en ouvrir la lourde porte.

– Vous avez vu ? m'a lancé le président avec fierté. Même moi, P-DG de la banque, je ne peux l'ouvrir seul. Comme on dit, le pouvoir absolu corrompt absolument.

D'innombrables coffres-forts tapissaient les murs de la salle. La plupart étaient petits, mais certains avaient la taille de casiers de consigne d'aéroport. Le président Maconi et son acolyte m'ont indiqué celui de ma mère, de proportions raisonnables, et m'ont aidée à y introduire ma clé, avant de quitter poliment la pièce. Quelques instants plus tard, j'ai entendu deux allumettes craquer – ils en profitaient pour fumer un petit clope dans le couloir !

Depuis que j'avais lu la lettre de ma tante, j'avais beaucoup rêvé, anticipant les merveilles que pouvait contenir ce trésor, tout en tâchant de tempérer mes espérances afin de ne pas être trop déçue. Dans mes songes les plus fous, j'imaginais un sublime écrin doré, verrouillé mais plein de surprises et de promesses, tels les trésors que les pirates déterraient sur des îles désertes, au bout du monde.

L'objet que j'avais entre les mains n'en était pas loin. C'était une très jolie boîte en bois, couverte de décorations à la feuille d'or. Elle n'était pas à proprement parler verrouillée, puisqu'elle n'avait pas de serrure, mais était pourvue d'un fermoir rouillé. Impossible de l'ouvrir. Je l'ai donc simplement prise, en la secouant délicatement pour deviner ce qu'elle contenait. Elle avait la dimension d'un grille-pain. Étonnamment légère, elle ne contenait donc ni or ni bijoux. Néanmoins, un héritage peut se présenter sous des formes multiples ; et j'avoue que la perspective de tomber sur une liasse de billets à trois zéros ne me rebutait pas.

Mes deux cerbères sont revenus et nous sommes remontés. Le président a insisté pour m'appeler un taxi. Je n'en avais pas besoin. La boîte était facile à manier et je pouvais la mettre dans un de mes sacs de courses. En outre, mon hôtel était proche.

– Je vous conseille d'être extrêmement vigilante dans la rue. Votre mère a toujours été d'une prudence extrême.

– Qui sait que je suis à Sienne ? Et que je transporte cette boîte ?

– Les Salimbeni…

Était-il sérieux ?

– Vous n'allez quand même pas me dire que la vieille querelle entre les deux maisons a encore cours aujourd'hui !

– Un Salimbeni sera toujours un Salimbeni, a-t-il murmuré, mal à l'aise.

Je l'ai quitté en méditant sa phrase. Sans doute résumait-elle ce à quoi je devais m'attendre. À en juger par ce que m'avait raconté Eva Maria sur les rivalités féroces entre *contrade* dans le Palio d'aujourd'hui, les querelles familiales du Moyen Âge pesaient toujours, même si les armes utilisées avaient changé.

Je marchais vite. J'ai encore pressé le pas en passant devant le palazzo Salimbeni pour la deuxième fois de la journée. Alessandro était peut-être penché à sa fenêtre…

Soudain, au moment où je me retournais pour jeter un dernier œil sur le palazzo, j'ai repéré une silhouette masculine qui ne se fondait pas dans la masse. La rue grouillait de touristes jacassants, de mères avec leurs poussettes, de gens bien habillés hurlant dans leurs portables. L'homme, lui, portait un survêtement miteux et des lunettes de soleil aux verres réfléchissants, qui cachaient mal sa façon de lorgner mes sacs.

Mais non ! Je me faisais des idées. Les derniers mots de Maconi m'avaient perturbée…

Je me suis arrêtée devant une vitrine, espérant voir l'homme me dépasser. Il s'est arrêté lui aussi, feignant d'examiner de plus près une affiche.

J'ai senti des « picotements annonciateurs d'angoisse », comme les appelait Janice. J'ai respiré profondément. Si je continuais à marcher, le type avait toutes les chances de me rattraper et de m'arracher mes sacs ou, pis encore, de me suivre pour voir où je logeais et me surprendre dans ma chambre un peu plus tard. Je n'avais donc qu'une solution.

Je suis entrée dans la boutique en sifflotant d'un air dégagé, avant de me précipiter sur un vendeur. Je lui ai demandé si je pouvais sortir par-derrière. Levant à peine le nez de son magazine de motos, il m'a indiqué une porte de l'autre côté.

Deux secondes plus tard, j'ai émergé dans une ruelle étroite, manquant renverser une rangée de Vespa garées côte à côte. Peu importait où je me trouvais. J'avais tous mes sacs avec moi.

*
* *

Le taxi m'a déposée devant l'hôtel. J'étais tellement soulagée que j'étais prête à payer n'importe quoi. Découvrant son pourboire disproportionné, le chauffeur m'en a rendu la totalité, ou presque. Le directeur de l'hôtel s'est précipité vers moi.

– Mademoiselle Tolomei ! Où étiez-vous ? Le capitaine Santini vient de passer. En uniforme !

– Ah ! ai-je répondu en essayant de sourire. Peut-être voulait-il m'inviter à boire un café ?

Il m'a lancé un regard offusqué.

– Je ne pense pas que le capitaine ait eu des idées mal placées, mademoiselle. Si j'étais vous, je l'appellerais sur-le-champ. Tenez…

Il m'a tendu une carte de visite comme on tend une hostie.

– Voilà son numéro de téléphone, là, au verso. Je vous suggère… (Il a élevé la voix alors que je traversais le hall.) … de l'appeler au plus vite !

J'ai mis plus d'une heure, émaillée de plusieurs allers-retours à la réception, pour réussir à ouvrir le trésor de famille. J'ai d'abord essayé les « outils » dont je disposais : la clé de ma chambre, ma brosse à dents, le récepteur du téléphone. Je suis ensuite allée emprunter une paire de pinces, un coupe-ongles, une aiguille, un tournevis… L'amabilité de M. Rossini diminuait à chacune de mes demandes.

J'ai finalement trouvé la solution ; non pas en ouvrant le fermoir rouillé, mais en démontant tout le mécanisme avec le tournevis. Mon excitation grandissait à mesure que mes efforts augmentaient. Au moment où j'ai enfin soulevé le couvercle, je pouvais à peine respirer. À cause de sa légèreté, j'étais persuadée que le coffret contenait un objet fragile, d'une valeur inestimable.

Je m'étais complètement trompée.

Je ne découvris que de la paperasse, ennuyeuse à mourir. Ni argent, ni actions, ni testament, ni titres. Mais des lettres sous enveloppe, des textes dactylographiés, aux feuillets agrafés ou roulés, maintenus avec des élastiques. Seuls objets véritables : un carnet de notes couvert de ratures et de gribouillis, une édition de poche de *Roméo et Juliette* et une vieille croix en argent, suspendue à une chaîne elle aussi en argent.

J'ai examiné la croix. Elle était peut-être très ancienne. Avait-elle de la valeur ? J'en doutais. L'argent ne valait plus grand-chose et le bijou ne présentait rien de particulier.

Même chose pour le livre de poche. Je l'ai feuilleté plusieurs fois. Rien d'intriguant, pas même une note en marge griffonnée au crayon.

Le carnet, en revanche, contenait des croquis intéressants qui, si on y mettait un peu de bonne volonté, pouvaient évoquer une chasse au trésor. Peut-être s'agissait-il simplement de dessins faits lors de visites de musées ou de promenades dans des parcs ornés de statues. L'une d'elles avait frappé ma mère ; si j'avais bien entre les mains son carnet et ses dessins… Elle représentait un homme et une femme enlacés. L'homme, à genoux, serrait la femme dans ses bras. Si elle n'avait pas eu les yeux ouverts, on l'aurait crue endormie, ou morte. Une vingtaine d'esquisses de cette œuvre emplissaient le carnet, la plupart centrées sur des détails précis, notamment les visages. Pourquoi cette sculpture avait-elle à ce point hanté ma mère ?

Seize lettres s'empilaient au fond du coffret. Cinq étaient signées de tante Rose, qui suppliait ma mère d'abandonner ses « idées stupides » et de rentrer chez elle. Plus tard, elle lui en avait encore envoyé quatre. Ma mère ne les avait même pas ouvertes. Les autres étaient en italien, rédigées par des expéditeurs dont j'ignorais tout.

Restaient les manuscrits. Certains, à l'encre passée, étaient abîmés, d'autres mieux conservés. Ils étaient en anglais, sauf un, en italien. Aucun n'avait l'air d'un document original. Les textes anglais étaient vraisemblablement des traductions, transcrites à la machine au cours des cent dernières années. En les étudiant de plus près, j'ai constaté qu'on les avait soigneusement classés. Je les ai étalés sur mon lit, dans l'ordre chronologique.

JOURNAL DE MAESTRO AMBROGIO (1340)
LETTRES DE GIULIETTA À GIANNOZZA (1340)
CONFESSIONS DE FRÈRE LORENZO (1340)
LA MALÉDICTION SUR LE MUR (1370)
LA *TRENTE-TROISIÈME HISTOIRE* DE MASUCCIO SALERNITANO (1476)
LUIGI DA PORTO, *ROMEO & GIULIETTA* (1530)
MATTEO BANDELLO, *ROMEO & GIULIETTA* (1554)
ARTHUR BROOKE, *ROMEUS & JULIET* (1562)
WILLIAM SHAKESPEARE, *ROMEO & JULIET* (1595)
ARBRE GÉNÉALOGIQUE DE GIULIETTA ET DE GIANNOZZA

Les quatre premiers manuscrits, qui remontaient au XIVe siècle, semblaient fragmentés et plus difficiles à déchiffrer que les autres. Les textes postérieurs avaient un point commun : tous étaient des versions de *Roméo et Juliette*, le point d'orgue étant le drame célèbre dans le monde entier : *La Très Excellente et Lamentable Tragédie de Roméo et Juliette*, de 1595.

Alors que je me prenais pour une spécialiste de la pièce, j'ai été surprise d'apprendre que le grand dramaturge n'avait pas inventé la trame mais exploité des versions antérieures. Shakespeare était un génie. S'il ne s'était pas emparé de cette tragédie, elle n'aurait jamais atteint la notoriété dont elle jouit depuis des siècles. Quand même, soyons honnête : l'histoire en soi était passionnante, avant même d'atterrir sur sa table de travail. Bizarrement, la version la plus ancienne, celle de Masuccio Salernitano, datée de 1476, ne se situait pas à Vérone, mais ici, à Sienne.

Étonnée par cette découverte qui ne concernait que l'histoire de la littérature, j'ai failli oublier ma déception initiale. Hélas, je me suis vite rappelé que rien, dans le coffret, n'avait la moindre valeur marchande et que rien, parmi les papiers que j'avais examinés, n'indiquait l'existence de biens de famille cachés quelque part.

J'aurais dû avoir honte de nourrir de telles pensées, me réjouir de détenir enfin des objets qui avaient appartenu à ma mère. Je me sentais troublée, déconcertée. Pourquoi ma tante avait-elle insinué que l'enjeu était exceptionnel et valait le voyage dans ce pays qu'elle considérait comme un des plus dangereux au monde ? Pourquoi ma mère avait-elle enfoui ce coffret dans les soutes d'une banque ?

J'ai feuilleté les premiers manuscrits, sans grand enthousiasme. Les lettres de Giulietta à Giannozza et les *Confessions* de frère Lorenzo ne formaient qu'une série de phrases aléatoires, du style : « Je jure sur la Vierge Marie que j'ai agi suivant la volonté du Ciel », ou : « Jusqu'à Sienne dans un cercueil, par peur des brigands Salimbeni ».

Le journal de maestro Ambrogio, lui, était plus lisible. En le parcourant, j'ai regretté qu'il le soit. Cet homme était un graphomane qui consignait les incidents les plus triviaux de son existence et de celle de son entourage au cours de l'année 1340. À première vue, tout cela n'avait rien à voir avec moi, encore moins avec les objets dissimulés dans le coffre.

Soudain, un nom m'a sauté aux yeux. Au cœur du journal du maestro.

Giulietta Tolomei.

J'ai relu le passage à la lueur de ma lampe de chevet. Aucune confusion possible. Après des envolées lyriques sur la difficulté d'arriver à peindre la rose parfaite, maître Ambrogio entamait un récit qui se prolongeait sur des pages et des pages : l'histoire d'une jeune fille prénommée Giulietta.

Simple coïncidence ?

Juliette

Allongée sur mon lit, j'ai repris le journal depuis le début, consultant parfois les premiers manuscrits, plus décousus, pour vérifier certaines analogies.

C'est ainsi qu'a commencé mon long voyage à Sienne en 1340, et qu'est née mon empathie pour cette jeune fille qui portait le même nom que moi.

II, I

Sous cet aspect d'emprunt de cadavre sec,
Tu resteras quarante-deux heures de suite.

Sienne, 1340.

Oh, comme la fortune se joua d'eux !

Ils voyageaient depuis trois jours, louvoyant sous l'implacable soleil d'été pour éviter les embûches, se nourrissant de pain plus dur que des cailloux. Enfin, ils approchèrent de leur destination, Sienne. Au grand soulagement du jeune frère Lorenzo, les tours enchanteresses de la ville se profilèrent à l'horizon. Hélas, ce fut là que son rosaire perdit son pouvoir protecteur.

Assis dans sa carriole bringuebalante, entouré par six compagnons à cheval, moines eux aussi, frère Lorenzo savourait déjà la viande grillée et le vin revigorant qu'on leur servirait à l'arrivée. Soudain, l'épée au poing, une dizaine de cavaliers à la mine patibulaire surgirent des vignes dans un nuage de poussière et encerclèrent la petite troupe, coupant toute possibilité de fuite.

– Halte là, étrangers ! tonna leur chef, un homme édenté, sale mais richement vêtu, sans doute avec les habits d'une ancienne victime. Puis-je savoir qui ose ainsi pénétrer sur les terres des Salimbeni ?

Frère Lorenzo tira sur les rênes pour immobiliser son attelage. Ses compagnons s'interposèrent promptement entre la carriole et les brigands.

– Comme vous le voyez, noble ami, clama le plus âgé des moines en montrant sa capuche élimée comme preuve, nous ne sommes que d'humbles frères originaires de Florence.

– Hum, marmonna le forban en les jaugeant de ses yeux étroits, finissant par poser son regard sur le visage épouvanté de Lorenzo. Je me demande quel trésor tu caches dans ta charrette.

– Rien qui ait pour toi la moindre valeur, lui répondit le moine en faisant reculer son cheval pour l'empêcher d'accéder à la carriole. De grâce, laisse-nous passer. Nous sommes des serviteurs de Dieu. Nous ne représentons aucune menace pour toi ou les tiens.

– Cette route appartient aux Salimbeni, asséna le chef en faisant signe à ses amis d'avancer. Si vous désirez l'emprunter, vous devez payer un tribut. Pour votre propre sûreté.

– Nous avons déjà octroyé cinq péages aux Salimbeni.

Le capitaine haussa les épaules.

– La sécurité coûte cher.

– Qui songerait à attaquer un groupe de religieux en route pour Rome ? martela le moine, calme et déterminé.

– Qui ? Ces sales chiens de Tolomei ! Ces marauds qui pillent, violent et assassinent !

Le brigand cracha deux fois, aussitôt imité par ses hommes.

– C'est justement pourquoi nous souhaitons atteindre Sienne avant la nuit.

– La cité n'est pas loin. Ce soir, toutefois, ses portes fermeront plus tôt, à cause des troubles causés par ces enragés de Tolomei. Non seulement ils molestent la population paisible et industrieuse de Sienne, mais ils se permettent de défier l'auguste maison Salimbeni, résidence de mon noble maître.

Des grognements d'approbation ponctuèrent la tirade du chef.

– Voilà pourquoi, reprit-il, notre rôle consiste, en toute humilité, cela va de soi, à faire appliquer la loi sur cette route et sur la plupart des voies menant à notre fière république. Je te le répète, c'est un conseil d'ami : règle ton dû maintenant et nous t'autoriserons à entrer avant la fermeture des portes. Sinon, les voyageurs innocents que vous êtes risquez de subir les méfaits de ces crapules de Tolomei, qui profitent de la nuit pour se livrer à toutes sortes d'actes ignominieux qu'il serait malséant d'énumérer devant de chastes personnages tels que vous.

Un silence profond accueillit ces menaces. Blotti au fond de sa carriole, frère Lorenzo sentait son cœur battre à tout rompre. La journée avait été brûlante et sèche, au point de lui rappeler les horreurs de l'enfer, et ils étaient à court d'eau depuis plusieurs heures. Si on lui avait confié la bourse, il aurait payé ces hommes sur-le-champ.

– Très bien, déclara enfin le moine plus âgé, comme s'il avait entendu sa supplique silencieuse, combien faut-il vous remettre pour bénéficier de votre protection ?

– Tout dépend, reprit le chef avec un sourire de loup. Que transportez-vous, dans cette charrette ? Et à combien estimez-vous la valeur de votre chargement ?

– C'est un cercueil, noble ami. Il contient le corps de la victime d'une effroyable peste.

Les brigands eurent un mouvement d'effroi. Mais il en fallait davantage pour impressionner leur capitaine.

– Bien, dit-il. Si nous y jetions un œil ?

– Je vous le déconseille ! La bière est scellée. Nous avons ordre de ne l'ouvrir sous aucun prétexte.

– Ordre ? Depuis quand de pauvres moines reçoivent-ils des ordres ?

Avec un sourire narquois, le brigand ajouta :

– Et depuis quand montent-ils des chevaux élevés à Lipicia ?

Le courage de frère Lorenzo fondit comme neige au soleil.

– Regardez-moi ça ! poursuivit le chef. Avez-vous déjà vu de modestes clercs aussi fastueusement chaussés ?

Il pointa son épée sur les sandales béantes de Lorenzo.

– Voilà ce que vous devriez porter, amis imprudents, si vous souhaitiez éviter d'avoir à régler notre taxe. Le seul qui me paraisse vraiment humble, c'est votre compagnon muet sur la carriole. Quant à vous, je mettrais ma main au feu que vous êtes à la solde d'un seigneur bien plus munificent que Dieu. Je suis sûr qu'à ses yeux la valeur du contenu de ce cercueil excède de loin les dix misérables florins que je vous demande pour son passage.

– Tu te trompes, répliqua l'aîné des moines, si tu nous crois en mesure de nous délester d'une telle somme. Nous ne pouvons guère t'offrir plus de deux florins. La cupidité qui te pousse à rançonner des gens d'Église déshonore ton maître.

– Cupidité, dis-tu ? Non, mon péché serait plutôt la curiosité. Règle ces dix florins ou j'irai les prélever moi-même. Ta carriole et ton cercueil demeureront sous ma protection jusqu'à ce que ton maître en personne vienne les réclamer. Je me réjouis à l'avance de découvrir quel est le riche scélérat qui t'a dépêché sur ces routes.

– Tu ne protégeras bientôt que la puanteur de la mort.

Le capitaine éclata d'un rire désinvolte.

– L'odeur de l'or, mon ami, est la plus forte de toutes.

– Aucune montagne d'or ne parviendrait à couvrir la tienne !

Frère Lorenzo se mordit la langue. Il connaissait suffisamment ses compagnons pour savoir comment se terminerait la querelle. Il n'avait aucune envie d'y participer.

Le chef des brigands parut impressionné par l'audace de son adversaire.

– Tu es prêt à mourir embroché par cette lame ?

– Prêt à accomplir ma mission, oui. Nulle lame rouillée ne saurait m'en détourner.

– Ta mission ? Vous avez entendu, compagnons ? Nous avons face à nous un moine qui pense que Dieu l'a fait chevalier !

Les brigands ricanèrent en chœur, même s'ils n'avaient pas saisi tout le sel de la plaisanterie.

– À présent, débarrassez-moi de ces coquins ! Prenez les chevaux et la carriole pour les Salimbeni…

– J'ai une meilleure idée ! cria joyeusement le moine en arrachant sa capuche, laissant entrevoir, sous sa cape, sa tenue de gentilhomme. Si je me présentais devant mon maître Tolomei avec ta tête au bout d'une pique ?

Frère Lorenzo était au désespoir. C'était tout ce qu'il redoutait. Sans plus chercher à se dissimuler, ses compagnons, tous des chevaliers de la maison Tolomei déguisés, dégainèrent leur épée et leur dague. Pris de court, les brigands reculèrent en entendant le chuintement du métal. Ils se ressaisirent très vite et, en hurlant, lancèrent leurs montures à l'attaque.

Les deux haridelles de la charrette se cabrèrent avant de bondir en un galop effréné. Impuissant, frère Lorenzo tirait de toutes ses forces sur les rênes, prêchant la raison et la retenue à ces pauvres bêtes, qui n'entendaient pas un mot de philosophie. En dépit de leurs trois jours de voyage, la frayeur leur donnait des ailes. Elles parvinrent à éloigner leur conducteur du tumulte en se précipitant sur la route bosselée, au milieu des grincements de roues et des bonds intempestifs du cercueil, à deux doigts de tomber et d'éclater en mille morceaux.

Renonçant à calmer ses chevaux, le frère s'acharna sur la bière. Il s'efforçait de la maintenir en place en y appuyant les deux mains et les deux pieds, lorsqu'il perçut un tumulte derrière lui.

Il se retourna. Deux des brigands, au grand galop, s'apprêtaient à le rattraper. Comment se défendre ? Il n'avait que son fouet et son rosaire. Affolé, il observa la progression de l'un des cavaliers, le poignard calé entre ses gencives sans dents. Il saisit le manche de son fouet et, puisant au fond de son être clément une force insoupçonnée, frappa violemment le ruffian, qui, les joues en sang, glapit de douleur. Au moment où il s'apprêtait à frapper à nouveau, le second brigand lui arracha le fouet des mains. N'ayant plus que son chapelet et son crucifix, Lorenzo jeta les restes de son déjeuner contre l'ennemi. Malgré la dureté de ses morceaux de pain, il ne put empêcher son assaillant de bondir sur la carriole.

Le brigand poussa un cri de triomphe, saisit la dague qu'il avait dans la bouche et en plaqua la lame sous le nez du moine.

– Arrêtez ! Au nom du Christ, je vous en conjure ! balbutia Lorenzo, les doigts crispés sur son rosaire. Mes amis dans les cieux peuvent vous tuer sur-le-champ !

– Vraiment ? Je ne les vois nulle part !

Soudain le couvercle du cercueil se souleva. Son occupante, une jeune fille à la chevelure folle et aux yeux de feu, se redressa brusquement, telle la déesse de la vengeance. Pâle comme la mort, le ruffian lâcha son arme. L'ange échevelé se pencha au dessus de la bière, attrapa le poignard et le planta rageusement, aussi haut que possible, dans la cuisse du brigand.

L'homme hurla, perdit l'équilibre et tomba derrière la carriole. Les joues rouges d'excitation, la jeune fille fit un immense sourire à frère Lorenzo. S'il ne l'avait pas violemment repoussée, elle aurait bondi sans façon hors de son cercueil.

– Non, Giulietta ! Pour l'amour de Dieu, ne bougez pas ! Et, surtout, pas un mot !

Il referma brutalement le couvercle sur son visage scandalisé et regarda par-dessus bord pour voir dans quel état se trouvait l'autre cavalier. Celui-ci était plus intelligent que son acolyte. Plutôt que d'essayer de sauter sur la carriole qui filait, il était remonté sur son cheval et galopait pour la dépasser. Il saisit le harnais pour ralentir les haridelles, qui, au désespoir de Lorenzo, cédèrent peu à peu. Elles passèrent au petit galop, puis au trot. Enfin, elles s'arrêtèrent.

Le moine reconnut le chef des spadassins : la joue maculée de sang, environné par le soleil déclinant d'un halo doré qui semblait consacrer sa victoire. Il fut frappé par le contraste entre la beauté lumineuse de la campagne et la vilenie de ses habitants.

– Que dirais-tu, frère, lança le capitaine avec une courtoisie de mauvais augure, si je t'offrais la vie sauve, sans compter cette superbe charrette et ces coursiers fringants, en échange de cette donzelle ?

– Je te remercie de ta généreuse proposition, bredouilla Lorenzo, aveuglé par l'éclat du crépuscule, mais j'ai juré de veiller sur cette noble dame. Il m'est impossible de satisfaire à ta demande. Nous irions tous en enfer.

– Bah ! Cette gourgandine n'est pas plus noble que toi ou moi. Je la soupçonne de n'être qu'une putain Tolomei.

Un cri d'indignation retentit du fond du cercueil. Lorenzo l'écrasa du pied pour maintenir le couvercle fermé.

– Cette jeune fille innocente est sans prix aux yeux de messire Tolomei, répondit-il. Quiconque ose l'effleurer de la main déclare la guerre aux siens. Je doute que votre maître, Salimbeni, recherche un tel affrontement.

– Ah, ces moines et leurs éternels sermons ! Ne me parle pas de guerre. Au combat, nul ne rivalise avec moi.

– Épargne-nous ! supplia Lorenzo en brandissant son rosaire vers les derniers rayons du couchant. Sinon, je jure sur ces grains sacrés et sur les plaies de notre doux Jésus que des anges descendront du ciel pour égorger tes enfants dans leurs lits !

L'homme dégaina son épée.

– Bienvenue à eux ! J'ai trop de bouches à nourrir, justement !

Il enjamba l'encolure de son cheval et sauta sur la carriole avec une souplesse de danseur, retrouvant aussitôt son équilibre. Voyant le moine reculer, terrifié, il s'esclaffa.

– Tu pensais que j'allais te laisser la vie ?

Il leva son épée. Secoué de sanglots, le frère tomba à genoux, agrippa son rosaire en attendant le coup fatal. Mourir à dix-neuf ans ! Quel destin cruel ! Surtout si personne n'est là pour témoigner de votre martyre, hormis le divin Père, qui n'est pas vraiment réputé pour voler au secours de Ses fils à l'agonie.

II, II

Asseyez-vous donc, prenez place,
Mon bon cousin Capulet. Vous comme moi,
Nous avons laissé loin nos années dansantes.

Je ne me souviens plus jusqu'où ni jusqu'à quand j'ai lu ce soir-là, mais les oiseaux gazouillaient déjà quand j'ai fini par m'écrouler sur cet océan de papiers. À présent, je comprenais le lien qui existait entre les différents manuscrits : tous étaient des versions antérieures de la pièce de Shakespeare ! Plus surprenant encore, les textes datés de 1340 n'étaient pas des récits fictifs mais des témoignages, qui avaient inspiré le dramaturge anglais.

Même s'il ne se mettait pas en scène dans son journal, le mystérieux maestro Ambrogio semblait avoir connu personnellement les êtres qui avaient inspiré *Roméo et Juliette*. Jusqu'ici, il est vrai, rien de ce que j'avais lu sous sa plume ne correspondait à la tragédie de Shakespeare. Mais deux siècles et demi s'étaient écoulés entre les événements et la rédaction de la pièce ; et, entre-temps, le récit était passé entre bien des mains.

Je brûlais d'envie de partager ma découverte avec quelqu'un qui saurait l'apprécier. Tout le monde ne trouverait pas drôle d'apprendre que les millions de touristes qui défilent à Vérone pour admirer le balcon et la tombe de Juliette se trompent de ville. Umberto, si. Je l'ai donc appelé sur son portable.

– Félicitations ! s'est-il exclamé quand je lui ai raconté comment j'avais convaincu le président Maconi dès mon premier rendez-vous. Alors, tu es à la tête d'une fortune ?

– Euh… pas vraiment. Le vrai trésor ne se trouve pas dans ce coffre. À supposer qu'il existe.

– Évidemment qu'il existe ! Sinon, pourquoi ta mère aurait-elle pris la peine de le cacher dans les sous-sols d'une banque ? Continue à chercher.

– Il y a autre chose…

Pause. J'ai eu peur d'avoir l'air idiote, avant d'avouer :

– J'ai l'impression qu'un lien me relie à cette Juliette.

Je ne pouvais pas reprocher à Umberto sa réaction. Quand même, son ricanement m'a agacée.

– Je sais que ça paraît bizarre. Mais pourquoi porterions-nous le même nom : Giulietta Tolomei ?

– Tu veux dire Juliette Capulet ? Je suis désolé de te décevoir, *principessa*, mais je ne suis pas sûr qu'elle ait existé.

– Bien sûr que non ! ai-je rétorqué en regrettant de lui avoir confié mes doutes. Sauf que je crois que la pièce s'inspire d'une histoire vraie… Oh, peu importe ! Et toi, tu vas bien ?

Après avoir raccroché, j'ai examiné les lettres italiennes que ma mère avait reçues plus de vingt ans auparavant. Quelqu'un ayant connu mes parents vivait sûrement encore à Sienne et pourrait répondre aux questions que ma tante avait si consciencieusement fuies. Hélas, je n'avais aucun moyen de savoir si les expéditeurs étaient des amis ou des parents. Seule une lettre, commençant par *Carissima Diane*, émanait d'une certaine Pia Tolomei.

J'ai ouvert le plan de la cité, acheté la veille en même temps que le dictionnaire. J'ai eu du mal à retrouver l'adresse inscrite au dos de l'enveloppe. J'ai repéré une petite place baptisée piazzetta del Castellare, en plein centre ville, au cœur de la *contrada* de la Chouette, non loin du palazzo Tolomei, où j'avais fait la connaissance du président Maconi.

Si j'avais de la chance, Pia Tolomei y vivait toujours, serait ravie de s'entretenir avec la fille de Diane Tolomei et assez lucide pour avoir des souvenirs précis.

*
* *

La piazzetta del Castellare ressemblait à une petite place forte lovée au cœur de la ville, pas très facile à dénicher. Je l'ai dépassée plusieurs fois sans m'en rendre compte, avant de comprendre que je devais m'engager dans une allée couverte que j'avais prise pour un passage privé. Une fois au cœur de la piazzetta, je me suis retrouvée coincée entre de très hauts bâtiments silencieux, dont les volets semblaient clos depuis le Moyen Âge.

Deux Vespa étaient garées dans un coin. Un chat tigré somnolait devant une porte, de la musique s'échappait de l'unique fenêtre ouverte. Sans ces signes de vie, j'aurais renoncé, persuadée que les bâtiments étaient à l'abandon, livrés aux rats et aux fantômes.

J'ai vérifié l'adresse sur l'enveloppe. C'était bien ici. J'ai fait le tour des portes. Je n'ai vu nulle part le nom Tolomei ni de numéro correspondant à celui qui figurait sur la lettre. Pour devenir facteur dans un endroit pareil, il fallait être médium…

Un peu déconcertée, j'ai décidé d'appuyer sur chaque sonnette. J'en étais à la quatrième lorsqu'une femme a écarté les volets au-dessus de moi et crié deux ou trois mots en italien.

– Pia Tolomei ? ai-je articulé en agitant ma lettre.

– Tolomei ?

– Oui. Savez-vous si elle habite ici ? Si elle est encore en vie ?

La femme m'a indiqué une porte de l'autre côté de la piazzetta, ajoutant quelque chose qui devait signifier : « Essayez là-bas. »

C'est à ce moment-là que j'ai repéré une porte qui paraissait un peu plus récente, avec une jolie poignée noire et blanc ciselée, qui, par miracle, a ouvert quand je l'ai tournée. J'ai hésité. Avais-je le droit de pénétrer dans une maison privée, moi qui ne connaissais rien des usages de Sienne ? La femme à la fenêtre m'a encouragée à entrer et j'ai obéi. Elle devait me trouver particulièrement gourde.

– Il y a quelqu'un ?

J'ai fait quelques pas timides. L'endroit était sombre et frais. Une fois mes yeux habitués à la pénombre, j'ai découvert un vestibule aux très hauts plafonds couvert de tapisseries, de peintures, de vitrines protégeant des bibelots anciens.

– Madame Tolomei ?

La porte s'est refermée derrière moi en soupirant.

Je me suis avancée, admirant les objets exposés. Il y avait une très belle collection de longues bannières verticales décorées de motifs de chevaux, de tours, de femmes ressemblant à la Vierge. Certaines étaient très anciennes, avec des teintes passées, d'autres plus récentes, avec des couleurs assez vives. Parvenue au bout de la série de vitrines, j'ai réalisé que je ne me trouvais pas dans une maison privée, mais dans une sorte de musée.

J'ai perçu des bruits de pas irréguliers accompagnés d'une voix profonde qui a lancé avec impatience :

– Salvatore ?

Me retournant, je me suis retrouvée face à l'occupant des lieux, qui s'appuyait sur une béquille. C'était un homme de plus de soixante-dix ans, que ses sourcils froncés vieillissaient encore.

– Salva… ?

Il s'est interrompu en m'apercevant, poursuivant par des grognements peu amènes.

– Ciao ! me suis-je exclamée, un peu plouc, brandissant ma lettre comme un crucifix sous les yeux d'un aristocrate transylvanien. Je cherche Pia Tolomei, une femme qui a connu mes parents. Je m'appelle Giulietta Tolomei. To-lo-me-i.

L'homme s'est approché en clopinant, avant de m'arracher la lettre des mains. Il a jeté un regard soupçonneux sur l'enveloppe, l'a retournée plusieurs fois pour lire et relire les adresses de l'expéditeur et du destinataire.

– C'est une lettre envoyée par mon épouse il y a des années, a-t-il enfin déclaré, dans un anglais étonnamment fluide. À Diane Tolomei, qui était ma… ma tante par alliance. Où l'avez-vous trouvée ?

– Je suis la fille de Diane, Giulietta, la plus âgée de ses jumelles. Je suis venue ici pour découvrir la ville où ma mère a vécu. Vous vous souvenez d'elle ?

Le vieil homme n'a pas répondu. Il m'a longuement dévisagée, stupéfait, avant de passer une main sur mon visage, comme pour vérifier que j'étais bien réelle.

– Ma petite Giulietta… ? Viens là, ma chérie. Je suis Peppo Tolomei, ton parrain, a-t-il murmuré en me prenant dans ses bras.

J'ai horreur des embrassades, d'habitude. Je laisse ça à Janice. Mais je n'ai pas pu résister à ce vieux monsieur si attendrissant.

– Je suis désolée de débarquer comme ça…

– Mais non ! Je suis tellement content de te voir ! Je vais te faire visiter le musée. Car tu es au musée de la *contrada* de la Chouette. Tu le savais ?

Il sautillait avec sa béquille, à la recherche d'un objet extraordinaire à me montrer. Devant ma perplexité, il s'est arrêté et s'est écrié :

– Que je suis bête ! Tu n'es pas là pour visiter le musée, tu es là pour parler ! Ma femme, il faut que tu voies ma femme ! Elle va être aux anges. Elle est à la maison… Salvatore ! Ah ! où est-il passé, celui-là ?

Dix minutes plus tard, je filais hors de la piazzetta del Castellare, assise derrière lui sur un scooter rouge et noir. Peppo Tolomei m'avait aidée à m'installer, avec la grâce d'un prestidigitateur aidant une ravissante assistante à grimper dans la caisse qu'il s'apprête à scier en deux. Il avait insisté pour fermer le musée, m'emmener chez lui pour que je rencontre sa femme, Pia, et quiconque serait chez eux. J'avais accepté l'invitation avec joie, pensant que la maison se trouvait à deux pas.

Erreur, ai-je compris alors que nous remontions le Corso à toute allure en passant devant le palazzo Tolomei.

– C'est loin ? ai-je demandé en hurlant.

– Non ! a-t-il répliqué en criant aussi fort, manquant renverser une religieuse qui poussait un vieillard sur une chaise roulante. Je vais appeler tout le monde ! Nous allons organiser une grande réunion familiale !

Grisé par l'idée, il s'est lancé dans une description détaillée de tous les membres de la famille dont j'allais faire la connaissance. J'entendais mal, à cause du vent. Peu importait. Il était trop exalté pour ralentir. Il a rasé le palazzo Salimbeni, frôlant les gardes qui ont dû sauter sur le côté, nous lançant un regard ahuri. Parmi eux, j'ai reconnu Alessandro. Je suis persuadée qu'il m'a repérée lui aussi, car il a louché sur mes jambes et mes pieds, se demandant peut-être ce que j'avais fait de mes tongs.

– Peppo ! Je n'ai aucune envie qu'on nous arrête. Je vous en supplie !

– Ne t'inquiète pas ! Je roule trop vite pour les flics !

Peu après, le scooter a bondi sous une des portes de la ville, tel un caniche à travers un cerceau, avant de foncer au cœur de ce chef-d'œuvre naturel qu'est la Toscane en plein été.

J'admirais le paysage. Je rêvais de m'immerger dans ce pays sublime qui était le mien, d'éprouver le sentiment de revenir chez moi, là où j'étais née. Mais tout, autour de moi, était nouveau : la senteur chaude des épices et des herbes sauvages, les champs ondulant paresseusement ; même l'eau de Cologne de Peppo dégageait un parfum étrange et séduisant.

Quels souvenirs gardons-nous des trois premières années de notre vie ? Jadis, par exemple, me revenait en mémoire une image où je m'accrochais à une paire de jambes nues, qui n'appartenaient sûrement pas à tante Rose. Ou encore, nous étions certaines, Janice et moi, de nous rappeler un grand bol rempli de bouchons de liège. Difficile de dire à qui ou à quoi se rattachait telle ou telle réminiscence. Oui, parfois, un souvenir de notre petite enfance jaillissait à l'improviste. Pourtant, nous finissions toujours par nous embrouiller.

– Je suis sûre que la table de jeu branlante était en Toscane, affirmait Janice. Tante Rose n'en a jamais eu.

– Alors, comment expliques-tu qu'Umberto t'ait giflée le jour où tu l'as renversée ?

Elle hésitait un instant.

– Il s'agissait peut-être de quelqu'un d'autre. Quand on a trois ans, tous les hommes se ressemblent. Du reste, gloussait-elle, ça n'a pas beaucoup changé.

*
* *

Pia et Peppo vivaient dans une ferme nichée au cœur d'une petite vallée tapissée de vignes et de champs d'oliviers. L'absence de vue était compensée par le sentiment de paix que procuraient les douces collines alentour. La maison elle-même n'avait rien d'impressionnant. Des mauvaises herbes poussaient dans les fentes des murs jaunâtres. La peinture des volets s'écaillait, les tuiles du toit menaçaient de s'envoler à la première tempête, ou au premier éternuement… Seuls la vigne vierge grimpant un peu partout et les pots de fleurs stratégiquement placés dissimulaient le crépi délabré. L'ensemble, toutefois, dégageait un charme irrésistible.

Après avoir garé son scooter et attrapé une canne qui traînait contre le mur, Peppo m'a emmenée dans le jardin. À l'ombre de la maison, son épouse, Pia, était assise sur un tabouret au milieu d'une nuée d'enfants, comme une déesse de la fertilité entourée de nymphes. Elle montrait aux plus petits comment fabriquer une tresse avec de l'ail frais. Peppo a dû s'y reprendre à plusieurs fois pour lui expliquer qui j'étais et pourquoi j'étais venue. Dès qu'elle a pu l'écouter sans être dérangée, elle a chaussé ses mules, s'est levée en s'appuyant sur deux enfants et s'est précipitée sur moi pour m'embrasser.

– Giulietta ! *Che maraviglia !* C'est un miracle !

Sa joie spontanée m'a presque fait honte. Je n'étais pas allée au musée de la Chouette pour retrouver un parrain et une marraine disparus depuis trop longtemps. Pis encore, je n'avais même pas imaginé en avoir, ni pensé qu'ils se montreraient si heureux de me savoir en vie. Or, ils étaient là, face à moi, me témoignant une telle affection que, pour la première fois de ma vie, je me suis vraiment sentie chez moi.

En moins d'une heure, le jardin s'est rempli de convives et de bons petits plats. On aurait juré que tout le monde guettait depuis des jours l'occasion de venir faire la fête en apportant une spécialité culinaire locale. Famille, amis, voisins, tous déclaraient avoir connu mes parents et s'être demandé ce qu'étaient devenues les jumelles. Personne n'était très explicite, mais j'ai supposé qu'à l'époque tante Rose avait dû débarquer pour réclamer notre garde contre la volonté de la famille Tolomei, et ce grâce aux anciennes relations de son mari, l'oncle Jim, au Département d'État. Nous avions disparu sans laisser de traces, au désespoir de Pia et Peppo, notre marraine et notre parrain.

– Tout cela appartient au passé ! ne cessait de s'exclamer Peppo en me tapotant le dos. Aujourd'hui, tu es avec nous et nous pouvons enfin parler.

Par où commencer ? Tant de questions se bousculaient, tant d'années s'étaient écoulées ! Et comment justifier l'absence de ma sœur ?

– Elle a trop de travail, ai-je répondu en détournant les yeux lorsque Peppo m'a interrogée à son sujet. Je suis certaine qu'elle viendra vous voir plus tard.

Malheureusement, peu de gens parlaient anglais et chacune de mes réponses devait être traduite par un tiers. Mais les gens étaient si chaleureux et si accueillants que je passai un moment très agréable. Tant pis si nous ne nous comprenions pas parfaitement. Les sourires, les regards importaient plus que les mots.

À un moment, Pia est allée chercher un album, avant de s'asseoir à côté de moi pour me montrer des photos du mariage de mes parents. Des grappes de femmes ont accouru.

– Regarde ! s'est extasiée Pia devant un superbe cliché, ta mère porte ma propre robe de mariée. Quel beau couple ! Et là, c'est ton cousin, Francesco…

– Attendez !

J'ai tenté, en vain, de l'empêcher de tourner la page. Elle n'avait aucune raison de savoir que je n'avais jamais vu de portrait de mon père, et que la seule photo de ma mère adulte que je connaissais était celle, prise le jour de son bac, posée sur le piano de tante Rose.

Ce fut un choc. Non seulement ma mère était enceinte le jour de ses noces, ce qui se voyait largement, mais mon père avait l'air d'avoir cent ans. Il était beaucoup plus âgé que ma mère. Il ressemblait au vieil Abraham des bibles illustrées de mon enfance, et elle avait l'allure d'une étudiante effrontée, dont deux fossettes illuminaient le sourire.

Cependant, ils avaient l'air très heureux. Même si on ne les voyait jamais en train de s'embrasser, sur de nombreux clichés, elle s'accrochait au bras de son mari avec un regard plein d'admiration. Au fond, me disais-je, ici, dans ce havre idyllique et béni des dieux, le temps et l'âge devaient avoir très peu d'influence sur la vie des gens.

La réaction des femmes autour de moi me le confirmait. Aucune ne paraissait surprise par cette union. Leurs pépiements et leurs commentaires portaient surtout sur la robe de ma mère, sur son voile, et sur les liens de parenté compliqués qui l'unissaient à chaque invité.

Suivirent les photos du baptême qui s'étalaient sur plusieurs pages et où nos parents apparaissaient à peine. Pia tenait dans les bras un bébé, moi ou Janice, impossible de le dire, et elle ne se souvenait pas, tandis que Peppo berçait le second nourrisson avec fierté. Apparemment, il y avait eu deux cérémonies : une première dans l'église, la seconde à l'extérieur, au soleil, sur les fonts baptismaux de la *contrada* de la Chouette.

– Ce fut une très belle journée, a commenté Pia avec un sourire triste. Toi et ta sœur, vous êtes devenues de petites chouettes. Dommage que…

Elle s'est interrompue en refermant l'album d'un geste attendri.

– Tout cela est tellement loin. Parfois, je me demande si le temps guérit vraiment…

Un vacarme soudain a retenti à l'intérieur de la maison.

– Viens ! a hurlé une voix impatiente.

Elle s'adressait à Pia, qui s'est levée en murmurant :

– C'est la Nonna.

La vieille douairière de la famille Tolomei, que tout le monde appelait Nonna, vivait avec une de ses petites-filles dans le centre de Sienne. On l'avait invitée pour qu'elle fasse ma connaissance. Manifestement, la rencontre, qui bouleversait son emploi du temps, la contrariait. Elle venait d'arriver. Debout dans le vestibule, elle ajustait son voile de dentelle noire d'une main irritée, s'appuyant, de l'autre, sur sa petite-fille. On aurait juré une sorcière de conte de fées. Il ne lui manquait que le corbeau sur l'épaule.

Pia s'est précipitée vers elle. La Nonna s'est laissé embrasser à contrecœur, avant d'être escortée jusqu'au salon et de s'installer dans un fauteuil qui devait lui être plus ou moins réservé. On consacra plusieurs minutes à s'assurer qu'elle était bien assise. On déplaça, arrangea, tapota les coussins. On lui apporta une citronnade bien fraîche qui fut aussitôt refusée, avant d'aller en chercher une autre, servie cette fois avec une rondelle de citron perchée sur le bord du verre.

– Nonna est notre tante, m'a chuchoté Peppo. La sœur cadette de ton père. Viens, je vais te présenter.

Il m'a prise par la main et m'a plantée en face de la vieille dame en expliquant qui j'étais, attendant de sa part un cri de bonheur.

Peine perdue. La Nonna s'obstinait à bouder. Peppo a eu beau insister, la presser, la supplier, elle a refusé d'exprimer la moindre joie en ma présence. Peppo m'a obligée à me rapprocher pour qu'elle me voie mieux. Elle s'est renfrognée encore plus. Après m'avoir brièvement dévisagée, elle a marmonné des paroles incompréhensibles qui ont pétrifié tout le monde.

Pia et Peppo m'ont évacuée sur-le-champ, se confondant en excuses.

– Je suis navré, s'est écrié Peppo, trop mortifié pour me regarder dans les yeux. Je ne sais pas ce qui lui prend. Elle perd la tête.

– Ne vous inquiétez pas. Il est normal qu'elle soit surprise. Le choc est trop brutal, même pour moi.

– Sortons nous promener, a-t-il dit, encore bouleversé. Je vais te montrer la tombe de tes parents.

*
* *

Très différent de ceux que je connaissais, le cimetière du village respirait la paix, le recueillement. C'était un dédale de murs blancs, creusés de niches scellées par des plaques de marbre qui portaient, outre leur nom et leur photo, les dates de naissance et de décès des défunts. Des appliques de cuivre soutenaient les fleurs déposées par les visiteurs, dans l'attente de la résurrection de leurs chers disparus.

Appuyé sur mon épaule, Peppo m'a galamment ouvert un portail de fer grinçant qui menait à un petit mausolée, à l'écart de l'allée principale.

– Tu es devant la partie visible du caveau de la famille Tolomei. Nous ne descendons plus dans la crypte. Ici, c'est moins sinistre.

– C'est magnifique.

Je suis entrée dans la petite salle, tapissée de nombreux noms gravés dans le marbre. Un bouquet de fleurs des champs s'épanouissait sur l'autel. Un cierge brûlait dans un bol de verre rouge qui m'a paru vaguement familier. Le tombeau de la famille Tolomei était entretenu avec soin.

– Ton père est enterré ici, m'a indiqué Peppo. Ta mère repose à ses côtés. Elle était si jeune, a-t-il ajouté d'un air songeur. J'étais persuadé qu'elle me survivrait des années et des années…

J'ai contemplé, un pincement au cœur, les deux plaques qui étaient tout ce qui restait du professeur Patrizio Scipione Tolomei et de sa femme, Diane Lloyd Tolomei. Mes parents n'avaient été jusque-là que des ombres lointaines dont je rêvais vaguement. Jamais je n'aurais imaginé qu'un jour je me retrouverais, physiquement, aussi proche d'eux. Dans tous mes rêves de voyage en Italie, je ne m'étais jamais dit que mon premier devoir consisterait à retrouver leur tombe. Avec gratitude, j'ai serré la main de Peppo, toujours posée sur mon épaule, chuchotant simplement :

– Merci.

– Les circonstances de leur mort ont été un vrai drame. Toute l'œuvre de Patrizio est partie en fumée. Il avait une superbe propriété à Malemarenda et tout a disparu. Après ses obsèques, ta mère a acheté une petite maison à Montepulciano où elle s'est installée, seule, avec toi et ta sœur. Elle n'était plus la même. Tous les dimanches, elle venait déposer des fleurs sur sa tombe…

Il a sorti un mouchoir de sa poche.

– Plus jamais elle n'a été heureuse.

J'ai examiné les dates sur les plaques.

– Vous voulez dire que mon père est mort avant maman ? J'ai toujours cru qu'ils avaient disparu ensemble.

Non. Les dates le confirmaient : mon père était mort deux ans avant elle.

– Mais alors, de quel incendie parlez-vous ?

– Quelqu'un… Non, je ne devrais pas dire ça… Il y a eu un incendie épouvantable. La propriété de tes parents a brûlé. Ta mère a eu de la chance. Elle faisait des courses à Sienne, avec vous deux. Quelle tragédie ! Je pensais que la main de Dieu la protégerait. Pourtant, deux ans plus tard…

– L'accident de voiture ?

Peppo a baissé la tête.

– Oui. Je ne connais pas la vérité. Personne ne la connaît. Je vais quand même te faire un aveu…

Il a enfin osé affronter mon regard.

– J'y ai toujours vu la main des Salimbeni.

Je n'ai su que répondre. Je revoyais Eva Maria et sa valise dans ma chambre d'hôtel. Elle s'était montrée si bienveillante, si désireuse de devenir mon amie…

– Il y avait un jeune homme : Luciano Salimbeni. Un fauteur de troubles. Des rumeurs ont circulé… Je ne voudrais pas…

Il m'a jeté un regard embarrassé.

– L'incendie, l'incendie qui a tué ton père… On murmure qu'il ne s'agissait pas d'un accident. On prétend que quelqu'un voulait le tuer et détruire le fruit de ses recherches. Une propriété superbe… Je pense que ta mère a réussi à sauver quelques objets, des documents importants. Elle avait peur d'en parler. Toutefois, après l'incendie, elle a commencé à poser des questions étranges au sujet de…

– De quoi ?

– De toutes sortes de choses, auxquelles j'étais incapable de répondre. Elle m'interrogeait sur les Salimbeni, par exemple, sur des histoires de tunnels secrets. Elle cherchait à retrouver une tombe très précise. Tout cela était lié à la peste.

– La peste bubonique ?

– Oui, la Grande Peste de 1348. En fait, ta mère croyait que la malédiction qui hantait les Tolomei et les Salimbeni avait toujours cours. Elle voulait y mettre fin. Cette idée l'obsédait. J'ai essayé de la raisonner, mais…

Il a tiré sur son col de chemise, comme s'il avait trop chaud.

– Elle n'en démordait pas. Elle était convaincue que tous étaient maudits. Mort. Destruction. Accidents. « La peste soit de nos deux maisons… » Voilà ce qu'elle disait. Elle citait souvent Shakespeare… *Roméo et Juliette*. Elle était persuadée que la véritable histoire s'était déroulée ici, à Sienne. Absurde… ? Je ne suis pas spécialiste. Tout ce que je sais, c'est que cet homme, Luciano Salimbeni, cherchait à retrouver un trésor…

– Quel genre de trésor ?

– Je l'ignore. Ton père passait son temps à faire des recherches sur de vieilles légendes, et il évoquait des trésors perdus. Un jour, ta mère m'a parlé des… Comment appelait-elle ça ? « Les yeux de Juliette ». J'ignore ce qu'elle entendait par là, mais je pense que c'était quelque chose qui avait beaucoup de valeur ; et que Luciano Salimbeni convoitait.

Je brûlais d'en savoir davantage, mais Peppo avait l'air très affecté. Il vacillait, agrippait mon bras pour ne pas tomber.

– Si j'étais toi, a-t-il repris, je serais très prudente. Et je ne ferais confiance à aucun Salimbeni. Tu me crois *pazzo*… fou ? Nous sommes là, devant la tombe d'une jeune femme disparue bien avant l'heure. C'était ta mère. Elle est morte. Ton père est mort. Je ne sais rien d'autre. Mais mon vieux cœur Tolomei te conjure d'être très vigilante.

*
* *

Quand nous étions en terminale, Janice et moi nous étions portées volontaires pour jouer dans la pièce de théâtre de fin d'année : *Roméo et Juliette*. Après plusieurs essais, Janice obtint le rôle de Juliette, alors que je dus me contenter de figurer un arbre dans le verger des Capulet. Ma sœur passa plus de temps à se faire les ongles qu'à apprendre son texte. Chaque fois que nous répétions la scène du balcon, c'était moi qui, placée au milieu de la scène avec des branches à la place des bras, lui soufflais les premiers mots de ses répliques.

Le soir de la première, elle se montra particulièrement odieuse. Quand nous nous sommes assises pour le maquillage, elle n'a pas cessé de se moquer de mon visage marron en tirant sur les feuilles fichées dans mes cheveux, pendant qu'elle se faisait rosir les joues et parer de fausses nattes blondes. Lorsque la scène du balcon est arrivée, je ne me sentais plus du tout d'humeur à venir à son secours. J'ai même aggravé son cas. Au moment où Roméo dit : « Par quoi vais-je jurer ? », j'ai chuchoté : « Trois mots » ! Janice a immédiatement enchaîné : « Trois mots, cher Roméo et bonne nuit cette fois », en sautant six répliques ! Son partenaire en est resté bouche bée et la scène fut une catastrophe.

Peu après, alors que j'incarnais un candélabre dans la chambre de Juliette, je me suis débrouillée pour qu'elle se réveille à côté de Roméo et lui lance tout de suite : « Oh, va-t'en vite, sauve-toi ! » La fameuse scène d'au revoir, censée être un grand moment de tendresse, était mal partie !

Janice était tellement furieuse qu'elle m'a poursuivie dans tout le lycée en me menaçant de me raser les sourcils. Elle a fini par s'enfermer dans les toilettes et pleurer pendant une heure.

Il était plus de minuit quand tante Rose est venue me rejoindre dans le salon. J'avais peur d'aller me coucher et d'être victime, pendant mon sommeil, du rasoir de ma sœur. Umberto nous a apporté un verre de *vino santo* qu'il nous a tendu en silence. Ma tante n'a pas dit un mot sur le fait que j'étais trop jeune pour boire.

– Tu aimes cette pièce ? a-t-elle murmuré. Tu la connais par cœur, non ?

– En fait, je ne l'aime pas tant que ça. Mais elle est là, gravée au fond de moi.

– Tu es comme ta mère. Elle la connaissait par cœur. Elle était obsédée.

J'ai retenu mon souffle, attendant d'autres révélations. Tante Rose a levé les yeux en se raclant la gorge, puis a bu une gorgée de vin. Rien de plus. C'est une des seules choses qu'elle m'ait confiées sur ma mère sans que je la sollicite. Je n'en ai jamais parlé à Janice.

Notre passion commune pour *Roméo et Juliette* est restée un secret entre ma mère et moi. De même, je n'ai jamais avoué à personne que je redoutais de mourir à vingt-cinq ans, comme elle.

*
* *

Peppo m'a déposée devant l'hôtel Chiusarelli et j'ai filé au café Internet le plus proche. Vite, j'ai tapé le nom de Luciano Salimbeni sur Google. Il a fallu que je procède à pas mal d'acrobaties lexicales et de recoupements pour obtenir de vagues informations. Une heure plus tard, frustrée parce que je ne maîtrisais pas la langue italienne, j'avais quand même deux ou trois certitudes.

Un : Luciano Salimbeni était mort.

Deux : Luciano Salimbeni était un sale mec, voire un vrai bourreau.

Trois : Luciano et Eva Maria étaient plus ou moins liés.

Quatre : Cette histoire d'accident de voiture sentait le roussi et Luciano Salimbeni avait été arrêté et interrogé.

J'ai imprimé toutes les pages qui m'intéressaient pour les relire, dictionnaire en main. Pour l'heure, je n'en savais guère plus que ce que Peppo m'avait raconté. Mais, au moins, j'étais sûre qu'il n'avait rien inventé. Un type dangereux nommé Luciano Salimbeni avait bel et bien existé à Sienne ou dans les environs une vingtaine d'années plus tôt. Seule nouvelle rassurante : il était mort. Autrement dit, ce n'était pas lui qui, la veille, en survêtement, m'avait suivie dans les rues.

J'ai tapé sur Google : « Les yeux de Juliette », au cas où. Sans surprise, aucun des résultats n'avait grand-chose à voir avec de pseudo-trésors de légende. La plupart des entrées étaient des échanges entre érudits sur le motif des yeux dans la pièce de Shakespeare. En bonne élève, j'ai lu plusieurs extraits cités, en essayant de repérer un message caché, jusqu'au moment où j'ai remarqué les deux vers suivants.

Hélas, plus de périls sont dans tes yeux
Que dans vingt de leurs glaives

Tiens, tiens… Si Luciano Salimbeni avait tué ma mère à cause d'un trésor baptisé « Les yeux de Juliette », alors, la déclaration de Roméo avait un sens. Quelle que fût la nature de ces yeux mystérieux, ils semblaient potentiellement plus dangereux que de vraies armes. C'était aussi bête que ça.

Le second passage que j'ai relevé était plus obscur, plus abscons.

Deux des plus belles étoiles de tout le ciel,
Ayant affaire ailleurs, sollicitent ses yeux
De bien vouloir resplendir sur leurs orbes
Jusqu'au moment du retour. Et si ses yeux
Allaient là-haut, si ces astres venaient en elle ?

Ces cinq vers me paraissaient si énigmatiques que je suis sortie du café pour y réfléchir en marchant le long de la via del Paradiso. De toute évidence, Roméo cherchait à flatter Juliette en comparant ses yeux à des étoiles. Il avait toutefois une curieuse façon de filer la métaphore. Personnellement, je trouvais de mauvais goût de courtiser une jeune fille en imaginant à quoi elle ressemblerait le jour où on lui aurait arraché les yeux.

Cela dit, ces vers étaient bienvenus. Ils m'offraient une distraction par rapport à ce que j'avais appris dans la journée : non seulement mes deux parents étaient morts de façon tragique, séparément, mais ils avaient peut-être été victimes d'un meurtre. Outre le chagrin que j'éprouvais, j'ai senti revenir les picotements de l'angoisse, comme la veille, lorsque je me croyais suivie.

Peppo avait-il bien fait de me mettre en garde ? Étais-je vraiment en danger, tant d'années après ? Si c'était le cas, je pouvais toujours rentrer chez moi, aux États-Unis. Pourtant… Et si le trésor existait ? Si la clé de l'énigme des yeux de Juliette était cachée là, dans le coffre de ma mère ?

Absorbée dans mes pensées, j'ai déambulé dans le jardin d'un petit cloître proche de la piazza San Domenico. Le jour déclinait. Je me suis reposée un moment sur un banc, goûtant les derniers rayons de soleil et les ombres du soir qui grimpaient lentement le long de mes jambes. Je n'avais pas envie de rentrer. Le journal de maestro Ambrogio m'attendait à l'hôtel, prêt à m'emporter dans une nouvelle nuit sans sommeil au cœur de l'année 1340, et j'avais peur.

J'étais là, alanguie par la douce lumière du crépuscule, songeant à l'histoire de mes parents, quand, pour la première fois, je l'ai vu apparaître …

Le maestro.

Il marchait à l'ombre des arcades qui me faisaient face, transportant un chevalet et plusieurs ustensiles qui ne cessaient de glisser sous son bras et l'obligeaient à s'arrêter pour rétablir leur équilibre.

Je l'ai d'abord suivi des yeux. La tentation était trop forte : avec ses longs cheveux grisonnants, son cardigan informe et ses sandales ouvertes, il ne ressemblait à aucun des Italiens que je connaissais.

Je me suis avancée vers lui. Il ne m'a pas vue. Lorsque je lui ai rendu un pinceau qu'il avait laissé tomber, il a sursauté.

– *Scusi*…, ai-je bafouillé. Je crois qu'il est à vous.

Il a jeté un œil reconnaissant sur le pinceau, l'a pris en hésitant.

– Nous nous connaissons ?

Avant que j'aie eu le temps de répondre, un sourire émerveillé a illuminé son visage.

– Bien sûr, suis-je bête ! Je me souviens parfaitement de vous. Vous êtes… Oh ! aidez-moi, dites-moi…

– Giulietta Tolomei. Je ne pense pas que…

– Si, si, bien sûr ! Où étiez-vous ?

– Je… Je viens d'arriver.

– Bien sûr ! Où avais-je la tête ? Vous venez d'arriver et pourtant vous êtes là, devant moi. Giulietta Tolomei. Plus belle que jamais.

Il a souri en secouant la tête.

– Je ne comprends rien au temps qui passe.

– Ça va bien ? lui ai-je demandé, interloquée.

– Moi ? Oh oui, merci. Il faut que vous veniez me voir. J'ai quelque chose à vous montrer. Vous savez où se trouve mon atelier ? Via Santa Caterina. La porte bleue. Inutile de frapper.

*
* *

Plus tard dans la nuit, j'ai téléphoné à Umberto. Je l'ai senti profondément perturbé par mes révélations sur la mort de mes parents.

– Tu es sûre que c'est vrai ?

– Oui. Tout concourt à prouver que des forces obscures sont en jeu depuis au moins vingt ans. Sinon, pourquoi cet homme, hier, m'aurait-il suivie ?

– Tu es certaine qu'il te suivait ? Il s'agissait peut-être d'un vulgaire pickpocket. Il t'a vue sortir d'une banque et il a cru que tu avais du liquide sur toi.

– Possible. Je ne vois pas pourquoi on voudrait me voler ce coffre. Je n'y ai rien trouvé qui ait un lien avec les yeux de Juliette.

– Les yeux de Juliette ?

– C'est l'expression qu'a employée Peppo, ai-je lâché en soupirant et en m'affalant sur mon lit. C'est ça, le trésor, apparemment. Si tu veux mon avis, tout ça est un vaste canular. Maman et tante Rose sont toutes les deux au Ciel et se marrent en me voyant m'agiter. Et toi, qu'est-ce que tu deviens ?

Il m'a appris qu'il ne vivait plus dans la maison de ma tante, mais dans un hôtel de New York. Il cherchait un job. Quelle tristesse de l'imaginer serveur ou vendeur de pizzas à Manhattan ! Il semblait las, absent. Quant à moi, je ne savais plus à quel saint me vouer.

II, III

La mort, qui a sucé le miel de ton haleine,
N'a pas encore eu prise sur ta beauté
Et tu n'es pas vaincue.

Sienne, 1340.

Le coup fatal ne vint jamais.

Agenouillé comme s'il priait face au brigand, frère Lorenzo entendit un râle bref mais terrifiant, suivi d'une secousse qui ébranla la charrette, puis du bruit d'un corps s'écroulant à terre... Silence. Un coup d'œil furtif suffit à lui confirmer que son assassin ne le dominait plus. Il rampa prudemment jusqu'au bord de la carriole.

Il était bien là, gisant près du fossé, celui qui, quelques instants plus tôt, était ce capitaine de bandits de grands chemins, arrogant et fier. Il avait l'air si fragile, si humain, étendu ainsi, la pointe du poignard fiché dans le cœur. Sortant de sa bouche, du sang coulait dans son oreille qui avait entendu tant de suppliques sans jamais éprouver la moindre pitié.

– Sainte Mère ! s'écria Lorenzo en levant les mains au ciel. Oh, Vierge bénie, merci d'avoir sauvé ton humble serviteur !

– Salut à toi, bien cher frère, mais sache que je suis loin d'être vierge.

Lorenzo se redressa brusquement au son de cette voix d'outre-tombe. Elle provenait de l'apparition qu'il avait devant lui, munie d'un casque à plumet, d'un plastron de cuirasse, une lance à la main.

– Noble saint Michel, s'écria-t-il, à la fois exalté et terrifié, c'est toi qui m'as sauvé la vie ! Cette fripouille était sur le point de me frapper à mort.

Saint Michel releva la visière de son casque, révélant un visage fort jeune.

– Oui, répondit-il, je m'en doutais. Au risque de te décevoir, il faut que je t'avoue que je ne suis pas un saint.

– Qui que tu sois, noble chevalier, ton apparition est un miracle, et je suis sûr que notre Sainte Vierge récompensera ton exploit au paradis.

– Je te remercie, répliqua le chevalier au regard de mauvais garçon. La prochaine fois que tu t'adresseras à elle, aurais-tu la bonté de lui dire que je préférerais être remercié ici-bas ? Un autre cheval, par exemple ? Car je suis sûr qu'avec celui-ci je vais me retrouver, au Palio, avec le cochon pour tout trophée.

Frère Lorenzo cligna des yeux. Son sauveur disait vrai. Il n'avait rien d'un saint. Pis encore : à en juger par le ton très cavalier avec lequel il parlait de la Vierge Marie, ce n'était certes pas un homme pieux.

Tout à coup, il entendit le grincement imperceptible du couvercle de la bière que la « morte » tentait de soulever pour apercevoir ce sauveur inespéré. Il s'assit aussitôt sur le cercueil pour le maintenir fermé. Ces deux jeunes gens devaient à tout prix éviter de se rencontrer.

– Hum, dit-il, déterminé à demeurer poli, puis-je savoir vers quelle bataille vous vous dirigez, noble chevalier ? À moins que vous ne soyez en route pour la Terre sainte ?

– D'où sortez vous ? Un homme qui a consacré sa vie à Dieu devrait savoir que le temps des croisades est passé.

Le jeune homme étendit le bras du côté de Sienne et ajouta :

– Ces collines, ces tours... La voilà, ma Terre sainte.

– Vous m'en voyez ravi, rétorqua prestement frère Lorenzo. Je me rendais moi-même à Sienne, avec les meilleures intentions du monde !

– Puis-je vous demander, poursuivit le chevalier, peu convaincu, dans quel but vous souhaitez vous rendre à Sienne, mon frère ? Et ce que vous transportez dans ce cercueil ?

– Rien.

– Rien ?

Le jeune homme jeta un œil sur le cadavre étendu au pied de la carriole.

– Cela ressemble peu aux Salimbeni de verser leur sang pour rien. Je suis certain que vous transportez avec vous un bien fort désirable.

– Vous faites erreur, insista Lorenzo, encore trop ébranlé pour accorder sa confiance à un inconnu aussi prompt à tuer. Au fond de ce cercueil gît le corps de l'un de mes pauvres frères, horriblement défiguré à la suite d'une chute du haut de l'une de nos tours, il y a trois jours, alors qu'il ventait fortement. Je suis tenu de le livrer à messire... hum... aux siens, ce soir même, à Sienne.

À son grand soulagement, une expression de compassion s'afficha sur le visage de l'inconnu. Le jeune cavalier ne posa plus la moindre question sur le cercueil. Il se détourna et jeta un regard impatient sur la route. Lorenzo regarda dans la même direction. Il ne vit que le soleil qui, telle une énorme boule de feu, semblait plonger dans un océan couleur de sang.

– Chers cousins ! s'écria soudain son sauveur. Notre reconnaissance du parcours a été interrompue par ce pauvre moine !

Alors, cinq cavaliers surgirent du soleil. À mesure qu'ils approchaient, Lorenzo comprit qu'il avait face à lui une brochette de jeunes gens qui s'entraînaient pour un tournoi ou une épreuve sportive. Nul ne portait d'armure. L'un d'eux, presque un enfant, tenait un grand sablier qui, dès qu'il aperçut le corps mort au bord du fossé, lui échappa des mains, tomba et se brisa en deux.

– Cet incident est de mauvais augure pour notre course, mon cher cousin, lança le chevalier à l'adolescent, mais notre saint ami est peut-être en mesure de rompre ce sort par une prière ou deux. Qu'en penses-tu, cher frère ? Dirais-tu une bénédiction pour mon cheval ?

Lorenzo le considéra avec hargne, persuadé d'être l'objet d'une plaisanterie. Pourtant, le jeune homme paraissait sincère, assis sur son cheval aussi paisiblement que dans un fauteuil. Amusé par la mine furieuse du moine, il sourit et reprit :

– Bah, peu importe. Nulle bénédiction n'aidera cette misérable carne. Mais dis-moi, avant que nous ne nous séparions... Ai-je sauvé un ennemi ou un ami ?

– Noble maître ! protesta le moine, qui bondit sur ses pieds et joignit les mains. Je vous dois la vie ! Comment pourrais-je ne pas être votre dévoué sujet pour le restant de mes jours ?

– Belles paroles ! À qui as-tu fait allégeance ?

– Allégeance ? bafouilla le frère, examinant chacun des jeunes cavaliers à la recherche d'un indice.

– Oui, répéta le plus jeune, quel champion soutiens-tu au Palio ?

Six paires d'yeux se braquèrent sur Lorenzo, tandis qu'il réfléchissait. Son regard allait et venait entre la plume dorée du casque du chevalier, les ailes noires de la bannière accrochée à sa lance et l'aigle géant qui déployait ses ailes sur le plastron de sa cuirasse.

– Bien sûr, bredouilla-t-il, mon champion est… l'aigle. C'est bien ça ! L'aigle, ce noble oiseau, le roi du ciel !

Ouf ! Sa réponse fut accueillie par des cris d'enthousiasme.

– Dans ce cas, tu es notre ami, conclut le chevalier. Je suis heureux de ne pas t'avoir tué. Viens, nous t'accompagnerons jusqu'à la cité. La porte de Camollia est fermée aux attelages dès la nuit tombée. Hâtons-nous.

– Devant tant de bonté, je m'incline, déclara Lorenzo. Puis-je me permettre de vous demander votre nom afin de vous bénir dans mes prières, maintenant et à jamais ?

Le casque à plume s'inclina avec cordialité.

– Je me présente : l'Aigle. Mais les hommes m'appellent Roméo Marescotti.

– Marescotti est donc le nom de votre illustre famille ?

– Les noms vivent et meurent. L'aigle, lui, vit pour l'éternité.

– Seul le Ciel nous accorde la vie éternelle, ânonna machinalement Lorenzo.

Le chevalier rayonnait.

– L'aigle est donc bien l'oiseau préféré de la Vierge ! s'exclama-t-il pour égayer ses compagnons.

*
* *

Lorsque Roméo et ses cousins pénétrèrent au cœur de la cité de Sienne, le crépuscule s'était effacé devant l'obscurité. Le monde semblait enseveli sous le silence. Les habitants avaient clos portes et volets pour tenir à distance les démons de la nuit. Seuls un rayon de lune ou la torche d'un passant attardé adoucissaient parfois les ténèbres, permettant de se repérer dans les ruelles.

Frère Lorenzo avait menti quand Roméo lui avait demandé à qui il allait rendre visite. N'ignorant rien de la querelle sanglante qui opposait les clans Salimbeni et Tolomei, il savait que révéler à la mauvaise personne qu'il se rendait à Sienne pour voir le grand messire Tolomei pouvait lui coûter la vie. Sa jeune escorte avait beau se montrer d'une serviabilité sans égal, comment ces cavaliers réagiraient-ils s'ils découvraient la vérité ? Frère Lorenzo avait donc répondu qu'il cherchait à rejoindre l'atelier du maestro Ambrogio Lorenzetti. C'était le seul nom associé à la cité de Sienne qui lui était venu à l'esprit.

Ambrogio Lorenzetti était un peintre, un véritable maître, très réputé pour ses fresques et ses portraits. Lorenzo ne l'avait jamais rencontré mais avait entendu dire que le grand homme vivait à Sienne. C'est avec une certaine appréhension qu'il avait prononcé son nom devant Roméo. Constatant que le jeune homme ne le contredisait pas, il s'était félicité de son choix.

– Bien, conclut Roméo en arrêtant son cheval au milieu d'une rue étroite, nous y voilà. C'est la porte bleue.

Lorenzo observa les alentours, surpris de découvrir que le maestro vivait dans un quartier aussi peu avenant. Les ruelles étaient jonchées d'ordures et de débris sur lesquels lorgnaient des chats efflanqués, nichés sous les porches et dans les recoins sombres.

– Je vous remercie de votre aide, dit-il en descendant de sa carriole. Le Ciel saura vous récompenser.

– Attends, répondit Roméo en mettant pied à terre, nous allons t'aider à porter le cercueil à l'intérieur.

– Non, surtout pas ! Ne le touchez pas ! cria le frère en s'interposant entre le jeune homme et la bière. Je vous en supplie ! Vous m'avez suffisamment aidé jusqu'ici.

– Que nenni ! Tu comptais entrer tout seul ?

– Je comptais… Le Ciel m'aidera ! Le maestro lui-même…

– Les peintres ont du talent, rarement des muscles.

Roméo poussa de côté le moine, en douceur, conscient de sa supériorité physique.

– Non ! Je vous en prie… Je vous ordonne de…

– Tu m'ordonnes ? Je viens de te sauver la vie, mon cher. Puis-je savoir d'où vient ton acharnement ?

De l'autre côté de la porte, maître Ambrogio se concentrait tout entier sur son activité nocturne : mélanger et expérimenter des couleurs. La nuit appartient aux audacieux, aux fous et aux artistes, qui sont souvent les mêmes. C'était une heure bénie pour travailler. Tous ses clients se calfeutraient chez eux, mangeant et dormant comme le commun des mortels. Personne ne viendrait frapper à sa porte avant le lever du jour.

Tout à son ouvrage, heureux, il n'entendit rien jusqu'au moment où son chien, Dante, grommela. Mortier en main, il s'approcha de la porte et tendit l'oreille pour juger de l'importance de la querelle qui se déroulait devant chez lui. Il se rappela alors la mort sublime de Jules César, poignardé par une faction de sénateurs romains et s'écroulant pour former, sur le sol, une tache écarlate encadrée par des colonnes, en un parfait tableau. Qui sait si un noble Siennois n'était pas sur le point de connaître un tel sort ? Ce serait une source d'inspiration unique pour peindre une fresque superbe sur un des murs de la ville…

Soudain, on frappa à la porte. Dante aboya violemment.

– Chut ! Va te cacher, c'est peut-être notre ami le diable.

Il entrouvrit la porte. Aussitôt, un tourbillon de voix envahit l'atelier.

– Dites-le-leur, mon frère bien-aimé, lui lança un jeune moine hors d'haleine, dites-leur que nous pouvons très bien nous débrouiller tout seuls !

– Mais de quoi s'agit-il ?

– Du cercueil, pardi ! répondit une autre voix. Du cercueil qui abrite le cadavre du sonneur de cloches.

– Vous faites erreur. Je n'ai rien commandé de tel.

– Je vous en supplie, insista le moine, laissez-nous entrer ! Je vous expliquerai plus tard.

Maître Ambrogio n'eut d'autre choix que de reculer pour laisser entrer la petite troupe. Il ne fut nullement surpris de reconnaître le jeune Roméo Marescotti et ses cousins, toujours prêts à commettre les pires méfaits, y compris des meurtres. En revanche, il avait du mal à s'expliquer la présence du jeune moine qui, désespéré, se tordait les mains devant lui.

– Je n'ai jamais porté de cercueil aussi léger, fit remarquer l'un des coquins. Votre sonneur devait être un homme fort mince, frère Lorenzo. La prochaine fois, tâchez de choisir un homme plus enrobé. Il résistera mieux aux rafales du haut de son clocher.

– Bien vu ! répliqua Lorenzo, faussement désinvolte. Maintenant, il est temps que je vous remercie, messeigneurs. Merci à vous, messire Roméo, pour nous, euh… pour m'avoir sauvé la vie ! Tenez, ajouta-t-il en sortant une petite pièce cachée sous sa robe. Un *centesimo* pour votre peine.

La pièce demeura suspendue un instant, personne ne la réclamant. Frère Lorenzo la remit à sa place, les oreilles plus rouges que des charbons ardents en plein courant d'air.

– Tout ce que je demande, clama Roméo, provocateur, c'est de voir ce que contient ce cercueil. Car je suis certain qu'il ne s'agit pas d'un moine, ni gras ni mince.

– Impensable ! objecta Lorenzo. Je ne peux vous y autoriser. Je le jure devant la Vierge Marie et devant chacun de vous : le cercueil doit demeurer clos. Sinon, le ciel nous tombera sur la tête.

Maître Ambrogio songea qu'il n'avait encore jamais peint d'oisillon. Un petit moineau à peine tombé du nid, les plumes encore toutes fripées et les yeux effrayés, semblables à des billes minuscules… Voilà à quoi ressemblait ce jeune moine coincé au milieu des félins les plus redoutés de Sienne.

– Allez, cher frère, lança Roméo, je t'ai sauvé la vie. Ne mérité-je donc pas ta confiance ?

– Je crains, dit maître Ambrogio à Lorenzo, que vous ne soyez obligé de mettre votre menace à exécution et de nous livrer au Ciel, tous autant que nous sommes. C'est une question d'honneur.

– Très bien ! Puisque c'est ainsi, je vais ouvrir le cercueil. Mais permettez-moi d'abord de vous expliquer…

Il s'interrompit, son regard divaguant tandis qu'il cherchait un peu d'inspiration, avant de reprendre :

– Vous avez raison. Le cercueil n'abrite pas de moine. Il cache une personne qui n'en est pas moins sacrée, puisqu'il s'agit de la fille unique de mon généreux protecteur, morte dans des circonstances tragiques il y a deux jours. C'est lui qui m'a envoyé ici, chez vous, maestro, pour vous demander de saisir les traits de son beau visage avant qu'ils ne soient perdus à jamais.

– Il y a deux jours ? cria, atterré, maître Ambrogio. Elle est morte depuis deux jours ? Mon cher ami…

Sans attendre l'autorisation du moine, il ouvrit le cercueil. Fort heureusement, la jeune fille couchée à l'intérieur n'avait pas encore perdu sa beauté.

– Il m'est avis, déclara le peintre, soulagé, que nous avons un peu de temps devant nous. Cela dit, je préfère commencer immédiatement. Votre protecteur a-t-il exprimé un souhait particulier ? En général, je propose une Vierge Marie peinte à partir de la taille, mais je peux y adjoindre un petit Jésus sans frais supplémentaires, puisque vous vous êtes donné la peine de venir jusqu'ici.

– Je… je crois qu'une Vierge fera l'affaire, répondit le frère en jetant un regard anxieux sur Roméo, à genoux et pâmé devant la jeune morte. Ajoutez notre divin Sauveur, puisque vous me l'offrez si aimablement.

– *Ahimè !* Hélas ! s'exclama Roméo, comment Dieu peut-Il se montrer d'une telle cruauté ?

– Arrêtez ! hurla Lorenzo.

Trop tard. Déjà, le jeune homme caressait tristement la joue de la jeune fille.

– Une telle beauté, murmura-t-il d'une voix tendre, ne devrait jamais s'éteindre. Ce soir, même la mort hait son propre commerce. Regardez, elle n'a pas encore déposé sa marque violette sur ses lèvres.

– Attention, le prévint le frère en tentant de refermer le couvercle. Ses lèvres sont infectées et contagieuses !

– S'il ne tenait qu'à moi, j'irais la chercher au paradis pour la ramener sur terre. Ou je resterais avec elle au Ciel, pour l'éternité.

– Oui, oui, dit le frère, forçant sur le couvercle, à deux doigts d'écraser le poignet du jeune homme. Face à la mort, les hommes deviennent les amoureux les plus transis. Si seulement ils témoignaient de la même ardeur quand leur bien-aimée est en vie !

– Tu as raison, mon frère, répondit Roméo en se redressant. Allez, j'en assez vu pour la soirée. La taverne nous appelle. Je vous abandonne, elle et toi, à votre triste sort et je vous promets de lever mon verre pour le salut de l'âme de cette pauvre donzelle. J'en lèverai d'ailleurs plus d'un. Avec un peu de chance, le vin m'enverra droit au Ciel afin que je la revoie et…

– Maîtrisez votre langage, messire Roméo !

– … que je lui rende les hommages que je lui dois.

Lorenzo attendit que la bande de chenapans ait quitté l'atelier et que l'écho des sabots de leurs chevaux se soit évanoui. Enfin, il ouvrit la bière.

– Tu peux sortir, dit-il, il n'y a plus de risque.

La jeune fille se releva en ouvrant les yeux, les joues creusées par l'épuisement.

– Dieu tout-puissant ! s'écria le peintre en se signant avec son mortier. Serait-ce de la sorcellerie ?

– Je vous en supplie, maestro, gémit le moine en aidant la jeune fille à sortir de la bière, auriez-vous la gentillesse de nous accompagner jusqu'au palazzo Tolomei ? Je vous présente Giulietta, nièce de messire Tolomei, qui fut victime de bien des malheurs et que je suis chargé de mettre à l'abri le plus rapidement possible. Seriez-vous prêt à nous aider ?

Maître Ambrogio, encore sous le choc, considéra tour à tour le moine et la jeune fille. En dépit de sa fatigue, celle-ci se tenait très droite, ses cheveux ébouriffés éclairés par les bougies, les yeux plus bleus qu'un ciel sans nuages. Jamais il n'avait vu de créature à la beauté aussi idéale.

– Puis-je vous demander pour quelle raison vous êtes venus chez moi ?

– Un homme qui perçoit le divin en toute chose, répondit Lorenzo en désignant les peintures, est un frère du Christ.

Le peintre jeta un œil autour de lui. Il n'aperçut que des bouteilles vides, des toiles inachevées et des portraits de gens qui avaient changé d'avis au dernier moment en voyant la facture.

– Vous êtes trop bon. Ne craignez rien. Je vais vous conduire au palais. Auparavant, racontez-moi ce qui est arrivé à cette ravissante jeune fille et pourquoi vous avez jugé bon de la dissimuler dans ce cercueil.

Pour la première fois, Giulietta prit la parole. La douceur et le calme de sa voix contrastaient avec la douleur qui crispait son visage.

– Il y a trois jours, dit-elle, les Salimbeni ont assailli ma maison. Ils ont tué tous ceux qui portaient le nom de Tolomei, mon père, ma mère, mes frères, de même que tous ceux qui tentaient de leur résister, sauf un homme, mon cher confesseur, frère Lorenzo. Je me confessais dans notre chapelle lorsque l'attaque a eu lieu, et j'aurais…

Accablée par le chagrin, elle ne put poursuivre.

– Nous sommes venus à Sienne pour implorer votre protection et informer messire Tolomei, précisa Lorenzo.

– Nous sommes venus pour nous venger ! rectifia Giulietta, le regard haineux et les poings serrés contre la poitrine, comme pour réprimer un geste violent. Pour éventrer ce monstre de Salimbeni et le pendre à ses propres entrailles !

– À vrai dire, murmura benoîtement Lorenzo, nous sommes prêts à faire preuve de charité chrétienne et à lui pardonner.

– Nous le donnerons à bouffer à ses chiens, morceau par morceau ! asséna Giulietta, sourde à la clémence de son confesseur.

– Je compatis du fond du cœur, dit le maestro. Vous avez tant souffert…

– Ne vous apitoyez pas sur moi ! cria Giulietta. Soyez simplement assez serviable pour me conduire chez mon oncle. Je vous en prie.

Après avoir déposé le moine et la jeune fille au palazzo Tolomei, maître Ambrogio se hâta de regagner son atelier. Jamais il n'avait été dans un tel état. Il était amoureux de la belle Giulietta, il était en enfer… Il était tout cela à la fois. Les ailes géantes de l'inspiration battaient dans son crâne tout en lui griffant les côtes, cherchant à échapper à la prison qu'est le corps mortel de tout homme de génie.

Affalé par terre, un œil à demi ouvert, atterré, comme toujours, par l'agitation humaine, Dante observait son maître. Le peintre préparait ses pinceaux pour donner à une Vierge sans tête, peinte récemment, les traits de Giulietta Tolomei. Il commença par les yeux. Nulle part dans son atelier, ni dans la ville entière, il ne trouverait un bleu aussi mystérieux. Il mélangea ses couleurs dans un état proche de la fièvre, profitant de ce que l'image de la jeune fille resplendissait encore au fond de lui.

Encouragé par les premiers résultats, il poursuivit, n'hésitant pas à esquisser le contour de ce visage exceptionnel sous les mèches enflammées de sa chevelure. Son trait était sûr, vif, presque magique. Il n'eût point été moins emporté ni assuré si la jeune femme avait été assise face à lui, posant pour l'éternité.

– Oui !

Ce fut le seul mot qui s'échappa de ses lèvres alors qu'il ramenait à la vie avec frénésie, mû par une faim insatiable, les traits qui l'avaient tant frappé. Une fois le tableau achevé, il recula et saisit le verre de vin qu'il s'était servi dans une autre vie, cinq heures plus tôt.

Soudain, on frappa à la porte.

– Chut ! murmura-t-il en agitant l'index vers son chien. C'est peut-être un nouvel ange.

Hélas, la porte à peine entrouverte, il réalisa que le destin lui avait envoyé un démon.

Sous la lumière vacillante d'une torche murale se tenait Roméo Marescotti, la bouche tordue par un sourire d'ivrogne. Ce gandin à qui il avait eu affaire la nuit même, le maestro ne le connaissait que trop. Une semaine plus tôt, les hommes de la famille Marescotti étaient venus poser chez lui, un par un, afin qu'il les intègre tous dans une nouvelle fresque du palazzo Marescotti. Le patriarche, le commandeur Marescotti, avait insisté pour que soit représenté l'ensemble du clan, depuis l'origine. Les ancêtres masculins, les plus probables et les plus improbables, devaient figurer au centre, au cœur de la fameuse bataille de Monteaperti, tandis que les contemporains planeraient dans les nuées, au-dessus de la mêlée, sous les traits des Sept Vertus que l'on tirerait au sort. Roméo était tombé sur celle qui lui correspondait le moins, ce qui avait réjoui tout le monde et contraint maître Ambrogio à prêter au séducteur le plus redouté de Sienne l'auguste modestie de la Chasteté juchée sur son trône.

La Chasteté ressuscitée se précipita dans l'atelier. Le cercueil était toujours là. Fermé. Le jeune homme brûlait d'envie de l'ouvrir pour admirer le corps de la donzelle ; mais il ne pouvait déplacer la palette du maître et plusieurs pinceaux encore humides posés sur le couvercle.

– Vous avez terminé le portrait ? demanda-t-il. Puis-je le voir ?

– Pourquoi vouloir contempler l'image d'une morte ? Tant de belles filles bien vivantes courent les rues.

– Très juste. Toutefois, ce serait trop facile, non ?

Roméo repéra alors le tableau et se dirigea vers lui, pour le passer au crible de son œil expert en femmes plus qu'en peinture.

– Pas mal, finit-il par admettre. Vous avez bien réussi les yeux. Comment avez-vous…

– Je vous remercie, mais l'auteur de ce portrait n'est autre que Dieu. Un peu de vin ?

– Volontiers.

Le jeune homme saisit la coupe et s'installa sur le cercueil, en évitant soigneusement les pinceaux.

– Et si nous trinquions à votre ami, Dieu, justement, et à tous les tours qu'Il nous joue ?

– Il est très tard. Vous devez être épuisé, mon ami, murmura le peintre en s'asseyant à côté de Roméo.

Hypnotisé par le portrait qu'il avait devant lui, le jeune homme ne put détourner le regard ni répondre.

– Je suis plus éveillé que jamais, dit-il enfin, avec une sincérité aux accents surprenants. À tel point que je me demande si je l'ai été jusqu'à ce jour.

– C'est un état courant. Dans le demi-sommeil, notre œil intérieur s'ouvre.

– Je ne dors pas. Plus jamais je ne dormirai. Je viendrai ici tous les soirs pour admirer ce portrait.

Souriant devant l'aveu d'une telle passion, privilège si enviable de la jeunesse, maître Ambrogio contemplait lui aussi son œuvre.

– Vous l'appréciez, me semble-t-il.

– L'apprécier ? Je l'adore, oui !

– Pourriez-vous l'adorer si elle était destinée à un mausolée ?

– Ne suis-je pas un homme ? Cependant, je vous avoue qu'en tant qu'homme j'éprouve un réel chagrin devant un tel gâchis. Si seulement la mort acceptait de la rendre à la vie !

– Dans que but ? Qui sait comment vous réagiriez si cet ange était une femme vivante ?

– Je... je ne sais pas. Je l'aimerais, bien sûr. J'aime les femmes. J'en ai aimé de nombreuses.

– Dans ce cas, il vaut mieux qu'elle ne soit pas réelle. Pour courtiser une jeune fille de cette qualité, il faut entrer par la grande porte, et non se faufiler sous son balcon, comme un voleur en pleine nuit.

Constatant que son interlocuteur était plongé dans un étrange silence, le peintre, son noble visage zébré d'un coup de pinceau ocre, poursuivit, avec plus d'audace :

– D'un côté, il y a la luxure, que vous connaissez bien, et de l'autre, l'amour. Les deux sont liés, mais diffèrent profondément. La luxure ne demande que de suaves paroles et de beaux atours. Pour obtenir l'amour, un homme devra abandonner sa côte. En échange, la femme annulera le péché commis par Ève et le ramènera au paradis.

– Comment un homme peut-il savoir à quel moment donner sa côte ? J'ai beaucoup d'amis à qui il n'en reste qu'une et je vous jure qu'ils n'ont jamais mis les pieds au paradis.

Sensible à la franchise de Roméo, Ambrogio hocha la tête.

– Vous venez de le dire. Un homme le sait. Un jeune chien, non.

Roméo éclata d'un rire franc, posa sa main sur l'épaule du peintre.

– Je vous admire !

– Qu'y a-t-il de si extraordinaire dans le courage ? Cette vertu a provoqué la mort de plus d'hommes de bien que tous les vices réunis.

Roméo rit de plus belle, comme s'il découvrait le plaisir d'avoir un interlocuteur capable de lui tenir tête. Quant au maestro, il commençait, à sa grande surprise, à apprécier le jeune homme.

– J'entends souvent les hommes affirmer qu'ils seraient prêts à tout pour une femme, reprit Roméo. Mais, à sa première requête, ils pleurnichent et se défilent, comme des chiots.

– Et vous ? Vous ne vous défilez jamais ?

Roméo exhiba de belles dents blanches, fait remarquable pour quelqu'un qui avait la réputation de provoquer des rixes partout où il passait

– Non ! clama-t-il joyeusement. Je sais flairer les femmes qui ne demandent rien de plus que ce que je peux leur donner. Mais celle-là…

Il désigna le portrait d'un mouvement du menton.

– … je serais prêt à me briser toutes les côtes pour l'obtenir. Mieux encore, j'entrerais par la grande porte, comme vous dites, et je demanderais sa main avant même de l'avoir effleurée. Je ferais d'elle ma seule et unique épouse et plus jamais je ne poserais le regard sur une autre femme. Je le jure ! Je suis sûr qu'elle en vaudrait le prix.

Ravi d'entendre de tels propos, le maestro se persuada que la subite métamorphose du jeune homme avait été provoquée par la seule puissance de son art.

– Elle le vaut, en effet, renchérit-il.

– Vous en parlez comme si elle vivait encore…

Ambrogio scruta longuement son hôte, pour sonder la force de sa résolution.

– Giulietta. Tel est son nom. Et, ce soir, votre simple contact l'a ravie à la mort. Après votre départ pour la taverne, j'ai vu son exquise silhouette se redresser…

Roméo bondit sur ses pieds, comme si on l'avait brûlé.

– Vous évoquez un spectre ! Mon bras tremble-t-il de joie, ou de crainte ?

– Craignez-vous les desseins des hommes ?

– Des hommes, non. De Dieu, oui.

– Alors, soyez rassuré par ce que je vais vous avouer. Ce n'est pas Dieu qui l'a couchée dans ce cercueil. C'est frère Lorenzo, le moine, pour la protéger.

– Vous voulez dire qu'elle n'était pas morte ?

– Aussi vivante que vous et moi.

– Vous vous moquez de moi ! Je ne vous crois pas !

– Comme vous voudrez, grommela le maestro en se levant. Allez, ouvrez le cercueil.

Roméo fit les cent pas, confus, avant de rassembler tout son courage et de soulever le couvercle.

Voyant la bière vide, il jeta au peintre un regard plein de fureur.

– Où est-elle ? cria-t-il.

– Je n'ai pas le droit de vous le dire. Ce serait rompre mon serment.

– Est-elle en vie ?

– Elle l'était quand je l'ai vue pour la dernière fois, me disant adieu sur le seuil de la maison de son oncle.

– Qui est son oncle ?

– Je ne peux pas, non plus, vous donner son nom.

Consterné, Roméo s'approcha du vieil homme.

– Vous voulez dire que je vais devoir chanter la sérénade sous chaque balcon de Sienne jusqu'à ce qu'elle daigne apparaître ?

Soudain, Dante bondit sur ses pieds, comme s'il sentait son maître menacé. Il se calma aussitôt, lâcha une longue plainte. Le maestro lui caressa la tête.

– Elle ne se montrera pas. Elle n'est guère d'humeur à écouter des sérénades et ne le sera peut-être jamais.

– Alors, pourquoi faire tant d'histoires ? lança Roméo en considérant le chevalet, puis le portrait.

– Parce que l'œil d'un artiste répugne à voir une blanche colombe folâtrer avec des corbeaux.

La vue du haut de la Fortezza, la vieille forteresse [illegible] était superbe. Les toits de terre cuite de Sienne [illegible]

III, I

Qu'y a-t-il dans un nom ? Ce qu'on appelle une rose
Avec tout autre nom serait aussi suave.

La vue du haut de la Fortezza, la vieille forteresse des Médicis, était superbe. Les toits de terre cuite de Sienne miroitaient sous le soleil de l'après-midi, et un parterre de collines ondulant tel un océan d'ombres vert et bleu se déroulait à l'infini. C'est là que je m'étais installée pour lire le journal de maître Ambrogio, tout en goûtant la beauté de ce paysage au merveilleux parfum d'été.

J'avais passé une partie de la matinée dans le café de Malèna, piazza Postierla, pour lire les deux versions antérieures officielles de *Roméo et Juliette*, celle de Masuccio Salernitano et celle de Luigi da Porto, respectivement datées de 1476 et de 1530. J'étais grisée de découvrir la façon dont l'intrigue avait évolué, da Porto apportant une vraie dimension littéraire à un drame basé, selon Salernitano, sur des événements réels.

Dans la version de Salernitano, Roméo et Juliette, ou plutôt Mariotto et Giannozza, vivent à Sienne. Leurs parents ne sont pas ennemis. Ils se marient effectivement en secret, après avoir soudoyé un homme d'Église. Leur histoire tourne à la tragédie lorsque Mariotto tue un citoyen important de la ville et est obligé de s'exiler. Les parents de Giannozza, ignorant le mariage de leur fille, lui demandent d'épouser un autre homme. Désespérée, la jeune fille persuade le moine qui les a mariés de lui préparer une potion qui endort. L'effet de la potion étant beaucoup plus puissant que prévu, les malheureux parents la croient morte et la font enterrer. Heureusement, le brave moine parvient à la libérer de sa sépulture. Dans le plus grand secret, on embarque Giannozza sur un navire en partance pour Alexandrie, où Mariotto coule des jours heureux. Le messager chargé de le prévenir du stratagème de la potion est capturé par des pirates. Croyant Giannozza morte et ensevelie à Sienne, Mariotto s'y précipite pour périr à ses côtés. À peine arrivé, il est arrêté par des soldats qui lui tranchent la tête. Giannozza passe le restant de ses jours dans un couvent, accablée de chagrin.

Les éléments fondamentaux figuraient donc dans la version originale : le mariage secret, l'exil de Roméo, le recours à la potion, le messager égaré et la mission-suicide de Roméo, due à sa croyance erronée en la mort de Juliette.

La surprise majeure était le lieu de l'action : Sienne.

Lorsque da Porto reprit l'histoire un demi-siècle plus tard, lui aussi s'efforça d'ancrer la pièce dans la réalité, rendant aux deux personnages leurs véritables prénoms : Roméo et Juliette. Mais il transposa l'action à Vérone et changea les noms de famille, probablement pour éviter les représailles des clans puissants impliqués dans le scandale.

Peu importaient ces détails d'ordre technique. La version de da Porto me paraissait beaucoup plus séduisante. Il avait introduit les scènes du bal masqué et du balcon. Surtout, son coup de génie était l'idée du double suicide. Un seul détail me laissait sceptique : Juliette meurt en cessant de respirer. Peut-être da Porto craignait-il que le public de l'époque ne supporte pas de voir du sang versé sur scène... Scrupule dont Shakespeare, heureusement, ne s'embarrassa pas.

Après da Porto, un certain Bandello proposa une troisième version, surchargée de dialogues mélodramatiques, sans vraiment modifier l'intrigue.

Ensuite, ce récit quitta l'Italie pour voyager en France et en Angleterre, jusqu'au moment où il atterrit sur la table de travail du grand dramaturge anglais qui l'immortalisa.

Une différence essentielle entre ces versions et le journal de maître Ambrogio m'a sauté aux yeux : trois familles, et non deux, étaient en jeu. Les Tolomei et les Salimbeni, autrement dit les Montaigu et les Capulet, se détestaient. Or Roméo était un Marescotti ; étranger, donc, aux deux maisons. De ce point de vue, l'interprétation de Salernitano se rapprochait davantage de la vérité. Elle se situait à Sienne et ne mentionnait pas de querelle de clans.

Après cette petite analyse comparative, j'ai quitté la Fortezza, serrant le journal d'Ambrogio contre ma poitrine et observant les passants heureux. De nouveau, je sentais un mur invisible entre eux et moi. Ils étaient là, déambulant, flânant, savourant des glaces, sans se poser toutes ces questions sur le passé, légers, délivrés, contrairement à moi, de cette impression de ne pas avoir entièrement sa place dans le monde.

Le matin même, j'avais passé un long moment face au miroir de ma salle de bains, essayant la chaîne en argent et le crucifix de ma mère. Si elle les avait laissés dans le coffre, c'est parce qu'elle souhaitait que je les porte. Peut-être me protégeraient-ils de la malédiction qui l'avait condamnée à une mort prématurée ?

Étais-je folle ? Peut-être. Mais qu'est-ce que la folie ? Pour tante Rose, le monde entier vivait dans un état permanent de douce folie, la névrose n'étant pas une maladie, mais une donnée, comme l'acné. Certains en avaient beaucoup, d'autres peu, et seuls les gens anormaux en étaient complètement dépourvus. Son bon sens, qui m'avait si souvent consolée, me réconfortait encore aujourd'hui.

À peine arrivée à l'hôtel, j'ai vu le directeur se précipiter vers moi avec anxiété.

– Mademoiselle Tolomei ! Où étiez-vous ? La comtesse Salimbeni vous attend au Palazzo Pubblico. Dépêchez-vous ! Vous ne pouvez tout de même la faire attendre !

– Je rêve ! Ce sont mes deux valises !

– Oui, oui, on vient de les déposer.

– Justement, j'aimerais monter dans ma chambre pour…

– Hors de question ! Courez !

– Où ?

– Santa Caterina. Vite ! Je vais vous faire un plan.

*

* *

Le Campo de Sienne est une immense place en forme de coquillage, entourée de restaurants et de cafés. Le Palazzo Pubblico, qui fait office d'hôtel de ville de Sienne depuis le Moyen Âge, se trouve pile à l'emplacement de la perle, au pied de cette vaste coquille.

Je me suis arrêtée un instant au centre de la place, au milieu d'une marée de touristes, pour écouter le bruissement des voix sous le dôme bleu du ciel et admirer les pigeons qui voletaient au-dessus de la fontaine de marbre blanc, d'où coulait une eau turquoise.

J'ai rangé le plan de M. Rossini dans mon sac et me suis dirigée vers le Palazzo Pubblico. L'édifice était difficile à rater : il était surmonté d'un immense beffroi, la Torre del Mangia, dont le directeur de l'hôtel m'avait raconté l'histoire avec de multiples détails, comme si sa construction s'était déroulée sous ses yeux, et non au Moyen Âge ! La tour était un gigantesque lys, disait-il, un hymne à la gloire de la pureté féminine, telle une fleur de pierre blanche au sommet d'une haute tige. Curieusement, elle avait été bâtie sans réelles fondations. Elle tenait debout depuis plus de six siècles par la seule grâce de Dieu et la foi des hommes.

C'était la première fois que je voyais la pureté de la femme célébrée par un monument phallique de cent mètres de haut. Peut-être avais-je les idées mal placées.

Le Campo semblait s'affaisser sous le poids de ce superbe ensemble architectural. M. Rossini m'avait d'ailleurs conseillé d'imaginer que je posais une balle sur le sol. Où que je la pose sur le Campo, elle dévalerait jusqu'au Palazzo Pubblico. Cette comparaison me plaisait. Était-ce l'image de la balle rebondissant sur les vieux pavés de brique ? Ou la façon dont il avait prononcé ces paroles, tel un magicien chuchotant pour amuser de tout jeunes enfants ?

*

* *

Le Palazzo Pubblico avait évolué au fil des âges et des institutions politiques. De simple salle de réunion destinée à accueillir les neuf administrateurs de la cité, il s'était métamorphosé en une structure impressionnante, dont j'ai traversé la cour avec la curieuse impression d'être observée, surveillée par les ombres des générations passées

Eva Maria m'attendait dans la salle de la Paix, assise sur un banc, les yeux levés, comme si elle conversait avec Dieu. Dès qu'elle m'a aperçue, un sourire radieux a illuminé son visage.

– Enfin ! s'est-elle écriée en se levant pour m'embrasser sur les deux joues. Je commençais à m'inquiéter.

– Excusez-moi, je ne me rendais pas compte que…

La chaleur de son accueil a annulé toute tentative d'excuse.

– L'essentiel, c'est que tu sois là. Tu as vu ? a-t-elle ajouté en désignant, d'un geste large, les fresques gigantesques qui recouvraient les murs. Sublimes, non ? Elles datent de la fin des années 1330. Nous devons ces chefs-d'œuvre au grand Ambrogio Lorenzetti. On pense qu'il a achevé celle-ci, près de la porte, en 1340. Il l'a baptisée *Allégorie du bon gouvernement*.

La fresque, qui se déroulait sur toute la longueur du mur, avait dû nécessiter un système particulièrement élaboré d'échafaudages et de plates-formes suspendues au plafond. Sa partie gauche représentait une scène de la vie quotidienne dans une ville où les citoyens ordinaires vaquaient à leurs occupations. À droite, au-delà de la cité, se déployait un paysage de campagne.

Soudain, j'ai fait le lien…

– Maestro Ambrogio, vous voulez dire ?

– Oui, a répliqué Eva Maria, comme s'il était naturel que je le connaisse. C'est un de nos plus grands peintres. Il a réalisé cette fresque pour fêter la fin de la longue querelle qui a opposé nos deux familles. C'était en 1339. On venait enfin de signer une trêve.

– Ah ? Je croyais que la querelle avait encore cours en 1340, en tout cas dans les campagnes.

Eva Maria a eu un sourire de sphinx. Soit elle était ravie de constater que j'avais pris la peine de lire l'histoire de nos familles, soit elle était vexée que j'ose la corriger. Si tel était le cas, elle a eu l'élégance de ne pas le montrer.

– Tu as raison. La paix a eu des conséquences imprévues. C'est d'ailleurs ce qui arrive chaque fois que des politiques se mêlent de nos affaires. Impossible de réconcilier des gens qui veulent en découdre. Tu leur interdis de s'étriper en ville, ils s'entre-tuent à la campagne. Mais ici, à Sienne, les rixes ont été arrêtées avant que la situation échappe à tout contrôle. Tu sais pourquoi ?

« Parce que, a-t-elle ajouté en agitant l'index comme une maîtresse d'école, nous avons toujours eu une *militia*, créée pour maîtriser la haine entre nos deux familles et composée de citoyens mobilisables à tout moment. Cette milice a assuré la pérennité de la république de Sienne. Pour contrôler les mauvais sujets, mieux vaut armer les bons.

J'ai souri poliment. Ce n'était pas le moment d'affirmer que je ne croyais pas au langage des armes, et que mon expérience me prouvait que les prétendus mauvais garçons n'étaient pas pires que les bons.

– Elle est belle, non ? a-t-elle repris en admirant de nouveau la fresque. L'image parfaite d'une ville en paix avec elle-même.

– Pourtant, les habitants n'ont pas vraiment l'air heureux. Regardez, ai-je ajouté en montrant une jeune femme prisonnière d'une ronde de filles qui dansaient. Elle semble perdue dans de tristes pensées.

– Peut-être parce qu'elle vient de voir passer le cortège de mariage un peu plus loin, a répondu Eva Maria en désignant une procession qui suivait une mariée à cheval. Sans doute songe-t-elle à un amour perdu.

– Elle a les yeux fixés sur le tambour, ou le tambourin, et les autres danseuses ont l'air… malfaisantes. Vous avez vu la façon dont elles l'ont coincée ? L'une d'elles scrute son ventre. Oh, je suis peut-être en train de me faire des idées.

– Pas du tout. Il est évident que maître Ambrogio cherche à attirer l'attention sur elle. La ronde est nettement mise en valeur et, si tu regardes bien, la jeune femme est la seule qui ait un diadème dans les cheveux.

– Qui était-ce ? On connaît son identité ?

– Officiellement, non. Mais, entre toi et moi…

Elle s'est penchée en chuchotant :

– Je pense qu'il s'agit d'une de tes ancêtres : Giulietta Tolomei.

L'entendre prononcer ce nom, mon nom, et exprimer tout haut ce que j'avais suggéré à Umberto me causa un tel choc que je mis quelques secondes à réagir.

– Comment pouvez-vous savoir qu'elle est mon aïeule ?

– C'est évident, non ? Sinon, pourquoi ta mère vous aurait-elle donné ces prénoms ? Elle me l'a affirmé elle-même : toi et ta sœur, vous descendez directement de Giulietta et de Giannozza Tolomei.

– J'ignorais que vous connaissiez ma mère.

Pourquoi ne me l'avait-elle pas dit plus tôt ?

– Elle est venue une fois chez moi, avec ton père, avant leur mariage. Elle était toute jeune ; plus jeune que toi maintenant. J'avais organisé une petite fête. Nous avons passé la soirée, tes parents et moi, à parler de maître Ambrogio. Ils m'ont appris tout ce que je viens de te raconter. Ils connaissaient très bien l'histoire de nos familles. Ce qui leur est arrivé par la suite est bien triste.

Nous sommes demeurées un moment silencieuses. Elle m'observait avec un sourire ironique, comme si elle avait deviné la question qui me hantait : quel était son lien, s'il y en avait un, avec l'affreux Luciano Salimbeni, et que savait-elle sur la mort de mes parents ?

– Selon ton père, a-t-elle enfin poursuivi, le maestro évoquait dans sa fresque, de façon détournée, un drame qui avait eu lieu à son époque, et dont il était interdit de parler ouvertement. Regarde… Tu vois cette petite cage contre la fenêtre, là ? Si je te disais que le bâtiment est le palazzo Salimbeni, et que le personnage assis sur un trône, à l'intérieur, est Salimbeni en personne, trônant comme un roi devant des gens qui se prosternent à ses pieds pour lui quémander une obole ?

– Vous ne semblez pas particulièrement fière de lui.

– Oh, c'était un grand homme ! Mais maître Ambrogio ne l'aimait pas. Revenons à la fresque. Un mariage a eu lieu… Une jeune femme malheureuse danse… Et là, un oiseau est enfermé dans une cage.

Eva Maria s'est tournée vers la fenêtre.

– J'avais vingt-deux ans quand j'ai épousé Salimbeni, a-t-elle murmuré. Lui en avait soixante-quatre. Tu trouves ça vieux ?

Elle m'a fixée droit dans les yeux.

– Moi, oui, a-t-elle repris. Je me disais qu'il mourrait très vite. Il avait de la fortune. Et, aujourd'hui, je vis dans une maison superbe. Il faut que tu viennes me voir, du reste.

Pourquoi cette confession si directe, suivie par cette invitation ?

– J'adorerais, ai-je murmuré.

– Formidable ! Maintenant, trouve le héros de la fresque.

J'ai failli éclater de rire. Elle avait l'art consommé de changer de sujet.

– Alors, où est-il ? Regarde bien.

– Ce pourrait être n'importe qui…

– L'héroïne est dans la cité, elle a l'air triste… Donc, le héros doit être… ? À gauche, tu as la ville, très animée. Et là, la Porta Romana, la porte du Sud, qui coupe la scène en deux. Et, du côté droit…

– Ça y est, j'ai vu. C'est le cavalier qui sort de la ville…

– Il est beau, non ?

– Mais qu'est-ce que c'est que ce chapeau d'elfe ?

– C'est un chasseur. Observe-le bien. Il s'apprête à libérer un faucon, mais quelque chose le retient. Le second personnage, plus foncé, qui marche à ses côtés et transporte une boîte de peintre, essaie de lui dire quelque chose, et notre jeune héros se penche en arrière sur la selle pour l'écouter.

– L'homme lui conseille peut-être de rester dans la ville ?

– Peut-être. Que risquerait-il s'il y restait ? Tu as vu ce que le peintre a ajouté au-dessus de sa tête ? Un gibet. Pas très réjouissant comme perspective, non ? De qui s'agit-il, d'après toi ?

Je n'ai pas répondu tout de suite. Si le maestro Ambrogio, auteur de la fresque, était le même que celui qui tenait le journal que je lisais, et si la jeune fille au diadème qui dansait d'un air triste était Giulietta Tolomei, le jeune homme à cheval ne pouvait être que Roméo Marescotti.

Cependant, j'hésitais à révéler l'étendue de mes connaissances sur le sujet devant Eva Maria. Elle était une Salimbeni.

– Aucune idée, ai-je lâché en haussant les épaules.

– Et si je te disais que c'est le Roméo de *Roméo et Juliette* ? Et que ton ancêtre est la Juliette de Shakespeare ?

– La pièce se déroule à Vérone, non ? ai-je répliqué avec un petit rire forcé. Je croyais que Shakespeare avait inventé les personnages. Dans le film, *Shakespeare in Love*...

– *Shakespeare in Love* ?

Elle m'a fusillée du regard, comme si j'avais prononcé une obscénité.

– Giulietta, crois-moi quand j'affirme que le drame s'est produit ici, à Sienne, très longtemps avant l'époque de Shakespeare. Tu les as sous les yeux, sur cette fresque : Roméo qui s'en va, banni, et Juliette, mariée contre son gré... Bon, ne t'inquiète pas. Quand tu me rendras visite, nous aurons le temps de reparler de cette triste histoire. Tu es prise, ce soir ?

– Je dois balayer mon balcon.

– Quand tu auras fini, a-t-elle enchaîné sans se laisser démonter par ma plaisanterie, viens chez moi. J'ai organisé un petit concert. Tiens...

Elle a fouillé dans son sac et sorti un billet.

– Le programme est formidable. C'est moi qui ai choisi les morceaux. Tu adoreras. 19 heures. Ensuite, nous souperons. Nous pourrons continuer notre conversation.

Le soir était superbe, la ville animée, les gens gais. Pourtant, je n'arrivais pas encore à me détendre. Je marchais, les yeux rivés sur le trottoir, réfléchissant... Enfin, j'ai fini par comprendre la raison de mon anxiété.

On me manipulait.

Depuis mon arrivée à Sienne, tous les gens que je rencontrais me donnaient des conseils, me suggéraient comment agir, quoi dire, mais toujours en marchant sur des œufs. Surtout Eva Maria. Elle me dictait non seulement mes actes, y compris ma façon de m'habiller, mais ce que je devais penser. Et si je n'avais aucune envie de parler des événements de 1340 avec elle ? Oh… tant pis, je n'avais pas le choix. Bizarrement, je l'aimais bien. Était-ce parce qu'elle était l'antithèse de ma tante Rose, qui avait tellement peur de ne pas bien faire qu'elle faisait tout mal ? Ou parce que, justement, je n'étais pas censée l'apprécier ?

« Les Salimbeni seront toujours les Salimbeni », m'avait confié le président Maconi. À en croire mon parrain Peppo, ils provoquaient le malheur de tous les Tolomei qui croisaient leur chemin. Et, aujourd'hui encore, l'ombre de Luciano Salimbeni planait…

D'un autre côté, ce genre de préjugé n'entretenait-il pas la querelle ? Le mystérieux Luciano n'avait peut-être jamais levé la main sur mes parents. Ne le soupçonnait-on pas uniquement à cause de son nom ? Pas étonnant qu'il se soit fait discret.

Plus j'y pensais, plus la balance penchait en faveur d'Eva Maria. Après tout, elle semblait la plus déterminée à prouver que nous pouvions devenir amies. Si c'était vrai, je n'avais aucune envie d'être le rabat-joie de sa soirée musicale.

*
* *

Le concert avait lieu à l'académie de musique Chigiana, dans le palazzo Chigi-Saracini, en face du salon de coiffure de mon ami Luigi. Une allée privée donnait sur une cour ornée d'une loggia et d'un vieux puits. Jadis, de superbes chevaliers en armure devaient y puiser de l'eau pour leurs montures. Je sentais, sous mes sandales à talons hauts, les dalles usées, polies pendant des siècles par les sabots des chevaux et les roues des carrioles. Ni trop grand ni trop imposant, l'ensemble dégageait une dignité et une paix qui laissaient penser que ce qui se passait hors de cet espace sans âge n'avait pas vraiment d'importance.

J'admirais les mosaïques sous la loggia quand un ouvreur est venu me remettre le programme, en m'indiquant la porte de la salle de concert. Je suis montée en consultant la brochure, où j'ai découvert une brève histoire du palazzo en plusieurs langues, dont l'anglais.

Le palazzo Chigi-Saracini, un des plus beaux de Sienne, appartenait à l'origine à la famille Marescotti. Le cœur de l'édifice est extrêmement ancien. Toutefois, dès le Moyen Âge, la famille commença à y adjoindre les bâtiments voisins, avant d'édifier une très haute tour, comme le voulait la tradition dans les grandes familles de la ville. C'est du sommet de cette tour que fut annoncée, en septembre 1260, la victoire de Montaperti, au son des tambours et des tambourins.

Je me suis arrêtée pour relire. Si c'était vrai et si je ne confondais pas les noms mentionnés par maître Ambrogio dans son journal, le palais où je me trouvais était donc, en 1340, le palazzo Marescotti : la demeure de Roméo.

J'étais sidérée. Il fallut que des spectateurs irrités me bousculent pour que je reprenne mes esprits. Sept cents ans nous séparaient, Roméo et moi. Mais il aimait une autre Juliette. Sa Juliette. En dépit de mes nouveaux vêtements et de ma nouvelle coiffure, je n'étais que la descendante gauche et dégingandée d'une créature sublime disparue à jamais.

J'entendais d'ici le rire de Janice.

– Julie rêve encore à un homme inaccessible !

– Tu as raison ! Je n'aime que les héros ! lui aurais-je rétorqué.

Mon étrange obsession pour les grandes figures de l'Histoire avait commencé avec Jefferson. À l'âge où les filles tapissaient leurs murs de posters de chanteuses idiotes, nombril à l'air, j'avais fait de ma chambre un temple dédié à mon père fondateur préféré. J'avais écrit avec soin son prénom, Thomas, dans un carnet secret, et brodé un immense T sur un coussin que je serrais tous les soirs entre mes bras en m'endormant. Hélas, ma sœur avait déniché le carnet et l'avait montré à tous nos copains de classe. Tout le monde avait hurlé de rire en voyant les dessins où je portais un voile et une robe de mariée, main dans la main avec Jefferson, solide et protecteur, devant sa propriété de Monticello.

Grâce à Umberto, j'avais commencé à m'intéresser au Vieux Monde, m'entichant successivement de Léonidas, roi de Sparte, de Scipion l'Africain, ou de l'empereur Auguste. Une fois à la fac, j'avais encore reculé dans le temps, me passionnant pour un homme des cavernes imaginaire sorti tout droit de la steppe russe, qui chassait le mammouth et, au clair de lune, jouait de son pipeau taillé dans de l'os.

Bien sûr, seule ma sœur avait remarqué le point commun de tous mes amoureux.

– Dommage, me dit-elle un soir sous une tente plantée au milieu du jardin, alors que je venais de troquer des confidences contre des caramels, ils sont tous morts. Et enterrés.

– Pas du tout. Les grands personnages de l'Histoire sont éternels.

– D'accord. Mais t'aurais envie d'embrasser une momie, toi ?

En dépit de ces souvenirs humiliants, je n'ai pu m'empêcher de frissonner en songeant que je me trouvais au cœur du palais où avait vécu Roméo. Seule condition pour que cette relation fantasmatique se poursuive : que Roméo reste à sa place ; au cimetière.

*
* *

Dans la salle de concert, Eva Maria trônait au milieu d'une cour d'hommes en costumes sombres et de femmes en robes du soir. La pièce était haute, décorée dans les tons crème et miel, avec des touches dorées. À en juger par le nombre de personnes déjà présentes, les deux cents chaises du parterre ne resteraient pas vides longtemps. Au fond de la salle, les musiciens accordaient leurs instruments devant une grosse cantatrice vêtue de rouge. Comme souvent à Sienne, rien de moderne ne perturbait le regard, hormis un adolescent rebelle qui portait des baskets sous un joli pantalon à pinces.

M'ayant tout de suite repérée, Eva Maria a agité la main pour m'inviter à la rejoindre. Elle m'a présentée à ses amis en usant d'une série de superlatifs immérités. Dix minutes plus tard, j'étais au mieux avec les gros bonnets de la culture de Sienne, dont le président de la banque Monte Paschi.

– Monte Paschi, m'a expliqué Eva Maria, est le principal mécène de Sienne. Rien de tout ce que tu verras dans la ville n'aurait été possible sans l'aide de la fondation de cette banque.

Le président m'a gratifié d'un petit sourire, de même que sa femme, serrée contre lui et d'une élégance à couper le souffle. J'avais beau avoir fait des efforts pour m'habiller, j'avais encore du pain sur la planche.

Elle a chuchoté quelques mots à l'oreille de son mari.

– Ma femme vous trouve dubitative, m'a dit le président d'un ton taquin. Sans doute pensez-vous que nous sommes trop… fiers de nous ?

– Euh, non, ai-je bafouillé en rougissant. Simplement, que les Salimbeni entretiennent aujourd'hui la demeure ancestrale de la famille Marescotti me paraît un peu paradoxal.

Le président a acquiescé.

– Un paradoxe, en effet.

– Le monde est fait de paradoxes, a lancé une voix derrière nous.

– Alessandro ! s'est exclamé le président. Je te présente la signorina Tolomei. Elle porte un regard très sévère sur nous. Sur toi, surtout.

– Rien d'étonnant, a-t-il répondu en me baisant la main avec une galanterie sarcastique. Elle est Tolomei jusqu'aux bouts des ongles. N'est-ce pas, mademoiselle Jacobs ?

Drôle d'endroit pour une rencontre… Manifestement, Alessandro ne s'attendait pas à tomber sur moi. Je pouvais difficilement lui reprocher la perfidie de sa réaction. Je ne l'avais jamais rappelé après son passage à l'hôtel trois jours plus tôt. Après l'avoir laissée traîner dans ma chambre, j'avais, le matin même, déchiré puis jeté sa carte de visite à la poubelle, comme si elle me portait malheur.

– Giulietta n'est-elle pas très en beauté ? est intervenue Eva Maria, interprétant à tort le malaise entre nous.

– Ensorcelante, a-t-il répondu avec un sourire forcé.

– Très bien, a dit le président. Mais qui veille sur nos coffres pendant que tu es ici ?

– Les fantômes des Salimbeni, a répliqué Alessandro en me fixant toujours. Leur pouvoir défie les siècles.

– Basta ! s'est écriée Eva Maria en tapotant sur l'épaule de son neveu avec le programme du concert. Bientôt, nous serons tous des fantômes. Mais, ce soir, nous célébrons la vie !

*
* *

Après le concert, Eva Maria a insisté pour que nous allions dîner tous les trois. Devant ma réticence, elle m'a fait le coup de l'anniversaire, clamant qu'elle rêvait de fêter ce jour unique dans son restaurant préféré, en compagnie des deux personnes qu'elle chérissait le plus au monde. Alessandro, curieusement, ne s'est pas fait prier. À Sienne, on ne contredit pas sa marraine le jour de son anniversaire.

Le restaurant en question se trouvait via delle Campane, à la lisière de la *contrada dell'Aquila*, ou *contrada* de l'Aigle. La table réservée d'Eva Maria se trouvait sur la plate-forme extérieure de bois, en face d'un fleuriste qui fermait.

– Alors, m'a-t-elle lancé en commandant une bouteille de prosecco et une assiette d'antipasti, tu n'aimes pas l'opéra ?

– J'adore. Le majordome de ma tante en passait très souvent, surtout *Aïda*. Toutefois, Aïda est une princesse éthiopienne, pas une matrone de cinquante ans. Euh… excusez-moi.

– Fais comme Sandro. Ferme les yeux, s'est-elle esclaffée.

Alessandro avait assisté au concert assis derrière moi. J'avais senti son regard me poignarder dans le dos de la première à la dernière note.

– La voix vient du plus profond de l'âme, a repris Eva Maria. Il suffit d'écouter. On entend alors la véritable Aïda.

– C'est une attitude très généreuse. Et vous, êtes-vous généreux ? ai-je murmuré à l'intention d'Alessandro.

Il est resté muet.

– La magnanimité, a repris sa marraine en goûtant une gorgée de prosecco qui lui a semblé buvable, est la plus belle des vertus. Évite les gens mesquins. Ils sont prisonniers d'un cœur trop étroit.

– Pour le majordome de ma tante, la vertu la plus importante est la beauté. Mais, ajouta-t-il, la générosité est une forme de beauté.

– Comme disait le poète Keats, a renchéri Alessandro, « La vérité est beauté, la beauté est vérité ». Et la vie est douce quand on s'y conforme.

– Ce n'est pas votre cas ?

– Je ne suis pas une urne[1].

J'ai pouffé. Mais impossible de dérider monsieur… Eva Maria a dû intervenir pour que la conversation reprenne.

– Parle-nous de ta tante, Giulietta. À ton avis, pourquoi ne vous a-t-elle jamais révélé qui vous étiez ?

– Je l'ignore, ai-je répondu, avec la désagréable impression qu'ils avaient parlé de moi. Peut-être que… Oh, je ne sais pas.

1. Allusion au poème de Keats intitulé *Ode sur une urne grecque*.

– À Sienne, a dit Alessandro, votre nom vous situe tout de suite.

– Les noms, les noms ! a soupiré Eva Maria. Je ne comprends pas. Cette tante, Rosa, pourquoi ne vous a-t-elle jamais emmenées à Sienne ?

– Elle avait sans doute peur que l'assassin de mes parents ne s'en prenne à nous.

– Comment peut-on lancer une accusation aussi atroce ?

– Allez, joyeux anniversaire ! ai-je lancé en levant mon verre. Et merci pour tout. Ne vous inquiétez pas, ai-je ajouté à l'intention d'Alessandro, je ne m'éterniserai pas.

– Je suppose que l'atmosphère, ici, est trop paisible pour vous, a-t-il répliqué en hochant la tête.

– J'aime la paix.

Derrière le vert romarin de ses yeux, j'ai perçu comme un avertissement.

– Je n'en doute pas, a-t-il murmuré.

J'ai préféré serrer les dents et me tourner vers les antipasti.

– Sandro, a suggéré Eva Maria, qu'attends-tu pour emmener Giulietta faire le tour de la ville ? Je suis sûre qu'elle en rêve.

– Ouais ! a-t-il répondu en poignardant une olive. Malheureusement, nous n'avons aucune statue de la petite sirène.

Alors, j'en ai eu la certitude. Il avait examiné mon casier judiciaire et trouvé tout ce qu'il y avait à découvrir sur Julie Jacobs : manifestation pacifiste à Rome, suivie par un saut à Copenhague pour saccager *La Petite Sirène* en signe de protestation contre la participation du Danemark à la guerre en Irak. Hélas, rien n'indiquait dans le dossier que c'était une erreur, la pauvre Julie Jacobs n'étant partie pour le Danemark que pour épater sa sœur !

J'ai agrippé la corbeille de pain pour ne pas trahir ma panique.

– Non, mais nous avons de superbes statues, a repris Eva Maria, enfin consciente du malaise. Et des fontaines…

– Mademoiselle a sûrement plus envie de découvrir la via dei Malcontenti. C'est là qu'on faisait passer les criminels condamnés à la potence pour que leurs victimes se vengent en jetant sur eux tout ce qu'ils voulaient.

– On ne graciait personne ?

– Si. Ça s'appelait le bannissement. Vous étiez condamné à quitter la ville avec interdiction absolue d'y revenir. En échange, vous aviez la vie sauve.

– Je vois. Comme vos ancêtres, les Salimbeni ?

Pour la première fois, j'ai vu Eva Maria stupéfaite. Alessandro a serré les mâchoires. Enfin, il a déclaré :

– Les Salimbeni ont été bannis par le gouvernement en 1419 et obligés de quitter la république de Sienne.

– Pour toujours ?

– Manifestement, non. Nous en sommes la preuve. Mais pour longtemps. De toute évidence, ils le méritaient.

– Et s'ils revenaient sans y être autorisés ?

– Alors, là…

Il s'est interrompu. Le vert glacé de ses yeux m'a rappelé le morceau de malachite que j'avais apporté en quatrième pour que le professeur nous explique qu'il s'agissait d'une pierre dont on extrayait du cuivre, exploitation nuisible à l'environnement.

– C'est qu'ils avaient de bonnes raisons, a-t-il asséné.

– Fini ! s'est exclamée Eva Maria. Plus de bannissements, plus de querelles ! Je lève mon verre à la réconciliation.

Après dix minutes de conversation polie, elle s'est excusée pour aller aux toilettes et je me suis retrouvée face à face avec son neveu. Son regard me déshabillait de telle façon que j'ai cru qu'il jouait au chat et à la souris, pour vérifier si je pourrais être sa playmate de la semaine.

– Vous croyez à la rédemption ? ai-je demandé en piquant un morceau de saucisse.

– Je me fous de ce que vous avez fait à Rome ou ailleurs. Par contre, à Sienne, je ne m'en fous pas. Pourquoi êtes-vous venue ici ?

– C'est un interrogatoire ? Je dois appeler mon avocat ?

– Je pourrais vous envoyer en taule en claquant des doigts… Comme ça ! C'est ce que vous souhaitez ?

– Sachez une chose, mon cher. Je m'en laisse difficilement conter par les gens qui prétendent détenir le pouvoir. Ça marchait peut-être avec vos ancêtres. Pourtant, souvenez-vous. Il en fallait davantage pour impressionner les miens.

– O.K.

Il s'est calé sur sa chaise avant de changer de tactique.

– Je vous propose un marché. Je vous fiche la paix, à une condition : vous vous tenez éloignée d'Eva Maria.

– Pourquoi ne pas le lui dire à elle, plutôt ?

– C'est une femme très spéciale. Je ne veux pas qu'elle souffre.

– Et moi ?

– Vous ? Je pense que vous êtes très belle, très intelligente… et très bonne comédienne. Qui plus est, je vous soupçonne d'avoir été grassement payée pour vous faire passer pour Giulietta Tolomei…

– Quoi ?

– Et une partie de votre mission consiste à vous lier avec Eva Maria.

Ses allégations étaient tellement extravagantes que j'ai failli en rire.

– Pourquoi ne croyez-vous pas que je sois Giulietta Tolomei ? Parce que je n'ai pas les yeux bleu clair ?

– Parce que Giulietta Tolomei est morte.

– Alors, comment expliquez-vous que je sois assise ici, devant vous ?

Il m'a scrutée longuement. Puis il s'est détourné. La cause était entendue. Il ne me croyait pas et ne me croirait sans doute jamais.

– Puisque c'est comme ça, ai-je asséné en me levant, je m'exécute tout de suite et je lui fiche la paix, à Eva Maria. Remerciez-la de ma part pour le concert et le dîner, et dites-lui qu'elle peut récupérer ses vêtements. Je n'en ai plus besoin.

J'ai filé sans attendre sa réponse. Et sans me retourner. Au premier coin de rue, j'ai senti monter en moi des larmes de rage. J'ai couru malgré mes talons hauts. Je redoutais qu'Alessandro ne me rattrape et ne cherche à s'excuser pour sa grossièreté ; à supposer qu'il en fût capable.

J'étais tellement abasourdie par la violence de notre conversation que j'ai mis du temps à réaliser que j'étais suivie.

Cela a commencé par l'impression angoissante d'être épiée. J'ai entendu un léger bruit de pas derrière moi, le chuintement de vêtements et de semelles souples, suivis, dès que je ralentissais le pas, d'un silence oppressant.

J'ai tourné dans une ruelle sombre, au hasard. Soudain, j'ai deviné l'ombre d'une silhouette d'homme. J'ai cru reconnaître le type du Corso le jour où je transportais le coffre. Affolée, j'ai retiré mes sandales et pris mes jambes à mon cou, sans réfléchir.

III, II

Mon cœur a-t-il aimé, avant aujourd'hui ?
Jurez que non, mes yeux, puisque avant ce soir
Vous n'aviez jamais vu la vraie beauté.

Sienne, 1340.

Propice à tous les mauvais coups, la nuit leur appartenait.

La tour Marescotti à peine perdue de vue, Roméo et ses cousins éclatèrent de rire. Ce soir-là, ils n'avaient eu aucune peine à s'éclipser. Des parents venus de Bologne se pressaient dans le palais. En leur honneur, le commandeur Marescotti offrait un grand banquet, avec musiciens.

Conscients de violer le couvre-feu paternel, nos gais lurons se dissimulèrent sous les masques de carnaval indispensables à leur escapade. Précédé de son apprenti, qui lui ouvrait le chemin avec une torche, le boucher de la famille passa devant eux, portant un énorme jambon cuit à la broche destiné à la fête. Sagement, il ferma les yeux : un jour, Roméo serait le maître du palazzo Marescotti et tiendrait les cordons de la bourse.

Les gandins baissèrent sur leurs masques leurs chapeaux de velours. L'un d'eux gratta quelques notes sur son luth, entonnant d'un ton gentiment moqueur : « Giu-u-u-lietta, que j'aimerais être ton oiseau ! » Il rythma ses paroles en sautillant gaiement. Tout le monde rit, sauf Roméo.

– Très drôle ! Continue à railler ma peine et je te ferai rendre gorge !

– Allez, venez, intervint un troisième larron. Dépêchons-nous. Sinon, elle sera au lit et ta sérénade se transformera en berceuse.

Malgré l'heure tardive, les rues étaient bondées de Siennois, d'étrangers, de vendeurs, d'acheteurs, de pèlerins et de voleurs. À chaque coin de rue, une bougie à la main, un prophète maudissait le monde d'ici-bas, tout en déshabillant des yeux chaque prostituée qui passait devant lui, tel un chien louchant sur un chapelet de saucisses brandie devant son museau.

La joyeuse bande jouait des coudes. L'un bondissait au-dessus d'une rigole, l'autre enjambait un mendiant, le troisième esquivait une charrette ou une chaise à porteur. Tout à coup, ils furent arrêtés à l'orée de la piazza Tolomei. Tendant la tête pour voir pourquoi la foule n'avançait plus, Roméo aperçut une silhouette chamarrée vaciller d'avant en arrière sur les marches de l'église San Cristoforo.

– Regarde ! clama un de ses cousins. Tolomei a convié saint Christophe à souper. Mais le saint n'a pas revêtu ses plus beaux atours. Honte à lui !

Une procession éclairée par des flambeaux quittait l'église pour traverser la piazza jusqu'au palazzo Tolomei. Roméo comprit qu'il tenait là une chance unique de pénétrer dans le palais par la grande porte, plutôt que d'avoir à s'égosiller sous une fenêtre en guettant l'hypothétique apparition de Giulietta. Ralenti par la procession, un long cortège de gens pleins de morgue, tous masqués, avançait avec lenteur derrière les prêtres qui portaient la statue. Il était de notoriété publique que messire Tolomei donnait chaque année plusieurs bals masqués pour introduire subrepticement chez lui des alliés bannis et des membres de sa famille en délicatesse avec la justice. Sans eux, la salle de danse aurait été quasi déserte…

– La Fortune nous sourit ! lança Roméo. À moins qu'elle ne nous tende un piège pour se moquer de nous ! Venez !

– Attends ! s'écria l'un des cousins. Je crains…

– Tu as peur trop tôt ! Suivez-moi, messeigneurs !

La confusion qui régnait sur la place était exactement ce dont Roméo avait besoin pour voler un des flambeaux de la procession avant de se précipiter sur sa proie : une veuve non accompagnée.

– Je vous en prie, dit-il en lui proposant son bras. messire Tolomei m'a prié d'être votre chevalier servant.

La dame accueillit avec grâce le bras robuste d'un si galant jeune homme et les sourires enjôleurs de ses compagnons.

– Ce serait bien la première fois, déclara-t-elle, très digne. Si je puis me permettre, il doit avoir des choses à se faire pardonner.

Peu après, Roméo entrait dans le palazzo Tolomei. Aussi éblouissantes les unes que les autres, les fresques qui le décoraient le laissèrent pantois. Les murs, mais aussi les plafonds, exaltaient les triomphes passés des Tolomei, leur munificence, leur grandeur ; et leur piété. S'il avait été seul, Roméo se serait attardé pour admirer ces merveilles. Alignés dans le vestibule, des gardes en livrée et armés l'en dissuadèrent. Il jugea plus prudent de complimenter la veuve, tout en gagnant la salle de bal.

D'abord surprise par sa façon effrontée de l'aborder, la dame n'avait plus aucun doute sur sa qualité de gentilhomme. Flattée, elle chuchota, pour n'être entendue que par lui :

– J'ai bien de la chance, ce soir. Êtes-vous venu dans un dessein particulier, ou pour le simple plaisir de… danser ?

– Je le confesse, je suis un danseur impénitent. À en perdre la raison…

La dame eut un petit rire entendu. Roméo l'entraîna. Très vite, promenant ses doigts sur son pourpoint de velours, elle se montra plus entreprenante qu'il ne l'aurait souhaité, mais il s'en aperçut à peine. Il n'avait qu'un seul but : retrouver la jeune fille à qui il avait sauvé la vie et dont maître Ambrogio avait recréé devant lui les traits d'une finesse exquise. Le peintre avait omis de lui révéler qu'elle était une Tolomei. Peine perdue. Une semaine à peine après son arrivée à Sienne, la rumeur avait envahi la ville. On racontait partout que, le dimanche précédent, messire Tolomei avait assisté à la messe en compagnie d'une beauté étrangère aux yeux plus bleus que l'océan, prénommée Giulietta.

Il considéra les jeunes filles qui virevoltaient dans des robes somptueuses, autour d'hommes prêts à les enlacer. Nulle part il ne la vit. La ronde de créatures célestes se poursuivait. Toutes portaient un masque ; et rien, parmi les chevelures et les sourires qui le cernaient, n'indiquait la présence de celle qu'il convoitait. Il se voyait déjà condamné à pousser la sérénade sous le balcon de Giulietta, lui dévoilant un des grands défauts de sa cuirasse : il chantait faux.

Qui sait ? La belle aux yeux bleus n'était peut-être pas celle que l'on croyait. Dès lors, en jouant les coqs au bal de messire Tolomei, il perdait son temps. Sa chère et tendre était sans doute endormie dans une autre demeure de la ville…

Soudain, alors qu'il s'inclinait profondément devant la veuve pour clore une ductia, il sentit qu'on l'observait.

Il l'aperçut tout de suite : un visage que sa chevelure voilait en partie et dont les yeux le fixaient depuis une loggia. Il eut à peine le temps de reconnaître son doux ovale. Le visage disparut aussitôt, comme par crainte d'être découvert. Roméo en était sûr. C'était elle, l'adorable Giulietta.

Une nouvelle ductia l'envoya, tournoyant avec majesté, de l'autre côté de la salle, où il tomba nez à nez avec un de ses cousins.

– Où étais-tu ? siffla ce dernier. La fête est lamentable, le vin et les femmes sont misérables, et… Attends !

Roméo s'éloigna rapidement, sourd aux reproches de son cousin et indifférent à la mine consternée de la veuve qu'il abandonna avec un sourire. L'occasion était trop belle. Les serviteurs et les gardes ne s'occupant que du rez-de-chaussée, la voie était libre.

Il monta à la galerie. Là, les vapeurs enivrantes montant du parterre transformaient les vieillards en amants fougueux, les sages en fous, les timorés en conquérants. Il passa devant une série de niches sombres bruissant de rires étouffés et de froissements de soie. Parfois, un éclair blanc trahissait une chair mise à nu. Il fut tenté de s'arrêter un instant, d'admirer la souplesse de ces corps enchevêtrés.

Il laissa derrière lui ces chuchotements, ces soupirs. Enfin, il atteignit la loggia, qui dominait la salle de bal.

Déserte. Et fermée, au fond, par une porte qu'il n'osa pas pousser.

Sa déception fut immense. Que n'avait-il quitté le bal plus tôt, étoile filante fuyant l'immortel ennui du firmament ? Pourquoi était-il tellement sûr qu'elle l'attendrait ? Folie ! Il s'était bercé d'illusions. Et la Fortune, à présent, se gaussait de lui.

Il s'apprêtait à s'en aller lorsque la porte s'entrebâilla. Une silhouette gracieuse se faufila de la loggia, telle une dryade, avant de refermer la porte avec un bruit sourd, à peine étouffé par la musique du bal. Roméo perçut, dans l'ombre, un souffle saccadé.

Prononcer une parole pour la rassurer ? Il était trop ébranlé, au point d'oublier toute politesse. Incapable de se présenter ni d'offrir la moindre excuse pour son intrusion, il enleva son masque et s'avança vers l'inconnue.

La jeune fille ne le repoussa pas. Elle ne l'encouragea pas non plus. Elle marcha jusqu'au balcon, se pencha et regarda les danseurs. Roméo eut alors tout le loisir de contempler son profil brillant sous les lumières. Maître Ambrogio avait un peu trop souligné la noblesse de ses traits, songea-t-il, aux dépens de l'éclat de ses yeux et de son sourire énigmatique. Quant à ses lèvres veloutées, sans doute avait-il laissé au jeune homme le privilège d'en goûter la douceur.

– Voilà donc la fameuse cour du roi des lâches, dit-elle enfin.

Surpris par son amertume, Roméo resta muet.

– Qui d'autre passerait la nuit à offrir des raisins à une effigie alors que des assassins paradent en ville en se vantant de leurs exploits ? poursuivit-elle. Et quel homme digne de ce nom donnerait un bal alors que son propre frère vient d'être…

– Pour la plupart des gens, messire Tolomei est un homme plein de bravoure, murmura Roméo, d'une voix qu'il ne se connaissait pas.

– Si vous dites vrai, ils se trompent. Et vous, *signore*, vous perdez votre temps. Je ne danserai pas ce soir. J'ai le cœur trop lourd. Retournez auprès de ma tante et repaissez-vous de ses caresses. Je ne vous en accorderai aucune.

– Je ne suis pas venu pour danser. Je suis venu car je ne peux vivre loin de vous. Ne m'accorderez-vous pas un regard ?

– Pourquoi vous en accorderais-je ? Votre âme est-elle à ce point admirable ?

– J'ignorais mon âme, jusqu'au moment j'ai vu son reflet dans vos yeux.

– Pour moi, vous n'êtes qu'un danseur parmi d'autres. Quel démon aurait dérobé mes yeux à votre intention ?

– Le sommeil, répondit Roméo en espérant un sourire, voilà le coupable. Il les a subtilisés sur votre oreiller pour me les apporter. Ô l'exquis tourment de ce rêve !

– Le sommeil est le père du mensonge !

– Et la mère de l'espoir.

– Peut-être. Mais la fille aînée de l'espoir est la tragédie.

– Vous en parlez avec passion, comme si vous évoquiez votre famille.

– Oh non ! Je n'oserais me glorifier d'une telle ascendance ! Quant à ma lignée, je laisse aux érudits, après mon trépas, le soin d'en discourir.

– Peu m'importe votre lignée, répondit Roméo, effleurant son cou avec audace, si ce n'est pour suivre ses méandres secrets sur votre peau.

Un long silence accompagna son geste tendre.

– Je crains que vous ne soyez déçu, dit Giulietta. Ma peau ne raconte pas une belle légende, mais une histoire de vengeance et de sang.

Le rythme heurté de ses paroles démentait ses velléités de résistance. Enhardi, Roméo se pencha et, la bouche contre ses cheveux, chuchota :

– J'ai entendu parler de votre malheur. Il n'est point de cœur, à Sienne, qui ne partage votre douleur.

Elle le repoussa violemment.

– Si, il en est un ! Il vit au palazzo Salimbeni et n'éprouve aucun sentiment humain ! Combien de fois ai-je regretté de n'être pas née homme !

– Être homme ne préserve en rien du chagrin.

– Vraiment ? Quelle est, je vous prie, la cause de votre chagrin, *signore* ? Vous êtes trop beau pour souffrir. Vous avez la voix et les traits d'un voleur.

L'indignation de Roméo la fit éclater de rire.

– Un voleur, reprit-elle, mais un voleur à qui l'on donne plus qu'il ne prend, qui se croit généreux et non cupide, ami plus qu'adversaire. Contredisez-moi si vous le pouvez. Rien ne vous a jamais été refusé. Comment pourriez-vous avoir souffert ?

Roméo soutint avec assurance son regard provocant.

– Nul homme, répliqua-t-il, ne se lance dans une quête s'il ne désire en posséder l'objet. Cela dit, en chemin, jamais un pèlerin ne refuserait un lit et un repas. Ne me reprochez pas la longueur de mon voyage. Sans lui, jamais je n'aurais abordé votre rivage.

– Quelle déesse persuaderait un marin de passer auprès d'elle le reste de ses jours ? Tout voyageur finit par se lasser du havre qu'on lui propose et reprend son errance, à la recherche de terres inconnues.

– Vos paroles ne nous rendent pas justice ; ni à vous, ni à moi. Je vous en conjure, ne me traitez pas d'inconstant avant de connaître mon nom.

– Je suis brutale. C'est ma nature.

– Je n'y vois que beauté.

– Alors, vous ne me voyez point.

– Je vous ai vue, exquise sauvageonne, avant que vous ne m'aperceviez, dit-il en lui prenant la main pour la poser sur sa joue. Mais vous m'avez entendu avant que je vous entende. Ainsi aurions-nous vécu, notre amour contrarié par nos sens, si la Fortune ne vous avait accordé des yeux, et moi des oreilles, ce soir même.

– Votre poésie demeure un mystère. Cherchez-vous à me leurrer, ou à me convaincre d'une sincérité dont je doute ?

– Morbleu, s'exclama Roméo, la Fortune se rit de nous ! Elle vous a donné des yeux, mais elle vous a privée de vos oreilles. Giulietta, ne reconnaissez-vous pas la voix de votre chevalier ?

Il tendit la main pour effleurer sa joue, comme lorsqu'elle était étendue dans son cercueil.

– Ne reconnaissez-vous donc pas cette caresse ?

Giulietta se laissa aller contre sa paume. Puis, brusquement, elle se dégagea.

– Menteur ! Qui vous a envoyé ici pour vous jouer de moi ?

– Douce Giulietta...

– Partez ! Allez railler ma naïveté avec vos amis !

– Je vous en supplie !

Il tendit de nouveau la main, qu'elle dédaigna. Alors, il la saisit aux épaules, pour l'obliger à l'écouter.

– Je vous ai sauvé la vie, à vous et à frère Lorenzo ! Et c'est grâce à ma protection que vous avez pu entrer à Sienne ! Ensuite, je vous ai vue dans l'atelier de maître Ambrogio, alors que vous gisiez au fond du cercueil...

Elle réalisa qu'il disait vrai. Loin d'en éprouver de la gratitude, elle frissonna, tenaillée par la peur.

– Êtes-vous venu réclamer votre dû ? demanda-t-elle d'une voix tremblante.

Maudissant sa brutalité, il relâcha délicatement son emprise et recula, priant qu'elle ne s'enfuie pas.

– Je ne suis venu que pour vous entendre prononcer mon nom.

– Roméo, murmura-t-elle, Roméo Marescotti, béni des dieux. Là... Que vous dois-je de plus ?

– Vous ne me devez rien, mais je vous demande tout. Depuis que je vous sais en ville, je sillonne les rues pour vous retrouver. Il fallait que je vous voie et que je vous parle. J'ai imploré Dieu...

– Que vous a-t-Il dit ?

Incapable de se maîtriser, Roméo reprit sa main, la Porta à ses lèvres.

– Que vous m'attendriez ici, ce soir.

– Vous êtes donc la réponse à mes suppliques, répondit-elle, tandis qu'il couvrait sa paume de baisers. Ce matin, à l'église, j'ai prié pour qu'un homme, un héros, venge la mort des miens. À présent, je sais que ce brave que j'appelais de mes vœux est là, devant moi. C'est vous, vous qui avez tué ce bandit sur la route avant de m'escorter jusqu'ici. Oui, ajouta-t-elle en frôlant son front du bout des doigts, vous êtes ce héros.

– Vous me comblez. J'aurai donc l'honneur et la joie de combattre pour vous.

– Dès lors, puis-je vous demander une faveur ? Traquez cet infâme Salimbeni et infligez-lui les souffrances qu'il a infligées aux miens. Ensuite, apportez-moi sa tête dans un coffre, afin qu'il erre à jamais au purgatoire.

Roméo frémit, puis s'inclina.

– Vos désirs sont des ordres, cher ange. M'accordez-vous quelques jours, ou doit-il expier dès ce soir ?

– La décision vous appartient, répliqua-t-elle avec une modestie charmeuse.

– Une fois ma tâche accomplie, plaida-t-il en serrant ses phalanges, me ferez-vous la grâce d'un baiser ?

– Une fois votre tâche accomplie, promit-elle en le regardant embrasser tour à tour ses poignets, je vous accorderai tout ce que vous voudrez.

III, III

On dirait qu'elle pend à la joue de la nuit
Comme un riche joyau à l'oreille de la nuit éthiopienne.

J'ai couru à travers un dédale de ruelles noires et silencieuses où tout, scooters, poubelles, voitures, était voilé sous une brume lunaire, comme si le temps s'était arrêté. Les façades des maisons n'étaient guère plus engageantes. Les portes semblaient dépourvues de poignées, les fenêtres se cachaient derrière des volets soigneusement fermés. Sienne dormait, insensible à toute compassion. Quoi qu'il arrivât, ses habitants étaient déterminés à n'en rien savoir.

Je me suis arrêtée pour reprendre mon souffle. Aussitôt, je l'ai entendu : mon assaillant courait et ne cherchait même plus à se cacher. Ses semelles raclaient le pavé. Il haletait. Mais je n'arrivais pas à le semer. À chaque coin de rue, il réapparaissait, me rattrapait, comme s'il lisait dans mes pensées et devançait mes mouvements.

Je me suis engouffrée dans un passage étroit en espérant qu'une issue, voire plusieurs, se présenterait au bout. Hélas, c'était un cul-de-sac, cerné de hautes maisons. Pas une clôture, pas de mur que j'aurais pu escalader, pas la moindre poubelle pour me dissimuler. Il ne me restait que mes talons aiguilles pour me défendre.

Que voulait ce voyou ? Mon sac ? Le crucifix autour de mon cou ? Moi ? Cherchait-il le trésor ? Pour l'heure, il ne contenait pas grand-chose. L'idée que mon poursuivant pût être déçu me terrifiait : Umberto m'avait expliqué que les cambrioleurs qui ne tombaient pas sur ce qu'ils convoitaient devenaient fous. J'ai sorti mon porte-monnaie, en espérant que mes cartes de crédit l'impressionneraient. J'étais seule à savoir qu'elles valaient vingt mille dollars de débit…

Soudain, un moteur de moto a retenti. Un éclair de métal noir a fusé devant l'entrée du cul-de-sac. La moto a dérapé dans de grands grincements de pneus, viré deux fois, mais sans chercher à pénétrer dans la ruelle. C'est alors que j'ai entendu le pas de quelqu'un qui courait en baskets, haletant, affolé et suivi par la moto, comme une proie cherchant à échapper à son prédateur.

Puis le silence.

Plusieurs minutes se sont écoulées. Ni le coureur ni la moto n'ont réapparu. J'ai pris mon courage à deux mains pour retourner à l'entrée de l'impasse. J'ai regardé à gauche, à droite. Personne. Je n'avais aucune idée de l'endroit où je me trouvais. Mais je finirais bien par dénicher un téléphone public pour appeler M. Rossini.

J'ai pris une rue qui me faisait face. Peu après, mon regard a été attiré par une ombre. C'était une moto à l'arrêt, au milieu de la chaussée, dont le conducteur me fixait avec insistance. La lune se réfléchissait sur son casque et sur les montants métalliques de la moto, révélant un homme vêtu de cuir noir, visière baissée, qui m'attendait…

Je suis restée là, stupéfaite, mes sandales à la main, tellement interloquée que j'en ai oublié ma peur. Qui était cet homme ? Était-ce lui qui m'avait sauvé de la brute qui me poursuivait ? Attendait-il que je le remercie ? Il a allumé ses phares, qui m'ont aveuglée. J'ai levé la main pour me protéger et il a démarré en accélérant deux fois, manifestement pour m'impressionner.

Vite, j'ai fait demi-tour et remonté la rue dans l'autre sens. Sans doute s'agissait-il d'un gars plus ou moins paumé qui se rassurait en tournant toute la nuit sur son engin pour effrayer les gens. Sa dernière victime devait être celui qui me suivait. Cela ne faisait pas de lui un ami, loin de là.

J'ai couru jusqu'au premier coin de rue, mais il me talonnait. Il n'allait pas me laisser filer comme ça…

Quand, tout à coup, j'ai reconnu la porte bleue du maestro ! La porte de l'atelier, entrouverte, comme si elle m'attendait. En existait-il d'autres à Sienne ? Peu importait. Je suis entrée. Je l'ai claquée derrière moi et me suis écroulée par terre, en écoutant le vrombissement de la moto qui finit par s'évanouir.

La veille, lorsque j'avais fait la connaissance du vieux peintre aux cheveux longs, il m'avait paru un peu bizarre. Mais, là, je n'avais pas le choix.

L'atelier de maître Lippi n'était pas banal. On aurait juré qu'une explosion surnaturelle avait projeté dans tous les sens des débris de peintures, de sculptures et d'installations. Apparemment, le maestro avait du mal à exprimer son talent à travers un seul moyen d'expression. Tel un polyglotte surdoué, il devait choisir la langue adaptée à son humeur du moment.

Pour couronner le tout, un chien, improbable croisement entre un bichon frisé et un doberman sérieux comme un pape, aboyait.

– Ah, te voilà ! s'exclama maître Lippi en émergeant de derrière un chevalet, comme s'il m'avait longtemps guettée. Je me demandais si tu passerais.

Il disparut, revint deux minutes plus tard avec une bouteille de vin et deux verres. Voyant que je n'avais pas bougé d'un pouce, il pouffa.

– Pardonne-moi. Mon fidèle Dante se méfie des femmes.

– Dante ? Il s'appelle Dante ? C'est bizarre. C'était le nom du chien du maestro Ambrogio Lorenzetti.

– Tu es dans son atelier, c'est normal. Tu connais Lorenzetti ? me demanda-t-il en me versant du vin.

– Vous parlez du fameux Lorenzetti, qui vivait en 1340 ?

– De qui d'autre ? s'exclama-t-il en levant son verre. Allez, je te souhaite un bon retour à Sienne ! Buvons pour que tu reviennes le plus souvent possible ! Buvons aussi en souvenir de Diane !

J'ai failli m'étouffer. Il connaissait ma mère ? Sans me laisser le temps de réagir, il s'est approché de moi.

– Il existe, à Sienne, une vieille légende au sujet d'une rivière souterraine, très profonde, nommée Diane. Personne ne l'a jamais vue. Pourtant, certains prétendent qu'il leur arrive de se réveiller en pleine nuit et de sentir sa présence. Par ailleurs, dans l'Antiquité, un temple dédié à Diane se dressait sur le Campo, où les Romains organisaient leurs jeux du cirque, leurs combats de gladiateurs. Nous, aujourd'hui, nous avons le Palio, en l'honneur de la Vierge Marie. Car la mère de Jésus est notre mère à tous. Elle nous donne l'eau afin que, telle la vigne, nous renaissions, émergeant des ténèbres.

Nous sommes restés l'un en face de l'autre, silencieux. J'avais l'étrange impression que, s'il l'avait voulu, le maestro m'aurait révélé sur moi-même, mon destin, mon avenir, une multitude de secrets qu'il m'aurait fallu plusieurs vies pour découvrir seule.

Brusquement, il m'a retiré mon verre, l'a posé sur la table.

– Je vais te montrer quelque chose.

Il m'a entraînée dans une pièce sans fenêtres qui, aussi encombrée que son atelier, ressemblait à un débarras.

– Regarde ! a-t-il lancé, traversant son chantier pour soulever un morceau d'étoffe qui dissimulait une toile accrochée au mur.

Je me suis approchée.

– Attention, elle est très ancienne. Et fragile. Ne respire pas devant elle.

C'était une jeune fille très belle, aux yeux rêveurs, d'un bleu profond. Elle fixait un point derrière moi. Elle avait l'air triste. Pourtant, son regard exprimait une forme d'espoir. Elle tenait à la main une rose à cinq pétales.

– Elle te ressemble, a murmuré le peintre. Ou, plutôt, tu lui ressembles. Pas tant les cheveux, ni les yeux, mais… autre chose. Je ne sais pas. Qu'en penses-tu ?

– Je ne mérite pas ce compliment. Qui a peint ce portrait ?

– Ah ! s'est écrié le maestro avec un sourire mystérieux. Je l'ai découvert lorsque j'ai repris l'atelier. Il était caché dans un coffre métallique incrusté dans le mur. Il y avait aussi un manuscrit, un journal. Et mon petit doigt me dit que…

Déjà, la chair de poule rampait le long de mes bras.

– Je suis sûr que maître Ambrogio Lorenzetti est non seulement l'auteur du portrait, mais celui du journal. De plus, la jeune fille porte le même nom que toi : Giulietta Tolomei. C'est écrit au dos.

J'ai longuement contemplé le tableau. Était-ce celui dont j'avais lu l'histoire dans le journal ? J'avais du mal à y croire.

– Vous avez conservé le manuscrit ? ai-je demandé.

– Non, je l'ai vendu. J'en avais parlé à un ami qui, lui-même, en a parlé à un autre, jusqu'au jour où j'ai vu débarquer chez moi un monsieur très bien, assez âgé : le professeur Tolomei. Il portait le même nom que toi. Tu vois qui c'est ?

J'ai dû m'asseoir sur une chaise.

– C'était mon père. C'est lui qui a traduit le journal en anglais. Je suis en train de le lire et il ne parle que d'elle… de Giulietta Tolomei. Apparemment, il s'agit de mon aïeule.

– J'en étais sûr ! a-t-il crié, bondissant de joie avant de se précipiter sur moi et de me secouer les épaules. Je suis tellement heureux de te voir ici !

– Je ne comprends pas. Pourquoi maître Ambrogio s'est-il cru obligé de tout cacher dans le mur ? À moins que ce ne soit pas lui, mais quelqu'un d'autre…

– Arrête de te torturer avec ces questions. Ton front va se rider. La prochaine fois, je ferai ton portrait. Tu veux revenir ? Demain ?

– Maestro… Pourrais-je rester un peu plus longtemps, maintenant, ce soir ?

Il m'a jeté un drôle de regard, comme si je manifestais les premiers signes de la démence.

– Il y a quelqu'un dehors qui… Un type qui… Ça paraît fou, mais je suis sûre qu'il me suit et j'ignore pourquoi.

– Ah !

Il a soigneusement recouvert le portrait, avant de revenir dans la pièce principale. Il m'a installée sur une chaise, m'a tendu un second verre de vin. Il s'est assis face à moi, comme un enfant qui attend qu'on lui raconte une histoire.

– Je t'écoute. Dis-moi tout.

J'ai hésité. Et puis je me suis lancée. Quelque chose en lui, une étincelle d'excitation dans ses yeux, sa façon de hocher la tête, m'inspirait confiance. J'avais l'impression qu'il pourrait m'aider à découvrir la vérité. Si vérité il y avait.

Je lui ai tout raconté : mes parents, l'incendie, l'accident de voiture, l'implication possible d'un certain Luciano Salimbeni. Le coffre, les manuscrits, le journal du maestro, Peppo et son allusion aux « yeux de Juliette ».

– Vous en avez entendu parler ?

Il s'est levé en fixant le plafond, comme s'il écoutait un appel venu de très loin. Puis il est sorti. Je l'ai suivi tel un automate, traversant une autre pièce, gravissant un vieil escalier, débouchant enfin dans une bibliothèque tout en longueur dont les étagères croulaient sous les livres. Je l'ai regardé aller et venir, cherchant un ouvrage précis. Soudain, il s'est écrié :

– Je savais bien qu'elle était quelque part !

Il a brandi une vieille encyclopédie, l'a feuilletée fébrilement après l'avoir étalée sur une table. Elle recensait toutes sortes de créatures fantastiques et de fabuleux trésors. J'ai entrevu plusieurs illustrations, plus proches du conte de fées que de ma propre vie.

Il a allumé une lampe dont le pied branlait dangereusement et s'est mis à lire à haute voix, dans un savant mélange d'anglais et d'italien.

Il s'agissait de l'histoire de deux saphirs d'une taille exceptionnelle, originaires d'Éthiopie, dits « Les jumeaux éthiopiens » et baptisés plus tard « Les yeux de Juliette ». La légende affirmait qu'ils avaient été achetés par messire Salimbeni, à Sienne, en 1340, pour sa jeune promise, Giulietta Tolomei. Mais, après la mort tragique de la jeune fille, ils avaient été incrustés dans une statue dorée érigée près de sa tombe.

– Écoute ça ! C'est fou ! Shakespeare connaissait l'histoire de la statue.

Il a poursuivi, traduisant quatre vers de la fin de la pièce :

Car je veux lui dresser une statue d'or fin,
Pour que, tant que Vérone sera Vérone,
Il n'y ait pas de femme plus honorée
Que la loyale et fidèle Juliette.

Il m'a montré une illustration que j'ai tout de suite reconnue. C'était la statue d'un homme à genoux, serrant une jeune femme dans ses bras. La réplique exacte de celle que ma mère avait dessinée vingt fois dans son carnet.

– C'est ahurissant ! me suis-je exclamée. Y a-t-il des indications sur le lieu exact de la tombe ?

– La tombe de qui ?

– De Juliette ; ou plutôt, de Giulietta. Votre livre signale la présence d'une statue dorée érigée à côté de sa tombe. Précise-t-il l'endroit exact ?

Maître Lippi a refermé le vieux bouquin. Il a éteint la lampe, s'est levé pour replacer le volume sur une étagère, au hasard.

– Pourquoi veux-tu savoir où se trouve la tombe ? m'a-t-il demandé, soudain agressif. Pour voler les yeux de Giulietta ? Comment reconnaîtrait-elle Roméo si elle se réveillait aveugle ?

– Je n'avais aucune intention de lui dérober ses yeux. Je voulais juste les voir.

– Demande à Roméo. Lui seul pourra t'aider. Sois prudente. De nombreux fantômes hantent la ville. Tous ne sont pas aussi bienveillants que moi.

Silence. Puis il lança :

– Une malédiction ! Une malédiction poursuit vos deux maisons !

– Merci de me rassurer.

– Ne sois pas si susceptible. Je te taquinais juste un peu.

Un peu plus tard, après plusieurs verres de vin, j'ai réussi à remettre le sujet des « yeux de Juliette » sur le tapis.

– Que sous-entendiez-vous lorsque vous m'avez dit que seul Roméo pourrait me répondre ?

– Et encore… Je n'en mettrais pas ma main au feu. Tu devrais quand même l'interroger. Il en sait plus que moi. Et il est plus jeune. Je commence à avoir des trous de mémoire.

– Vous en parlez comme d'un vivant.

– La nuit, il va et vient… Il entre, s'assied pour l'admirer, a-t-il ajouté en indiquant le portrait caché. Il l'aime encore. Voilà pourquoi je laisse toujours la porte ouverte.

– Sérieusement… Il n'existe plus, non ?

– Tu existes bien, toi ! Alors, pourquoi pas lui ? m'a-t-il lancé avec un regard noir, presque offensé. Tu crois qu'il s'agit d'un fantôme ? Remarque, on ne sait jamais. Mais je ne pense pas. Il boit du vin. Les revenants ne boivent pas de vin. Il faudrait qu'ils réapprennent à apprécier l'alcool. Or, ils sont très flemmards. Ils sont très ennuyeux, tu sais. Je préfère les gens comme toi, vivants. Tu es drôle. Tiens… Bois encore un peu.

– Alors, ai-je dit en sirotant une nouvelle gorgée, si je dois interroger Roméo, comment m'y prendre ? Où le chercher ?

Il se pencha, me scruta avec insistance.

– J'ai bien peur qu'il ne faille que ce soit lui qui te trouve. Ne sois pas déçue. À mon avis, il t'a déjà repérée. J'en suis même certain. Je le vois dans tes yeux.

III, IV

Sur les ailes légères de l'amour,
J'ai volé par-dessus ces murs.

Sienne, 1340.

Enfermé chez lui, Roméo aiguisait soigneusement la lame de son épée, dont il ne s'était pas servi depuis longtemps. Il devait en effacer les taches de rouille avant de la huiler. Il aurait, de loin, préféré utiliser sa dague. Mais il l'avait laissée entre les omoplates d'un bandit de grands chemins. Sans compter que Salimbeni n'était pas un homme qu'on poignarde dans le dos comme un vulgaire criminel. Il lui faudrait le provoquer en duel.

Il n'avait jamais mis sa vie en jeu pour une femme. Et aucune femme ne lui avait jamais demandé de se battre pour elle. Était-il prêt à défier Salimbeni, l'épée à la main, à affronter la mort, à périr, sans doute, sans avoir reçu sa récompense, sans même avoir revu les yeux divins de Giulietta ? Ce matin-là serait-il le dernier ?

Il soupira, s'attaqua à l'autre côté de la lame. Il avait passé une nouvelle nuit sans sommeil. La lune bienveillante s'effaçait devant un soleil implacable. Son père venait de lui proposer, comme chaque jour, une séance de tir à l'arbalète. Comme chaque jour, il avait décliné son offre. Quant à ses cousins, ils ne cessaient de se demander pourquoi il se cloîtrait ainsi.

Soudain, des pas résonnèrent dans l'escalier. On frappa nerveusement à la porte.

– Non, merci, répondit-il machinalement. Je n'ai pas faim.

– messire Roméo ? Vous avez de la visite. Un certain frère Lorenzo, accompagné d'un autre religieux, frère Bernardo. Ils ont des nouvelles importantes et sollicitent un entretien.

La seule mention de frère Lorenzo, le compagnon de voyage de Giulietta, le fit bondir. Il tira la porte et tomba sur le valet escortant deux moines encapuchonnés. Au pied de la galerie, dans la cour, plusieurs serviteurs levèrent la tête, intrigués. Qui avait bien pu convaincre leur jeune maître d'ouvrir enfin sa chambre ?

– Je vous en prie, dit-il aux deux moines. Toi, Stefano… Pas un mot à mon père, compris ?

Les deux moines entrèrent, hésitants. Traversant la fenêtre du balcon, les premiers rayons du soleil illuminaient le lit intact. Une assiette de poisson frit, à laquelle Roméo n'avait pas touché, traînait sur la table, à côté de l'épée.

– Veuillez nous excuser, commença frère Lorenzo. Je suis navré de vous déranger si tôt, mais c'était urgent.

Il n'eut pas le temps de poursuivre. Son compagnon s'avança et repoussa son capuchon, révélant une longue chevelure … Giulietta ! En personne, plus adorable que jamais. Les joues rosies par l'émotion, elle haleta :

– Promettez-moi que vous n'avez pas encore commis l'irréparable !

– Je vous le promets, bredouilla Roméo, embarrassé malgré cette exquise surprise.

– Dieu soit loué ! Je suis venue vous présenter mes excuses. Je vous en supplie, oubliez l'épouvantable défi auquel je vous ai soumis !

– Vous avez renoncé à tuer Salimbeni ? s'enquit Roméo, avec un brin d'espoir.

– Non ! Je veux contempler son cadavre, comme je vous vois là, devant moi. Mais pas à vos dépens. J'ai eu tort. Faire de vous l'otage de mon chagrin n'était que pur égoïsme de ma part. Me pardonnerez-vous ?

Elle plongea les yeux dans les siens. Ses lèvres se mirent à trembler.

– Pardonnez-moi. Je vous en supplie !

– Non.

Pour la première fois, Roméo sourit.

– Non ?

Les yeux bleus de Giulietta s'assombrirent.

– Ce n'est pas très généreux de votre part !

– Non, je ne vous pardonnerai pas. Vous m'avez promis une récompense, et vous ne tenez pas votre promesse.

– Mais je viens de vous sauver la vie !

– Et de m'humilier ! Car vous ne me croyez pas capable de survivre à un duel. Vous jouez avec mon honneur comme un chat avec une souris.

– Quelle injustice ! C'est vous qui vous jouez de moi. Je ne vous ai jamais demandé de mourir de la main de Salimbeni ! D'un autre côté, je suis sûre qu'on ne vous pardonnerait pas ce meurtre. Et…

Elle se détourna.

– Je ne m'en remettrais jamais.

Roméo admira son profil. Constatant qu'elle boudait, têtue, il s'adressa à frère Lorenzo.

– Pourriez-vous, je vous prie, avoir la gentillesse de nous laisser un instant en tête à tête ?

Lorenzo hésita. Giulietta ne disant mot, il ne put refuser. Il se retira sur le balcon, le dos consciencieusement tourné.

– Puis-je savoir pourquoi ma disparition serait si tragique ? demanda Roméo, si bas que sa dulcinée dut tendre l'oreille.

– Parce que je vous dois la vie.

– Je n'exige qu'une chose en retour : être votre chevalier servant.

– À quoi me servirait un chevalier sans tête ?

Attendri, Roméo fit un pas vers elle.

– Je vous le promets : tant que vous serez à mes côtés, vous n'aurez rien à redouter.

– J'ai votre parole ?

– Ne seriez-vous pas en train de me demander une seconde faveur, plus insurmontable que la première ? Heureusement, je suis grand seigneur. Mon prix restera donc le même.

– Votre prix ?

– Ma récompense, si vous préférez.

– Crapule ! murmura Giulietta en réprimant un sourire. Je vous délie d'un engagement mortel et vous êtes toujours aussi déterminé à me dérober ma vertu ?

– Un baiser ne l'entamera pas, répondit Roméo avec un sourire de loup.

– Tout dépend qui m'embrasse, dit-elle en haussant les épaules. Un baiser de vous réduirait à néant seize ans d'une chasteté jalousement préservée.

– Pourquoi épargner, sinon pour dépenser un jour ?

Au moment où Roméo croyait l'avoir prise dans ses rets, on toussa sur le balcon. Giulietta sursauta.

– Patience ! répliqua-t-elle fermement.

– Votre tante va se demander pourquoi votre confession dure si longtemps, fit observer le frère.

– Un moment, Lorenzo ! Roméo, je dois partir.

– Confessez-vous à moi, murmura-t-il en lui prenant les mains. Je vous absous et vous donne ma bénédiction éternelle.

– Vos lèvres sont bordées de miel, dit-elle en se laissant aller contre lui. Quel poison les imbibe ?

– Quel qu'il soit, il nous tuera tous deux.

– Cher Roméo… Vous devez êtes étrangement épris, pour préférer mourir avec moi plutôt que vivre avec une autre.

– En effet. Embrassez-moi, ou je meurs.

– Mourir, encore ? Je vous trouve bien vivant, pour un homme condamné deux fois !

Nouveau toussotement sur le balcon. Giulietta répéta :

– Patience, Lorenzo !

– Mon poison a sans doute perdu de son pouvoir, chuchota Roméo en tournant vers lui la tête de la jeune fille.

– Il faut vraiment que…

Tel un rapace fondant sur sa proie puis la soulevant dans les cieux, il saisit ses lèvres avant qu'elles ne lui échappent.

Enfin, elle s'abandonna.

Roméo éprouva alors une certitude qu'il n'aurait jamais crue possible chez quiconque, même les plus vertueux. Il se souvint de ce qu'il avait dit à maître Ambrogio : le jour où il serrerait Giulietta dans ses bras, toutes les femmes du monde, passées, présentes et futures, cesseraient d'exister.

*
* *

Peu après, Giulietta regagna le palazzo Tolomei. Sa tante l'accueillit par un flot de questions et de reproches, assorti de commentaires peu amènes sur ses manières de paysanne.

– Une telle conduite est peut-être en usage chez les gueux, mais ici, en ville, les jeunes filles de qualité ne s'enfuient pas sous le prétexte d'une confession pour revenir des heures plus tard, les yeux brillants et les cheveux en désordre ! Désormais, je t'interdis de sortir. Si tu dois absolument te confier à ton cher Lorenzo, je te prie de le faire dans nos murs. Traîner dehors à la merci du moindre ragot et du premier violeur venu, asséna-t-elle en poussant sa nièce dans sa chambre, hors de question !

– Oh, Lorenzo ! gémit-elle quelques jours plus tard, faisant fébrilement les cent pas et ébouriffant ses cheveux, alors que son confident avait enfin le droit de lui rendre visite dans sa prison dorée. Je deviens folle ! Que va-t-il penser de moi ? Je lui ai promis que nous nous reverrions !

– Calmez-vous, dit le moine. Le gentilhomme de vos rêves comprend parfaitement votre désarroi, qui ne fait qu'attiser sa passion. Il m'a chargé de vous dire…

– Tu lui as parlé ? Béni sois-tu ! Que t'a-t-il confié ? Dis-moi, vite !

– Il m'a demandé de…

Lorenzo extirpa de sa robe un rouleau de parchemin scellé par un cachet.

– De vous remettre ceci. Tenez.

Giulietta saisit le rouleau avec vénération et l'observa un instant, avant de briser l'aigle de cire. Elle déroula la missive en admirant la belle calligraphie serrée, à l'encre brune, et lut.

– Magnifique ! C'est un poète. Comme il écrit bien ! Quel talent ! Il a dû travailler toute la nuit.

– Plusieurs nuits, rectifia Lorenzo avec un soupçon de sarcasme. Cette missive a exigé plus d'un parchemin et plus d'une plume, vous pouvez me croire.

– Je ne comprends pas ce qu'il a écrit, là… « Vos yeux n'appartiennent pas votre visage mais à la voûte étoilée »… Une manière de compliment un peu élaborée, j'imagine… Pourquoi ne pas simplement dire que mes yeux sont d'un bleu céleste ? J'aurais du mal à le contredire.

– C'est une image, dit le moine. Il ne cherche pas à vous convaincre, mais à vous plaire. Vous êtes contente, non ?

– Bien sûr !

– Il a donc obtenu l'effet qu'il cherchait. Allez, passons à autre chose.

– Attends ! Il faut que je lui réponde.

– Vous n'avez ni parchemin, ni plume, ni encre.

– Non, mais tu vas m'en procurer. De toute façon, je voulais écrire à ma sœur chérie.

Elle scruta le frère d'un œil inquiet. Accepterait-il ? Devinant sa réticence, elle joignit les mains.

– Je ne peux approuver une telle initiative, marmonna-t-il. Une jeune fille non mariée ne répond pas à une lettre clandestine. Surtout...

– Et une jeune fille mariée ?

– Surtout quand on connaît l'expéditeur. En tant qu'ami et confident de toujours, je dois vous mettre en garde contre Roméo Marescotti. Je reconnais qu'il a des manières charmantes, mais je suis sûr que c'est un être abominable aux yeux de Dieu.

– Il n'a rien d'abominable. Tu es jaloux.

– Jaloux ? Je me moque des apparences ! La chair est périssable. C'est son âme, qui est abominable.

– Comment oses-tu parler ainsi de l'homme qui nous a sauvés ?

– Il est damné, je le sais, asséna Lorenzo en agitant l'index. Certaines personnes ressemblent à des plantes vénéneuses. Elles répandent le malheur sur tout ce qu'elles touchent. Regardez-vous ! Vous souffrez déjà !

– Son geste n'efface-t-il pas tout le mal qu'il a en lui ? Dieu aurait-Il choisi Roméo pour nous libérer s'Il ne souhaitait pas sa rédemption ?

– Dieu n'est pas un être humain. Il n'éprouve pas de tels désirs.

– Moi, oui. Je désire être heureuse.

Elle pressa la précieuse missive contre son sein et ajouta :

– Je sais ce que tu penses. Tu veux me protéger, car tu es persuadé que Roméo va me détruire. Tu es convaincu que l'amour fou porte en lui les germes d'une douleur folle. Tu as peut-être raison. Les sages savent repousser un être aimé pour se préserver. Mais je préférerais avoir les yeux brûlés plutôt que de naître aveugle.

*
* *

Les semaines passèrent. De nombreuses lettres furent échangées avant que Giulietta et Roméo puissent se revoir. Leur correspondance atteignit une telle ferveur qu'en dépit des efforts de Lorenzo pour tempérer les ardeurs de sa protégée tous deux finirent par se jurer un amour éternel.

En dehors du moine, une seule personne était dans le secret : Giannozza, la sœur jumelle de Giulietta, unique membre de la famille à avoir échappé au raid des Salimbeni. Mariée l'année précédente, elle s'était installée sur les terres de son époux, dans le sud du pays. Les deux sœurs demeuraient proches et s'écrivaient souvent.

Malheureusement, si les deux sœurs s'écrivaient avec constance, leurs lettres n'arrivaient pas avec la même régularité, ni dans un sens ni dans l'autre. Parfois même, elles se perdaient. Depuis son arrivée à Sienne, Giulietta n'avait rien reçu de Giannozza, malgré les nombreux récits qu'elle lui avait envoyés sur les horreurs perpétrées par leurs ennemis, sa fuite, puis son enfermement dans la demeure de son oncle, le palazzo Tolomei.

Lorenzo, à qui elle confiait ses missives, les remettait secrètement à un intermédiaire chargé de les faire parvenir à sa sœur. Mais, une fois les lettres entre les mains d'un étranger, il ne disposait d'aucun moyen d'en contrôler l'acheminement. Sans argent pour assurer une livraison directe, Giulietta dépendait donc de la bienveillance et de la diligence de voyageurs se rendant dans le Sud. En outre, à présent qu'elle était enfermée et privée de contact avec l'extérieur, le moine pouvait être intercepté à tout moment et prié de vider ses poches.

Peu à peu, au lieu de l'envoyer tout de suite, elle prit l'habitude de cacher le courrier adressé à Giannozza sous le plancher ; elle compromettait assez Lorenzo en lui demandant de remettre ses mots doux à Roméo. Si bien que toutes ses lettres, où elle ne parlait que de l'homme de sa vie, finissaient enfouies sous les lattes de sa chambre, en attendant le jour où elle pourrait payer un messager. Ou le jour où elle les brûlerait…

Chacun de ses billets à Roméo provoquait une réaction enflammée. Elle disait cent, il répondait mille. Elle disait « aimer », il répondait « adorer ». Elle l'appelait feu, il l'appelait soleil. Elle s'imaginait dansant entre ses bras dans une salle de bal, lui ne rêvait que de se retrouver seul avec elle…

Un dimanche, Giulietta et ses cousins furent autorisés à se confesser, après la messe à San Cristoforo.

La jeune fille s'agenouilla dans le confessionnal.

– Pardonnez-moi, mon père, car j'ai péché, ânonna-t-elle consciencieusement.

– L'amour est-il un péché ? chuchota une voix connue. Si Dieu ne voulait pas que nous aimions, pourquoi aurait-Il créé la beauté, dont vous êtes l'incarnation parfaite ?

Giulietta sursauta, entre surprise et crainte.

– Roméo ?

Elle s'approcha de la grille, perçut l'esquisse d'un sourire qui n'avait rien de chaste.

– Comment as-tu osé ? Ma tante est à quelques pas d'ici !

– Ta voix exquise recèle plus de périls qu'une armée de duègnes. Je les appelle. Je t'en supplie, parle encore…

Il pressa la main contre la grille. Aussitôt, Giulietta la serra. Elle sentit la chaleur de Roméo inonder sa paume.

– Que ne sommes-nous de simples paysans, libres de nous rencontrer quand nous le souhaiterions, murmura-t-elle.

– Et que ferions-nous, pauvres paysans, si nous nous rencontrions ainsi ?

Giulietta fut soulagée qu'il ne la vît point rougir.

– Nul grillage ne nous séparerait, dit-elle.

– Ce ne serait guère mieux.

– Tu me réciterais des tercets, comme tous les hommes cherchant à séduire une servante qui leur résiste. Plus elle résiste, plus leur poésie devient délicate.

Roméo réprima un fou rire.

– D'abord, je n'ai jamais entendu un paysan versifier. Ensuite, je me demande quel degré de raffinement mes vers devraient atteindre. Pas si élevé que ça, vu la servante.

– Fripouille ! Je te prouverai que tu as tort en repoussant tes baisers, comme une prude accomplie !

– Facile à dire, avec cette paroi entre nous.

Tous deux se turent, comme pour savourer leur présence à travers la grille qui les séparait.

– Oh, Roméo, soupira Giulietta, soudain triste, est-ce ainsi que notre amour est voué à vivre ? Tel un secret dans une chambre noire, alors que le monde vibre autour de nous ?

– Patience.

Il ferma les yeux et appuya son front contre la grille, comme sur celui de Giulietta.

– Je suis venu t'annoncer que je vais demander à mon père d'approuver notre union et de faire, dès que possible, une proposition de mariage à ton oncle.

– Tu veux m'épouser ?

Elle n'était pas sûre d'avoir bien compris. Il venait de la mettre devant le fait accompli. Les choses se passaient-elles ainsi à Sienne ?

– C'est la seule solution, renchérit Roméo. Il faut que tu sois à moi, totalement, à ma table et dans mon lit. Sinon, je me consumerai comme un prisonnier mourant de faim. Voilà. Je t'ai tout dit. Pardonne mon absence de poésie.

Silence. Il eut peur de l'avoir offensée. Très vite, elle reprit la parole, chassant ses craintes.

– Monsieur, si c'est une épouse que vous voulez, vous devrez séduire Tolomei.

– Avec tout le respect que je dois à votre oncle, c'est vous que j'espère emporter dans ma chambre.

Giulietta s'esclaffa, puis redevint sérieuse.

– C'est un homme très ambitieux. Assurez-vous que votre père lui présente un arbre généalogique digne de ses prétentions.

– Mes aïeux servaient les Césars alors que vos ancêtres portaient des peaux d'ours et nourrissaient leurs cochons à la bouillie d'orge ! protesta Roméo, vexé.

Comprenant qu'il se comportait comme un enfant, il reprit, plus calme :

– Tolomei ne pourra pas dire non à mon père. La paix a toujours régné entre nos maisons.

– Si seulement ils étaient liés par une rivière de sang ! Tu ne comprends donc pas ? Si nos familles vivent en paix, quel intérêt présente notre union ?

– Un père souhaite ce qu'il y a de mieux pour ses enfants, martela Roméo, entêté.

– Voilà pourquoi il les fait pleurer.

– J'ai dix-huit ans. Mon père me traite comme un égal.

– Tu es un homme mûr. Pourquoi n'es-tu pas marié ? As-tu déjà enterré celle qui t'était promise depuis l'enfance ?

– Mon père ne croit pas aux mères tout juste sorties de leurs berceaux.

Le sourire de Giulietta, à peine visible, lui alla droit au cœur.

– Croit-il aux vieilles filles ?

– Tu as seize ans.

– À peine. Mais pourquoi compter les pétales d'une rose qui se fane ?

– Quand je t'aurai épousée, chuchota Roméo en baisant le bout de ses doigts, je t'arroserai, je t'allongerai sur ma couche et je compterai chacun de tes pétales.

– Et les épines ? Je te piquerai et je gâcherai ton plaisir !

– Fais-moi confiance. La volupté dépassera de loin la douleur.

Ainsi poursuivirent-ils leur conversation, à la fois joueurs et anxieux, jusqu'au moment où l'on frappa contre la paroi du confessionnal.

– Giulietta ! siffla Monna Antonia, faisant tressaillir sa nièce. Il ne doit plus te rester grand-chose à confesser. Vite, nous rentrons !

Leurs adieux furent brefs, déchirants. Roméo renouvela sa promesse. Giulietta n'osait y croire. Ayant vu sa sœur livrée à un époux qu'elle n'aimait pas, elle ne se faisait aucune illusion. Le mariage ne dépendait pas des enfants, mais de l'ambition des parents. Il s'agissait d'une affaire politique, d'un arrangement entre deux maisons, d'une alliance qui n'avait rien à voir avec les vœux des fiancés. L'amour, d'après Giannozza, dont les premières lettres de femme mariée l'avaient fait pleurer, ne pouvait éclore que dans un second temps, et avec un autre…

*

* *

Le commandeur Marescotti était rarement fier de son fils aîné. Il se consolait en songeant que, comme pour la plupart des fièvres, le seul remède aux égarements de la jeunesse était le temps. Soit le malade mourait, soit le mal finissait par disparaître. L'entourage n'avait donc d'autre choix que la patience et la sagesse. Hélas, la patience n'était pas son fort, et son cœur de père s'était mué en un monstre à plusieurs têtes surveillant l'entrée d'un gouffre de colères et de craintes, toujours sur la défensive, et souvent vaincu.

– Roméo ! s'écria-t-il en baissant son arbalète après un tir désastreux. Je t'ai assez écouté ! Je suis un Marescotti. N'oublie pas qu'il y a longtemps, le siège du gouvernement de Sienne se trouvait ici même. Des guerres ont été préparées dans cet atrium. La victoire de Montaperti a été proclamée du haut de cette tour. Ce palais parle de lui-même.

Aussi digne qu'un chef de guerre passant son armée en revue, il foudroya du regard la nouvelle fresque, de même que son créateur maître Ambrogio, dont il avait du mal à reconnaître le génie. Certes, cette scène de bataille aux couleurs chatoyantes égayait leur austère cour intérieure, et les Marescotti étaient représentés sous des traits qui soulignaient leur grandeur, mais pourquoi avait-elle été si longue à réaliser ?

– Père !

– Suffit ! Je refuse de m'associer à ces gens. N'apprécies-tu donc pas la paix dans laquelle nous vivons depuis des années, alors que tous ces nouveaux riches, les Tolomei, les Salimbeni et les Malavolti passent leur temps à se massacrer dans les rues ? Souhaites-tu voir leur sang vicié souiller notre demeure, tes frères, tes cousins tués dans leur sommeil ?

De l'autre côté de la cour, maître Ambrogio ne pouvait s'empêcher d'observer la dispute. Plus grand que son fils, surtout parce qu'il se tenait très droit, le commandeur était un des hommes les plus remarquables dont le peintre eût jamais fait le portrait. Ni son visage ni sa silhouette ne trahissaient le moindre excès. Il se nourrissait exclusivement de ce dont son corps avait besoin et ne s'accordait que les heures de sommeil nécessaires à son repos. À l'inverse, son fils mangeait et buvait sans retenue et consacrait ses nuits à des aventures douteuses, dormant jusqu'à point d'heure dans la matinée.

Pourtant, le fils était le portrait de son géniteur. Tous deux étaient à la fois solides et inflexibles. Et même si le fils transgressait en permanence les règles du patriarche, il était exceptionnel de les voir se lancer, comme ce jour-là, dans un duel verbal, chercher à marquer des points contre l'autre.

– Père !

– Tout cela pour quoi, en outre ? Pour une femme !

Cette fois, la flèche se ficha dans la poitrine du mannequin de paille.

– Une femme de rencontre, alors que des milliers courent les rues. Comme si tu n'en avais jamais profité !

– Ce n'est pas une femme de rencontre, répondit calmement Roméo, c'est celle que j'aime.

Un silence suivit, au cours duquel deux nouvelles flèches furent décochées. Le mannequin oscilla comme un pendu. Le commandeur Marescotti soupira et reprit la parole, telle la voix de la raison.

– Peut-être, mais elle est la nièce d'un fou.

– Un fou puissant.

– Les hommes naissent rarement fous, mais la politique et la flatterie peuvent les rendre déments.

– On le dit très généreux avec les siens.

– Combien en reste-t-il ?

Roméo s'esclaffa, pourtant conscient que son père ne plaisantait pas.

– Quelques-uns, sûrement, puisque la paix dure depuis deux ans.

– Tu appelles cela la paix ? Alors que cette racaille de Salimbeni recommence à piller les châteaux des Tolomei et s'attaque au clergé dans les campagnes ? Crois-moi, cette trêve ne va pas durer très longtemps.

– Justement, c'est le moment de faire alliance avec les Tolomei.

– Pour se brouiller avec les Salimbeni ? Si tu connaissais les arcanes de la politique aussi bien que le vin et les femmes, mon fils, tu n'ignorerais pas que Salimbeni mobilise ses troupes en ce moment même. Il n'a pas seulement pour but d'éliminer Tolomei et de contrôler toutes les banques siennoises. Il projette d'assiéger la ville avec le soutien de ses alliés disséminés dans tout le pays et de s'imposer à la tête de notre république. Je le connais bien, Roméo. Je scrute ses mouvements depuis longtemps, mais j'ai décidé de faire la sourde oreille et de verrouiller ma porte à son ambition. Je ne sais qui sont les pires, ses amis ou ses ennemis. Voilà pourquoi les Marescotti n'ont fait allégeance ni aux uns ni aux autres. Un jour, demain peut-être, Salimbeni sautera le pas. Nous serons envahis par des mercenaires étrangers et le sang coulera dans nos rues. Voilà ce que je redoute.

– Il est possible de prévenir le malheur. Si nous joignions nos forces à celles de Tolomei, d'autres maisons patriciennes suivraient la bannière de l'aigle et Salimbeni perdrait très vite du terrain. Ensemble, nous pourrions traquer les brigands, assurer la sécurité sur les routes. Avec l'argent de Tolomei et votre prestige, nous pourrions entreprendre de grands projets. La nouvelle tour du Campo serait achevée en quelques mois, la future cathédrale bâtie en quelques années. Et tous, dans leurs prières, glorifieraient le nom des Marescotti.

– Un homme n'a besoin des prières d'autrui qu'après sa mort, répondit le commandeur en bandant son arbalète.

La flèche trancha la tête du mannequin avant d'atterrir dans un pot de romarin.

– En attendant, il agit selon son honneur. La gloire à laquelle tu dois aspirer n'est pas celle des hommes, liée à la flatterie, mais celle que Dieu t'accorde. En ton for intérieur, tu peux être fier d'avoir sauvé la vie de cette jeune fille. Toutefois, n'attends ni récompense ni reconnaissance. Cette vaine renommée sied mal à un homme bien né.

– Je n'attends aucune récompense. C'est Giulietta, et elle seule, que je veux. Je me moque de l'opinion du monde. Si vous n'approuvez pas mon projet de mariage…

Le commandeur leva sa main gantée pour empêcher son fils de prononcer des paroles sur lesquelles il ne pourrait revenir.

– Ne me menace pas en m'annonçant des décisions qui te nuiraient plus qu'à moi. Et ne te comporte pas comme un enfant. Sinon, je te retire mon autorisation de concourir au Palio. Même les jeux des hommes, que dis-je, surtout leurs jeux, exigent un comportement d'homme. Il en va de même avec le mariage. Je ne t'ai jamais promis à quiconque…

– Ne fût-ce que pour cela, je vous aime, mon père !

– J'ai deviné ton caractère dès ton plus jeune âge. Si j'avais été perfide et si j'avais voulu me venger d'un ennemi, je lui aurais demandé pour toi la main de sa fille unique, te laissant lui briser le cœur et la détruire à jamais. Je répugne à de telles bassesses. J'ai attendu avec persévérance que tu abandonnes ton inconstance et que tu te satisfasses d'un unique objet.

Roméo semblait défait. Heureusement, l'amour l'exaltait. Il ne fut pas long à sourire.

– Mon désir n'a plus qu'un seul objet ! s'écria-t-il. J'ai découvert ma vraie nature : la constance. Plus jamais je ne poserai les yeux sur une femme, si ce n'est comme sur un meuble. Peut-être serait-il plus juste de dire que les femmes sont, à côté de ma bien-aimée, comme la lune face au soleil.

– Ne la compare pas au soleil, répondit le commandeur en allant retirer ses flèches du mannequin de paille. Tu as toujours préféré la compagnie de la lune.

– Parce que je vivais dans une nuit éternelle. À présent, je comprends pourquoi la lune règne sur les pauvres hères qui n'ont jamais vu le soleil. Le jour m'est enfin apparu, père, drapé dans les ors et les rubis du mariage, et mon âme en est l'aube.

– Le soleil se retire tous les soirs.

– Moi aussi, je me retirerai ! clama Roméo en serrant une poignée de flèches contre sa poitrine. Je laisserai la nuit aux chouettes et aux rossignols. J'embrasserai les heures du jour avec ardeur et ne dédaignerai plus, pour la chasse au plaisir, les bienfaits du sommeil !

– Ne fais pas de promesses au sujet de la nuit, répondit le commandeur en posant enfin une main sur l'épaule de son fils. Si ton épouse est vraiment la créature que tu viens de décrire, tu dormiras peu.

IV, I

Et si nous les croisons, nous n'éviterons pas la querelle.
Par ces chaudes journées, tu le sais, le sang est fou et bouillonne.

J'étais de retour dans le château hanté de mon rêve. Des démons invisibles, récitant des vers de Shakespeare que je connaissais par cœur, m'assaillaient comme s'ils voulaient m'entraîner avec eux hors des murailles.

Je me suis réveillée, allongée sur un lit dans l'atelier de maître Lippi, une couverture rugueuse autour des jambes, tandis que Dante me léchait les chevilles.

– Bonjour, m'a dit le maestro en m'offrant une tasse de café. Dante est un chien très malin, tu sais, mais il n'aime pas Shakespeare.

J'ai souri et bu ce délicieux espresso. Puis j'ai fait mes adieux et je suis rentrée à l'hôtel sous un soleil brillant. Les événements de la veille me paraissaient étrangement irréels, comme une pièce de théâtre mise en scène pour le plaisir d'un inconnu. Le dîner avec les Salimbeni, ma fuite à travers le dédale de la ville, ma rencontre avec maître Lippi… Tout cela me semblait avoir l'étoffe des rêves, la seule preuve du contraire étant l'état de mes pieds, écorchés et noirs de crasse.

C'était la seconde fois que j'étais suivie, et pas par un pauvre type en survêtement, mais par un motard avisé. En outre, Alessandro me posait un réel problème puisqu'il savait tout sur moi et n'hésiterait pas à utiliser ces informations si j'avais le malheur de m'approcher de trop près de sa précieuse marraine.

Il fallait absolument que je me sorte de ce guêpier. Toutefois, Julie Jacobs n'était pas du genre à abandonner. Et, comme je le découvrais, Giulietta Tolomei non plus. Après tout, le trésor en jeu n'était pas rien. Si les histoires de maître Lippi étaient vraies et si j'arrivais à retrouver la tombe de Juliette, je découvrirais peut-être cette statue aux yeux de saphir.

Mais si cette histoire de statue était simplement une légende ? Si mon séjour n'aboutissait qu'à démontrer que j'étais vaguement reliée à la Juliette de Shakespeare ? Ma tante Rose avait toujours déploré le fait que j'avais beau apprendre par cœur une pièce de théâtre et la réciter dans les deux sens, je ne comprenais rien à la littérature ni à l'amour. Elle m'avait prévenue : un jour, d'énormes projecteurs m'enverraient la vérité en pleine figure et je mesurerais la gravité de mes erreurs.

Une de mes premières images de tante Rose m'est revenue en mémoire. Assise devant son grand bureau en acajou, tard le soir, avec une seule lampe allumée, elle examinait à la loupe une immense feuille de papier dépliée. Je me rappelle encore la patte de mon ours en peluche que je serrais dans la main pour me rassurer. J'avais peur qu'elle ne me renvoie au lit. Au début, elle ne m'a pas remarquée. Tout à coup, elle a sursauté, comme si j'étais un fantôme. Ensuite, je me revois sur ses genoux, contre son bureau, fascinée par cet océan de vieux papiers.

– Regarde, me dit-elle en se servant de la loupe, c'est l'arbre généalogique de la famille ; et là, c'est ta maman.

Je me souviens de mon excitation, suivie par une déception cruelle. Car ce n'était pas une photo de ma mère, mais une suite de lettres. Or, je ne savais pas lire.

– Qu'est-ce qu'il y a écrit ? ai-je demandé.

– Il y a écrit : « Ma chère Rose, s'il te plaît, occupe-toi bien de ma petite fille chérie. Elle me manque beaucoup. »

À ma stupeur, ma tante était en larmes. C'était la première fois que je voyais une grande personne pleurer. Je pensais que c'était impossible.

Ma tante distillait çà et là des anecdotes à propos de notre mère, mais jamais nous n'avions eu droit à un vrai portrait d'elle. Un jour, il faisait très beau, je venais de rentrer à la fac et j'étais un peu à cran, quand, ma sœur et moi, nous avons sorti notre tante de la maison manu militari et l'avons installée dans un fauteuil, dans le jardin, avec un café et des muffins, pour l'interroger une bonne fois pour toutes. Ce fut un des rares moments de coopération entre Janice et moi. Un flot de questions a suivi : comment étaient nos parents, à quoi ressemblaient-ils, pourquoi n'avions-nous aucun contact avec l'Italie alors que notre passeport prouvait que nous étions nées là-bas ?

Tante Rose ne s'est pas laissé démonter. Elle nous a écoutées sans broncher et sans toucher aux muffins, puis a simplement lâché :

– Vous avez le droit de me poser toutes les questions que vous voulez. Car, un jour, vous aurez la réponse. Pour l'instant, soyez patientes. Si je ne vous dis rien, c'est pour vous protéger.

Je ne comprenais pas en quoi connaître l'histoire de nos parents aurait pu nous menacer. Pourtant, sensible à son malaise, j'ai toujours respecté sa volonté, pour éviter les conflits. Un jour, je lui demanderais une véritable explication. Bientôt, elle m'avouerait tout. Même le jour de ses quatre-vingts ans, je croyais encore que, tôt ou tard, elle me répondrait.

*

* *

M. Rossini était au téléphone dans le bureau de la direction quand je suis arrivée à l'hôtel. Je l'ai attendu un moment. Je songeais à ce que m'avait raconté maître Lippi, notamment sur les intrusions nocturnes de ce Roméo. J'en ai conclu qu'il était temps que je me renseigne sur la famille Marescotti.

La première chose à faire était de demander un annuaire téléphonique à M. Rossini, et tout de suite. Au bout de dix minutes, à bout de patience, j'ai renoncé. J'ai pris ma clé sur le panneau, derrière le bureau de la réception.

J'ai ouvert la porte de ma chambre et j'ai failli m'évanouir : elle avait été cambriolée, fouillée de fond en comble.

Les portes de la garde-robe avaient été arrachées, les coussins éventrés, mes vêtements, mes objets personnels, tous mes accessoires de toilette étaient éparpillés. Certains de mes nouveaux sous-vêtements pendouillaient lamentablement sur un tableau accroché au mur.

On aurait dit qu'une bombe cachée dans ma valise venait d'exploser. Soudain, j'ai entendu la voix du directeur.

– Mademoiselle Tolomei ! La comtesse Salimbeni vient d'appeler pour me demander de vos nouvelles, mais… Sainte Mère !

Il s'est tu, consterné, et nous sommes demeurés côte à côte, sans un mot.

– Bon, au moins, ce n'est plus la peine que je défasse mes valises, ai-je fini par reconnaître.

– C'est épouvantable ! Les gens vont penser que l'hôtel n'est pas sûr. Attention, ne marchez pas, il y a des éclats de verre.

La fenêtre du balcon avait été brisée. De toute évidence, le cambrioleur recherchait le coffre de ma mère, puisqu'il avait disparu. Mais pourquoi avait-il saccagé la pièce ? Cherchait-il autre chose ?

– Catastrophe ! Maintenant, il va falloir que j'appelle la police. Les flics vont débarquer, prendre des photos, et tous les journaux vont mettre en cause la sécurité de l'hôtel.

– Attendez. N'appelez pas tout de suite. Nous savons ce qu'ils voulaient, ai-je déclaré en allant près du bureau où j'avais posé le coffre. Les salauds ! En tout cas, je suis sûre qu'ils ne reviendront pas.

– J'ai oublié de vous dire une chose. Hier soir, c'est moi qui ai monté vos valises.

– Oui, je m'en doute.

– J'ai vu que vous aviez un objet ancien de grande valeur sur le bureau et je me suis permis de le retirer pour le mettre dans le coffre-fort de l'hôtel. J'espère que vous ne m'en voulez pas. En principe, je ne m'autorise jamais…

– Vous avez fait ça ! me suis-je exclamée, soulagée comme jamais. Je vous adore ! C'est un coffre qui a une valeur très spéciale.

– Je sais, ma grand-mère avait le même. Personne n'en fabrique plus, c'était une vieille tradition artisanale de Sienne. Nous les appelons « coffres à secrets ». Chacun possède un petit compartiment caché dans lequel on peut dissimuler un objet.

– Un tiroir secret ?

– Oui. Venez, je vais vous montrer.

Nous sommes descendus au sous-sol. J'ai tout de suite reconnu mon coffre, qui reposait tranquillement entre des livres de comptes et des chandeliers d'argent.

– Seul un Siennois peut découvrir ce petit compartiment secret, a repris le directeur en soulevant mon coffre, car il n'est jamais situé au même endroit. Celui de ma grand-mère était sur le côté, là. Le vôtre est certainement ailleurs. Ce n'est pas commode. Attendez… Il n'est pas là… pas là…

Il a inspecté tous les angles du coffre, un par un, y prenant manifestement un certain plaisir.

– Ma grand-mère gardait simplement une mèche de cheveux. Je l'ai trouvée un jour pendant qu'elle dormait. Je ne lui ai jamais demandé… Ah, je sens quelque chose !

Il avait dû tomber sur le système de fermeture du compartiment. Il a souri triomphalement quand un bout du fond du coffre est tombé, suivi par un morceau de carton rectangulaire. Il a retourné le coffre et nous avons examiné le fond, ou le double-fond, du coffre. Mais il n'y avait rien d'autre.

– Vous avez vu ?

J'ai brandi le bout de carton qui contenait une série de chiffres et de lettres tapées à la machine.

– On dirait un code.

– C'est une vieille… Comment dit-on ? Pas une carte, une fiche. Comme celles qu'on utilisait avant l'ordinateur. Vous êtes jeune, vous n'avez pas connu ça, ma chère !

– Vous avez une idée de sa provenance ?

– Cette fiche ? D'une bibliothèque, sans doute. Je ne suis pas sûr, je n'y connais pas grand-chose. Mais…

Il m'a dévisagée, comme pour juger si oui ou non j'en valais la peine.

– Je connais quelqu'un qui pourrait vous aider.

*
* *

M. Rossini m'avait donné l'adresse d'une librairie de livres anciens. J'ai eu du mal à la trouver. Comme par hasard, lorsque j'y suis arrivée, elle était fermée. C'était l'heure du déjeuner. J'ai regardé à travers la vitre. Personne. Uniquement des piles et des piles de bouquins.

En attendant, j'ai marché jusqu'à la piazza del Duomo, pas loin, et je me suis assise sur les marches devant la cathédrale. Malgré les touristes qui entraient et sortaient, la place dégageait toujours une atmosphère apaisante, quelque chose de rassurant, d'enraciné dans le temps. J'aurais pu rester assise ainsi à jamais, comme la cathédrale, observant avec nostalgie et compassion l'éternelle renaissance des hommes.

La cathédrale de Sienne est célèbre pour son clocher. Il est moins élevé que la Torre del Mangia, mais unique en son genre parce que couvert de bandes blanches et noires, couches successives de pierres de ces deux couleurs qui se poursuivent jusqu'au sommet. Faut-il y voir un symbole ? Une simple originalité ? Ou une réplique du blason noir et blanc de la ville, la *balzana*, qui ressemble à un verre à pied rempli à ras bord d'un vin noir comme le Styx ?

M. Rossini m'avait raconté la légende de jumeaux fuyant leur oncle diabolique sur un cheval noir et blanc. Elle ne m'avait pas convaincue. Je m'interrogeais toujours sur le sens de cette division si marquée des deux couleurs. Cela avait sans doute à voir avec l'idée de contrastes, me disais-je, avec l'art périlleux de réunir les extrêmes et de créer des compromis. Ou alors c'était la simple reconnaissance d'une évidence, que la vie est un équilibre subtil entre des forces primaires, et que le bien perdrait de son poids s'il n'y avait pas le mal à combattre dans le monde.

Je n'étais pas philosophe et le soleil commençait à taper. Seuls les chiens fous et les Anglais s'exposaient à ses rayons à cette heure. Je suis revenue sur mes pas. La librairie était toujours fermée. J'ai regardé l'heure en soupirant. Où me réfugier en attendant que le propriétaire revienne de son déjeuner ?

*
* *

L'intérieur de la cathédrale de Sienne est un immense jeu de zones d'ombre et d'or. Une ronde d'imposants piliers noir et blanc soutient une grande voûté étoilée. Le sol de mosaïque forme un vaste puzzle de symboles et de légendes qu'il me semblait connaître, comme on connaît les sons d'une langue étrangère, mais dont le sens m'échappait.

À mille lieues des églises modernes de mon enfance, j'éprouvais une impression de déjà vu, le sentiment d'être venue, à la recherche du même Dieu, longtemps, très longtemps auparavant. La cathédrale ne ressemblait-elle pas au château hanté de mon rêve ? Non, me disais-je. Quelqu'un m'avait sûrement amenée au cœur de cette forêt silencieuse de bouleaux argentés quand j'étais bébé, et ce cadre s'était, pour toujours, gravé dans ma mémoire.

La seule église aux proportions comparables que je connaissais était la basilique de l'Immaculée Conception, à Washington. Umberto me l'avait fait visiter. Je devais avoir six ou sept ans, pas plus. Toutefois, je me souvenais très bien qu'il s'était agenouillé à côté de moi en me demandant :

–Tu as entendu ?

– Quoi ?

– Les anges. Concentre-toi bien, tu les entendras rire.

– Rire de quoi ? De nous ?

– Non, rire parce qu'ils apprennent à voler. Mais il n'y a pas de vent. Uniquement le souffle de Dieu.

– C'est ce qui les fait voler ? Le souffle de Dieu ?

– Non, ils ont un truc. Ils me l'ont dit, m'avait répondu Umberto, souriant en me voyant écarquiller les yeux. Il faut qu'ils oublient tout ce qu'ils savent en tant qu'êtres humains. Je t'explique : quand tu es humain, tu découvres que détester les autres donne du pouvoir. Ça te donne l'illusion de voler, sauf que tu ne voles jamais.

– Alors, quel est leur truc, comme tu dis ?

– Aimer le ciel.

J'étais perdue dans le souvenir de ce moment rare où Umberto s'était laissé aller à ses émotions, quand un flot de touristes anglais est arrivé. Leur guide, peu discret, racontait l'histoire des multiples tentatives d'excavation pour retrouver la crypte originale de la cathédrale qui, apparemment, datait du Moyen Âge, mais semblait à jamais perdue.

Je l'ai écouté un moment, amusée par son goût pour le sensationnel. Ensuite, je suis sortie et j'ai remonté la via del Capitano qui, à ma grande surprise, débouchait sur la piazza Postierla, en face du café de Malèna.

La petite place était très calme, sans doute parce qu'il faisait une chaleur de bête et que c'était l'heure de la sieste. Une statue de louve allaitant deux bébés faisait face à une petite fontaine, au sommet de laquelle planait un immense oiseau métallique au regard farouche. Deux enfants jouaient dans l'eau, s'éclaboussaient en hurlant de rire sous le regard attendri d'une rangée de vieux messieurs qui les observaient à l'ombre, veste tombée mais chapeau sur la tête, souriant à cette image de leur immortalité.

– Salut, toi ! m'a lancé Malèna en me voyant entrer. Luigi t'a bien relookée, on dirait…

– Pas mal, non ?

Je me suis appuyée contre le comptoir étonnamment frais.

– J'ai décidé de ne pas quitter Sienne tant que ton cousin y travaillera.

Elle a éclaté d'un rire si chaleureux qu'une fois de plus je me suis demandé ce qui faisait le secret de la vie de ces femmes. C'était beaucoup plus que de l'assurance : une sorte de faculté de s'aimer, mais avec générosité, corps et âme, et comme s'il allait de soi que tous les hommes de la terre ne rêvent que de les emporter avec eux.

– Tiens, dit-elle en posant un espresso sur le comptoir avec un petit gâteau sec. Mange. Ça donne du tempérament.

– Et cette créature farouche ? ai-je répondu en regardant la fontaine. C'est quoi, cet oiseau ?

– C'est notre aigle, notre *aquila*. Cette fontaine nous sert de... Zut, comment ça s'appelle... font baptismal. Non, au pluriel... fonts baptismaux. C'est là qu'on baptise les nouveau-nés pour qu'ils deviennent des *aquilini*, des aiglons.

– Nous sommes dans la *contrada* de l'Aigle ? Que je suis bête ! J'aurais pu y penser toute seule. Dis-moi, c'est vrai qu'à l'origine le symbole de l'aigle était lié à la famille Marescotti ?

– Oui et non, parce qu'il date de l'époque des Romains. Ensuite, Charlemagne l'a repris. Comme les Marescotti se sont battus sous sa bannière, nous avons eu le droit d'adopter ce symbole impérial. Mais peu de gens le savent.

Je l'ai longuement dévisagée. Elle parlait des Marescotti comme si elle en était une.

J'allais poursuivre lorsqu'un serveur, souriant d'une oreille à l'autre, s'est interposé entre nous en déclarant :

– Seuls ceux qui ont la chance de travailler ici sont au courant. L'oiseau impérial n'a plus de secrets pour nous.

– Ne l'écoute pas, a répondu Malèna en faisant semblant de le frapper sur la tête avec un plateau. Il est de la *contrada* de la Tour... *la* Tour... Tu vois ce que je veux dire...

Soudain, mon regard a été attiré par une ombre à l'extérieur : une moto noire. La visière baissée, son conducteur s'arrêta brièvement pour regarder à travers la vitre du café, avec de disparaître en vrombissant.

– Ducati Monster S4, a précisé le serveur. Un bolide du feu de Dieu. Un engin qui fait rêver les mecs de sang, sauf qu'ici ils le gardent pas longtemps. Vaut mieux pas inviter une fille à faire un tour si t'as pas un antivol en béton. Tu te retrouves comme un con.

– *Basta, basta, Dario*, l'a interrompu Malèna, *Tu parli di niente !*

– Tu le connais ? ai-je demandé avec un détachement feint.

– Le type de la moto ? a-t-elle répondu, nullement impressionnée. Tu sais ce qu'on dit ? Que les gens qui ont besoin de faire tant de bruit n'ont pas grand-chose là où je pense.

– Je ne suis pas particulièrement bruyant, s'est défendu Dario.

– Je ne parlais pas de toi, *stupido* ! Je parlais du *moscerino* sur la moto.

– Tu le connais ?

– Je préfère les hommes qui roulent en bagnole. Les motards sont des playboys frimeurs. Sur la moto, tu mets ta copine, d'accord, mais tes enfants, les amies de ta femme et ta belle-mère, tu les mets où ?

– Exactement, a renchéri Dario. D'ailleurs, j'économise pour m'en acheter une.

Plusieurs clients, derrière moi, commençaient à s'impatienter. Malèna n'avait aucun scrupule à les faire attendre. J'ai quand même préféré m'en tenir là et ne plus rien demander sur la famille Marescotti ou ses éventuels descendants. Je l'ai remerciée et l'ai quittée avec un sourire amical.

Je suis sortie prudemment, en regardant à droite et à gauche, au cas où le motard m'aurait guettée. Mon petit doigt me disait qu'il s'agissait du type qui m'avait harcelée la veille. Il avait disparu. Tant mieux. Si c'était un dragueur qui cherchait à embarquer une fille aimant les sensations fortes, j'étais ravie de ne pas avoir à engager la conversation.

*

* *

J'étais toujours assise sur les marches de la librairie, à deux doigts d'abandonner, quand la propriétaire de l'antique boutique est rentrée de son déjeuner. Ma patience fut récompensée. C'était une vieille dame adorable, frêle mais vive, qui m'a tout de suite fait entrer. Elle a jeté un œil sur ma fiche et aussitôt répondu :

– Oui, bien sûr, ça vient des archives de l'université, de la collection historique. C'est tout simplement une cote. Ils utilisent toujours leur vieux catalogue. Montrez-moi, oui… Ça, ça veut dire : « bas Moyen Âge », et ça : « local ». Oh, et regardez… « K » correspond à l'étagère, et ici, c'est le numéro du tiroir : « 3-17b ». Mais rien ne dit ce qu'il contient.

Après avoir résolu le mystère en un temps record, elle a ajouté :

– Comment avez-vous trouvé cette fiche ?

– Par ma mère, ou plutôt mon père. Il était professeur d'université… Le professeur Tolomei.

La vieille dame s'est illuminée comme un arbre de Noël.

– Je me souviens très bien de lui. J'ai été son étudiante. C'est lui qui a monté toute la collection d'histoire de la bibliothèque. J'ai passé deux étés entiers à coller les numéros sur les tiroirs. Cela dit, je me demande pourquoi il a retiré cette fiche. Il avait horreur que les gens laissent traîner des fiches avec des cotes sans les remettre à leur place.

*
* *

L'université de Sienne était éparpillée dans toute la ville. Heureusement pour moi, le département des archives se trouvait à deux pas, du côté de la Porta Tufi. J'ai mis un certain temps à repérer le bâtiment, qui ne se distinguait guère parmi les mornes façades. Un patchwork d'affiches plus ou moins gauchistes a attiré mon regard. Ce ne pouvait être que là.

Je suis entrée par la porte que m'avait recommandée la libraire, en espérant qu'on ne me remarquerait pas au milieu des étudiants. Je suis descendue directement au sous-sol. Peut-être parce que la sieste n'était pas terminée, ou parce que c'était l'été, je n'ai croisé personne, ce qui, alors que j'avais redouté des difficultés, m'a surprise.

J'ai fait plusieurs fois le tour de la salle des archives, calme et fraîche, ma fiche à la main, pour essayer de trouver les bonnes étagères. La libraire m'avait expliqué qu'il s'agissait d'une collection distincte, rarement consultée et reléguée parmi les archives les plus anciennes. Or, pour moi, toutes ces documents remontaient à la nuit de temps. Qui plus est, aucune étagère n'était pourvue de tiroirs. Il s'agissait de simples rayonnages, où s'alignaient des kilomètres de bouquins. Aucun livre avec la cote « K 3-17b ».

Au bout de vingt minutes, j'ai eu une idée. Et si j'essayais la porte du fond ? C'était une porte métallique, hermétiquement close, comme dans une banque. Pourtant, je n'ai eu aucun mal à l'ouvrir. Elle donnait sur une seconde salle, plus petite, d'où émanait une odeur étrange, un parfum de boules antimites qu'on aurait fourrées de pépites de chocolat.

J'ai tout suite vu que ma cote correspondait enfin à quelque chose. Les étagères étaient pleines de tiroirs et la collection était classée par ordre chronologique, depuis l'époque étrusque jusqu'à, sans doute… l'année de la mort de mon père. L'épaisse couche de poussière qui recouvrait l'ensemble prouvait, effectivement, que les ouvrages étaient peu consultés.

J'ai déployé l'échelle roulante avec peine : les roues métalliques rouillées adhéraient au sol. Après avoir grincé, comme si elle protestait, elle a fini par me suivre, laissant une trace brunâtre sur le linoléum gris. Je l'ai posée devant l'étagère étiquetée « K » et j'ai grimpé pour examiner la rangée 3. Il y avait deux douzaines de tiroirs de taille moyenne, tous hors d'atteinte pour quiconque n'aurait pas eu d'échelle et n'aurait pas su exactement ce qu'il cherchait. Le tiroir numéroté « 17b » a résisté. J'ai tapé dessus plusieurs fois et il a fini par céder.

Il contenait un gros paquet emballé sous vide dans du plastique marron. Je l'ai tapoté délicatement. Ce devait être un truc plus ou moins spongieux, une sorte de tissu. Bizarre… J'ai pris le paquet et je suis redescendue pour m'installer par terre et l'ouvrir.

J'ai enfoncé un ongle dans le plastique, y faisant un trou. Le paquet sous vide a poussé un long soupir, laissant apparaître un coin de tissu bleu pâle. J'ai élargi le trou et tâté. C'était de la soie très fine. Très, très ancienne.

Je savais qu'il ne fallait pas exposer à la lumière et à l'air une étoffe ancienne, mais la tentation était trop forte. J'ai extrait le paquet de soie pour le déplier sur mes genoux. Tout à coup, un objet métallique est tombé : un grand couteau protégé par un étui doré, caché dans les plis du tissu. En le ramassant, j'ai remarqué qu'un aigle était gravé sur le manche.

Je soupesais ce trésor inattendu quand j'ai entendu du bruit dans la première salle. J'avais pénétré dans un lieu interdit qui abritait sûrement des trésors d'une valeur inestimable. Vite, je me suis redressée, coupable et angoissée. J'ai remballé le poignard.

Je suis retournée dans la salle principale sur la pointe des pieds, en refermant délicatement la porte métallique. Je me suis dissimulée entre deux étagères pour écouter. Rien. Silence, hormis mon souffle saccadé. Ouf ! Je n'avais plus qu'à remonter et à sortir comme j'étais entrée, l'air de rien.

Erreur. Des bruits de pas ont retenti juste à ce moment-là. Ce n'était pas la démarche d'un bibliothécaire revenant tranquillement de son déjeuner, ni celle d'un étudiant à la recherche d'un ouvrage. Mais le pas inquiétant de quelqu'un qui redoutait d'être reconnu, dont la présence dans cet antre était encore plus malvenue que la mienne. Je l'ai vu se diriger vers moi entre deux étagères : c'était le type qui m'avait suivie la veille ! Il se faufilait entre les livres, les yeux rivés sur la porte métallique qui menait à la chambre forte.

Il avait un fusil.

Je me suis glissée jusqu'au bout de la rangée d'étagères. Une allée étroite remontait face à moi, vers le bureau du bibliothécaire. Discrètement, je me suis dirigée dans ce sens avant de faire une pause en rentrant le ventre. J'ai vu mon satyre passer à l'autre bout de l'allée.

Tétanisée, je n'osais plus respirer et je luttais contre l'envie urgente de déguerpir. Deux… trois secondes. J'ai tendu le cou pour jeter un œil : l'inconnu a pénétré dans la chambre forte.

Une fois de plus, j'ai retiré mes chaussures et je me suis précipitée vers la sortie, gravissant les marches quatre à quatre. Une fois dehors, j'ai continué à courir, le plus loin possible. Enfin, dans une ruelle obscure, je me suis autorisée à ralentir. Pas vraiment soulagée. L'homme, j'en étais sûre, était celui qui avait dévalisé ma chambre. Et, si j'étais toujours en vie, je ne le devais qu'à un pur hasard : je ne me trouvais pas dans mon lit lors de son intrusion.

*
* *

Peppo Tolomei fut presque aussi surpris de me revoir au musée de la Chouette que moi de m'y retrouver aussi vite.

– Giulietta ! Quel bon vent t'amène ? Mais qu'est-ce que tu as là ? m'a-t-il demandé en découvrant mon drôle de paquet.

– Si je le savais ! Je crois que c'est quelque chose qui a appartenu à mon père.

– Approche…

Il a dégagé une table. J'ai ouvert le paquet, extirpé délicatement le poignard.

– Vous avez une idée de ce que ça peut être ?

Ignorant le poignard, il a déplié la soie bleue avec un soin extrême. Puis il a reculé en faisant un signe de croix.

– Où diable as-tu trouvé ça ? a-t-il murmuré d'une voix à peine audible.

– Euh… dans la collection montée par mon père aux archives de l'université. Le poignard était protégé par la soie.

– Tu ne sais pas ce que c'est ?

Je me suis approchée pour examiner le précieux carré d'étoffe. Il était beaucoup plus long que large, un peu comme une bannière. Une silhouette féminine y était peinte, la chevelure surmontée d'un halo, les mains jointes en prière. Les couleurs avaient passé, mais le dessin dégageait une grâce unique. Même moi, ignare comme toute bonne Américaine, j'ai reconnu le portrait de la Vierge.

– C'est un drapeau religieux ?

– C'est un *cencio*, a répondu Peppo en se redressant en signe de respect, un drapeau peint à la main qui est le premier prix du Palio. Celui-ci est particulièrement ancien. Tu as vu les chiffres romains dans le coin, là ? Ils indiquent l'année, a-t-il précisé en se penchant pour lire. Santa Maria ! Ce n'est pas seulement un *cencio* ancien, c'est le *cencio* le plus mythique de toute l'histoire du Palio ! Tout le monde pensait qu'il avait disparu. Il date de 1340. Il devait être bordé de petites franges de… vair. Je ne sais pas comment ça se dit en anglais. Regarde, a-t-il ajouté en m'indiquant le tissu qui s'effilochait sur les bords, il y en a des traces là… et là. C'était de la fourrure de petit-gris, un écureuil très spécial. Mais les franges ont disparu.

– Un drapeau comme ça vaudrait combien, aujourd'hui ? En termes d'argent, j'entends.

– D'argent ?

Le concept semblait étranger à Peppo, qui m'a dévisagée comme si je lui avais demandé combien Jésus prenait pour une consultation.

– C'est le grand prix du Palio. Un immense honneur. Depuis le Moyen Âge, le vainqueur de la course reçoit une magnifique bannière en soie ourlée de fourrure. Les Romains appelaient ça un *pallium*, d'où le nom de Palio. Regarde, a-t-il ajouté, désignant plusieurs des bannières accrochées aux murs autour de nous. Chaque fois que notre *contrada* remporte le Palio, nous recevons un nouveau *cencio* qui vient enrichir notre collection. Les plus vieux remontent à environ deux cents ans.

– Vous n'en avez donc pas du XIVe siècle ?

– Bien sûr que non ! À l'époque, le vainqueur emportait le *cencio* chez lui et le transformait en un habit qu'il revêtait en signe de victoire. Voilà pourquoi ils ont tous disparu.

– Alors, celui-là doit valoir bonbon !

– L'argent, l'argent, l'argent ! a-t-il grommelé. Le fric n'est pas tout. Tu ne comprends pas ? Il s'agit de l'histoire de Sienne !

Nous n'étions pas sur la même longueur d'onde. J'avais le sentiment d'avoir risqué ma vie pour un vieux couteau rouillé et un drapeau aux couleurs passées, alors que les Siennois voyaient en lui un objet d'une valeur inestimable, presque magique. Mais, hors de la ville, il ne valait pas tripette.

– Et le poignard ?

– Ça ? a répondu Peppo en le sortant de son étui avant d'examiner la lame à la lumière du lustre. C'est une dague. Quant au symbole gravé sur le manche, c'est un aigle, bien sûr. Caché avec le *cencio* de l'année 1340. Dire que j'aurais vu ça avant de mourir ! Pourquoi ton père ne me l'a-t-il jamais montré ? Il devait avoir peur de ma réaction. Car ces trésors appartiennent à toute la ville ; pas seulement à la famille Tolomei.

– Peppo… Que dois-je en faire, maintenant ?

– Tu te souviens que tes parents croyaient que Roméo et Juliette avaient vécu ici, à Sienne ? Eh bien, en 1340, a eu lieu dans la ville un Palio particulièrement important. Cette année-là, selon la légende, le *cencio* a disparu. Celui-ci, justement. Et un des cavaliers a péri lors de la course. Surtout, on raconte que Roméo lui-même y aurait participé. Du reste, il doit s'agir de son poignard.

– Il a gagné ?

Enfin, ma curiosité l'emportait sur mon scepticisme.

– Je suis incapable de te répondre. Certains pensent que c'est lui qui est mort. Quoi qu'il en soit, crois-moi, les Marescotti feraient n'importe quoi pour mettre la main sur ce trésor.

– Les Marescotti d'aujourd'hui ?

Peppo a haussé les épaules.

– Quelle que ce soit la vérité pour le *cencio*, ce poignard était celui de Roméo. Tu as vu l'aigle, là, sur le manche ? Tu imagines la valeur d'un tel objet pour eux ?

– Je pourrais le leur rendre…

– Jamais de la vie !

L'étincelle de joie que j'avais perçue dans son œil laissa place à des sentiments moins aimables.

– Surtout, laisse-le ici ! Ce trésor n'est pas la propriété exclusive des *aquilini* ou des Marescotti. Il appartient à tous les Siennois. Tu as bien fait de me l'apporter. Il faut que nous en parlions avec les juges de toutes les *contrade*. Eux seuls pourront trancher. Entretemps, je vais le ranger dans notre coffre-fort pour le préserver de l'air et de la lumière. Tu peux compter sur moi. Je m'en occuperai comme il faut.

– C'est à moi que mes parents l'ont légué…

– Oui, oui. Mais il n'appartient pas à une seule personne. Ne t'inquiète pas, les juges trancheront.

– Et… ?

– Je suis ton parrain. Tu ne me fais pas confiance ?

IV, II

Qu'en dites-vous ? Pourriez-vous aimer ce seigneur ?
Ce soir, vous le verrez à notre fête.

Sienne, 1340.

Pour maître Ambrogio, la nuit précédant l'Assomption était aussi sacrée que la veillée de Noël. La sombre cathédrale de Sienne se métamorphosait en une forêt de cierges gigantesques, parfois plus lourds que des branches, tandis que les représentants de chaque *contrada* remontaient en procession la nef centrale jusqu'aux ors de l'autel pour honorer la Vierge Marie, protectrice de la cité, et célébrer sa montée au Ciel.

Le lendemain matin, leur lumière éclairerait les vassaux des villages et des villes alentour venus payer leur tribut. Tous les ans, le 15 Août, ils étaient tenus d'offrir un nombre très précis de cierges à la sainte de Sienne. Des officiels à la mine sévère s'assuraient que chacun s'acquittait de son dû. Cette cérémonie fastueuse confirmerait ce que les étrangers savaient déjà : Sienne était une ville exceptionnelle, bénie par une déesse toute-puissante. Y être admis se méritait.

Maître Ambrogio préférait de loin la veillée. Cette nuit-là, ceux dont la flamme repoussait les ténèbres semblaient transfigurés. Le feu se répandait dans leur âme, la ferveur se lisait dans leurs yeux.

Malheureusement pour lui, le peintre ne participait pas, cette année, à la procession. Depuis qu'il avait commencé, dans le Palazzo Pubblico, une vaste fresque exaltant leur superbe, les dirigeants de la ville affectaient, pour s'assurer qu'il les peindrait sous des traits flatteurs, de le traiter comme un des leurs. On l'avait donc invité sur le podium, avec les neuf administrateurs, les magistrats de la Biccherna, le capitaine de la guerre et le capitaine du peuple. Une seule chose le consolait : placé en hauteur, il ne perdait pas une miette du spectacle. Musiciens en tenue écarlate, joueurs de tambour, porte-drapeaux, prêtres dans leurs amples chasubles, tous défilaient jusqu'à ce que chaque *contrada* ait rendu hommage à la divine souveraine, qui déployait sur eux son manteau protecteur.

La famille Tolomei ouvrait le cortège. Vêtus de rouge et d'or, couleurs de leur blason, messire Tolomei et son épouse s'avançaient vers l'autel, tel un couple royal gagnant son trône. Derrière eux venaient les membres de leur famille. Aussitôt, maître Ambrogio reconnut Giulietta. Ses cheveux étaient couverts d'une étoffe de soie bleue, image de la pureté et de la majesté de la Vierge. Le cierge fin qu'elle tenait pieusement entre ses mains nimbait son visage. Sa beauté éclipsait tout, même les magnifiques atours de ses cousines. Les yeux éblouis qui la suivaient la laissaient de marbre. Contrairement aux siens, pleins de suffisance, elle marchait les paupières baissées, humble, jusqu'au moment où elle s'agenouilla avec ses cousins pour remettre son cierge aux prêtres.

Elle se redressa, fit deux révérences avant de se retourner. Soudain, elle prit conscience de la splendeur de la scène. Vacillant légèrement sous l'immensité du dôme, elle jeta sur l'assistance un regard à la fois curieux et inquiet. Maître Ambrogio faillit se précipiter pour lui offrir son modeste secours. La décence le lui interdisait. Il se contenta de l'admirer du haut du podium.

Il n'était pas le seul à avoir remarqué la jeune fille. Les magistrats, occupés à serrer les mains et à préparer de futurs accords, tombèrent en arrêt devant son visage radieux. Non loin, en contrebas, le grand Salimbeni devina tout de suite la raison de leur silence. Dès qu'il aperçut l'adorable silhouette de Giulietta, une expression de surprise ravie se peignit sur ses traits. Maître Ambrogio se souvint d'une fresque qui l'avait frappé, à l'époque de sa folle jeunesse, dans une maison peu recommandable. Le tableau représentait Dionysos plongeant vers l'île de Naxos pour y retrouver la princesse Ariane abandonnée par son amant, Thésée.

Comparer à un dieu un homme aussi peu estimable que Salimbeni était lui faire beaucoup d'honneur. Mais les divinités païennes n'avaient rien d'aimable. Dionysos était le dieu du vin et de la fête, toujours prompt à se muer en maître de la folie et de la passion, prêt à subjuguer les femmes, capable de les rendre folles, de les envoyer courir dans la forêt pour déchiqueter les bêtes à mains nues.

Face à Giulietta, Salimbeni incarnait la bienveillance et la générosité, du moins pour un œil non averti. Seul maître Ambrogio comprit que, sous son brocart somptueux, le prédateur venait de s'éveiller.

– Tolomei nous a encore réservé une surprise, murmura l'un des Neuf. Où diable l'avait-il enfermée ?

– Ne plaisante pas, cher ami, répliqua Niccolino Patrizi, le plus âgé des magistrats. Une attaque des Salimbeni, m'a-t-on dit, l'a laissée orpheline. Des reîtres ont pillé sa demeure alors qu'elle se confessait. Je me souviens très bien de son père. Un homme d'une probité rare. Je n'ai jamais pu ébranler son intégrité.

– Tu es sûr qu'elle était là ? ricana l'autre. Je m'étonne que Salimbeni ait laissé filer une telle perle.

– Un moine, paraît-il, l'a sauvée. Tolomei les a pris tous deux sous sa protection. J'espère que cela ne ravivera pas la querelle entre les deux maisons. Nous avons eu assez de mal à obtenir une trêve, ajouta Niccolino Patrizi en buvant une gorgée de vin dans son gobelet d'argent.

*
* *

messire Tolomei redoutait cet instant. La veille de l'Assomption, il le savait, il se retrouverait face à son ennemi, Salimbeni. Or, son honneur exigeait qu'il venge la mort de la famille de Giulietta. Il s'inclina devant l'autel, puis se dirigea vers les patriciens rassemblés sous le podium.

– Bonsoir, cher ami ! dit Salimbeni en ouvrant grands les bras. J'espère que les vôtres se portent bien.

– Plus ou moins, répondit froidement Tolomei. Plusieurs membres de notre famille nous ont été arrachés lors d'attaques dont vous avez certainement entendu parler.

– Par la rumeur, oui. Toutefois, je me méfie des rumeurs comme de la peste.

– Je suis donc mieux informé que vous, répliqua Tolomei, incapable de réprimer sa rancœur devant cet homme qu'il dominait de sa haute stature. Des témoins du massacre seraient prêts à jurer sur la Bible.

– Vraiment ? murmura dédaigneusement Salimbeni, comme si cette conversation l'ennuyait à mourir. Quel tribunal serait assez sot pour prêter foi à de telles fariboles ?

Silence. Tolomei venait de défier une homme tout-puissant qui pouvait, en quelques heures, l'écraser et anéantir tout ce qu'il possédait : sa vie, sa liberté, ses biens. Jamais les Neuf ne lèveraient le petit doigt pour le protéger. Les coffres-forts de Salimbeni débordaient d'une telle quantité d'or que nul n'avait intérêt à sa chute.

– Mon cher ami, reprit ce dernier avec son sourire mielleux, si vous le voulez bien, ne laissons pas ces événements passés gâcher notre fête. Pourquoi ne pas, plutôt, nous féliciter de notre trêve ? Nous entrons enfin dans une ère de concorde et de paix.

– Vous appelez cela paix et concorde ?

– Peut-être pourrions nous envisager…

Salimbeni regarda de l'autre côté de la nef. Tout le monde, sauf Tolomei, comprit.

– … de sceller notre réconciliation par un mariage ?

– Certainement !

Tolomei avait plusieurs fois proposé une alliance entre les deux familles. Il s'était toujours heurté à une fin de non-recevoir. Si le sang des Salimbeni s'unissait à celui des Tolomei, s'obstinait-il à penser, peut-être en verserait-on moins. Désireux de battre le fer pendant qu'il était chaud, il fit un geste impatient en direction de sa femme.

Monna Antonia mit quelque temps à oser imaginer que les hommes réclamaient sa présence. Elle se joignit à eux en se faufilant timidement jusqu'à Salimbeni, comme une esclave affrontant un maître imprévisible.

– Mon cher ami messire Salimbeni, lui expliqua Tolomei, vient de proposer un mariage entre nos familles. Qu'en dites-vous, ma chère ? N'est-ce pas une merveilleuse idée ?

Flattée et bouleversée, Monna Antonia répondit, en se tordant les mains :

– Une merveilleuse idée, oui !

Elle faillit faire une révérence à Salimbeni avant de lui dire :

– Puisque vous nous faites la grâce de nous le proposer, messire, j'ai une fille qui vient d'avoir treize ans et qui ne serait pas totalement inappropriée pour votre fils Nino, très beau, je l'avoue. Ma fille est une petite chose silencieuse, mais dotée d'une très bonne santé. Elle se trouve ici même… Près de mon aîné, Tebaldo, qui doit participer au Palio demain, ainsi que vous le savez sans doute. Si, d'aventure, vous la perdiez, il vous resterait sa cadette, qui a onze ans.

– Je vous remercie de votre générosité, répondit Salimbeni en s'inclinant. Mais je ne pensais pas à mon fils. Je pensais à moi.

Tolomei et Monna Antonia en restèrent sans voix, comme tous ceux qui les entouraient. Suivit un long murmure, stupéfait et plein d'appréhension.

– Qui est cette jeune personne ? demanda Salimbeni avec un geste du menton en direction de Giulietta, indifférente au trouble. Est-elle mariée ?

Tolomei se sentit à nouveau submergé par la rage.

– C'est ma nièce. L'unique survivante des événements tragiques dont je vous ai parlé. Sachez qu'elle ne vit que pour se venger des auteurs de ce massacre.

– Je vois, répondit Salimbeni, nullement découragé, mais stimulé, semblait-il, par ce défi. C'est une personne déterminée, si je comprends bien ?

Incapable de garder le silence, Monna Antonia s'écria :

– Tout à fait, messire ! C'est même une jeune fille fort déplaisante ! Il vous siérait mieux de choisir l'une de mes filles. Elles ne vous opposeront aucune résistance.

– Si je puis me permettre, je ne dirais pas non à un peu de résistance.

*
* *

Giulietta sentit tous les regards converger vers elle. Éperdue, elle ne savait plus à quel saint se vouer. Son oncle et sa tante palabraient avec un homme qui, tout en affectant la magnanimité d'un empereur, avait les yeux d'une bête efflanquée et affamée. Et ces yeux ne cessaient de la fixer.

Elle se réfugia derrière une colonne, respira longuement et tâcha de se reprendre. Le matin même, frère Lorenzo lui avait apporté une lettre de Roméo, lui annonçant que son père approcherait son oncle pour lui demander sa main. Depuis, elle ne cessait de prier que la requête soit acceptée et qu'elle puisse enfin se libérer de sa dépendance à l'égard de son oncle et sa tante.

Soudain, elle aperçut le beau Roméo parmi les patriciens. Lui aussi la cherchait désespérément du regard. À côté de lui se tenait un patriarche qui devait être son père. Foudroyée par la joie, elle les vit s'approcher de son oncle. Discrètement, elle glissa d'une colonne à l'autre pour tenter de saisir ce qui se disait.

– Cher commandeur ! s'exclama Tolomei à l'adresse de Marescotti. Dites-nous, l'ennemi est-il à nos portes ?

– L'ennemi est déjà là, répondit Marescotti en saluant sèchement l'homme aux yeux de fauve debout à côté du commandeur. Il se nomme corruption et s'attaque à nous tous. (Changeant de ton, il ajouta en souriant :) messire Tolomei, pourrais-je m'entretenir avec vous au sujet d'une question un peu délicate ? En privé, j'entends. Pourriez-vous avoir la bonté de me dire quand je pourrai venir vous rendre visite ?

Tolomei le considéra avec surprise. Les Marescotti étaient moins riches que les Tolomei, mais leur nom appartenait à l'histoire, et leur arbre généalogique prenait racine plus de cinq siècles plus tôt, à l'époque de Charlemagne, si ce n'était au jardin d'Éden !

Cachée derrière sa colonne, Giulietta savourait son bonheur. Rien, pensait-elle, ne plairait plus à son oncle qu'une alliance avec cette illustre famille.

– Dites-moi ce que vous avez en tête, répondit Tolomei, se détournant de l'homme aux yeux de fauve.

Le commandeur hésita. L'idée d'un entretien en public, au milieu d'oreilles indiscrètes, le mettait mal à l'aise.

– Je crains que messire Salimbeni ne juge notre conversation bien rébarbative, répondit-il, diplomate.

En entendant le nom de Salimbeni, Giulietta se figea. C'était lui, le responsable du massacre des siens, ce monstre aux yeux de loup ! Elle avait passé des heures à se l'imaginer. À présent, confrontée à lui, elle constata avec étonnement que, ses yeux mis à part, il paraissait fort respectable.

Elle s'était forgé l'image d'un soudard. Or elle découvrait un homme qui n'avait jamais dû manier une arme et ne semblait s'adonner qu'à l'art de la rhétorique ou aux plaisirs de la table. Quel contraste entre lui et le commandeur Marescotti ! Le premier, drapé dans un manteau de civilité, dissimulait une âme de spadassin. Le second, guerrier accompli, ne souhaitait que la paix.

– Vous vous trompez, intervint Salimbeni, trop heureux de se mêler à l'entretien. Toute affaire qui ne peut attendre le lendemain m'intrigue au plus haut point. Comme vous le savez, messire Tolomei et moi sommes les meilleurs amis du monde. Je suis certain qu'il ne négligera donc pas mon humble avis.

Il ricana. Le commandeur s'inclina avec prudence.

– Je vous demande pardon. Cette affaire peut, effectivement, attendre demain matin.

– Non ! s'écria Roméo, surgissant brusquement. Cela ne peut attendre ! messire Tolomei, je désire épouser votre nièce, Giulietta !

Tolomei fut tellement stupéfait qu'il ne put articuler un mot. L'assistance était interloquée. Partout, on se penchait pour voir qui aurait le courage de répliquer. Derrière sa colonne, Giulietta respirait avec peine. Elle était touchée par l'acharnement de Roméo mais atterrée par le caractère impulsif de sa demande, qui allait contre les vœux de son père.

– Ainsi que vous venez de l'entendre, déclara enfin le commandeur avec un calme olympien, en s'adressant à Tolomei, je souhaite vous proposer une alliance entre mon fils aîné, Roméo, et votre nièce, Giulietta. Vous n'êtes pas sans savoir que nous possédons quelques biens, ainsi qu'une réputation irréprochable. Je peux donc vous promettre, avec tout le respect que je vous dois, que votre nièce ne perdra rien, ni en termes de train de vie ni en termes de rang. Qui plus est, mon fils Roméo me succédera à la tête de ma maison. Son épouse jouira donc d'un patrimoine considérable, comprenant de nombreuses demeures et de vastes domaines. J'en ai consigné les détails dans un acte officiel. Pourriez-vous me dire quand je pourrai vous rendre visite afin de vous le remettre ?

Tolomei garda le silence. D'étranges ombres traversaient son visage, exprimant une angoisse extrême et la volonté de se sortir à tout prix de ce mauvais pas.

– J'ai le plaisir de vous préciser que mon fils ne voit aucune objection à cette union, si c'est le bonheur de votre nièce que vous souhaitez, conclut le commandeur.

Tolomei répondit enfin, d'un ton peu convaincant :

– Je suis sensible à votre infinie générosité, commandeur. Vous me faites un grand honneur. Je suis prêt à examiner votre requête…

– C'est hors de question ! hurla Salimbeni. Cette affaire est déjà réglée !

Le commandeur recula. Il avait beau savoir contrer les attaques de ses ennemis avec une dextérité étonnante, celle-là était la plus redoutable de toutes.

– Veuillez m'excuser, se défendit-il, messire Tolomei et moi-même poursuivions une conversation privée.

– Conversez tant que vous voudrez ! aboya Salimbeni. Cette fille m'appartient ! J'en fais la seule et unique condition au maintien de cette paix grotesque !

Une telle vague d'indignation courut dans l'assistance que nul n'entendit le cri d'horreur de Giulietta. Elle s'écroula à genoux au pied de la colonne et implora la Vierge de la rassurer. Elle s'était trompée… Il ne s'agissait pas d'elle, mais d'une autre…

Elle leva les yeux. Ravalant son humiliation, son oncle contourna Salimbeni pour s'adresser directement au père de Roméo.

– Mon cher commandeur, il s'agit d'une affaire délicate, je le crains. Toutefois, je suis sûr que nous arriverons à un accord.

– En effet ! renchérit Monna Antonia, cette fois obséquieuse. J'ai une fille de treize ans. Elle ferait une épouse parfaite pour votre fils. Elle est là-bas. Vous la voyez ?

– messire Tolomei, poursuivit Marescotti sans daigner tourner la tête, notre demande concerne exclusivement votre nièce, Giulietta. Je vous suggère de la consulter à ce propos. Nous ne sommes plus à l'époque barbare où l'avis des femmes ne comptait pas…

– Ma nièce est à moi ! coupa Tolomei. Je ferai d'elle ce qu'il me plaira. Je vous remercie de votre intérêt, commandeur, mais j'ai d'autres projets pour elle.

– Je vous conseille de réfléchir à ma proposition à tête reposée. Votre nièce est très attachée à mon fils, qu'elle considère comme son sauveur. Si vous l'obligez à épouser un autre, elle vous causera bien du chagrin, je le crains. Surtout si cet homme est incapable, martela-t-il en toisant Salimbeni avec dédain, de comprendre le drame qu'ont vécu les siens.

L'argument était imparable. Tolomei ne put rien objecter. Même Giulietta éprouva un brin de compassion pour son oncle. Entre les deux hommes, il ressemblait à un naufragé tentant désespérément de s'accrocher à une épave. Il faisait peine à voir.

– Dois-je en conclure que vous vous opposez à mon projet, commandeur ? éructa Salimbeni en s'interposant de nouveau. Vous ne remettez tout de même pas en cause les droits de messire Tolomei en tant que chef de famille ? Pas plus que vous ne souhaitez voir nos deux maisons se liguer contre la vôtre ?

Giulietta fondit en larmes. Elle aurait voulu bondir vers ces hommes, interrompre leur querelle. Mais cela n'aurait fait qu'empirer les choses. Le jour où Roméo lui avait avoué, au confessionnal, son désir de l'épouser, il avait insisté sur la paix qui avait toujours régné entre leurs familles. À présent, à cause d'elle, cette paix n'existait plus.

*
* *

Niccolino Patrizi, l'un des neuf magistrats peints par maître Ambrogio, avait entendu une grande partie de la conversation. Il ne cachait pas son inquiétude. Il n'était pas le seul.

– Quand ils étaient ennemis mortels, grommela son voisin, les yeux rivés sur Tolomei et Salimbeni, je les redoutais. Maintenant qu'ils sont amis, je les crains plus encore.

– Je vous rappelle que nous incarnons le gouvernement de la ville et qu'à ce titre nous devons maîtriser nos émotions ! s'exclama Patrizi en se levant. messire Salimbeni ! messire Tolomei ! Pourquoi prendre de tels airs de conspirateurs en cette veille de l'Assomption ? Chercheriez-vous à conclure des affaires dans la maison de Dieu ?

– Honorable messire Patrizi, répliqua Salimbeni avec une affabilité sarcastique, de tels propos sont indignes de vous, et de nous. Pourquoi ne pas nous féliciter, puisque nous souhaitons sceller la paix entre nous par un mariage ?

– Je vous présente mes condoléances pour le décès de votre épouse, persifla Patrizi. J'ignorais son trépas.

– Monna Agnese ne survivra pas à la fin du mois, répondit Salimbeni, imperturbable. Elle est alitée à Rocca di Tentennano et ne se nourrit plus.

– Difficile de se nourrir quand on ne vous donne rien à manger, marmonna l'un des Neuf.

– L'union entre deux anciens ennemis exige l'accord du pape, insista Patrizi, et je doute que vous l'obteniez. Un tel flot de sang s'est écoulé entre vos deux maisons qu'aucun homme pourvu d'un minimum de décence n'obligerait sa fille à le traverser. Un esprit malveillant semble planer…

– Le mariage chassera ces démons !

– Ce n'est pas ce qu'estime Sa Sainteté !

– Peut-être, mais Elle me doit de l'argent. De même que vous. Et vous tous, ici présents !

Terrassé par cette impudence, Niccolino Patrizi se rassit, rouge de colère. Salimbeni fustigea du regard les huit membres restants du gouvernement, comme s'il les défiait de contrecarrer son projet. Personne ne réagit.

– messire Salimbeni ! intervint soudain une voix décidée.

– Plaît-il ? lança Salimbeni, toujours ravi de remettre autrui à sa place. Présentez-vous, ne soyez pas timide.

– La timidité est mienne, comme la vertu est vôtre, messire, répondit Roméo en s'avançant.

– Puis-je savoir ce que vous sous-entendez ainsi ?

– Que la dame que vous convoitez appartient à un autre.

– Vraiment ? En quel honneur ?

– La Vierge Marie me l'a confiée afin que je lui assure une protection éternelle, rétorqua Roméo. Les liens noués par la volonté divine ne peuvent être défaits par la main de l'homme.

Un bref instant, Salimbeni eut l'air incrédule. Puis il éclata de rire.

– Belles paroles, jeune homme ! Je te reconnais ! Ta dague, il y a peu, a tué un de mes bons amis. Mais je me montrerai grand seigneur et ne t'en tiendrai pas rigueur, puisque tu prends soin de ma future épouse avec tant de ferveur.

Avec mépris, il lui tourna le dos. Tous les regards convergèrent vers Roméo, ivre de rage. La plupart étaient navrés pour le jeune homme, victime trop évidente de Cupidon.

– Viens, mon fils, lui dit son père. Nous avons perdu la partie.

– Perdu ? Il n'y a jamais eu de partie. Ni de jeu !

– Quel que soit le pacte que ces deux hommes ont signé, ils se sont serré la main devant l'autel de la Vierge. En les défiant, tu défies la volonté du Ciel.

– Eh bien, je la défie, oui ! Car le Ciel s'outrage lui-même en acceptant une telle infamie!

Il leva la tête et cria, face à l'immensité du dôme :

– Sainte Mère de Dieu, ce soir, un crime ignominieux vient d'être commis ici même, dans ton temple ! Je t'en conjure, confonds ces êtres malfaisants et manifeste ta présence, afin que nul ne doute de tes intentions sacrées. Que le vainqueur du Palio soit ton élu ! Accorde-moi ta bannière sainte afin que je la drape sur mon lit de noces et m'allonge sur elle avec mon épouse. Ainsi satisfait, je te la remettrai, ô mère miséricordieuse, car c'est par ton intercession que j'aurai obtenu sa main. Et l'humanité entière sera témoin de ton infinie bonté.

Roméo se tut. Personne n'osait le regarder. Certains, outrés, jugeaient sa supplique impie, d'autres avaient honte de voir un Marescotti apostropher la Vierge de façon si profane, si égoïste. Tous éprouvaient de la compassion pour son père. Que ce fût par une intervention céleste châtiant ce blasphème, pensaient-ils, ou pour des raisons politiques, trop humaines, le jeune Roméo Marescotti ne survivrait pas au Palio.

IV, III

Oui, une égratignure, une égratignure,
Mais suffisante, morbleu... Où est mon page ?
Maraud, va me chercher un chirurgien.

Je me sentais un peu décontenancée. D'un côté, savoir le *cencio* et le poignard de Roméo à l'abri dans le coffre de Peppo me rassurait. De l'autre, je regrettais de les avoir abandonnés si vite. Ma mère ne me les avait-elle pas laissés à dessein ? Qui sait s'ils ne constituaient pas une des clés de l'énigme de l'emplacement de la tombe de Juliette ?

J'ai failli plusieurs fois revenir sur mes pas. Je ne l'ai pas fait, uniquement parce que j'avais peur. Mes objets de valeur seraient-ils plus en sécurité dans le coffre de Rossini que dans celui de Peppo ? Après tout, mon bourreau savait où je logeais. Tôt ou tard, il saurait où je les cachais.

Je n'avais pas le choix. Soit je changeais d'hôtel, mais en brouillant les pistes, soit je sautais dans le premier avion pour les États-Unis.

Non. Je ne pouvais pas abandonner. Pas après ce que je venais de découvrir. Dès ce soir, j'irais m'installer dans un autre hôtel. Dès lors, je me ferais invisible et sournoise. Désormais, Juliette était prête à l'attaque !

Un commissariat faisait face à l'hôtel Chiusarelli. J'ai traîné devant l'entrée, pour observer les allées et venues des policiers, en m'interrogeant. Si j'allais les voir ? Mauvaise idée, car ils risquaient de découvrir ma double identité. Après mon expérience à Rome et à Copenhague, je savais que les flics ressemblent aux journalistes : ils vous écoutent, puis réécrivent l'histoire à leur manière.

Je suis donc retournée sur mes pas, en m'assurant qu'on ne me suivait pas. Quelle stratégie adopter à partir de maintenant ? Finalement, j'ai décidé de me rendre au palazzo Tolomei pour demander une entrevue au président et solliciter ses conseils. Évidemment, il était absent. Toutefois, la caissière aux lunettes si fines, à présent tout sourire, m'a assuré qu'il serait ravi de me recevoir en rentrant de ses dix jours de vacances au bord du lac de Côme.

*
* *

J'étais souvent passée devant l'impressionnante entrée de Monte Paschi. Chaque fois, je hâtais le pas, allant jusqu'à baisser la tête pour ne pas me faire remarquer. Mais aujourd'hui j'étais d'une tout autre humeur. J'ai pris mon courage à deux mains et je suis entrée par la grande porte, de style gothique, comme si le monde m'appartenait.

Pour un édifice qui avait été incendié à cause de rivalités familiales, assailli par une populace déchaînée, plusieurs fois reconstruit, confisqué par le gouvernement puis transformé en établissement financier en 1472, ce qui en faisait la plus vieille banque du monde, le palazzo Salimbeni, dont l'aménagement intérieur mêlait subtilement le moderne et l'ancien, dégageait une incroyable impression de paix.

Le réceptionniste était au téléphone, au fond du vestibule. Plaquant sa main sur le combiné, il m'a demandé, d'abord en italien, puis en anglais, qui je désirais voir. J'ai répondu que j'étais une amie personnelle du chef de la sécurité. Il a souri, avant de m'inviter à rejoindre Alessandro au sous-sol.

Flattée de me voir autorisée à y aller sans escorte ni annonce, je suis descendue d'un pas joyeux, avec un air d'absolu détachement. Un chœur de petites souris enchantées, que je n'avais plus entendues depuis que j'étais poursuivie par mon homme invisible, s'est mis à danser au fond de moi. À présent, elles se réjouissaient de revoir Alessandro.

La veille, en le quittant, je m'étais juré de ne plus avoir affaire à lui. J'étais sûre qu'il avait pris la même résolution. Pourtant, j'étais là, me dirigeant d'un pas allègre vers son antre, mue par ma seule intuition. Ma raison me soufflait que toutes les mésaventures que j'avais vécues à Sienne avaient un rapport avec la famille Salimbeni, donc avec lui. Par contre, mon cœur me répondait que je pouvais compter sur lui, même pour me confirmer qu'il ne me supportait pas.

Plus je descendais, plus il faisait frais. Je commençais à distinguer les vestiges de la structure originelle de l'édifice sur les murs rugueux et décrépis qui flanquaient l'escalier. Au Moyen Âge, ces fondations avaient soutenu une tour fortifiée, peut-être aussi haute que la Torre del Mangia, comme il y en avait tant eu à Sienne en ces temps troublés.

En bas, un couloir étroit s'enfonçait dans l'obscurité. Des deux côtés, des portes blindées donnaient l'illusion de se trouver dans un donjon. Je me demandais si je ne m'étais pas trompée quand a retenti, derrière une porte entrouverte, un concert de voix tonitruantes, suivi de cris d'enthousiasme.

Prudemment, je me suis approchée. Glissant un œil, j'ai aperçu une table couverte d'objets métalliques et de sandwiches entamés, des fusils contre un mur et trois hommes en treillis et T-shirts, dont Alessandro, debout devant un écran de télévision. J'ai cru d'abord qu'ils regardaient les images renvoyées par les caméras de surveillance du bâtiment. Lorsqu'ils ont levé les bras au ciel en gémissant, j'ai compris qu'il s'agissait d'un match de foot !

Personne ne m'ayant entendue, je me suis faufilée dans la pièce en me raclant la gorge. Alessandro s'est retourné. En me reconnaissant, il a paru aussi surpris que si on venait de l'assommer avec une poêle à frire.

– Désolée de vous déranger. Puis-je vous parler un instant, s'il vous plaît ?

Deux secondes plus tard, ses deux collègues, leurs sandwiches entamés entre les dents, avaient filé en emportant leurs fusils. Alessandro a éteint la télévision.

– Que me vaut l'honneur de votre visite ?

Il était clair, au son de sa voix, qu'il n'était pas entièrement fâché de me voir. Je me suis assise sur une chaise en observant la pièce.

– C'est votre bureau ?

Il a remonté ses bretelles, a pris place de l'autre côté de la table.

– Oui. C'est ici que nous interrogeons les suspects. Surtout les Américains. Autrefois, c'était une chambre de torture.

– Ça vous va bien, ai-je répliqué, stimulée par le défi que je lisais dans son regard.

Il a posé une de ses grosses bottes contre le pied de la table et s'est renversé dans sa chaise, s'appuyant contre le mur.

– Je vous écoute. Vous devez avoir une bonne raison pour venir ici.

– Je n'appellerais pas ça une bonne raison. Je sais que vous me prenez pour une petite garce intrigante…

– J'ai connu pire.

– Je ne fais pas partie de votre fan-club, si je puis me permettre.

– Pourtant, vous êtes descendue jusqu'ici pour me voir.

– Je sais que vous ne croyez pas que je suis Giulietta Tolomei, mais je vais vous faire un aveu : je m'en fiche. Cela dit, voilà pourquoi je suis là. (J'ai avalé ma salive et lâché :) Quelqu'un cherche à me tuer.

– Vous voulez dire : quelqu'un d'autre que vous ?

Paradoxalement, son humour douteux m'a permis de retrouver mon sang-froid.

– Un type me suit. Un sale mec. En survêtement. Une ordure de première. Je me demandais s'il ne s'agissait pas d'un des vos copains.

– Alors, que voulez-vous que je fasse pour vous ?

– Je ne sais pas… M'aider, peut-être ?

Un éclair de triomphe a brillé dans ses yeux.

– Vous pouvez me dire en quel honneur je devrais vous aider ?

– Eh, oh ! Je suis une jeune étrangère aux abois !

– Et moi, qui suis-je ? Zorro ?

– Je croyais que les Italiens résistaient difficilement au charme féminin.

– C'est vrai. Quand il s'en trouve.

– J'ai pigé. Vous voulez que je disparaisse. C'est bon, je rentrerai bientôt aux États-Unis. Plus jamais vous n'entendrez parler de moi ; ni vous ni la fée qui vous sert de marraine. Mais je ne partirai pas avant de savoir qui est ce salaud. Ni avant que quelqu'un ne lui ait botté les fesses.

– Moi, par exemple ?

– Pas sûr. Je croyais que vous n'aimeriez pas savoir qu'une telle racaille courait les rues en toute liberté. Je me suis trompée.

Alessandro s'est penché vers moi, les coudes sur la table, en faisant semblant d'être touché.

– J'ai compris, mademoiselle Tolomei. Toutefois, pourriez-vous me dire ce qui vous fait penser qu'on tente de vous tuer ?

J'étais prête à me lever, mais il m'avait appelée « mademoiselle Tolomei ». J'ai remué sur ma chaise, gênée.

– Eh bien… non seulement ce type me suit, mais il a dévalisé ma chambre d'hôtel et, ce matin, il m'a pourchassée avec un fusil dans le sous-sol d'une bibliothèque.

– Cela ne signifie pas qu'il cherche à vous éliminer. (Il m'a scrutée longuement avant d'asséner :) Comment puis-je vous aider si vous ne me dites pas la vérité ?

– Mais je vous ai dit la vérité ! Je le jure !

J'aurais préféré me maîtriser, mais le tatouage que je venais de repérer sur son bras droit me troublait. L'Alessandro que je connaissais était un homme policé et fin. Jamais je n'aurais imaginé qu'il avait une libellule tatouée au-dessus du poignet.

Il a murmuré, très calme :

– Pas toute la vérité. Il manque beaucoup de pièces au puzzle.

– Qu'est-ce qui vous fait croire que le puzzle est si compliqué ?

– Un puzzle est toujours plus complexe qu'on ne le pense. Allez, dites-moi ce que recherche ce type.

– D'accord. À mon avis, il veut mettre la main sur un bien de famille que mes parents ont découvert il y a des années et que ma mère m'a légué. Parce que, que vous le vouliez ou non, je suis bien Giulietta Tolomei.

– Vous l'avez trouvé, ce bien ?

– Pas encore. J'ai simplement déniché une boîte rouillée pleine de papiers et une vieille bannière, avec une espèce de poignard. D'ailleurs, pour être honnête, je…

– Minute… Quel genre de papiers ? Quel genre de bannière ?

– Des lettres, des récits, des trucs sans intérêt. La bannière, apparemment, est un *cencio* datant de 1340. Elle était enroulée autour du poignard.

– Attendez… Vous êtes en train de me dire que vous avez découvert le *cencio* de 1340 ?

Il parut encore plus ahuri que Peppo.

– Je crois, oui.

– Où est-il ?

– Dans un endroit très sûr. Au musée de la Chouette. Mon cousin, Peppo Tolomei, en est le conservateur. Il m'a promis de s'en occuper.

Alessandro a gémi en passant la main dans ses cheveux.

– Quoi ? ai-je demandé. C'était une mauvaise idée ?

– *Merda !*

Il s'est levé, a sorti un pistolet d'un tiroir, l'a glissé dans l'étui fixé à sa ceinture.

– Venez, tout de suite !

– Vous suggérez que nous allions voir Peppo avec ce… pétard ?

– Ce n'est pas une suggestion ! Venez !

– Écoutez-moi bien ! Je ne crois pas au pouvoir des armes. Je suis pour la paix. C'est clair ?

Il a extirpé son arme de son holster, me l'a mise entre les mains.

– Vous sentez ? C'est un pistolet, un vrai. Et plein de gens y croient. Ils ne croient qu'à ça. Sauf votre respect, mon boulot consiste à me charger de ces honorables citoyens pour que vous, vous puissiez vivre en paix.

*

* *

Après avoir quitté la banque par une porte derrière le bâtiment, nous sommes très vite arrivés piazzetta del Castellare. Alessandro a sorti son pistolet en approchant du musée. J'ai feint de ne rien remarquer.

– Restez derrière moi. Si les choses tournent mal, allongez-vous par terre en vous protégeant la tête.

Je suis entrée, docile, en veillant à rester derrière lui. Le musée était plongé dans un silence absolu. Nous avons traversé plusieurs salles, Alessandro brandissant son arme, jusqu'au moment où je me suis arrêtée, lassée par son petit jeu, en lâchant : « O.K., j'ai saisi. » Aussitôt, il m'a plaqué la main sur la bouche et nous sommes demeurés immobiles, à l'écoute. Un gémissement sourd résonnait quelque part.

Alessandro a repris notre approche en accélérant le pas, tout en restant prudent. Soudain, il s'est précipité dans une petite pièce : Peppo gisait sur le sol ; blessé, mais vivant.

– Peppo ! ai-je hurlé, ça va ?

– Bien sûr que ça va ! Je crois que je suis tombé. Je ne peux plus bouger la jambe.

– Attends ! ai-je répondu en cherchant sa béquille.

J'ai repéré un coffre grand ouvert et… vide.

– Tu as vu le salaud qui t'a fait ça ?

– Quel salaud ? a-t-il geint en grimaçant de douleur. Aïe, ma tête ! Où sont mes pilules ? Salvatore ! Ah, non, c'est son jour de congé. Quel jour sommes-nous ?

– *Non ti muovere !* lui a ordonné Alessandro en s'agenouillant pour examiner sa jambe. Le tibia a l'air cassé. Je vais appeler une ambulance.

– Surtout pas ! Il faut que je verrouille la chambre forte !

– On s'en occupera plus tard, ai-je répliqué.

– Le poignard est dans la salle de conférences, a bredouillé Peppo. J'étais en train de feuilleter un guide pour retrouver son modèle. Mais il faut que j'aille dans la chambre forte !

Alessandro et moi avons échangé un regard perplexe. Comment lui dire qu'il était trop tard ? Le *cencio* avait disparu, avec tous les objets précieux conservés au coffre. Sauf le poignard, que j'ai retrouvé dans la salle de conférences, à côté d'un ancien catalogue d'armes médiévales.

Peu après, Alessandro a appelé une ambulance.

– Ah, voilà le poignard ! s'est exclamé Peppo. Vite, va le ranger en bas. Il porte malheur. Tu as vu ce qui m'est arrivé ? J'ai lu dans le livre qu'il est possédé par l'esprit du diable.

*
* *

En plus de sa jambe cassée, Peppo souffrait d'une légère commotion cérébrale. L'infirmière a tenu à le garder à l'hôpital pour la nuit, le reliant à différents appareils, au cas où… Malheureusement, elle a également tenu à nous raconter exactement ce qui lui était arrivé. Alessandro traduisait à voix basse, à mon intention.

– Elle lui dit que quelqu'un l'a frappé sur le crâne avant de dévaliser la chambre forte. Mais lui répète qu'il veut voir le médecin, et que personne n'oserait le brutaliser comme ça, chez lui, dans son musée privé.

– Giulietta ! s'est écrié Peppo après s'être débarrassé de la femme. Qu'est-ce que tu en penses, toi ? Elle prétend que quelqu'un s'est introduit dans le musée.

– J'ai bien peur que ce ne soit vrai. Je suis navrée, c'est ma faute. Si je n'avais pas…

– Qui est-ce ? a-t-il demandé en fixant Alessandro. Un journaliste ? Dis-lui que je n'ai rien vu.

– C'est le capitaine Santini. Il vient de te sauver la vie.

– Ouais, lâcha Peppo. Je l'ai déjà vu quelque part. C'est un Salimbeni. Ne t'ai-je pas suffisamment mise en garde contre ces gens ?

– Chut ! Repose-toi.

Alessandro avait tout entendu.

– Je n'ai aucune envie de me reposer. Il faut que je voie Salvatore pour qu'on retrouve le coupable. J'avais beaucoup d'objets de valeur dans cette pièce.

– Le type courait sûrement après le poignard et le *cencio*. Tout ça à cause de moi…

– Mais qui… ? Que je suis bête ! Pourquoi n'y avais-je pas pensé plus tôt ?

– À qui ?

Peppo m'a agrippé le poignet en plongeant ses yeux fiévreux dans les miens.

– Il m'a toujours dit qu'un jour il reviendrait. Patrizio, ton père… Qu'un jour Roméo reviendrait et reprendrait tout : sa vie, son amour, tout ce que nous lui avons volé.

– Peppo, tu as besoin de dormir, ai-je répondu en lui caressant le bras.

Derrière moi, Alessandro soupesait le poignard, comme s'il éprouvait son pouvoir caché.

– Roméo, a repris Peppo. Roméo Marescotti. On ne peut pas rester un fantôme indéfiniment. C'est peut-être sa revanche. Sur nous tous. À cause de la façon dont nous avons traité sa mère. C'était un enfant… Comment dit-on ? Illégitime ? *Capitano ?*

– Oui, né hors mariage.

– *Sì, sì*, né hors mariage ! Ce fut un immense scandale. Mais elle était si jolie… Du coup, il les a chassés.

– Qui ?

– Marescotti. Le grand-père. C'était un type très vieux jeu. Mais très élégant. Je me souviens encore de la *comparsa* de 65. Ce fut la première victoire d'Aceto. Ah, Topolone, un sacré cheval ! On n'en élève plus de semblables, aujourd'hui… Mais, à l'époque, on ne leur tordait pas les chevilles pour les disqualifier et on n'avait pas besoin de se faire contrôler par tous ces vétérinaires, ces officiels…

– Peppo ? Tu parlais des Marescotti…

– Ah oui ! Le garçon avait la réputation d'avoir des mains maudites. Il cassait tout ce qu'il touchait. Les chevaux perdaient. Les gens mouraient. Parce qu'il s'appelait Roméo, en souvenir de l'autre, tu comprends. C'était un de ses descendants. Ils ont ça dans le sang… l'art d'attirer les ennuis. Lui ne pouvait pas rester en place. Il adorait la vitesse, le bruit, les motos…

– Tu l'as connu ?

– Non, mais c'est ce qu'on racontait. Ils ne sont jamais revenus, ni lui ni sa mère. Personne ne les a jamais revus. On dit qu'à Rome il a mal tourné, qu'il a versé dans le grand banditisme, tué des gens. Et qu'il est mort, à Nassiriyah, sous un autre nom.

Je me suis tournée vers Alessandro.

– C'est où, Nassiriyah ? ai-je chuchoté.

Il m'a jeté un regard noir mais n'a pas eu le temps de répondre car Peppo a poursuivi :

– À mon avis, c'est une légende. Les gens ont besoin de légendes, de tragédies, d'histoires de conspirations. Il ne se passe pas grand-chose ici, en hiver.

– Alors, tu n'y crois pas ?

– Comment savoir ce que je crois aujourd'hui ?

Brusquement, la porte s'est ouverte et les membres de la famille Tolomei ont déboulé pour entourer leur patriarche chéri. Manifestement, le médecin avait noirci la situation, si bien que la femme de Peppo, Pia, m'a jeté un regard à faire frémir et poussée sans ménagement pour prendre ma place auprès de son mari. Mais le pompon, ce fut l'apparition de la Nonna, clairement persuadée que j'étais l'auteur du crime !

– *Tu !* a-t-elle aboyé avec un doigt accusateur.

Je n'ai pas compris la suite. Alessandro m'a saisie par le coude en m'entraînant vers la porte.

– Quelle vieille bique ! Quand je pense que c'est ma tante ! Qu'est-ce qu'elle a déblatéré contre moi, encore ?

– Laissez tomber, m'a répondu Alessandro en descendant le couloir de l'hôpital, furibard.

– Elle vous a traité de Salimbeni, ai-je dit, trop fière d'avoir au moins compris ça.

– Oui, j'ai entendu.

– Et moi, elle m'a traitée de quoi ?

– Qu'est-ce que ça peut vous faire ?

– Je veux savoir.

– Elle a grommelé : « Bâtarde, tu n'es pas de la famille », a-t-il murmuré avec un sourire d'une gentillesse surprenante.

– Si je comprends bien, personne ne croit que je suis Giulietta Tolomei.

– Si, je le crois, moi.

– Vraiment ? C'est nouveau. Depuis quand ?

– Depuis que je t'ai vu à ma porte.

Je n'ai pas su répondre à cet aveu inattendu, ni à ce tutoiement. Nous avons continué à marcher en silence jusqu'à la sortie, pour émerger dans cette douce lumière dorée qui signale la fin du jour et l'avènement de l'imprévisible.

– Alors, Giulietta, a-t-il repris, les mains sur les hanches, y a-t-il encore quelque chose que je dois savoir ?

– Il y a un autre type en moto…

– *Santa Maria !*

– Lui, c'est différent. Il se contente de me suivre. Je ne sais pas ce qu'il cherche.

– Tu ne sais pas ce qu'il cherche ! Tu veux que je te fasse un dessin ?

– Inutile. Mais l'autre, en survêtement, il a cambriolé ma chambre… Je me demande si je ne ferais pas mieux de changer d'hôtel.

– Tu crois ? À mon avis, la première chose à faire, c'est d'aller trouver la police.

– Non, pas les flics !

– Eux seuls pourront identifier l'agresseur de Peppo. Depuis la banque, je n'ai pas accès à leurs fichiers. Ne t'inquiète pas, je t'accompagnerai. Je les connais, ces types.

– C'est ça, ai-je répondu en lui envoyant une légère bourrade dans les côtes. Ne serait-ce pas une façon détournée de m'expédier en taule ?

– Si je voulais te faire coffrer, je ne prendrais pas une voie détournée.

– Écoute, ai-je clamé en me dressant sur mes ergots, j'apprécie moyennement tes petits jeux !

Ma posture l'a mis de bonne humeur.

– Alors, pourquoi joues-tu ?

Le commissariat central de Sienne était un endroit étonnamment calme. Sa pile ayant rendu l'âme, l'horloge s'était arrêtée à 6 h 50. En feuilletant consciencieusement un fichier de portraits-robots de malfrats, j'ai réalisé que je n'avais aucune idée de ce à quoi ressemblait mon bourreau. La première fois que je l'avais vu, il portait des lunettes de soleil. La deuxième, il faisait trop sombre ; et la dernière fois, cet après-midi même, j'étais trop effrayée par son arme pour scruter son visage.

– Je suis désolée, ai-je déclaré à Alessandro, qui patientait à mes côtés. Je ne reconnais personne. *Mi dispiace*, ai-je répété à l'intention de la femme qui manipulait l'ordinateur.

– Ce n'est pas grave, a-t-elle répondu aimablement parce que j'étais une Tolomei. On le retrouvera grâce aux empreintes.

La première chose dont leur avait parlé Alessandro était le casse au musée de la Chouette. On y avait immédiatement envoyé deux voitures de police. Les quatre officiers dépêchés sur les lieux semblaient ravis d'avoir un vrai crime à se mettre sous la dent.

– Tu ne veux pas qu'on regarde, en attendant, s'ils ont quelque chose sur Roméo Marescotti ? ai-je proposé à Alessandro.

– Tu crois ce que Peppo t'a raconté ?

– Pourquoi pas ? C'est peut-être lui, et depuis le début ?

– En survêtement ? J'ai du mal à l'admettre.

– Pourquoi ? Tu le connais ?

– Oui, et il n'est pas dans ce fichier. J'ai déjà regardé.

J'en suis restée coite. Deux officiers sont entrés à ce moment-là, l'un avec un ordinateur portable qu'il a déposé devant moi. Ni l'un ni l'autre ne parlant anglais, Alessandro a servi d'interprète.

– Ils ont trouvé des empreintes au musée. Ils aimeraient que tu examines plusieurs photos, pour voir si l'un des portraits te rappelle quelque chose.

J'ai fixé l'écran, où s'alignaient cinq visages d'hommes à l'air indifférent, presque dédaigneux.

– Je n'en suis pas certaine à cent pour cent, mais je dirai que c'est le numéro quatre.

Alessandro a hoché la tête après avoir échangé quelques mots avec les officiers.

– C'est bien lui. Maintenant, ils veulent savoir pourquoi il a cambriolé le musée et, surtout, pourquoi il te harcèle.

– Mais qui est ce type ? Un voyou, un criminel ?

– Il s'appelle Bruno Carrera. Il a frayé avec le crime organisé et a été lié à des gens carrément louches. On pensait qu'il avait disparu. Il faut croire qu'il est de retour.

J'ai examiné la photo. Effectivement, Bruno Carrera n'était pas de la première jeunesse. Quelle idée d'abandonner une retraite paisible pour une vieille bannière !

– A-t-il jamais eu maille à partir avec un certain Luciano Salimbeni ? ai-je hasardé.

Les deux officiers se sont consultés.

– Super, m'a chuchoté Alessandro, excédé. Quand je pense que tu ne voulais pas répondre à mes questions…

– *La signora conosce Luciano Salimbeni ?* a demandé l'un des flics.

– Dis-leur que c'est Peppo qui m'en a parlé. Il cherchait à mettre la main sur un trésor de famille, il y a une vingtaine d'années.

Alessandro a traduit. Les deux flics voulaient en savoir plus. Un curieux bras de fer a suivi. De toute évidence, ils éprouvaient du respect pour Alessandro. D'un autre côté, quelque chose, dans l'histoire, ne cadrait pas avec ce qu'ils savaient. Ils sont sortis et j'ai demandé à Alessandro :

– Ça y est ? On peut y aller ?

– Tu t'imagines qu'ils vont te lâcher alors que tu viens de révéler que ta famille est liée à l'un des bandits les plus recherchés d'Italie ?

– Liée ? J'ai simplement dit que Peppo soupçonnait…

– Giulietta, pourquoi m'as-tu caché tout ça ?

Les deux officiers sont rentrés avec une sortie imprimée du dossier de Bruno Carrera.

– Apparemment, tu as raison. Bruno Carrera effectuait de petits boulots pour Luciano Salimbeni. Un jour, il a été arrêté et il aurait mentionné une statue aux yeux d'or… Ça te dit quelque chose ?

La police était au courant de l'existence de cette statue ! Je n'en revenais pas. Pourtant, j'ai réussi à répondre un « aucune idée » convaincant.

Une bataille de regards a suivi, mais je n'ai pas craqué.

– Luciano aurait peut-être été impliqué dans le décès de tes parents, juste avant de disparaître, a ajouté Alessandro.

– Je croyais qu'il était mort !

Il n'a pas daigné m'accorder un regard.

– Fais gaffe. Je suis sympa, je ne te demanderai pas qui t'a fourni cette information, a-t-il simplement déclaré. Bon, tu n'as pas l'intention de leur dire un mot de plus. Je me trompe ? Dans ce cas, tâche d'avoir l'air traumatisée, pour qu'on puisse se tailler. Ils m'ont demandé deux fois ton numéro de Sécurité sociale.

– Je te rappelle que c'est toi qui m'as entraînée ici !

– Et c'est moi qui t'entraînerai hors d'ici !

Il a passé un bras autour de mon épaule, m'a caressé les cheveux.

– Ne t'en fais pas pour Peppo. Tout ira très bien pour lui.

Je me suis blottie contre lui, avec un long soupir qui paraissait presque authentique. Les deux flics ont fini par nous laisser seuls, avant de revenir nous annoncer que nous pouvions repartir.

– Bien joué, a chuchoté Alessandro.

– J'ai passé une journée épouvantable. N'attends plus grand-chose de moi.

– Au moins, tu connais le nom du gars qui te poursuit. N'est-ce pas ce que tu voulais savoir en venant me voir cet après-midi ?

La nuit était tombée. Il faisait doux. Les réverbères diffusaient une lumière dorée, apaisante. Sans les Vespa qui fusaient de toutes part, la piazzetta aurait évoqué la scène d'un opéra.

– Qu'est-ce que ça veut dire, *ragazza* ?

– « Fille », ou « copine ». Je leur ai dit que tu étais ma petite amie pour qu'ils arrêtent de me réclamer ton numéro de Sécu et ton numéro de téléphone.

– Ils ne se sont pas demandé ce qu'une Juliette fichait avec un Salimbeni ? ai-je répondu en riant.

Il a souri, sans cacher son embarras.

– Je ne suis pas sûr que Shakespeare soit au programme de l'école de police.

Nous avons marché en silence, au hasard des rues. Ni lui ni moi n'avions envie de nous séparer. Comme si déambuler ensemble était la chose la plus naturelle du monde.

– C'est peut-être le moment de te remercier ? ai-je suggéré.

– Maintenant ? a-t-il rétorqué en regardant sa montre. *Assolutamente sì.*

– Si je t'invitais à dîner ?

– Tu ne préfères pas attendre Roméo sur ton balcon ?

– Je te rappelle qu'un type est entré par effraction dans ma chambre en passant par le balcon.

– Oui, et tu voudrais que je te protège.

Une réponse bien sentie lui aurait cloué le bec, mais je n'en avais plus envie. Je ne souhaitais qu'une chose : qu'il demeure à mes côtés, avec son pistolet, jusqu'à la fin de mon séjour à Sienne.

IV, IV

Vous êtes amoureux. Prenez les ailes d'Éros,
Élancez-vous plus haut que nos bonds vulgaires.

Sienne, 1340.

C'était le jour du Palio. Ivres de joie, les habitants de Sienne chantaient, se déversaient dans les rues et sur les places, clamant leur amour pour la Vierge. Cet enthousiasme se répandait bien au-delà des murs de la ville, en pleine campagne, jusqu'à Fontebecci, au nord de la Porta Camollia. Là, des milliers de passionnés guettaient l'apparition des quinze cavaliers du Palio qui devaient émerger de leurs tentes, armés de pied en cap, prêts à honorer la Sainte Mère de Dieu, à lui offrir leur audace, leur triomphe.

Depuis l'aube, maître Ambrogio luttait pour se frayer un chemin parmi la foule pour atteindre Fontebecci. Si cela n'avait tenu qu'à lui, il aurait renoncé. Il ne pouvait s'y résoudre. Il se sentait lié au destin des deux jeunes gens qu'il avait jetés dans les bras l'un de l'autre. Il avait été bien mal inspiré ! Sans lui, Roméo n'aurait jamais découvert Giulietta, et Giulietta n'aurait jamais été submergée par la passion de Roméo. Cette idée le torturait, le remplissait d'angoisse.

Le peuple s'agglutinait le long de la route. Certains n'allaient pas plus loin. Certes, ils risquaient de manquer la sortie des tentes, les faux départs, les familles patriciennes venues soutenir leur fils. Mais la vue des quinze chevaux de guerre au galop n'était-elle pas suffisante ?

Maître Ambrogio parvint à Fontebecci en fin de matinée. Aussitôt, il se précipita vers la bannière colorée des Marescotti. Roméo venait de sortir de la tente jaune, entouré par les hommes de sa famille.

Tous affichaient un air grave. Même le commandeur Marescotti, qui, d'ordinaire, avait toujours un mot d'encouragement pour chacun, y compris dans les situations les plus désespérées, arborait la mine d'un soldat surpris par une embuscade. Il tenait par la bride le coursier qu'enfourcha Roméo. Le maestro l'entendit murmurer, en ajustant la pièce d'armure qui protégeait le chanfrein du cheval :

– Ne crains rien, mon fils. Il a l'air d'un ange, mais il galopera comme un diable.

Trop concentré pour répondre, Roméo hocha à peine la tête et prit la lance qu'on lui tendait. C'était l'arme qu'il échangerait contre le *cencio* sur la ligne d'arrivée. Si la Vierge était avec lui… Par contre, si elle l'abandonnait, il serait le dernier à planter son drapeau en face de la cathédrale et recevrait un cochon en signe de déshonneur.

Au moment de mettre son casque, il aperçut maître Ambrogio. Sa surprise fut telle que son cheval frémit.

– Maestro ! s'écria-t-il avec une certaine amertume, êtes-vous venu peindre ma chute ? Quel beau spectacle pour un artiste !

– Tu as raison de te moquer de moi. Je me repens de t'avoir lancé sur cette route qui risque de t'être fatale. C'est pourquoi j'ai à cœur de réparer ce que j'ai provoqué.

– Réparez, réparez, mais hâtez-vous ! Le départ est imminent.

– Je vais essayer.

– Vite, intervint le commandeur. Nous n'avons plus de temps à perdre. Que vouliez-vous nous annoncer ?

Maître Ambrogio s'éclaircit la gorge. Le monologue qu'il avait répété en chemin lui échappait ; il ne se souvenait même plus des premiers mots. L'urgence primant sur l'éloquence, il cria :

– Tu cours un grand danger ! Si tu ne me crois pas…

– Nous vous croyons, répliqua le commandeur, mais soyez plus précis.

– La nuit dernière, au palais Salimbeni, un des mes élèves, un certain Hassan qui fignolait un motif au plafond, un chérubin, je crois, a surpris une conversation.

– Au diable ce chérubin ! lança Roméo. Dites-nous ce que Salimbeni tramait.

– Si j'ai bien compris, voici son plan. Ils n'interviendront pas à Fontebecci. Il y a trop de monde. Mais, à mi-chemin entre ici et la Porta Camollia, là où la route s'élargit, le fils de Tolomei, ou un autre, essaiera de te couper la route ou de te pousser dans le fossé.

Ce ne sera qu'un début. Si le fils de Salimbeni te devance suffisamment, ils tenteront simplement de te ralentir. Si tu figures parmi les trois premiers en traversant la *contrada* contrôlée par les Salimbeni, du côté de Magione et de San Stefano, des gens te jetteront des objets du haut des tours. Si tu es en tête et sur le point de l'emporter, attends-toi au pire.

– Qu'en pensez-vous ? demanda Roméo à son père.

– Cela ne me surprend pas. Comme toi, je m'y attendais. Grâce au maestro, nous avons une certitude. Va te placer sur la ligne de départ. N'épargne pas ton cheval. Toutefois, à partir de la Porta Camollia, arrange-toi pour qu'on te dépasse, afin de te retrouver en quatrième position.

– Mais…

– Ne m'interromps pas ! Je veux que tu restes en quatrième position jusqu'à Santo Stefano. Ensuite, tu pourras remonter en troisième ou en deuxième position. Pas en première. Surtout pas avant d'avoir laissé le palazzo Salimbeni derrière toi. C'est clair ?

– Je serai trop près de la ligne d'arrivée ! Je ne pourrai plus.

– Si, bien sûr que si.

– Mais je serai trop proche ! Personne n'a jamais réussi un tel exploit !

– Depuis quand mon fils refuse-t-il d'affronter l'impossible ?

Le signal du clairon, sur la ligne de départ, mit fin à la conversation. On plaça sur la tête de Roméo le casque à l'emblème de l'aigle, visière close. L'aumônier de la famille lui accorda une dernière et brève bénédiction, que le maestro reprit en silence, l'étendant au cheval. Mais tous savaient que seule la Vierge choisirait son champion.

Les quinze chevaux prirent position devant la corde. Le public se mit à crier et à chanter, chacun soutenant son favori ou maudissant son ennemi. Chaque famille patricienne avait ses partisans et ses adversaires, et aucune maison n'était universellement aimée ni détestée. Même les Salimbeni avaient des clients dévoués. C'était d'ailleurs en de telles occasions que les ambitieux et les puissants attendaient de leurs partisans un soutien sans faille, en échange de leur magnanimité.

Les cavaliers se concentraient tout entiers sur l'épreuve qui les attendait. On échangeait des regards menaçants, on évoquait ses saints patrons, on se lançait des insultes. Le temps des prières était passé. Désormais, les cavaliers incarnaient les démons de la ville, bons et mauvais. Nulle loi n'aurait plus cours, hormis celle du destin, nul droit n'interviendrait plus, sauf celui du hasard.

– Vierge Marie, implora maître Ambrogio, toi qu'aujourd'hui le Ciel couronne, déploie ta bonté sur nous, pauvres pécheurs. Je t'en supplie, prends pitié de Roméo Marescotti ! Protège-le des forces du mal qui minent notre cité. S'il survit, je m'engage à consacrer ma vie entière à ta splendeur éternelle. S'il meurt, ce sera à cause de ma main qui plus jamais ne peindra, pour expier mon chagrin et ma honte.

*
* *

Roméo avança vers la corde. Déjà, il sentait les filets de la conspiration ennemie se refermer sur lui. Tout le monde avait entendu parler du défi qu'il avait lancé à Salimbeni. On ne se demandait plus qui l'emporterait, mais qui survivrait à la course.

Il glissa un œil sur ses concurrents pour évaluer ses chances. Le Croissant de Lune, Tebaldo, fils de Tolomei, s'était de toute évidence allié à Diamant, Nino, fils de Salimbeni. Même le Coq et le Taureau lui jetaient des regards hostiles. Seule la Chouette hocha la tête vers lui avec la bienveillance sévère d'un ami. Mais la Chouette avait beaucoup d'amis.

Quand on lâcha la corde, il n'était pas parfaitement en ligne. Il était trop occupé à jauger ses concurrents et à estimer leurs chances pour surveiller l'officiel annonçant le début de la course. Le Palio était connu pour ses faux départs qui, parfois, se reproduisaient jusqu'à douze fois. Cela faisait partie du jeu.

Ce jour-là, pour la première fois dans l'histoire de l'épreuve, les clairons ne signalèrent aucune annulation après le premier départ. En dépit de la confusion générale, qui provoqua la chute d'un cheval, les cavaliers furent autorisés à démarrer. Roméo inclina sa lance pour la coincer sous son bras, éperonna sa monture et s'élança.

Il ne distinguait rien à travers la fente de son casque, sinon de la poussière et une marée de visages anxieux tournés vers lui, impatients de voir le jeune amoureux éclipser ses rivaux. Ignorant leurs hurlements et leurs gestes, il rendit la main à son destrier et se jeta dans la bataille à bride abattue.

Le commandeur avait pris un risque en choisissant pour son fils un étalon, baptisé Cesare. Avec une jument ou un hongre, Roméo aurait eu des chances raisonnables de l'emporter. Toutefois, sa vie étant en jeu, ces chances « raisonnables » ne suffisaient pas. Un étalon, c'était tout ou rien. Certes, il pouvait s'attaquer soudain à un autre cheval, poursuivre une jument ou même éjecter son cavalier. Mais il possédait une puissance incomparable. Et il n'avait pas son pareil pour sauter les obstacles.

Les règles du Palio ne spécifiaient rien sur le parcours. Du moment que le cavalier démarrait à Fontebecci et finissait à la cathédrale de Sienne, il était susceptible de remporter le prix. Le parcours exact n'avait jamais été tracé, car personne n'avait jamais eu la témérité de prendre des chemins de traverse. Des deux côtés s'étendaient des champs et des prés très accidentés, striés de clôtures et de barrières, avec du bétail et des meules de foin. Tenter un raccourci équivalait donc à se heurter à des difficultés multiples, peut-être amusantes pour un cavalier en tunique, mais mortelles pour un concurrent pourvu d'une armure et d'une lance.

Roméo n'hésita pas longtemps. Ses quatorze adversaires prirent la direction du sud-ouest, suivant la longue courbe, de plus de deux lieues, qui menait à la Porta Camollia. Lui risqua le tout pour le tout. Il repéra une brèche dans la foule et lança Cesare à travers un champ de blé récemment moissonné. Stimulé par le défi, le cheval partit au grand galop.

Roméo aperçut une première clôture. Vite, il arracha son casque, le jeta sur une meule. Nulle règle ne spécifiait les détails de l'équipement des concurrents, sauf une : le cavalier ne pouvait se départir de la lance, qui affichait les couleurs de son clan. L'armure et le casque n'étaient là que pour le protéger. Sans casque, Roméo s'exposait aux coups de ses rivaux, de même qu'aux projectiles lâchés du haut des tours de la ville. Pourtant, s'il ne s'allégeait pas, son cheval ne donnerait jamais toute sa mesure.

Cesare bondit par-dessus la clôture, atterrit lourdement. Aussitôt, Roméo arracha tout ce qui l'encombrait, en commençant par son plastron, abandonné au milieu de la porcherie qu'il traversait. Les deux barrières suivantes étaient moins hautes. Le cheval les franchit aisément, Roméo levant haut sa lance pour l'empêcher de voler en éclats. Perdre sa lance, c'était perdre la course, même s'il arrivait en tête.

Tous les spectateurs qui assistèrent au Palio ce jour-là comprirent l'audace de Roméo. Les obstacles à franchir annulaient l'avance que lui assurait son raccourci à travers champs. Une fois de nouveau sur la route, il se retrouverait, au mieux, dans la même position qu'au départ. Sans compter la fatigue supplémentaire pour son étalon, obligé de galoper sur ce terrain accidenté et de sauter comme un chien enragé sous le soleil d'août.

Heureusement, Roméo ne mesurait pas tous les dangers. Il ignorait également qu'il venait de rejoindre la route principale, devançant de loin ses concurrents, grâce à des circonstances imprévues. Un spectateur avait lâché un troupeau d'oies devant les cavaliers, créant une mêlée confuse au cours de laquelle des œufs pourris avaient été jetés sur un concurrent pour venger un accroc similaire ayant eu lieu l'année précédente. De tels incidents faisaient, eux aussi, partie du jeu.

Les spectateurs voyaient la main de la Vierge derrière le moindre événement : les oies, le retard, le vol irréel de Roméo au-dessus des clôtures. Pour ses adversaires, au contraire, sa folle échappée ne pouvait être que l'œuvre du diable. C'est ainsi qu'ils le poursuivirent, mus par une farouche volonté de revanche, jusqu'à la Porta Camollia.

Seuls les enfants qui avaient escaladé les murailles de la ville eurent le privilège de voir de leurs propres yeux Roméo s'approcher de la porte au triple galop avant de s'y engouffrer. Sans se soucier des allégeances, de l'amour ou de la haine de la marée humaine massée à leurs pieds, ils applaudirent avec des cris de joie le champion qui, sans casque ni armure, volait vers la victoire, suivi par une horde d'ennemis déchaînés.

*

* *

Souvent, le Palio se jouait Porta Camollia. Le cavalier qui la franchissait le premier avait toutes les chances de maintenir son avance à travers les rues étroites de la ville et de terminer vainqueur à la piazza del Duomo. À partir de la Porta Camollia, le défi le plus important était la succession de tours qui flanquaient les rues des deux côtés. En dépit de la loi stipulant que si des objets étaient délibérément jetés du haut d'une tour celle-ci devait être démolie, une pluie de pots de fleurs et de briques, miraculeuse ou diabolique, selon les allégeances, s'abattait sur les concurrents. De tels actes étaient rarement punis. Parvenir à un compte rendu impartial des événements, qui fît l'unanimité, constituait une gageure que nulle personnalité n'avait jamais eu le courage de tenter.

Au moment où il passa la porte, Roméo avait parfaitement conscience de faire le contraire de ce que lui avait recommandé son père. Le commandeur avait été ferme : il fallait qu'il évite de pénétrer dans la ville en tête, justement à cause de ces maudits projectiles. Même avec un casque, un cavalier était facilement renversé par un pot de terre cuite. Sans casque, le coup pouvait être fatal.

Peu importait. Roméo chargea, s'en remettant à la Vierge pour qu'elle écarte la foule. Il ne voyait plus ni visages ni corps. Uniquement un long ruban flou de bouches hurlantes, d'yeux écarquillés.

Le premier projectile fusa quand il entra dans le quartier de Magione. Il ne sut jamais de quoi il s'agissait mais sentit une douleur cuisante à l'épaule. Un autre objet – un pot en terre cuite – frappa sa cuisse. Il crut qu'il s'était brisé un os. Il remua la jambe : il n'avait rien. L'essentiel était de demeurer en selle, les pieds fermement calés dans les étriers.

Le troisième objet, moins lourd, l'atteignit en plein front. Il mit quelques secondes à retrouver ses esprits, au milieu d'une vague de rires. Alors, il se souvint des avertissements de son père. S'il se maintenait en tête à travers le quartier des Salimbeni, il ne finirait jamais la course…

Il ralentit, laissant trois cavaliers le dépasser : le fils de Tolomei, celui de Salimbeni, et un troisième rival. Il les talonna au plus près, tête baissée, en espérant que nul n'oserait lancer quoi que ce soit qui pourrait heurter le fils Salimbeni dans son propre quartier. De fait, à la vue de la bannière à trois diamants, les gens postés au sommet des tours hésitèrent avant de jeter une brique ou un pot, laissant, par leur indécision, les quatre concurrents filer à travers San Donato sans coup férir.

Enfin, les cavaliers arrivèrent piazza Salimbeni. C'était le moment, pour Roméo, de tenter l'impossible : dépasser ses trois rivaux, un par un, avant le virage brusque de la via del Capitano jusqu'à la piazza del Duomo. Là, il ne pourrait s'en remettre qu'à l'intervention divine. Seul le Ciel déciderait de son succès ou de sa perte.

Il éperonna son cheval et rattrapa les deux fils, Tolomei et Salimbeni, côte à côte, comme s'ils étaient alliés depuis toujours. Pourtant, au moment même où Roméo les dépassait, Nino Salimbeni brandit sa dague et la planta dans la chair de Tebaldo Tolomei, là où la peau est la plus tendre, entre le plastron et le casque, en pleine gorge.

Le coup fut si rapide que personne ne vit qui avait frappé ni comment. Il y eut une étincelle d'or, une brève échauffourée. Tebaldo, dix-sept ans, tomba au cœur de la piazza Tolomei, tandis que l'assassin filait sans même se retourner. Seul le troisième cavalier essaya de réagir. Craignant d'être agressé à son tour, il pointa sa lance sur le meurtrier pour le désarçonner. En vain.

Roméo tenta de dépasser les deux rivaux. Il fut renversé lorsque Nino Salimbeni le heurta violemment sur le flanc. Suspendu à son étrier, luttant pour enfourcher de nouveau Cesare, il vit le palazzo Salimbeni défiler devant lui. Le virage le plus dangereux du Palio se trouvait à deux pas. S'il ne remontait pas en selle à temps, il signerait la fin de la course. Et, peut-être, de sa vie.

*
* *

Piazza del Duomo, frère Lorenzo était dans un état d'agitation épouvantable. Pourquoi n'était-il pas resté dans sa cellule avec son livre de prières ? Il s'était stupidement laissé entraîner par l'excitation générale et se retrouvait coincé dans la foule. Il distinguait à peine la ligne d'arrivée surmontée de ce bout de chiffon diabolique flottant au bout d'un mât, ce nœud de soie prêt à étrangler l'innocence : le *cencio*.

À ses côtés se dressait le podium où trônaient les familles patriciennes, à ne pas confondre avec celui du gouvernement, dont les membres possédaient moins de biens et d'ancêtres illustres, mais autant d'ambition et de morgue, dissimulées sous une modestie hypocrite. Sur le premier trônaient Tolomei et Salimbeni, qui préféraient applaudir les exploits de leurs rejetons confortablement installés dans un fauteuil rembourré plutôt que d'affronter la poussière de la ligne de départ de Fontebecci, où les conseils qu'ils auraient pu donner à ces gandins sans cervelle seraient, de toute façon, restés lettre morte.

Tous deux agitaient une main condescendante vers leurs partisans enthousiastes. Ils avaient quand même remarqué que l'esprit du public avait changé. D'habitude, le Palio formait une joyeuse cacophonie de cris et de chants où chacun défendait sa *contrada* et ses champions. Cette année, un nombre impressionnant de spectateurs soutenaient spontanément l'aigle des Marescotti.

Tolomei était inquiet. Lorenzo, qui l'observait, comprit que le grand homme se demandait s'il avait eu raison de faire venir à ses côtés le véritable enjeu du Palio : Giulietta.

Assise entre son père et l'époux qu'on lui destinait, vêtue de sublimes atours qui juraient sur son teint blafard, la jeune fille était méconnaissable. Elle n'avait tourné la tête qu'une fois, du côté de frère Lorenzo, comme si elle avait deviné sa présence. Le moine en avait été bouleversé, avant d'éprouver une vague de rage contre lui-même pour n'avoir pas su lui éviter un tel calvaire.

Était-ce pour lui réserver ce sort que Dieu l'avait sauvée du massacre des siens ? Pour la précipiter dans les bras du misérable responsable de tout ce sang versé ? Quelle cruauté ! Il se prit à regretter que tous deux aient survécu à ce jour maudit.

*
* *

Le bruit des chevaux au galop retentit. La foule retint son souffle avant d'exulter, chacun hurlant le nom de son favori ou de son pire ennemi. Tous tendirent le cou pour apercevoir le premier arrivant. Giulietta ferma les yeux, pressa les mains contre sa bouche et murmura le nom qui lui brûlait les lèvres : « Aigle ! »

Soudain, encouragements et sarcasmes mêlés, des milliers de voix scandèrent en chœur : « Aigle ! Aigle ! Aigle ! » La jeune fille ouvrit les yeux. Surgissant sur la place, Roméo galopait vers le *cencio*. Épuisé, couvert d'écume, son cheval dérapait sur les pavés irréguliers. Lui, le visage crispé par la rage de vaincre, mais couvert de sang, avait, heureusement, sa bannière en main. Surtout, il était premier. Premier…

En un ultime effort, il saisit le mât du *cencio* et, à sa place, planta sa bannière. Levant son trophée vers le ciel, il fit pivoter son étalon pour défier son rival le plus proche, Nino Salimbeni, et jouir de sa fureur.

Plus personne ne s'intéressait aux autres concurrents. Toutes les têtes convergèrent vers Salimbeni. Comment allait-il réagir face à cette victoire ?

Voyant Roméo brandir le *cencio*, Tolomei se leva brusquement, vacillant sous les vents contraires de la Fortune. La foule l'interpellait, le haranguait, le suppliait de laisser parler son cœur. Mais, à côté de lui, se tenait un homme qui le briserait s'il cédait à ses prières.

– messire Tolomei, clama Roméo en agitant le *cencio*, le Ciel s'est prononcé en ma faveur ! Ignorerez-vous la volonté de notre Sainte Vierge ? Êtes-vous prêt à livrer notre ville à sa colère ? Le bon plaisir de cet homme, cria-t-il, bravache, en pointant la bannière sur Salimbeni, est-il plus important que notre sécurité à tous ?

Un murmure outragé parcourut la foule, si puissant que les soldats entourant le podium se regroupèrent, prêts à défendre leurs maîtres. Certains citoyens n'hésitèrent pas à les narguer, tendant une main téméraire vers Giulietta, l'encourageant à sauter du podium, à rejoindre Roméo. Alors, Salimbeni se leva à son tour. Il posa une main de fer sur l'épaule de la jeune fille et, fort du soutien de ses partisans, s'adressa au jeune vainqueur.

– Je te félicite, jeune homme ! Tu viens de remporter la course. À présent, rentre chez toi et transforme ce *cencio* en robe. Peut-être t'autoriserai-je à être mon témoin si je…

La foule en avait assez entendu. Il ne put terminer.

– À mort Salimbeni ! s'écria quelqu'un. Nul n'a le droit d'enfreindre la volonté du Ciel !

Les spectateurs réagirent aussitôt, hurlant leur indignation contre ce patricien arrogant, prêts à transformer la fête en rixe.

Les Siennois savaient parfaitement que s'ils unissaient leurs forces ils pourraient renverser le podium et enlever la jeune fille, qui appartenait à Roméo. Ce ne serait pas la première révolte contre le clan Salimbeni. Il suffisait de pousser et de foncer. Très vite, ces hommes tout-puissants courraient se réfugier dans leur tour, remontant toutes les échelles et bloquant tous les escaliers.

Giulietta restait figée sur le podium, à la fois terrorisée et ravie par la passion qui se déchaînait autour d'elle. Des centaines, des milliers d'inconnus s'apprêtaient à braver les hallebardiers pour lui rendre justice. S'ils continuaient à pousser, le podium tanguerait, chavirerait. Tous ces arrogants patriciens prendraient leurs jambes à leurs cous. Roméo et elle pourraient profiter de la confusion pour s'échapper. Et la Vierge Marie maintiendrait l'émeute jusqu'à ce que tous deux aient réussi à quitter la ville.

Hélas, telle ne fut pas la volonté de la Providence. La foule n'eut pas le temps de se mobiliser. Une nouvelle meute surgit sur la place, criant et s'arrachant les cheveux.

– Tebaldo ! Tebaldo est mort ! Poignardé en pleine course !

Tolomei s'écroula, saisi de convulsions si violentes qu'elles terrifièrent tout le podium. Épouvantée, Giulietta eut un mouvement de recul avant de s'agenouiller près de lui, se protégeant des coups de pied des uns et des autres jusqu'à ce que Monna Antonia accoure avec plusieurs servantes.

– Mon oncle, criait-elle, calmez-vous, je vous en supplie !

Seul un homme garda son sang-froid. Il exigea de voir l'arme du crime avant de la présenter à la foule.

– Voyez, tel est notre héros ! Voici le poignard qui a tué Tebaldo Tolomei au cours de notre course sacrée ! Et voici l'aigle gravé sur son manche. Qu'en dites-vous ?

Giulietta leva les yeux, atterrée. La foule hallucinée fixait Salimbeni et le poignard. Horrifiés par la nouvelle fatale et la vue de messire Tolomei éperdu de douleur, désormais face à celui qu'ils conspuaient quelques instant plus tôt, les spectateurs ne savaient plus que penser. Ils étaient perdus, espéraient un indice, un signe…

Guiletta comprit que Salimbeni avait tout planifié, tout prévu, afin de retourner la foule contre Roméo au cas où il remporterait la course. Les spectateurs, eux, avaient déjà oublié pourquoi ils voulaient renverser le podium. Ils cherchaient une nouvelle cible, un nouveau bouc émissaire pour canaliser leur fureur.

Ils n'attendirent pas longtemps. Salimbeni avait suffisamment de partisans dévoués. Tout à coup, un homme hurla :

– Roméo, assassin !

En une seconde, la foule se retourna et se mit à insulter le champion qu'elle avait acclamé comme un héros.

Seul Salimbeni domina cette tempête d'émotions contraires. Il ordonna l'arrestation de Roméo, menaçant de châtier pour trahison quiconque s'opposerait à ses volontés. Un quart d'heure plus tard, Giulietta constata avec soulagement que les soldats revenaient bredouilles, ou presque, ne rapportant qu'un cheval fourbu, la bannière de l'aigle et le *cencio*. De Roméo Marescotti, on n'avait trouvé nulle trace. Les hommes de Salimbeni avaient interrogé d'innombrables spectateurs. Personne n'avait vu le vainqueur quitter la place.

Il fallut attendre la fin de la journée et une série d'interpellations dans plusieurs maisons de la ville pour qu'un pauvre hère, cherchant à sauver sa femme et ses filles des griffes de ces soudards, avoue avoir entendu dire que Roméo s'était enfui par l'aqueduc souterrain du Bottini, en compagnie d'un jeune franciscain.

IV, v

Roméo près de lui n'est qu'une lavette. Un aigle, madame,
N'a pas l'œil aussi vert, aussi vif, aussi amoureux
Que le comte Paris.

Alessandro a voulu s'arrêter à Monte Paschi avant d'aller dîner. Loin de l'agitation des heures de bureau, la banque était un lieu remarquablement sombre et calme. J'ai gravi l'escalier central en me demandant où il cherchait à me conduire.

– Après toi…

Il a ouvert une épaisse porte en acajou et nous sommes entrés dans un grand bureau.

– Je t'abandonne deux minutes. Surtout, ne touche à rien !

Il a allumé une lampe et disparu en laissant la porte entrouverte.

La pièce était bien aménagée : canapés confortables, un bureau et un fauteuil très raffinés. Un dossier esseulé traînait sur la table, comme si on l'avait placé là pour le décor. Rien au mur. Les fenêtres donnaient sur la piazza Salimbeni. Pas d'effets personnels, ni diplômes ni photos permettant d'identifier la personne qui travaillait ici. Je passais un doigt sur le bureau pour évaluer le niveau de poussière lorsque Alessandro est rentré vêtu d'une chemise qu'il finissait de boutonner.

– Attention, ce genre de bureau a tué beaucoup plus de gens que de vraies armes.

– C'est le tien ?

Il a pris une veste sur une chaise.

– Je sais que tu préfères le sous-sol. Mais, pour moi, la vraie chambre de torture est ici.

Peu après, nous étions de retour piazza Salimbeni.

– Alors, où va-t-on ? s'est-il enquis avec un sourire espiègle.

– Je serais ravie de découvrir les restaurants préférés des Salimbeni.

Son sourire s'est évanoui.

– Il ne vaut mieux pas. À moins d'avoir envie de passer la soirée avec Eva Maria. Je te propose de changer. Allons dans ta *contrada*.

– Je veux bien, mais je n'ai aucune idée de ce que valent les restaurants de la *contrada* de la Chouette et je ne connais personne dans ce quartier, à part mon cousin.

– Tant mieux. Nous serons incognito.

*

* *

Nous avons fini par échouer à la Taverna di Cecco, à côté du musée de la Chouette. C'était un petit estaminet rempli d'habitués, à la cuisine familiale plutôt roborative. Certains plats étaient servis dans des assiettes creuses en grès. On était loin de la nouvelle cuisine présentée sur de grandes assiettes où trois brins d'herbe se battent en duel.

La plupart des tables regroupaient cinq ou six personnes, qui discutaient ou riaient avec entrain. J'ai compris pourquoi Alessandro voulait un restaurant où il aurait la certitude de ne pas être reconnu. À en juger par la façon dont les Siennois dînaient entre amis, toujours prêts à inviter le premier venu à se joindre à eux, il devait être difficile de trouver, en ville, un lieu calme où dîner à deux. Nous avons traversé la salle pour aller nous installer dans un coin. Il a paru soulagé que personne ne lui fasse signe.

À peine assis, il a sorti de sa veste le poignard de Roméo, l'a posé sur la table.

– Je te dois des excuses, non ?

– Oh, ai-je répondu en me plongeant dans le menu pour dissimuler mon sourire narquois. C'est parce que tu as lu mon dossier. Je représente toujours une menace pour la société, cela dit !

Il n'était pas d'humeur à rire et à oublier. Nous sommes donc restés silencieux un moment, concentrés sur le menu et tripotant tour à tour le poignard.

Il fallut attendre qu'une bouteille de prosecco arrive, avec une assiette d'antipasti, pour qu'enfin il sourie vaguement et lève son verre.

– J'espère que tu vas apprécier, cette fois-ci. Même vin, mais nouvelle bouteille.

– Si j'arrive au plat principal, j'aurai fait des progrès, ai-je répondu en choquant mon verre contre le sien. Et si je peux sortir sans avoir à fuir un satyre en courant pieds nus, la soirée effacera définitivement celle d'hier soir.

– Pourquoi n'es-tu pas revenue au restaurant ?

– Je suis désolée, mais ce cher Bruno était une compagnie beaucoup moins désagréable que la tienne. Lui, au moins, n'a jamais douté de mon identité !

Ma petite plaisanterie est tombée à plat. Alessandro n'avait aucune envie qu'on lui rappelle son comportement peu courtois.

– Quand j'avais treize ans, a-t-il raconté, j'ai passé un été ici avec mes grands-parents. Ils avaient une superbe propriété. Des vignes, des chevaux… Un jour, nous avons eu une visite inattendue. Une Américaine, qui s'appelait Diane Tolomei, accompagnée de ses deux filles, Giulietta et Giannozza…

– Attends ! Tu veux dire… moi ?

Il m'a répondu par un curieux sourire de guingois.

– Oui. Tu étais toute petite et portais encore des couches. Ma grand-mère m'a demandé de jouer avec vous pendant qu'elle discutait avec ta mère. Je vous ai emmenées dans l'écurie pour voir les chevaux. Tu as eu tellement peur que tu es tombée sur une fourche. C'était horrible. Tu hurlais, il y avait du sang partout. Je t'ai portée jusque dans la cuisine. Tu te débattais avec une telle violence que ta mère a cru que j'étais responsable de l'accident. Heureusement, ma grand-mère a eu une idée géniale. Elle t'a donné une glace, puis a soigné ta plaie comme elle avait appris à le faire en s'occupant de sa ribambelle d'enfants et de petits-enfants.

Alessandro a bu une gorgée de prosecco avant de poursuivre :

– Deux semaines plus tard, mes parents ont lu dans les journaux que ta mère avait été victime d'un accident de voiture, avec ses deux filles. Ils étaient bouleversés. Voilà pourquoi j'ai eu du mal à croire que tu étais Giulietta Tolomei.

L'histoire était triste. En même temps, elle dégageait un irrésistible parfum acidulé, lié à l'idée que nous nous étions connus enfants.

– C'est vrai, ma mère est morte dans un accident de voiture. Mais ni moi ni ma sœur n'étions avec elle. Quant à l'histoire de la fourche, je suis contente que tu me l'aies racontée. Je me suis toujours demandé d'où venait une cicatrice que j'ai sur la jambe.

– Tu l'as toujours ?

– Regarde, ai-je répondu en relevant ma jupe. Pas très joli, non ? Maintenant, je sais à qui je la dois !

Il a observé ma cuisse avec une expression atterrée qui lui ressemblait si peu que j'ai éclaté de rire.

– Pardon, ai-je dit en réajustant ma jupe. J'ai été impressionnée par ton histoire.

– J'en commande une autre ? proposa-t-il en prenant la bouteille de prosecco.

*
* *

Au milieu du dîner, il a reçu un coup de fil de la police. De bonnes nouvelles, apparemment.

– Bon, je te rassure, tu n'as pas besoin de changer d'hôtel. Ils ont mis la main sur Bruno Carrera, planqué chez sa sœur, avec un coffre rempli d'objets volés chez ton cousin. Pigeant immédiatement qu'il avait repris ses mauvaises habitudes, elle l'a tellement roué de coups qu'il l'a suppliée d'appeler les flics. Malheureusement, il manque le *cencio*. Il a dû le cacher ailleurs. On va le retrouver, ne t'en fais pas. Je ne vois pas comment il pourrait revendre ce vieux machin en lambeaux… Oups, pardon… Tu sais, je n'ai pas grandi à Sienne.

– Un collectionneur privé donnerait une fortune pour ce bout de chiffon. Ici, les gens sont extrêmement attachés à ces reliques. Tu le sais aussi bien que moi, non ? D'ailleurs, les Marescotti sont peut-être derrière toute cette histoire. Rappelle-toi ce que disait Peppo : ils ont la conviction que le *cencio* et le poignard leur appartiennent toujours.

– On verra demain. Les gars vont causer avec Bruno.

– Et toi ? Tu y crois ? Que les Marescotti auraient soudoyé Bruno ?

Alessandro semblait gêné par ma question.

– Si c'était le cas, ils n'auraient pas choisi ce type. Ils ont leurs propres sbires. Et ils n'auraient pas laissé le poignard sur la table.

– Tu parles comme si tu les connaissais très bien.

– Sienne est une petite ville.

– Tu viens de me dire que tu n'y avais pas passé ton enfance.

– Non, mais j'y passais tous les étés, chez mes grands-parents. Avec mes cousins, on jouait dans les vignes des Marescotti. On avait la trouille de se faire pincer. Tout le monde avait peur du vieux Marescotti. Sauf Roméo, bien sûr.

– Le fameux Roméo ? Celui dont parlait Peppo ? Tu penses qu'il aurait volé le *cencio* ? (Alessandro ne répondant rien, j'ai repris :) J'ai compris ! Vous êtes amis d'enfance ?

– « Amis » n'est pas le mot.

Voyant que je brûlais d'envie d'en savoir plus, il m'a tendu le menu pour changer de sujet.

– Tiens, choisis un dessert.

À la fin du repas, tout en trempant des *cantucci* aux amandes dans du *vino santo*, j'ai essayé d'en savoir plus sur Roméo. Alessandro esquivait les questions, préférant m'interroger sur ma jeunesse, mes goûts, mon pacifisme…

– Allez, tout n'est quand même pas la faute de ta sœur.

– Je n'ai jamais dit ça. Simplement, nos goûts et nos priorités diffèrent en tout.

– Laisse-moi deviner… Elle est dans l'armée ? Elle est allée en Irak ?

– Elle ne sait même pas où ça se trouve ! Elle ne pense qu'à… s'amuser.

– Honte à elle. Profiter de la vie !

– Je savais que tu ne comprendrais pas.

– Mais si, je comprends. Parce qu'elle s'amuse, tu t'interdis de t'amuser. Et comme elle profite de la vie, tu refuses d'en profiter. Avoue que c'est dommage, non ?

– Écoute… La seule personne qui compte aux yeux de Janice Jacobs, c'est Janice Jacobs. Elle tuerait père et mère pour marquer un point contre moi.

Soudain, j'ai arrêté. À quoi bon gâcher la soirée avec des souvenirs douloureux?

– Et Julie Jacobs ? a demandé Alessandro en remplissant mon verre. Qui compte le plus à ses yeux ?

J'ignorais si c'était du lard ou du cochon.

– Laisse-moi deviner, a-t-il répété en me dévisageant. Julie Jacobs voudrait sauver le monde afin d'y établir le bonheur universel.

– Sauf que, jusqu'ici, elle y sème le malheur, y compris le sien. Voilà ce que tu penses. Que la fin ne justifie pas les moyens et que ce n'est pas en décapitant des petites sirènes qu'on va arrêter les guerres. Merci, je le sais.

– Alors, pourquoi l'avoir fait ?

– Mais je n'ai rien fait !

J'aurais voulu changer de sujet et abandonner la petite sirène, mais c'était impossible.

– D'accord, ai-je soupiré. Voici ce qui s'est passé. On voulait juste lui mettre un uniforme pour attirer la presse danoise.

– Ce qui fut le cas.

– Oui, mais jamais je n'avais envisagé de lui couper la tête.

– C'est toi qui tenais la scie.

– Par hasard ! La statue est minuscule, l'uniforme aurait eu l'air ridicule. Un crétin a sorti cette scie…

Je n'ai pas pu continuer. Je me sentais trop ridicule. Alessandro avait une esquisse de sourire amusé et une petite étincelle au fond des yeux.

– Qu'y a-t-il de si drôle ?

– Tu es une vraie Tolomei. Tu te souviens ? *Je me montrerai un tyran. Quand j'aurai combattu les hommes, je serai le bourreau des filles, et je leur ferai sauter la…*

Constatant que je reconnaissais la citation, il a franchement souri.

– La tête des pucelles, ou ce qui leur fait perdre la tête, ou… Prends-le dans le sens que tu voudras.

– Tu m'épates. Tu connais *Roméo et Juliette* par cœur ?

– Non, juste les passages où il y a de la bagarre. Tu n'es pas trop déçue ?

Était-ce une façon de me faire la cour ? Ou de s'amuser à mes dépens ?

– C'est bizarre, ai-je répondu. Je connais la pièce sur le bout des doigts. Depuis toujours. Même avant d'en comprendre le sens. Comme une voix qui murmure dans ma tête… Pourquoi est-ce que je te raconte tout ça ?

– Parce que tu viens de découvrir ta véritable identité. Tout ce que as fait, ce que tu as choisi de ne pas faire… C'est ce qu'on appelle le destin.

– Et toi ? Tu connais ton destin ?

– Depuis le début. Et si je l'oublie, Eva Maria est là pour me le rappeler. Cela dit, je n'ai jamais aimé l'idée que notre avenir soit déjà tracé. Toute ma vie, j'ai essayé de fuir ce pseudo-déterminisme.

– Ça a marché ?

– Un temps. Sauf qu'on finit toujours par être rattrapé par le destin. Où qu'on aille.

– Tu es allé loin ?

– Très loin. À la limite.

– Tu m'en as trop dit.

Hélas, il n'a pas poursuivi. À en juger par son front plissé, le sujet lui était désagréable.

– As-tu prévu d'y retourner ? n'ai-je pu m'empêcher de demander.

– Pourquoi ? Tu veux y aller ?

– Je ne cherche pas à échapper à mon destin.

Il a posé sa main sur la mienne, alors que je jouais avec le poignard.

– Tu devrais peut-être, justement…

– Je préfère rester et faire face, ai-je conclu, un brin provocatrice, en tirant le poignard de dessous sa main.

*

* *

Alessandro a insisté pour me raccompagner à l'hôtel. Comme il avait déjà remporté la bataille de l'addition, je n'ai pas résisté longtemps. Bruno Carrera croupissait derrière les barreaux, mais il y avait toujours ce désaxé qui tournicotait en moto à la recherche de menu fretin.

– Tu sais, avant, j'étais comme toi, m'a confié Alessandro en marchant. Je croyais qu'il fallait se battre pour la paix, apprendre à se sacrifier. Depuis, j'ai changé. Le monde n'a pas besoin qu'on s'occupe de lui.

– Tu penses qu'il n'y a rien à améliorer ?

– N'essaie pas de transformer les gens. Tu y laisseras ta peau.

J'ai souri face à ce cynisme de bon aloi et répliqué brutalement :

– À part le fait que mon parrain est à l'hôpital, je passe un moment merveilleux. Dommage que nous n'arrivions pas à nous entendre.

– Ah bon ?

– Manifestement, non. Tu es un Salimbeni, je suis une Tolomei. Nous sommes destinés à être ennemis.

– Ou amants.

J'ai ri, de stupéfaction.

– Sûrement pas ! Dans la pièce de Shakespeare, Salimbeni, c'est Paris, le type riche qui veut épouser Juliette après son mariage secret avec Roméo.

– Je me souviens. Le bellâtre fortuné, Paris, ce serait donc moi ?

– Apparemment. Je te rappelle que Giulietta Tolomei était amoureuse de Roméo Marescotti, mais qu'elle a été obligée de se fiancer avec le diabolique Salimbeni, ton ancêtre. Elle a été prise au piège d'un triangle infernal, comme la Juliette de Shakespeare.

– Moi, diabolique ? Beau, riche, méchant… Pas mal, comme rôle. Je vais te faire un aveu. J'ai toujours estimé que Paris valait mieux que Roméo, et que Juliette était un peu bécasse.

– Pardon ?

– Réfléchis un peu. Si elle avait d'abord rencontré Paris, elle serait tombée amoureuse de lui. Ils se seraient mariés et auraient eu beaucoup d'enfants.

– Pas du tout ! Roméo était mignon…

– Mignon ? Comment peux-tu dire d'un homme qu'il est mignon ?

– Et il dansait très bien.

– Il avait des pieds de plomb. Il le disait lui-même.

– Oui, mais il avait des mains superbes.

Alessandro a enfin baissé la garde.

– De jolies mains… Là, tu m'épates. Ce serait ça, le secret des bons amants ?

– Pour Shakespeare, en tout cas.

J'ai jeté un œil sur les siennes. Très vite, il les a enfouies dans ses poches.

– Tu tiens vraiment à vivre en suivant Shakespeare ?

J'ai regardé le poignard. Quelle idée de se promener dans la rue avec cette arme ! Mais il était trop grand pour mon sac et je ne voulais pas demander à Alessandro de le porter.

– Pas forcément.

Lui aussi a contemplé le poignard, pensant sans doute la même chose. Si Shakespeare ne s'était pas trompé, c'était avec cette arme que Juliette s'était suicidée.

– Alors, pourquoi ne pas tout réécrire ? Et changer ton destin ?

– Réécrire *Roméo et Juliette* ?

– Et devenir mon amie.

J'ai examiné son profil dans l'obscurité. Nous avions passé la soirée à discuter et je ne savais toujours rien de lui.

– À une condition, ai-je répondu. Que tu m'en dises plus sur Roméo.

Son expression m'a fait regretter ma réponse.

– Roméo, Roméo… Tu n'as que ce nom à la bouche ! C'est pour ça que tu es venue à Sienne ? Pour retrouver ce type mignon avec de jolies mains ? Tu risques d'être déçue. Le mec n'a rien à voir avec ce que tu imagines. Il ne fait pas l'amour en récitant des sonnets. C'est un salaud, un vrai. Si j'étais toi, c'est avec Paris que je partagerais mon balcon.

– Je ne partagerai mon balcon avec personne. Tout ce que je veux, c'est récupérer le *cencio,* et Roméo est le seul susceptible de l'avoir volé. Sinon, dis-moi qui d'autre et j'arrête.

– D'accord. Honnêtement, je ne pense pas que ce soit lui. Cela ne le met pas hors jeu pour autant. Tu as entendu Peppo : Roméo a des mains maudites. Tout le monde préférerait qu'il soit mort.

– Tu es sûr qu'il ne l'est pas ?

– Il est vivant, je le sais.

– Monsieur aurait-il du pif pour les salauds ?

– Du pif pour mes rivaux, oui.

*
* *

Le directeur de l'hôtel a baisé les pieds d'un crucifix invisible en me voyant rentrer.

– Mademoiselle Tolomei ! *Grazie a Dio.* Vous êtes saine et sauve. Votre cousin a appelé plusieurs fois de l'hôpital…

Remarquant Alessandro derrière moi, il l'a brièvement salué avant de continuer :

– Il avait peur que vous ne fussiez en mauvaise compagnie.

– Comme vous le voyez, je suis escortée par un parfait cavalier.

– Presque parfait, a rectifié Alessandro.

– Il m'a demandé de ranger le poignard en lieu sûr.

– Donne-le-moi, est intervenu Alessandro.

– Oui, confiez-le au capitaine Santini. Je ne veux plus de cambriolage chez moi.

– Je passe te prendre demain matin, a ajouté Alessandro en glissant le poignard dans sa poche. À 9 heures. En attendant, n'ouvre ta porte à personne !

– Même pas la fenêtre de mon balcon ?

– Surtout pas !

Je n'avais pas encore eu le courage de m'attaquer à mes bagages, mais on avait enlevé les morceaux de verre et remplacé la vitre brisée. Personne ne pourrait donc s'introduire chez moi cette nuit sans me réveiller.

Je me suis glissée dans mon lit en prenant le dossier de ma mère intitulé : « Arbre généalogique de Giulietta et Giannozza ». J'y avais jeté un coup d'œil rapide et j'étais intriguée. J'ai déroulé ce long document sur le couvre-lit. Il ne mentionnait que la lignée des femmes qui descendaient directement de Giulietta Tolomei, jusqu'à moi. J'ai donc fini par trouver mon nom et celui de Janice au bout d'une longue branche, sous le nom de nos parents.

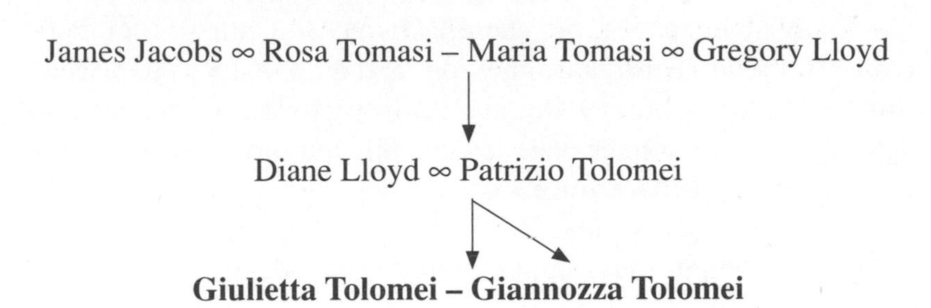

J'ai ri en découvrant que Janice s'appelait, en fait, Giannozza. Elle qui avait toujours détesté son prénom américain et déclaré, au bord des larmes, que ce n'était pas le vrai… Remontant au sommet de l'arbre, je suis tombée sur les mêmes noms :

Giulietta Tolomei – Giannozza Tolomei ∞ Mariotto da Gambacorta

↓

Francisco Saracini ∞ Bella da Gambacorta

↓ ↘

Federico da Silva ∞ **Giulietta Saracini – Giannozza Saracini**

Et ainsi de suite… La liste entre les deux époques était tellement longue que j'aurais pu l'utiliser comme corde pour glisser de mon balcon. Qui donc avait eu la patience de dresser un arbre généalogique traversant tant de siècles ?

Régulièrement, les prénoms Giulietta et Giannozza réapparaissaient, toujours avec un nom de famille différent, mais jamais celui de Tolomei. À vrai dire, contrairement à ce que croyait Eva Maria, Giulietta Tolomei n'était pas mon ancêtre au sens strict. Nous descendions toutes les trois, ma mère, ma sœur et moi, de Giannozza et de son mari, Mariotto da Gambacorta. La Giulietta de Shakespeare ne semblait pas avoir été mariée. En tout cas, on ne lui connaissait pas d'enfants.

Non sans une certaine appréhension, j'ai mis de côté l'arbre généalogique et je me suis plongée dans la correspondance. La découverte que Giannozza était notre véritable ancêtre me rendait plus sensible aux fragments des lettres que sa sœur lui avait envoyées et à ses propres commentaires sur la vie paisible qu'elle menait loin de Sienne.

« Tu as de la chance, ma chère, écrivait Giulietta à un moment, car tu as une immense maison et ton mari a du mal à se déplacer. » Plus tard, elle s'écriait : « Oh, je rêverais d'être à ta place, de courir dehors et de m'allonger dans les champs qui embaument le thym pour une heure de paix volée ! »

J'ai fini par m'endormir.

Quelques heures plus tard, un bruit de pétarade m'a réveillée.

*
* *

Je suis restée allongée, pestant contre la jeunesse débile de Sienne, avant de me dire que c'était moi qui étais débile. Il ne s'agissait pas d'un rassemblement de jeunes, mais du vrombissement d'une moto sous mes fenêtres.

J'ai glissé un œil entre les lattes des volets, sans voir grand-chose. Peu à peu, j'ai entendu du vacarme autour de moi. Les clients de l'hôtel s'étaient réveillés eux aussi et claquaient rageusement leurs volets.

J'ai ouvert ma porte-fenêtre et je l'ai reconnu : devant moi, sous le lampadaire, en train de faire des huit ! C'était le même que celui qui m'avait suivie deux fois : la première pour me sauver des griffes de Bruno Carrera, la seconde pour me lorgner à travers la vitre du café de Malèna. Il était toujours vêtu de noir, visière rabattue, sur sa moto reconnaissable entre mille.

Il a levé les yeux et m'a vue. Aussitôt, il a sorti un objet rond de sa poche et l'a lancé sur mon balcon. Le projectile a atterri avec un bruit cotonneux, rebondissant légèrement avant de s'arrêter. Mon ami cuirassé de noir a accéléré violemment, manquant tomber tant l'engin s'est cabré. Il a disparu au coin de la rue et la nuit a retrouvé un calme absolu.

J'ai ramassé l'objet et je suis rentrée dans ma chambre en refermant soigneusement la porte-fenêtre. C'était une balle de tennis, enveloppée dans un épais papier kraft fixé par des élastiques. Le papier était un mot rédigé d'une main ferme, à l'encre rouge foncé, comme celle que l'on utilise pour les lettres d'amour ou de suicide.

Giulietta,

Pardonne-moi d'être aussi fuyant. J'ai de bonnes raisons. Bientôt, tu comprendras. Il faut que je te voie pour t'expliquer. Retrouve-moi au sommet de la Torre del Mangia, demain matin à 9 heures. Surtout, ne dis rien à personne entre-temps.

Roméo

V, I

Si je descends dans cet antre de mort,
C'est pour revoir les traits de ma bien-aimée,
Mais surtout pour reprendre à son doigt inerte
Une bague précieuse.

Sienne, 1340.

Le soir de ce Palio fatal, le corps du jeune Tebaldo Tolomei fut déposé dans l'église de San Cristoforo, face au palazzo Tolomei. En signe d'amitié, messire Salimbeni était passé pour draper le *cencio* autour du héros mort, en promettant à son père que le meurtrier serait très vite retrouvé. Il avait ensuite présenté ses condoléances et s'était retiré, abandonnant la famille Tolomei endeuillée, et admirant au passage la silhouette gracieuse de Giulietta agenouillée devant la bière de son cousin.

Toutes les femmes de la famille Tolomei s'étaient rassemblées dans l'église pour pleurer et prier en entourant la mère de Tebaldo. Les hommes, eux, allaient et venaient entre l'église et le palais, l'haleine avinée, complotant pour se venger de Roméo Marescotti. Chaque fois qu'elle percevait des bribes de conversations, Giulietta tremblait d'effroi. Ses yeux se remplissaient de larmes. Comment pouvait-on accuser Roméo ? Jamais celui qu'elle aimait n'aurait perpétré un crime aussi abominable…

Le spectacle de son chagrin, face au cercueil d'un cousin avec qui elle n'avait jamais échangé un mot, donnait le change. Personne ne songeait à s'interroger sur la véritable cause de ses larmes, qui se mêlaient à celles de ses cousines et de ses tantes.

– Tu es bouleversée, lui dit sa tante en levant brièvement le regard sur elle. Et à juste titre. Si tu n'avais pas été là, jamais cet infâme Roméo n'aurait osé…

Incapable d'achever sa phrase, Monna Antonia éclata en sanglots.

Par souci de discrétion, Giulietta alla s'asseoir sur un banc à l'écart. Elle fut tentée de s'enfuir à pied de l'église. Mais elle n'avait pas un sou, et personne pour la protéger. Son seul espoir était maître Ambrogio. Toutefois, comment retrouver son atelier alors que des soldats envahissaient les rues à la recherche de Roméo et que des gardes surveillaient l'entrée de l'église ? Seul un ange, ou un fantôme, aurait pu passer à côté d'eux sans éveiller l'attention.

Peu après minuit, frère Lorenzo vint à son tour présenter ses condoléances à sa famille. Son apparition surprit la jeune fille. Elle avait entendu les gardes évoquant un moine franciscain qui aurait aidé Roméo à s'enfuir par le canal du Bottini, juste après le Palio. Elle en avait conclu qu'il s'agissait de son confident, frère Lorenzo. En le voyant déambuler calmement et réconforter ses tantes, elle éprouva une profonde déception. Si ce n'était pas lui qui avait aidé Roméo, elle ne connaîtrait jamais son sauveur.

Soudain, le moine l'aperçut. Il la rejoignit aussitôt. Il se glissa, non sans mal, sur son banc, et s'autorisa à s'asseoir près d'elle sans lui demander son accord, marmonnant simplement :

– Pardonne-moi d'interrompre tes prières et de troubler ton chagrin.

– Tu es l'ami le plus proche de l'objet de mon chagrin, répondit Giulietta à voix basse.

– Te consolerais-je si je t'annonçais que l'homme que tu pleures s'apprête à gagner des terres éloignées, où jamais ses ennemis ne le retrouveront ?

– Si tu dis vrai, je suis la femme le plus heureuse du monde ! Mais je suis aussi la plus pitoyable. Ô Lorenzo, comment pourrons-nous vivre ainsi ? Moi ici, et lui si loin ? Que ne suis-je un faucon perché sur son bras, et non un oiseau prisonnier !

Consciente d'avoir parlé un peu trop fort, elle jeta un regard inquiet autour d'elle. Monna Antonia était si absorbée par son chagrin qu'elle n'avait rien entendu. Quant aux autres femmes, groupées autour du cercueil, elles arrangeaient les couronnes de fleurs.

– Si tu le pouvais, serais-tu prête à le rejoindre ? chuchota Lorenzo.

– Sans hésiter. Je le suivrais jusqu'au bout du monde.

– Dans ce cas, reprends-toi. Car il est ici et… Calme-toi… Jamais il n'aurait quitté Sienne sans toi. Ne te retourne pas. Il est là, derrière toi !

Giulietta ne put s'empêcher de tourner légèrement la tête, juste assez pour entrevoir un moine à genoux derrière elle, les traits enfouis dans son capuchon : celui dont Lorenzo l'avait affublé lorsqu'ils s'étaient introduits ensemble dans le palazzo Marescotti.

Sa stupeur, sa joie lui donnèrent le vertige. Elle observa ses oncles et tantes. Si quiconque reconnaissait Roméo, ni elle, ni lui, ni Lorenzo ne verrait le lever du soleil. Profaner la veillée de deuil de Tebaldo constituerait un sacrilège. Aucun Tolomei ne tolérerait une telle injure.

– Tu es fou ? siffla-t-elle entre ses dents. S'ils te découvrent, ils te tueront sur place !

– Ta voix est plus tranchante que leur épée, répliqua Roméo. Je t'en supplie, essaie de te montrer plus douce. Ce sont peut-être les dernières paroles que tu m'adresseras jamais.

La sincérité qui brillait dans ses yeux la bouleversa.

– Tiens, dit-il.

Il retira une bague de son doigt et la lui tendit.

– Prends, je t'offre cet anneau.

Stupéfaite, elle s'en empara. C'était une chevalière en or qui portait l'emblème de l'aigle. Par les paroles de Roméo, elle venait d'acquérir la valeur d'une alliance.

– Que Dieu vous bénisse pour les siècles des siècles, murmura frère Lorenzo, trop conscient que les « siècles » risquaient de ne pas dépasser vingt-quatre heures. Que tous les saints du Ciel protègent votre union. Maintenant, écoutez-moi bien. Demain auront lieu les funérailles de Tebaldo, dans le caveau familial…

– Attends, lança Giulietta. Ne puis-je pas sortir avec toi tout de suite ?

– Chut… C'est impensable, coupa le frère en posant une main sur elle. Les sentinelles postées aux portes de la ville t'en empêcheraient. Et je ne peux pas rester ici cette nuit.

Quelqu'un leur enjoignit de parler moins fort. Tous trois se figèrent, transis de peur. Giulietta vit ses tantes grimacer pour lui demander de se taire et de ne pas blesser davantage Monna Antonia. Docile, elle baissa la tête, se tut quelques instants. Puis elle implora Roméo.

– Ne me quitte pas après m'avoir épousée. Ce soir, c'est notre nuit de noces !

– Demain, souffla-t-il, quand nous penserons à tout cela, nous en rirons.

– Demain, répondit Giulietta en larmes, ne sera peut-être jamais.

– Quoi qu'il arrive, nous serons ensemble. Mari et femme. Je te le jure. Dans ce monde… ou dans l'autre.

*
* *

Le tombeau de la famille Tolomei trônait dans une immense nécropole qui s'étendait derrière la Porta Tufi. Depuis l'Antiquité, les Siennois enterraient leurs défunts à l'extérieur de la ville. Chaque famille patricienne s'enorgueillissait d'un mausolée qui leur appartenait depuis des générations. Celui des Tolomei se dressait tel un château de marbre dans cette cité de la mort. On y accédait par une entrée majestueuse, semblable à celles des tombes de ces augustes sénateurs romains à qui messire Tolomei aimait tant se comparer.

Une foule impressionnante, famille et amis, entourait, en ce triste soir, le patriarche et son épouse. Leur fils aîné allait reposer dans le sarcophage de granit que Tolomei avait, à l'origine, commandé pour lui-même. Quel scandale, quel outrage de voir disparaître un jeune homme aussi beau, dans la fleur de l'âge ! Rien ne pouvait consoler sa mère, ni la jeune fille fiancée à lui dès sa naissance, douze années plus tôt. Retrouverait-elle un époux alors qu'elle était près de devenir femme, elle qui se vivait depuis toujours comme la future maîtresse de la maison Tolomei ?

Quant à Giulietta, elle était trop angoissée, trop épuisée par le manque de sommeil pour éprouver de la compassion. La veillée avait duré toute la nuit. Elle vacillait, tout comme Monna Antonia, qui, pâle, défaite, s'appuyant sur les bras de ses frères, tourna son visage blafard vers sa nièce avec un regard de haine.

– La voilà, la vipère qui m'a brisé le cœur ! Sans ses encouragements éhontés, Roméo Marescotti n'aurait jamais osé lever la main contre notre maison ! Regardez cette fausseté, ces larmes de traîtresse ! Elles ne sont pas pour mon Tebaldo chéri, mais pour son meurtrier, Roméo ! hurla-t-elle avant de cracher deux fois par terre. Il est temps de réagir, mes frères ! Cessez de vous comporter en lâches, en moutons apeurés ! Un crime odieux a été commis contre notre maison ! L'assassin court les rues en toute liberté, parce qu'il s'imagine au-dessus des lois. Si vous êtes des hommes, martela-t-elle en extirpant un stylet brillant de son châle, ratissez la ville et retrouvez-le ! Une mère éplorée lui plantera cette lame en plein cœur !

Anéantie, elle s'écroula dans les bras de ses frères, tandis que le cortège funéraire descendait les marches de pierre menant au fond du caveau. Quand tous furent rassemblés là, le corps de Tebaldo, drapé dans un linceul, fut déposé dans le sarcophage, et l'on procéda aux rites ultimes.

Pendant toute la célébration, Giulietta fouilla du regard le moindre recoin, le moindre creux où elle pourrait se dissimuler. Le plan de frère Lorenzo exigeait qu'elle demeure dans la chambre funéraire après la cérémonie, sans se faire remarquer, et attende, seule, la nuit tombée, car c'était le seul moment où Roméo pourrait venir l'enlever. Le moine leur avait expliqué que c'était aussi le seul endroit où les sentinelles seraient moins vigilantes ; de plus, le cimetière étant hors les murs, Roméo risquait moins d'être découvert et arrêté.

Une fois hors du caveau, Giulietta le suivrait dans son exil. Dès qu'ils seraient en sécurité, ils préviendraient secrètement frère Lorenzo, qui viendrait les rejoindre.

Tel était le plan sur lequel ils s'étaient mis d'accord la veille, à San Cristoforo. Giulietta n'avait eu ni le temps ni l'idée de poser des questions sur les détails pratiques. À présent, la réalité lui sautait au visage. Les sarcophages scellés, ces vaisseaux de la mort, lui soulevaient le cœur. Pourrait-elle fuir de cet antre sans que personne ne la voie ni ne l'entende ?

Elle dut patienter jusqu'à la fin de la cérémonie. Lorsque le prêtre, après avoir invité l'assistance à la prière, prononça le long « amen » final, elle recula discrètement et se dissimula derrière un tombeau.

Accroupie contre la pierre dure du sarcophage, tremblant au contact de la terre humide et froide, retenant son souffle, elle vit passer tout le cortège, chacun quittant le caveau en déposant un cierge sur un petit autel, au pied d'un grand christ en croix. Lorenzo avait raison : les gens avaient peu dormi depuis le Palio et nul n'aurait pu garantir que les personnes quittant le caveau étaient aussi nombreuses que celles qui y avaient pénétré. En outre, il aurait fallu être fou pour avoir envie de s'attarder dans un caveau fétide, coincé derrière une porte épaisse qui ne s'ouvrait que de l'extérieur et qui, une fois tout le monde sorti, se referma avec un bruit caverneux.

Accentuée par les cierges dont la flamme tremblotait faiblement sur l'autel, une nuit noire s'abattit sur Giulietta.

*
* *

La mort, songeait-elle, n'est qu'une longue attente. Ses illustres aïeux ne gisaient-ils pas là, espérant une intervention divine, la résurrection promise ? Certains arboreraient leur armure de croisé, privés d'un membre ou d'un œil. D'autres surgiraient en tenue de nuit, livides et couverts de pustules. De petits enfants gémissants se blottiraient contre leurs jeunes mères ruisselant de viscères et de sang…

Giulietta ne doutait pas qu'un jour tous ceux qui le méritaient auraient droit à ce coup de baguette magique. Pourtant, ces sarcophages antiques, ces corps desséchés l'emplissaient d'une horreur infinie. Elle se reprochait sa peur, son angoisse. Qu'avait-elle à craindre ? Que pesaient ces quelques heures face à l'éternité ?

Tout à coup, la porte du caveau s'ouvrit. Les cierges de l'autel s'éteignaient. Les dernières flammes projetaient des ombres tortueuses, plus effrayantes que les ténèbres. Elle se précipita vers son sauveur, mue par le besoin irrésistible de toucher un être vivant, assoiffée d'air frais.

– Roméo ! Dieu du ciel, merci !

Hélas, ce n'était pas Roméo ! messire Salimbeni, une torche à la main, la regardait avec un sourire sibyllin.

– Il me semble, dit-il d'une voix pesante qui contredisait son expression satisfaite, que vous pleurez un peu trop la mort de votre cousin en vous attardant dans ce caveau, Giulietta. Cela dit, je ne vois nulle trace de larmes sur vos joues roses.

Il descendit quelques marches, puis s'arrêta, pris à la gorge par l'odeur putride.

– Ma douce fiancée s'égarerait-elle un peu ? Devrai-je vous chercher dans les cimetières, ma chère, pour vous retrouver jouant avec des os et des crânes vides, comme une folle ? À vrai dire, ajouta-t-il avec un rictus obscène, je ne dédaigne pas ces jeux. Nous nous entendrons à merveille, vous et moi.

Glacée par sa présence, Giulietta resta muette. Elle comprenait à peine ce qu'il disait. Elle ne pensait qu'à Roméo. Pourquoi n'était-il pas venu la libérer ?

– Monte ! ordonna Salimbeni en désignant la sortie.

Elle n'avait pas le choix.

Elle émergea dans la nuit noire aux côtés de Salimbeni, encerclée par une ronde de torches tenues par des gardes armés de pied en cap.

Elle crut lire, sur leurs visages, de la pitié, ou de l'indifférence. Toutefois, quelque chose la troubla plus que tout : l'impression qu'ils savaient quelque chose qu'elle ignorait.

– Tu ne veux pas savoir comment j'ai réussi à t'arracher des bras de la mort ? demanda Salimbeni en jouissant de sa confusion.

Elle put à peine hocher la tête. Peu importait. Le patricien se lança avec délectation dans un long monologue.

– Heureusement pour toi, j'ai bénéficié d'un excellent guide. Mes hommes l'ont vu rôder dans les environs. Plutôt que de le trucider sur place, ils se sont judicieusement demandé quel trésor pouvait inciter un criminel recherché à regagner Sienne au péril de sa vie. Tu l'auras deviné : ses pas nous ont menés directement à ce monument funéraire. Tout le monde sachant qu'on ne peut assassiner deux fois le même homme, j'ai très vite compris que s'il voulait descendre dans le tombeau de ton cousin ce n'était pas par soif de sang.

Savourant la pâleur de Giulietta, il fit un geste à ses sbires. Aussitôt, les hommes jetèrent un corps à ses pieds, comme une carcasse pourrie destinée à être broyée.

Giulietta poussa un cri d'horreur. Devant elle gisait le corps meurtri et sanglant de Roméo. Si Salimbeni ne l'avait pas retenue, elle se serait précipitée sur lui pour caresser ses cheveux poisseux et baiser ses lèvres ensanglantées pendant qu'il respirait encore.

– Démon ! cria-t-elle à Salimbeni en se débattant. Vous serez puni par Dieu ! Lâchez-moi ! Laissez-moi mourir aux côtés de mon époux ! Car je porte au doigt son alliance, et je jure devant tous les anges du Ciel que jamais, jamais je ne serai à vous !

Salimbeni fit la moue. Il saisit le poignet de Giulietta et faillit le briser en examinant la bague. Quand il en eut assez vu, il la poussa brutalement dans les bras d'un de ses hommes et roua de coups de pied le ventre de Roméo.

– Voleur, racaille ! Tu n'as pas pu t'en empêcher, c'est ça ? Écoute-moi : en la prenant, tu l'as tuée ! Je comptais n'éliminer que toi, mais vous vous valez bien, tous les deux.

– Je vous en supplie, gémit Roméo en crachant du sang et en tentant de lever la tête pour contempler Giulietta une dernière fois. Épargnez-la ! Ce ne fut qu'un échange de serments ! Je ne l'ai jamais possédée ! Je le je jure en mon âme et conscience.

– Comme c'est émouvant, railla Salimbeni en les observant tour à tour, dubitatif, avant de prendre Giulietta par le menton. Qu'en dis-tu, sale fille ? Est-ce vrai ?

Elle lui cracha au visage, secoua son poignet pour se libérer.

– Allez au diable ! Nous sommes mari et femme ! Vous feriez mieux de me tuer sur-le-champ. Tout comme j'étais à ses côtés dans notre lit nuptial, je serai à ses côtés dans la tombe !

Salimbeni resserra son emprise.

– Le jures-tu en ton âme et conscience, toi aussi ? Je te préviens, si tu mens, il ira droit en enfer cette nuit même.

Giulietta jeta un regard désespéré sur Roméo, toujours à terre. Bouleversée, elle ne put ajouter un mot.

– Ah ! enfin, voilà une fleur que tu n'as pas souillée, chien, s'exclama Salimbeni en le frappant de nouveau. À présent, je vais m'assurer que plus jamais tu ne la toucheras.

Il se pencha, dégaina la dague que Roméo portait à la ceinture et, lentement, en savourant son geste, la planta dans son abdomen. Puis, tout aussi lentement, il la retira. Le corps du jeune homme se recroquevilla autour de la blessure béante.

– Non ! hurla Giulietta en bondissant avec une telle violence que les hommes ne purent la retenir.

Elle se jeta sur Roméo et l'enlaça, éperdue, déterminée à partager son sort. Insensible à ces effusions, Salimbeni la saisit par les cheveux et la gifla.

– Tais-toi ! Ces hurlements sont désormais inutiles. Reprends-toi et souviens-toi que tu es une Tolomei.

Il arracha son alliance, la laissa tomber aux pieds de Roméo.

– Voilà ce que je fais de vos serments. Estime-toi heureuse qu'ils soient si facilement annulés !

Derrière le voile de sa chevelure tachée de sang, Giulietta vit les gardiens soulever le corps de Roméo avant de le jeter comme un sac de grain sur les marches du mausolée des Tolomei.

Juliette

Elle ne les vit pas claquer la porte ni s'assurer qu'elle était bien verrouillée. L'horreur qui la paralysait l'avait empêchée de respirer. Un ange vint alors lui clore les yeux, la plongeant dans un oubli miséricordieux.

V, II

La vertu même,
Mal employée, devient vice, et le vice
S'ennoblit quelquefois d'une bonne action.

Du haut de la Torre del Mangia, la forme en demi-lune du Campo ressemblait à un jeu de cartes aux figures cachées. La comparaison me semblait parfaite pour une ville qui détenait tant de secrets ! Comment imaginer que, dans une cité d'une telle beauté, aient pu exister des hommes aussi pervers que messire Salimbeni, qu'on l'ait autorisé à déployer sa malfaisance ?

Rien, dans le journal de maître Ambrogio, n'indiquait la moindre qualité susceptible de racheter Salimbeni : la générosité d'Eva Maria ou le charme d'Alessandro, par exemple. Et encore, cela n'aurait rien changé au fait qu'il avait assassiné avec une cruauté sans égale tous ceux que Giulietta aimait, hormis frère Lorenzo et sa sœur, Giannozza.

J'avais passé une nuit agitée et angoissée. Les événements sanglants que relatait le journal du maestro m'avaient profondément troublée. Les quelques pages qu'il me restait à lire ne laissaient guère envisager une fin heureuse. Shakespeare n'avait pas inventé le sort tragique de Roméo et Juliette. Il s'agissait de faits réels. Si je me fiais au journal du maestro, à ce stade, Roméo était mort, frappé en plein ventre par ce maudit poignard. Celui que je détenais ! Et Giulietta était entre les griffes de son ennemi juré. Seule question en suspens : allait-elle mourir elle aussi ?

Était-ce pour cette raison que je ne me sentais pas d'humeur très enjouée en attendant Roméo ? Ou parce que j'appréhendais sa venue ? Accepter un rendez-vous avec un inconnu au sommet d'une tour était une drôle d'idée. Sans compter que l'inconnu en question passait ses nuits à errer en moto avec un casque à la visière fermée et communiquait au moyen de balles de tennis…

En tout cas, j'étais là et je l'attendais.

Si ce mystérieux personnage descendait bien de Roméo Marescotti, il fallait que je voie à quoi il ressemblait. Plus de six siècles s'étaient écoulés depuis que nos deux maisons s'étaient déchirées avec une violence légendaire. Entre-temps, la liaison tragique entre les deux jeunes amoureux était devenue l'une des plus belles et des plus célèbres histoires d'amour du monde.

Alors, pourquoi n'étais-je pas plus excitée ? Depuis que maestro Lippi m'avait révélé l'existence d'un Roméo amateur d'art et de vin, bien vivant et habitué à rôder la nuit, je rêvais de faire sa connaissance. Or voici que la rencontre était imminente, et j'étais prise d'une vague de nausée, comme si je trahissais quelqu'un qui me voulait du bien et que je ne tenais pas à perdre.

Ce quelqu'un, c'était Alessandro. Certes, c'était un Salimbeni, et il n'éprouvait ni estime ni affection pour mon Roméo. Mais son sourire était si sincère, si contagieux que je commençais à craquer…

Non, c'était ridicule. Nous nous connaissions depuis tout juste une semaine, et nous n'avions pas cessé de nous envoyer des piques, surtout moi, influencée par mes préjugés. Même Roméo et Giulietta, les vrais, n'étaient pas passés, au début, par ce type d'inimitié. Quelle ironie ! L'histoire semblait se refermer comme une boucle et nous nous retrouvions dans le rôle des héros de Shakespeare, même si les cartes du triangle amoureux avaient été largement rebattues.

M'étant avoué mon faible pour Alessandro, j'ai eu pitié de Roméo. À en croire Peppo, il avait quitté Sienne pour échapper aux mauvaises ondes qui les poursuivaient, lui et sa mère. Quelles que fussent ses intentions en revenant ici, il risquait peut-être le tout pour le tout en me proposant ce rendez-vous. Ne fût-ce que pour cela, j'aurais dû lui être reconnaissante.

J'ai entendu des pas traînants dans l'escalier, une respiration essoufflée. Pas très en forme, Roméo… Je me suis redressée et j'ai tapoté ma jupe pour en effacer les plis. Mon héros a mis du temps à arriver au sommet de l'escalier en spirale. Il a fini par apparaître, sa combinaison de cuir sur un bras, son casque sur l'autre. Alors, j'ai cru défaillir…

C'était Janice.

*

* *

J'aurais du mal à préciser quand, exactement, mes rapports avec ma sœur avaient commencé à se dégrader. Enfants, nous ne cessions de nous disputer. Rien de plus banal. En revanche, la majorité des gens parviennent à l'âge adulte sans avoir entièrement perdu l'affection de leurs frères et sœurs. C'était loin d'être notre cas.

À vingt-cinq ans, je ne me souvenais même plus de la dernière fois où j'avais embrassé Janice ni discuté avec elle sans que cela dégénère. Notre tante prenait tout cela avec philosophie, persuadée que tout s'arrangerait avec le temps, du moment que son affection et ses bonbons étaient distribués de façon équitable. Chaque fois que nous lui demandions d'arbitrer, elle nous resservait, avec lassitude, deux ou trois réponses toute prêtes. Il fallait apprendre à partager, être aimable avec sa sœur…

– Allez, s'écriait-elle en prenant la coupe en cristal remplie de bretzels au chocolat sur le guéridon proche de son fauteuil, faites un effort, soyez raisonnables. Julie, sois gentille avec Janice, prête-lui… (… ma poupée, ma ceinture, mon sac, mes chaussures, mon chapeau…) Qu'enfin, nous ayons la paix, pour l'amour de Dieu !

Immanquablement, nous repartions chacune avec une grosse poignée de friandises. Ainsi, l'enfer de mon enfance avait été pavé des bonnes intentions de ma tante.

Adolescente, je ne cherchais même plus à lui demander son avis, encore moins son intervention. J'allais directement me plaindre auprès d'Umberto, dans la cuisine. Dans mon souvenir, il passait son temps à aiguiser des couteaux en écoutant de l'opéra, le son poussé au maximum.

– C'est pas juste ! hurlais-je

Il répondait :

– Qui t'a dit que la vie était juste ?

Lorsque je m'étais calmée, il me demandait :

– Alors, que veux-tu que je fasse, maintenant ?

En grandissant, ayant acquis un minimum de sagesse, j'avais appris à rétorquer :

– Rien. Ça ne dépend que de moi.

C'était vrai. C'était à moi de prendre les choses en main. Sauf qu'il ne m'avait jamais expliqué comment m'y prendre.

Là, au sommet de la Torre del Mangia, les innombrables raisons que j'avais de haïr ma sœur m'ont subitement sauté aux yeux. Une vague de rage m'a envahie, comme jamais je n'en avais éprouvé face à quiconque.

– Surprise ! a-t-elle lancé en lâchant sa combinaison et en applaudissant des deux mains.

– Qu'est-ce que tu fous ici ? C'est toi qui me poursuis sur cette moto grotesque ? Et cette lettre…

J'ai sorti de mon sac son mot roulé en boule et je le lui ai balancé en pleine figure.

– Tu me prends vraiment pour une idiote ?

– Assez idiote pour grimper en haut de cette tour, a-t-elle répliqué avec une grimace faussement compatissante qu'elle avait mise au point à l'âge de cinq ans. Ma pauvre chérie… Tu as vraiment cru que j'étais Roméo ?

– D'accord, ai-je concédé pour mettre fin à ses ricanements, bravo pour ton petit canular. Ça valait le vol Washington-Sienne. Maintenant, excuse-moi. Tu avais peut-être l'intention de discuter. Moi, j'ai plutôt envie d'aller me plonger la tête sous l'eau.

J'ai essayé de la contourner, mais elle bloquait l'accès à l'escalier.

– Tu ne vas pas t'en tirer comme ça ! a-t-elle sifflé d'un air mauvais. Pas avant de m'avoir donné ma part.

– Quoi ?

Elle m'a fixée avec une intensité inhabituelle, comme si elle endossait pour une fois le rôle de la victime.

– Je n'ai plus un rond, je suis dans le rouge, avoua-t-elle.

– Tu n'as qu'à appeler SOS milliardaires. Je croyais que tu venais d'hériter d'une fortune d'une personne que nous avons toutes les deux très bien connue, non ?

– Très drôle ! Une fortune inestimable. Tante Rose et ses dollars en chocolat !

– De quoi te plains-tu ? La dernière fois que nous nous sommes vues, tu venais de gagner le gros lot. Si tu es venue pour de l'argent, tu t'es trompée de porte.

J'ai foncé vers l'escalier.

– Laisse-moi passer !

À ma grande surprise, elle a obtempéré.

– Pauvre petite princesse en fuite, tu as claqué tout mon héritage en fringues, a-t-elle persiflé.

J'ai poursuivi sans m'arrêter. Je l'ai entendue ramasser son attirail de motard.

– Attends ! Arrête-toi. Il faut qu'on parle. Julie ! Sérieusement !

Si elle avait quelque chose d'important à me dire, pourquoi ne me l'avait-elle pas avoué tout de suite ? Et pourquoi toutes ces cachotteries, avec sa moto et cette encre rouge ? Si elle avait dilapidé la fortune de tante Rose, je comprenais sa frustration. Toutefois, c'était son problème.

J'ai traversé le Campo en courant, l'abandonnant à son malheur. La Ducati Monster était garée devant le Palazzo Pubblico, telle une limousine le jour de la remise des oscars. Trois flics, gros bras et lunettes noires, guettaient le retour de sa propriétaire.

*

* *

Spontanément, je suis allée au café de Malèna, persuadée que Janice ne pourrait pas m'y retrouver tout de suite. Si je rentrais à l'hôtel, elle apparaîtrait illico et me rejouerait son petit numéro sous mon balcon.

J'ai couru jusqu'à la piazza Postierla en me retournant régulièrement pour voir si elle me suivait et j'ai déboulé dans le café en claquant la porte derrière moi. Malèna m'a accueillie avec un grand éclat de rire.

– *Dio mio !* Que se passe-t-il ? Tu n'aurais pas bu un peu trop de café ?

Elle m'a offert un grand verre d'eau du robinet.

– Tu as des ennuis ? m'a-t-elle demandé pendant que je buvais.

Sous-entendu : « Si c'est le cas, j'ai deux ou trois cousins, outre Luigi, qui seraient enchantés de t'aider. »

– Comment t'expliquer ?

Il n'y avait personne autour de nous. Les rares clients assis étaient plongés dans leur conversation. C'était le moment ou jamais de vider mon sac, occasion que j'attendais depuis que Malèna avait mentionné le nom de Marescotti.

– J'ai bien entendu, l'autre jour ? Tu m'as dit que ton nom de famille était Marescotti ?

Un sourire ravi a illuminé son visage.

– *Certamente !* Aujourd'hui, je suis mariée, mais…

Elle a pressé la main sur son cœur.

– Là, je suis et je reste une Marescotti. Tu as vu notre palais ?

J'ai poliment et vigoureusement hoché la tête, tout en me remémorant le concert pénible auquel j'avais assisté avec Eva Maria et Alessandro.

– Il est sublime, oui. Mais je me demandais… Quelqu'un m'a dit…

Mes joues viraient au cramoisi. Quoi que j'ajoute, j'allais me ridiculiser. Sensible à mon embarras, Malèna a sorti une bouteille d'une boisson maison de derrière le comptoir, a rempli mon verre vide.

– Tiens, spécial Marescotti. Un élixir qui rend heureux. Tchin-tchin !

J'avais peu envie de goûter à ce liquide trouble.

– Il est à peine 10 heures du matin.

– À Florence, peut-être...

J'ai consciencieusement avalé la liqueur la plus immonde qu'il m'ait été donné de goûter depuis les essais de Janice, qui avait tenté de brasser de la bière dans sa chambre. Enfin, j'ai pu articuler :

– Tu as un lien avec un certain Roméo Marescotti ?

La métamorphose de Malèna fut presque inquiétante. Elle s'est brusquement redressée en rebouchant la bouteille.

– Roméo Marescotti, asséna-t-elle en reprenant mon verre avant de passer un rapide coup de chiffon sur le zinc, est mort. C'était mon cousin. Pourquoi ?

– Ah !

J'étais tellement déçue que j'ai titubé un instant. Ou peut-être était-ce la boisson…

– Je suis navrée. Je n'aurais pas dû… C'est à cause de maître Lippi, le peintre. Il m'a dit qu'il le connaissait.

Malèna a réagi par un grognement à la fois méprisant et soulagé.

– Maestro Lippi parle aux fantômes. Ne l'écoute pas. Il est…

Elle a hésité, n'a pas trouvé le mot juste.

– Il y aussi quelqu'un d'autre… Le chef de la sécurité de Monte Paschi, Alessandro Santini. Tu le connais ?

Elle a écarquillé les yeux, stupéfaite.

– Sienne est une petite ville.

Vu son ton, il y avait anguille sous roche.

– À ton avis, pourquoi quelqu'un aurait-il intérêt à raconter que ton cousin est toujours en vie ?

– C'est ce que t'a affirmé Santini ?

– C'est une longue histoire. En fait, c'est moi qui l'ai interrogé sur Roméo. Je m'appelle… Giulietta Tolomei.

Sa stupéfaction m'a prouvé qu'elle savait exactement ce qu'impliquait ce nom. Après un moment d'hébétude, elle m'a gentiment tordu le nez.

– *Il gran disegno*. Je savais bien que tu n'étais pas ici par hasard. Pauvre Giulietta, j'aimerais tellement te dire qu'il vit. Sauf que… je ne peux pas.

*
* *

J'avais complètement oublié Janice au moment où j'ai quitté le café. Quelle ne fut donc pas ma surprise en tombant sur elle juste en face, appuyée nonchalamment contre un mur, comme une cow-girl attendant l'ouverture du saloon !

J'ai soupiré et j'ai remonté la rue. N'importe où, pourvu que je la sème. Elle a failli trébucher en me rattrapant.

– C'est quoi, cette complicité entre toi et Mamma Sexy ? Tu cherches à me rendre jalouse ?

J'étais tellement exaspérée que je me suis arrêtée au beau milieu de la piazza Postierla en hurlant :

– Tu veux que je te l'écrive noir sur blanc ? Fous-moi la paix ! Dégage !

Pour une fois, elle a paru déstabilisée, au bord des larmes.

– D'accord, a-t-elle plaidé. Désolée pour la moto. Et désolée pour le mot. Je ne pensais pas que tu le prendrais si mal. Tu es vexée comme un pou, je sais. Mais il faut qu'on discute. Rappelle-toi le testament de tante Rose. Il était… Aïe !

Elle avait dû se tordre la cheville. Lorsque je me suis retournée, elle se frottait le bas de la jambe, assise au milieu de la chaussée. Un de ses talons s'était brisé.

– Qu'est-ce que tu disais ? À propos du testament ?

– Tout était bidon, a-t-elle asséné. J'ai cru que tu étais dans le coup. Voilà pourquoi je faisais profil bas. Aujourd'hui, je suis prête à t'accorder le bénéfice du doute.

*
* *

La semaine avait été rude pour ma jumelle maudite. D'abord, elle avait découvert que l'avocat de la famille, M. Gallagher, n'était pas M. Gallagher. Mais comment ? Le jour où le vrai M. Gallagher s'était pointé. Ensuite, le testament que l'imposteur nous avait remis après les funérailles était un faux. En réalité, tante Rose n'avait rien à léguer à quiconque, et ses héritiers, quel qu'ils fussent, n'auraient que des dettes. Troisièmement, le lendemain de mon départ, deux flics avaient débarqué et vertement reproché à Janice d'avoir retiré le ruban jaune. Quel ruban jaune ? Celui qu'ils avaient installé autour de la maison quand ils avaient découvert qu'un crime y avait été commis.

– Un crime ? ai-je demandé avec un frisson d'horreur. Tu veux dire que tante Rose aurait été assassinée ?

– Dieu seul le sait. En tout cas, on l'a retrouvée très amochée alors qu'elle était censée être morte dans son sommeil.

– Janice !

Je m'attendais à tout, sauf à ça. J'ai senti comme un nœud m'étrangler et j'ai cru que j'étouffais.

– Qu'est-ce qu'il y a ? a-t-elle répliqué sèchement, mais émue elle aussi. Tu crois que ç'a été une partie de plaisir de passer la nuit en garde au poste, harcelée par les flics qui voulaient savoir si, oui ou non, j'aimais ma tante ?

Quand l'avais-je vue pleurer pour la dernière fois ? Avec son mascara qui coulait et ses vêtements froissés par sa chute, elle paraissait enfin un peu humaine, presque touchante.

– Je ne comprends pas. Et Umberto, où était-il ?

– Tu veux dire Luciano ? s'est-elle exclamée en se ressaisissant un peu, me jetant un regard curieux pour voir si je réagissais. Eh bien, le bon vieux Umberto était en fait un truand en cavale. Il s'est caché dans notre jolie roseraie pendant toutes ces années parce qu'il avait non seulement les flics, mais la mafia aux fesses. Apparemment, ses vieux potes mafieux l'ont retrouvé. Et, tout à coup, pfuit, il a disparu.

J'ai pris une profonde inspiration, veillant à ce que la délicieuse boisson de Malèna Marescotti ne remonte pas dans ma gorge. J'étais totalement retournée.

– Il ne s'appellerait pas Luciano Salimbeni, par hasard ?

Janice faillit en tomber une seconde fois à la renverse.

– Je rêve ! T'as vraiment plongé dans ce guêpier, toi aussi !

Tante Rose ne cessait d'affirmer qu'elle avait embauché Umberto à cause de sa tarte aux cerises. Ce n'était pas complètement faux : il confectionnait les meilleurs desserts au monde. Toutefois, leurs liens étaient plus profonds. Il s'occupait de tout : de la cuisine, du jardin, de l'entretien de la maison. Et il avait l'art de faire croire que ce n'était rien à côté de ce dont elle se chargeait : arranger les bouquets sur la table, par exemple ; ou rechercher le sens de mots aux sonorités étranges dans l'*Oxford English Dictionary*.

Le vrai génie d'Umberto consistait à nous persuader que tout arrivait par la magie du Saint-Esprit. Si nous avions deviné sa main derrière les bontés qu'il nous prodiguait, nous l'aurions consterné. C'était un Père Noël permanent qui n'aimait offrir ses cadeaux qu'à ceux qui dormaient profondément.

Comme presque tous les événements marquants de notre enfance, son arrivée chez nous était enrobée de mystère. Ni Janice ni moi ne nous souvenions d'une seule journée où il avait été absent. Quand nous évoquions nos souvenirs de la vie en Toscane, allongées dans notre lit baigné par la lumière de la pleine lune, Umberto était toujours là.

D'une certaine façon, j'étais plus attachée à lui qu'à ma tante. Il prenait toujours mon parti, m'appelait sa petite princesse. Quand je m'installais sur le banc, dans la cuisine, bien au chaud, il me racontait des histoires sans fin de chevaliers, de jolies vierges et de trésor perdu. Il m'offrait ses meilleurs biscuits, qu'il extirpait d'une vieille boîte en fer bleu. Plus tard, dès que je fus en âge de comprendre, il me rassura en jurant que Janice serait bientôt punie. Où qu'elle aille, elle emporterait avec elle un morceau de l'enfer, car elle était l'enfer incarné, jusqu'au moment où elle comprendrait qu'elle était elle-même son propre châtiment. Moi, j'étais sa petite princesse chérie. Un beau jour, si j'évitais les influences néfastes et les erreurs irréversibles, je rencontrerais le prince charmant et je trouverais le trésor qui m'attendait.

Comment ne l'aurais-je pas adoré ?

*
* *

Il était plus de midi quand nous avons fini d'échanger tout ce que nous savions. Janice m'avait confié ce qu'elle avait découvert sur Umberto, alias Luciano Salimbeni, d'après les révélations de la police, c'est-à-dire pas grand-chose. En échange, je lui avais raconté ma vie depuis que j'étais à Sienne : un vrai roman.

Nous avons déjeuné piazza del Mercato, dans un restaurant avec vue sur la via dei Malcontenti et une profonde vallée verdoyante dans le lointain. Le serveur nous a appris au passage qu'au-delà de ce vallon s'étirait la funeste via della Porta Giustizia, au bout de laquelle on exécutait les criminels en public.

– Formidable, a commenté Janice en avalant bruyamment sa soupe *ribollita*, les coudes sur la table. Je comprends pourquoi le vieux Umberto ne tenait pas à revenir ici.

– Je n'arrive pas à y croire, ai-je murmuré en scrutant mon assiette.

Le spectacle de Janice mangeant comme une gloutonne me coupait l'appétit. Sans compter ses révélations fracassantes.

– S'il a assassiné papa et maman, pourquoi ne nous a-t-il pas tuées ?

– Tu sais, deux ou trois fois, j'ai cru qu'il était à deux doigts de le faire. Il avait ce regard de tueur en série…

– Il se sentait peut-être coupable…

– Ou il avait besoin de nous. En tout cas de toi, pour récupérer le coffre de maman.

– Est-ce lui qui m'aurait envoyé Bruno Carrera ?

– Bien sûr que oui ! Et je peux t'assurer que c'est lui qui manipule ton petit joujou d'amant.

– J'espère que tu ne parles pas d'Alessandro ?

– Mmm… Alessandro, a-t-elle répété en roulant son nom sur sa langue. Julie, ça valait le coup de l'attendre, celui-là. Dommage qu'il fricote avec Umberto.

– Tu es dégueulasse ! Tu racontes n'importe quoi.

– Vraiment ? Dans ce cas, pourquoi a-t-il forcé la porte de ta chambre ?

– Quoi ?

Elle a pris son temps pour tremper un dernier morceau de pain dans l'huile d'olive.

– Eh oui, quand je t'ai sauvée des griffes de ce Bruno aux semelles de crêpe et que tu as fini la nuit chez ton pochard de peintre… Alessandro s'est bien marré dans ta chambre, ce soir-là. Tu ne me crois pas ? Tiens, a-t-elle ajouté en sortant un objet de sa poche.

C'était son téléphone portable, sur lequel elle fit défiler une série de photos floues d'une vague silhouette escaladant le mur sous mon balcon. Alessandro ? Difficile à dire. Mais Janice n'en démordait pas. Je la connaissais suffisamment pour savoir que les rares petits tics autour de sa bouche prouvaient sa sincérité.

– Pardon de détruire ton rêve. Autant que tu saches que ce brave garçon n'est pas là que pour tes beaux yeux.

Je lui ai balancé son portable à la figure. J'en avais trop entendu. D'abord, Roméo, mort et enterré. Ensuite, Umberto, ressuscité sous le nom de Luciano Salimbeni. Maintenant, Alessandro…

– Ne me jette pas ce regard noir, s'est défendue Janice, inversant les rôles avec son habileté coutumière. Je te rends un service. Imagine… Si tu étais restée aveugle, et si ce type t'avait embobinée jusqu'au bout… Tu es en train de tomber amoureuse d'un gars qui n'en veut qu'à tes bijoux de famille, ma vieille.

– Et si tu me rendais un autre service ? J'aimerais savoir comment tu as réussi à me retrouver si vite ? Par ailleurs, pourquoi avoir joué cette grotesque comédie de Roméo ?

– Pas un mot pour me remercier ? Je rêve ! a-t-elle grommelé en fouillant de nouveau dans sa poche. Si je n'avais pas donné la chasse à Bruno, à l'heure qu'il est, tu serais peut-être morte. Tiens, attrape !

Elle a déposé brusquement une lettre sur la table, manquant renverser le flacon d'huile d'olive.

– Lis. C'est le vrai testament de la vraie tante Rose, que m'a remis le vrai M. Gallagher. Respire un bon coup avant de le lire. C'est tout ce qu'elle nous laisse.

D'une main tremblante, elle a allumé sa cigarette de la semaine. J'ai sorti la lettre de l'enveloppe. Elle contenait huit feuilles, sur lesquelles j'ai reconnu l'écriture de tante Rose. Si les dates étaient exactes, elle les avait confiées à M. Gallagher plusieurs années plus tôt.

Mes très chères petites-nièces,

Vous m'avez souvent posé des questions sur votre mère, mais je ne vous ai jamais dit toute la vérité. C'était pour vous protéger. Je craignais qu'en découvrant sa personnalité vous ne cherchiez à devenir comme elle. Cela dit, je ne souhaite pas emporter toutes les réponses dans la tombe. Voilà pourquoi je vous en livre certaines ici.

Vous savez que Diane est venue vivre chez moi après la disparition de ses parents et de son petit frère. Mais je ne vous ai jamais dit comment ils étaient morts. Ce fut un choc terrible, dont je pense qu'elle ne s'est jamais remise. Ils ont péri dans un accident de voiture, au milieu d'un embouteillage, un jour de départ en vacances. Diane m'a raconté que ses parents se disputaient, à cause d'elle, car elle se chamaillait avec son cadet. C'était la veille de Noël. Elle ne se l'est jamais pardonné. Elle n'a jamais ouvert ses cadeaux. Elle était très croyante, un brin superstitieuse même, beaucoup plus que moi.

Elle avait une passion pour la généalogie. Elle était persuadée que nous descendions, par les femmes, d'une famille de la noblesse italienne. Un jour, elle m'a avoué que ma mère lui avait confié un secret juste avant de mourir. Trouvant très curieux que ma mère confie à sa petite-fille quelque chose qu'elle n'avait jamais révélé à ses propres filles, je n'en ai pas cru un mot. Mais Diane était obstinée. Elle ne cessait de répéter que nous descendions de la Juliette de Shakespeare, et que c'était une lignée maudite. Elle prétendait que c'était pour cette raison que Jim et moi n'avions jamais eu d'enfants, et que ses parents et son frère étaient morts. Dès qu'elle commençait à divaguer, je me taisais, la laissant parler. Après sa mort, j'ai regretté de ne pas avoir cherché à l'aider. Il était trop tard.

Nous avons insisté, mon pauvre Jim et moi, pour qu'elle s'inscrive à l'université et passe au moins une licence, mais elle était trop perturbée. Elle a préféré partir pour l'Europe avec son sac à dos. Une des premières choses qu'elle nous a annoncées fut son mariage avec un professeur italien. Je n'ai pas assisté à la noce : le pauvre Jim était déjà très malade. Après son décès, je n'avais plus le courage de voyager. Je le regrette profondément. Elle a accouché toute seule. Ensuite, il y a eu le drame de l'incendie qui a emporté son mari, si bien que je n'ai jamais eu l'occasion de faire sa connaissance.

Je lui ai écrit un nombre incalculable de lettres en lui demandant de rentrer aux États-Unis. Votre mère a toujours refusé, têtue comme une mule, paix à son âme. Elle avait acheté une maison et affirmait qu'elle voulait poursuivre les recherches de son mari. Un jour, au téléphone, elle m'a expliqué qu'il avait passé sa vie à essayer de trouver un trésor de famille qui mettrait fin à la malédiction. Je ne l'ai pas crue. Je lui ai avoué que je pensais qu'elle avait commis une erreur en épousant un membre de sa famille, même éloigné. Elle m'a répondu que c'était nécessaire. Car elle possédait les gènes des Tolomei par sa mère et sa grand-mère. Lui, en revanche, avait le nom. Il fallait donc relier les deux. Je trouvais cette idée saugrenue. C'est pourquoi vous avez été baptisées Giulietta et Giannozza, selon la tradition familiale.

J'ai fait tout ce que j'ai pu pour la convaincre de venir me voir, ne fût-ce que pour un court séjour. J'avais même acheté les billets. Mais elle était plongée dans ses recherches, persuadée qu'elle approchait du but et qu'il lui fallait rencontrer un certain individu, au sujet d'une bague. Un matin, j'ai reçu un coup de fil d'un officier de police de Sienne. Il m'annonçait sa mort. Vous étiez chez vos grands-parents, a-t-il ajouté, mais vous étiez menacées. Il valait donc mieux que je vous récupère. Ce que j'ai fait. Les policiers m'ont demandé si Diane avait jamais mentionné un certain Luciano Salimbeni. Là, j'ai pris peur. Ils ont voulu m'interroger plus longuement, mais je vous ai prises sous le bras et j'ai filé à l'aéroport, sans attendre que les papiers d'adoption soient en règle. C'est moi qui ai changé vos prénoms et votre nom. Je n'avais aucune envie qu'un Italien fou à lier vous poursuive jusqu'en Virginie ou cherche à vous adopter. J'ai embauché Umberto pour veiller sur vous et tenir à distance ce fameux Luciano Salimbeni. Heureusement, nous n'avons plus jamais entendu parler de lui.

Au fond, je ne sais pas très bien comment s'occupait Diane pendant toutes ces années à Sienne. Cependant, je crois qu'elle a trouvé un objet de grande valeur, qu'elle a mis de côté pour vous. Si vous le retrouvez, je croise les doigts pour que vous le partagiez de façon équitable. Votre mère était également propriétaire d'une maison, et son mari, me semble-t-il, avait de la fortune. Si vous héritez de quelques biens, puis-je compter sur vous pour prendre en charge mon cher Umberto ?

Hélas, je suis beaucoup moins fortunée que vous ne le pensez. Cela ne me réjouit pas, je vous le promets. Je survis grâce à la pension de mon pauvre Jim. À ma mort, je crains de n'avoir rien à vous laisser, sinon des dettes.

Je regrette de ne pouvoir être plus précise au sujet du trésor de Diane. Elle m'en a parlé plusieurs fois. Je ne l'écoutais pas, pensant qu'il s'agissait encore d'une de ses lubies. Toutefois, il existe un homme qui travaille à la banque du palazzo Tolomei. Il pourrait vous aider. J'ai oublié son nom. C'était le conseiller financier de votre mère. À l'époque, il était relativement jeune. Il est donc sans doute encore en vie.

N'oubliez pas que nombre de gens, à Sienne, croient aux mêmes légendes que votre mère. Comme je regrette de ne pas l'avoir écoutée plus attentivement ! Ne donnez à personne votre vrai nom, sauf à ce conseiller financier. Je préférerais que vous y alliez toutes deux. Diane l'aurait préféré, elle aussi. J'aurais dû vous emmener en Italie, mais j'étais terrorisée à l'idée qu'il vous arrive quelque chose.

À présent, vous savez que je n'ai rien à vous léguer. Néanmoins, j'espère que cette lettre vous encouragera à vous rendre sur place pour retrouver le trésor de votre mère. J'ai vu M. Gallagher ce matin. Il aurait mieux valu que je parte plus tôt, car je ne puis rien vous transmettre, pas même des souvenirs. J'ai toujours eu peur que vous ne disparaissiez et ne couriez droit vers les ennuis, comme votre mère. Désormais, je suis persuadée que vous prendrez des risques, où que vous alliez. Votre regard ne trompe pas. Diane avait le même. Enfin, sachez que je prie pour vous tous les jours.

Umberto connaît l'endroit où j'ai rangé les instructions pour mes funérailles.

Que Dieu bénisse votre âme innocente !

Tante Rose, qui vous aime de tout cœur.

V, III

N'y a-t-il pas de pitié dans les nues
Pour contempler le fond de ma douleur ?

Sienne, 1340.

Enfermée dans sa chambre, au sommet de la tour Tolomei, Giulietta ignorait ce qui se passait en ville. Isolée depuis les funérailles de son cousin, elle était interdite de visite. Un des gardiens de la demeure avait cloué ses volets. On lui passait des plats par un guichet. De toute façon, elle ne mangeait rien.

Les premiers jours de sa captivité, elle implorait quiconque passait devant sa chambre.

– Ma chère tante adorée, suppliait-elle en appuyant sa joue mouillée de pleurs contre la porte, je vous en prie, cessez ce cruel traitement ! Souvenez-vous de qui je suis la fille… Mes chères cousines, m'entendez-vous ?

Peu à peu, constatant que personne n'osait lui répondre, elle se mit à hurler contre les gardiens en les maudissant d'obéir aux ordres du diable fait homme. Nul ne répondant là encore, son esprit s'égara.

Affaiblie par la douleur, elle s'allongeait sous un drap qui lui couvrait la tête, obnubilée par l'image du corps meurtri de Roméo, révoltée par son impuissance. Elle refusait de s'alimenter, mais surtout de boire, espérant hâter sa mort et rejoindre son amant au paradis.

Une seul désir l'animait encore : écrire à sa sœur. Elle rédigea un mot d'adieu, inondant le parchemin de ses larmes. La lettre finit comme les autres, cachée sous une latte du plancher.

« Dire, clamait-elle, que j'étais si curieuse de découvrir le monde et tous ceux qui l'habitent ! Le frère Lorenzo avait raison quand il affirmait : “Le monde d’ici-bas n’est que poussière. Où que tu poses le pied, il s’effrite sur ton passage. Si tu n’y veilles pas, tu perdras l’équilibre et tu tomberas par-dessus bord, droit dans les limbes.” »

Les limbes… Voilà où elle se trouvait, dans cet abîme d’où nulle prière n’était entendue.

Elle savait que Giannozza partageait sa révolte. Même s’il avait tenu à ce que ses filles apprennent à lire et à écrire, leur père avait la même conception du mariage que les autres patriciens. À ses yeux, les filles ne servaient qu’à forger des alliances avec des maisons importantes. Ainsi, lorsque le cousin de son épouse, de noble naissance, maître de grands domaines au nord de Rome, avait exprimé sa volonté de resserrer ses liens avec la famille Tolomei, il avait annoncé à Giulietta qu’elle partirait bientôt. Après tout, elle avait quatre minutes de plus que sa jumelle, et l’aînée devait se marier la première.

Les deux sœurs avaient longtemps pleuré à l’idée d’être éloignées l’une de l’autre. Peine perdue. Leur père s’était montré inflexible, et leur mère plus encore. Elles avaient donc mis au point une proposition qu’elles avaient soumise à leurs parents.

– Père, avait déclaré Giannozza, plus audacieuse face à son père, Giulietta est profondément flattée des projets que vous envisagez pour elle. Toutefois, elle a toujours rêvé d’entrer au couvent. Elle craint de ne pas être une bonne épouse, si ce n’est celle du Christ. Quant à moi, je n’ai aucune objection contre un mariage terrestre. Alors, pourquoi ne pas plutôt vous séparer de moi ? En attendant, vous pourriez nous envoyer toutes les deux, moi en tant que promise et Giulietta comme novice, dans un couvent. Vous n’auriez plus de souci à vous faire pour notre bien-être.

Le patriarche n’avait pas été dupe. Toutefois, il prit quand même acte de l’opposition de Giulietta.

– Je n’aurais jamais dû vous apprendre à lire et à écrire, avait-il ajouté en secouant la tête. Je vous soupçonne d’avoir lu la Bible dans mon dos. Même le texte sacré inculque des idées folles aux jeunes filles !

– Mais, père…

– Honte à vous ! avait éructé leur mère. Vous vous comportez comme si nous n’avions pas de fortune. Or vous disposez chacune d’une dot qui suffirait à attirer les faveurs d’un prince. Sachez que nous sommes exigeants. Ton père a reçu de nombreuses demandes pour toi, Giulietta. Il a préféré les rejeter, car il avait des ambitions plus hautes. Et tu voudrais qu'il se réjouisse de te voir prendre le voile ? Donne la priorité à tes désirs ? Quelle impudence ! Que fais-tu de la dignité de notre famille ?

Ainsi, Giannozza avait épousé un homme trois fois plus âgé qu'elle et qui, même s'il avait les yeux de sa mère, lui était totalement étranger. Le lendemain, quand elle avait pris congé des siens, elle les avait longuement étreints, les lèvres serrées pour ne pas maudire ses parents.

Plus tard, elle avait déversé son chagrin dans ses lettres à Giulietta, transmises par l'intermédiaire de frère Lorenzo. Giulietta approuvait sa sœur quand elle écrivait : « Certains hommes prospèrent grâce au mal, ne vivent que pour faire souffrir les autres. » Pourtant, elle l'encourageait à ne pas perdre espoir. Son mari était vieux, en mauvaise santé. À sa mort, Giannozza serait encore jeune. Et libre… Alors, la vie s'ouvrirait devant elle. « Contrairement à ce que tu penses, ma chérie, la compagnie des hommes est parfois agréable. Tous ne sont pas des monstres. »

Dans le billet qu'elle rédigea le lendemain des funérailles de Tebaldo, Giulietta fit amende honorable. « Tu avais raison, et j'avais tort. Lorsque la vie est plus douloureuse que la mort, elle ne vaut pas la peine d'être vécue. »

*
* *

Après trois jours de jeûne, alors qu'elle avait déjà les lèvres desséchées et de violents maux de tête, une pensée nouvelle commença à la hanter. Au paradis, retrouverait-elle Roméo ? Peut-être, dans cet espace infini, ne se rencontreraient-ils jamais…

Elle n'était sans doute pas sans reproche aux yeux de Dieu. Mais elle était encore pure. Roméo, lui, avait commis d'innombrables péchés. De plus, il n'avait eu droit à aucun rite funéraire, à aucune prière. Il n'était donc même pas sûr qu'il aille au paradis. Peut-être serait-il condamné à errer éternellement, tel un spectre, blessé, sanguinolent, jusqu'à ce qu'un bon Samaritain prenne pitié de lui et ensevelisse son corps en terre consacrée…

Elle se redressa dans son lit en suffoquant. Si elle mourait maintenant, qui assurerait à Roméo des funérailles chrétiennes ? Si les

Tolomei découvraient son corps au fond du caveau lors du prochain enterrement, ils lui accorderaient tout, sauf la paix. Oui, songea-t-elle en tendant pour la première fois une main tremblante vers la cruche d'eau, elle devait demeurer en vie jusqu'à ce qu'elle voie frère Lorenzo.

Où était-il ? Pourquoi n'était-il pas à ses côtés pour l'assister ? Lui aussi avait dû être interdit de visite. Il devait à tout prix ignorer que son oncle la maintenait captive.

Alors, après avoir dévoré jusqu'à la moindre miette qu'elle trouva dans sa chambre, elle prit sa décision.

Elle vivrait. Car deux tâches sacrées l'attendaient. D'abord, il fallait qu'elle voie le moine, ou tout autre saint homme respectant davantage la loi de Dieu que celle des Tolomei, afin de s'assurer que Roméo soit enseveli selon les rites. Ensuite, Salimbeni devrait expier, comme nul n'avait jamais expié sur cette terre.

*

* *

Monna Agnese mourut le jour de la Toussaint, après avoir gardé le lit pendant plus de six mois. D'aucuns murmuraient qu'elle n'avait résisté si longtemps que pour contrarier son mari, messire Salimbeni, dont le nouvel habit de noces était déjà prêt.

Les funérailles se tinrent à Rocca di Tentennano, la forteresse de la famille Salimbeni, dans le val d'Orcia. Son cercueil à peine refermé, messire Salimbeni s'en revint à Sienne, aussi allègre qu'un angelot. Seul un de ses fils l'accompagnait : Nino, dix-neuf ans, une fois vainqueur du Palio, déjà rompu au meurtre, serinait la rumeur, et dont la mère avait précédé Monna Agnese dans le caveau de famille quelques années plus tôt, victime de la même affliction : l'abandon.

Selon la coutume, une période de deuil aurait dû suivre ce trépas. Pourtant, personne ne fut surpris de voir le grand homme de retour en ville aussi vite.

En dépit de ragots malveillants sur ses affaires douteuses et de son éternelle rivalité avec la maison Tolomei, Salimbeni était adulé. Tous le flattaient. Partout où il apparaissait, il fascinait. S'il plaisantait, tout le monde riait aux éclats. Il séduisait les étrangers, s'attachait ses partisans grâce à une prodigalité exceptionnelle. Il savait d'instinct quand distribuer du pain aux pauvres ou se montrer ferme face aux membres du gouvernement. Nul ne s'offusquait de le voir arborer, comme un empereur romain, une longue toge de laine à la ganse écarlate. Il régnait sans partage. Quiconque osait braver son autorité était considéré comme traître à la ville tout entière.

Habitués à son intelligence politique, les habitants de Sienne s'étonnèrent de son inclination obstinée pour la nièce de messire Tolomei. À la messe, il s'inclinait profondément devant la jeune fille, qui ne lui accordait pas un regard. Pourquoi un homme d'une telle stature mettait-il sa dignité en jeu afin d'épouser une adolescente qui ne lui témoignerait jamais la moindre affection, même s'ils vivaient ensemble plus de cent ans ? Certes, elle était très belle. Tous les jeunes gens vantaient ses lèvres parfaites, son regard mélancolique. Mais qu'un homme aussi puissant fasse fi de sa respectabilité pour réclamer Giulietta quelques jours après la disparition de son fiancé et le décès de sa propre femme...

– C'est une question d'honneur ! s'exclamaient certains, favorables à cette union. Roméo a défié Salimbeni pour la main de Giulietta. Seul un duel leur permettra de trancher. La jeune fille appartiendra à celui qui survivra, qu'elle le veuille ou non.

Les autres, plus candides, devinaient l'intervention du diable derrière les agissements de Salimbeni.

– Il y a trop longtemps que sa tyrannie ne se heurte à aucune opposition, chuchotaient-ils à l'oreille de maître Ambrogio, tard dans la nuit, au fond d'une taverne. Sa puissance devient nuisible, menaçante. Vous venez de le dire, maestro : ses vertus se sont transformées en vices. Son appétit ne connaît plus de limites. Il lui faut, chaque jour, une nouvelle proie.

Des femmes avaient parlé. L'une d'elles s'était confiée à maître Ambrogio. Salimbeni, auparavant si soucieux de séduire et d'être séduit, devenait de plus en plus sensible à tout ce qui lui résistait. Il recherchait des filles et des femmes non consentantes, voire ouvertement hostiles, pour éprouver le plaisir d'exercer pleinement sa domination. Rien ne l'excitait davantage que de tomber sur une étrangère au fort tempérament récemment arrivée à Sienne, qui ignorait encore qu'elle avait devant elle un homme ne supportant pas qu'on lui tienne tête.

Peu à peu, même ces étrangères avaient été prévenues. Salimbeni n'eut plus, face à lui, que des sourires mielleux et des flagorneries, qui l'exaspéraient. La plupart des maquerelles auraient préféré claquer la porte au nez de ce client rapace. Mais comment ne pas obtempérer face à un tyran ?

– Vous comprendrez donc, maestro, avait poursuivi la dame, trop heureuse de se confier, que son obsession pour cette jeune fille n'a rien d'étonnant. Elle est adorable, vierge, en outre, elle est la nièce de son pire ennemi et a toutes les raisons de le haïr. Avec elle, il ne court aucun risque de voir sa résistance se muer en soumission. Jamais elle ne l'acceptera dans sa chambre. Il est certain d'avoir à portée de main une fontaine de son aphrodisiaque préféré : la haine, dont la source ne se tarit jamais.

*
* *

La noce eut lieu une semaine et un jour après les funérailles de l'épouse de Salimbeni. Le mariage donna lieu à un tel faste que les Siennois en furent choqués. La procession qui traversa la ville ressemblait à un défilé triomphal de l'époque romaine. Sa promise exhibée, à cheval, comme une reine captive, Salimbeni exultait en saluant le peuple. Ce spectacle raviva les rumeurs qui couraient sur lui depuis le Palio. On le disait responsable non seulement du meurtre de Tebaldo, mais de nombreux assassinats. Un homme ayant réussi à commettre autant de crimes sans que personne n'ose se dresser contre lui et, comble de tout, à obliger une jeune fille réticente à l'épouser était capable du pire.

Debout sous la bruine de novembre, maître Ambrogio assistait à la procession, priant pour que quelqu'un arrache Giulietta à ce funeste sort. Aux yeux de la foule, la jeune épousée n'avait rien perdu de sa grâce. Mais aux yeux du peintre, qui ne l'avait pas revue depuis la veille du Palio, elle était plus proche de la beauté hiératique d'une Athéna que du sourire ravissant d'une Aphrodite.

Si seulement Roméo pouvait apparaître avec une armée de mercenaires et l'enlever avant qu'il ne soit trop tard ! songeait-il. Hélas, son héros devait être à mille lieues de Sienne et se consoler avec des femmes et du vin dans un lieu où Salimbeni ne le retrouverait jamais.

Maître Ambrogio entrevit alors la scène idéale qui viendrait conclure la fresque du Palazzo Pubblico. Ce serait le portrait d'une jeune épousée, triste, perdue dans ses souvenirs, tandis qu'un homme fuirait la ville à cheval, penché en arrière pour écouter la complainte de l'artiste. La seule façon d'exprimer sa peine était de la confier à ce mur, pensa le maestro.

*
* *

Dès la fin de son repas du matin, qui serait le dernier qu'elle prendrait au palais Tolomei, Giulietta réalisa que sa tante avait glissé un ingrédient dans son plat pour calmer ses nerfs. Monna Antonia ne pouvait pas savoir que sa nièce avait décidé de jouer le jeu de la noce, sans plus résister. Sinon, comment se vengerait-elle de Salimbeni ?

Giulietta vécut la cérémonie de mariage dans un brouillard : la procession, les spectateurs hagards, l'assemblée sinistre dans la cathédrale… Jusqu'au moment où Salimbeni souleva son voile pour révéler sa couronne de mariée à l'évêque et aux invités. Elle sortit alors de sa transe et recula brusquement, sous les yeux de l'assistance abasourdie.

La couronne était un bijou exceptionnel, une débauche d'or et de pierres précieuses qui eût convenu davantage à une personne de sang royal qu'à une orpheline de la noblesse de province. Quelle importance ? Elle était destinée à Salimbeni plus qu'à sa jeune épouse.

– Appréciez-vous ce présent ? demanda-t-il en scrutant son visage. J'y ai fait sertir deux saphirs d'Éthiopie en souvenir de l'éclat de vos prunelles. Ils sont sans prix. Cela dit, comme ils me paraissaient un peu seuls, je leur ai offert la compagnie de deux émeraudes d'Égypte qui me rappellent la façon dont vous contemplait ce… Roméo. Ne suis-je pas d'une générosité sans égale ? ajouta-t-il avec un sourire narquois, en la voyant blêmir.

Giulietta se fit violence pour répondre :

– Vous êtes plus que généreux, messire.

– Je suis ravi. Nous nous entendrons à merveille, vous et moi.

L'évêque entendit ce dialogue et en prit ombrage. De même que les prêtres qui, après la cérémonie religieuse, entrèrent dans la chambre nuptiale pour la consacrer avec de l'eau bénite et de l'encens, découvrant avec stupeur le *cencio* de Roméo étalé sur la couche.

– Messire Salimbeni, vous ne pouvez pas vous allonger sur le *cencio* ! se récrièrent-ils.

– Pourquoi pas ? répondit-il, un gobelet de vin à la main, tandis que les musiciens jouaient en chœur.

– Parce qu'il appartient à un autre. Il a été offert à Roméo Marescotti par la Vierge Marie en personne. Comment osez-vous défier la volonté du Ciel ?

Giulietta avait très bien compris pourquoi Salimbeni avait tenu à déployer la bannière de son rival sur la couche nuptiale. Il avait fait incruster deux émeraudes dans sa couronne pour la même raison. Pour lui rappeler la mort de Roméo et l'impossibilité de son retour.

Il finit par renvoyer les prêtres sans attendre leur bénédiction. Peu après, quand il en eut assez d'écouter les balivernes et les flagorneries des invités éméchés, il les congédia eux aussi, avec les musiciens.

Pendant qu'il écoutait avec impatience les vœux de bonheur des uns et des autres, Giulietta saisit sa chance. Elle prit un couteau sur la table du banquet et le dissimula dans sa robe. Elle l'avait remarqué dès le début car il accrochait la lumière des bougies chaque fois que les serviteurs l'utilisaient pour couper des tranches de viande. Elle taillerait en morceaux son répugnant époux avec sa lame parfaitement aiguisée. Elle savait, grâce aux lettres de sa sœur, qu'en cette nuit de noces arriverait l'instant où Salimbeni se présenterait à elle, nu ou presque, désarmé et désirant tout, sauf la guerre. Ce serait le moment idéal pour le poignarder.

Impatiente, elle rêvait de l'instant où son sang inonderait la couche nuptiale. D'avance, elle jouissait de sa réaction lorsqu'elle l'aurait émasculé, avant de porter l'ultime coup dans son cœur démoniaque.

Ensuite, ses plans se faisaient plus flous. Privée de contact avec Lorenzo depuis le Palio, elle pensait que Roméo était mort, gisant sans sépulture au fond du caveau de sa famille. Elle avait craint que Monna Antonia n'y retourne le lendemain des funérailles pour allumer un cierge et se recueillir une dernière fois sur la tombe de son fils. Crainte infondée. Si cela s'était produit, Giulietta en aurait entendu parler. Et tout Sienne aurait été témoin du spectacle de sa tante en deuil traînant dans les rues le cadavre de l'assassin présumé de son fils, accroché par les talons à sa calèche.

*
* *

Lorsque Salimbeni pénétra dans la chambre nuptiale éclairée aux bougies, Giulietta terminait à peine ses prières. Elle se retourna.

Salimbeni ne portait qu'une courte tunique sans manches. La vision de son nouvel époux poignard en main l'aurait moins choquée que celle de ses jambes et de ses bras nus.

– La tradition veut que vous accordiez à votre épouse le temps de se préparer, déclara-t-elle d'une voix tremblante.

– Vous me semblez tout à fait prête ! répondit Salimbeni en refermant la porte, avant de lui saisir le menton avec un sourire carnassier. Car, quelle que soit mon attente, je ne serai jamais l'homme que vous désirez.

– Mais vous êtes mon époux, objecta-t-elle faiblement, luttant contre les larmes.

– Alors, pourquoi ne m'accueillez-vous pas avec plus de grâce ? Pourquoi ce regard glacial ?

– Je..., bredouilla-t-elle, je ne suis pas habituée à votre présence.

– Je suis déçu. On m'avait assuré que vous aviez de l'esprit. Vous pourriez peut-être apprendre à m'aimer.

Voyant qu'elle demeurait muette, il passa une main dans le décolleté de sa robe de mariée. Giulietta faillit s'évanouir au contact de ses doigts visqueux et avides.

– Comment osez-vous me toucher, sale bouc puant ! s'écria-t-elle en cherchant à repousser sa main. Dieu ne vous permettra jamais même de m'effleurer !

Stimulé par sa résistance, Salimbeni eut un rire triomphal. Il la saisit par les cheveux avant d'écraser ses lèvres sur les siennes. Puis il la libéra et siffla :

– Je vais te dire une chose : Dieu est un voyeur.

Il l'empoigna, la plaqua sur le lit.

– Pourquoi aurait-Il créé ce corps, sinon pour mon plaisir ?

Il la lâcha pour dénouer la ceinture de sa tunique. Giulietta essaya de s'échapper. Il la rattrapa par les chevilles. Soudain, le couteau apparut, coincé contre sa cuisse, sous ses jupes. Salimbeni éclata d'un rire enragé et l'empoigna.

– Une arme cachée ! Tu as tout prévu !

– Espèce de verrat ! hurla Giulietta en se précipitant vers le couteau. Il est à moi !

– Vraiment ? Tiens, rattrape-le.

Il lança le couteau, qui alla se ficher dans une poutre. Giulietta le frappa. Il la rejeta sur le lit, au milieu du *cencio*, et l'immobilisa.

– À présent, quelle surprise me réserves-tu ?

– La malédiction. Tout ce à quoi vous êtes attaché est maudit à jamais. Vous avez tué mes parents, tué Roméo, mais vous brûlerez en enfer et j'irai cracher sur votre tombe.

Clouée sur le lit, sans défense, Giulietta aurait dû sombrer dans le plus profond désespoir. Or un étrange phénomène eut lieu... Venant du lit, une chaleur inattendue se diffusa dans tout son corps. Puis la chaleur se fit piquante, mystérieuse, comme si elle était allongée sur un gril, au-dessus d'un feu se consumant très lentement. Peu à peu, la sensation s'approfondit. Alors, elle éclata de rire. Elle vivait un moment de pure extase religieuse, et la Vierge Marie se fondait en elle à travers le *cencio* sur lequel elle s'abandonnait.

Le rire de Giulietta fut l'injure la plus humiliante dont Salimbeni eût jamais été victime. Il la gifla une fois, deux fois, trois fois. Peine perdue. La jeune femme riait de plus en plus. Fou de rage, ne sachant comment la faire taire, il tenta d'arracher la soie qui couvrait sa poitrine. Mais il était si fébrile qu'il ne réussit pas à en venir à bout. Maudissant les couturiers de la famille Tolomei, il s'attaqua à ses jupes, fouillant sous les plis inextricables, les multiples jupons, dans l'espoir de trouver un accès à cette forteresse imprenable.

Giulietta ne cherchait plus à se défendre. Étendue, riant toujours, elle savourait l'humiliation de Salimbeni. Elle avait la certitude, qui ne pouvait venir que du Ciel, que cet homme ne lui ferait aucun mal. Quels que fussent ses efforts pour la soumettre, la Vierge Marie était avec elle, brandissant son glaive pour les protéger, elle et le *cencio,* de cet assaut sacrilège et barbare.

Elle considéra son piètre époux avec une joie haineuse.

– Vous ne m'avez pas écoutée ! Vous êtes maudit. Ne le sentez-vous pas à présent ?

*
* *

Les habitants de Sienne savaient très bien que la rumeur est un fléau dont on est victime ou un instrument de vengeance que l'on maîtrise. La rumeur est maligne, tenace, fatale. Quand elle vous a marqué de son sceau, rien n'arrête son cours destructeur. Et, une fois qu'elle vous a atteint sous une certaine forme, elle change de visage afin de mieux vous surprendre et de vous saisir à l'improviste. Aussi loin, aussi longtemps que vous fuyiez, la rumeur vous retrouvera.

Maître Ambrogio l'entendit d'abord chez le boucher. Puis chez le boulanger. Si bien que plus tard, quand il rentra chez lui avec son sac de provisions, il en savait assez pour décider que le moment d'agir était venu.

Il déposa ses vivres, oubliant jusqu'à l'envie de souper, se précipita au fond de son atelier, prit le portrait de Giulietta Tolomei, qu'il n'avait pas achevé, le replaça sur le chevalet. Désormais, il savait ce que la jeune fille devait tenir entre ses mains jointes : ni un rosaire ni un crucifix, mais une rose à cinq pétales, une *rosa mistica*.

La *rosa mistica* était un très vieux symbole de la Vierge Marie. Elle incarnait à la fois le mystère de la virginité et celui de l'Immaculée Conception. Aux yeux de l'artiste, elle était la représentation la plus juste de l'innocence protégée par les Cieux.

Maître Ambrogio se heurtait à un problème de taille. Il lui fallait peindre cette fleur insolite en orientant le regard des hommes vers sa dimension religieuse plutôt que vers sa séduction. Il affronta ce défi avec un entrain sans égal, mélangeant soigneusement ses couleurs pour obtenir les plus subtiles nuances de rouge, et tâchant de purger son esprit de toute pensée qui ne fût point strictement d'ordre botanique ou technique.

Impossible ! Les on-dit qu'il avait entendus en ville étaient trop stupéfiants, trop délectables. On chuchotait que, la veille du mariage de Giulietta et Salimbeni, la déesse Némésis s'était glissée dans la chambre nuptiale afin d'y accomplir un geste miséricordieux, mais d'une cruauté inouïe. Certains y voyaient de la magie ; d'autres, la nature humaine ou la conséquence d'une logique très simple. Quelle que fût la cause, tous, en tout cas, s'accordaient sur l'effet : le mariage n'avait pas été consommé.

Les preuves de cet échec, avait cru comprendre maître Ambrogio, étaient nombreuses. La première avait trait aux déplacements de Salimbeni. Un homme d'âge mûr épouse une jeune fille ravissante et passe la nuit de noces dans son lit. Trois jours plus tard, il quitte sa demeure et se précipite chez une femme de petite vertu, dont il semble incapable de profiter. La dame a beau lui proposer un assortiment impressionnant de potions et de poudres, il répond en hurlant qu'il les connaît par cœur et que ce sont des remèdes de bonne femme…

Comment ne pas en conclure que la nuit de noces avait été un fiasco ?

Autre preuve, plus fiable, car elle émanait de la maison Salimbeni elle-même : la tradition familiale voulait que, le lendemain de la nuit de noces, on examinât les draps afin de s'assurer de la virginité de l'épousée. S'ils n'étaient pas souillés, la jeune fille était renvoyée chez ses parents et frappée de disgrâce.

Or, le lendemain de cette nuit de noces là, nul drap n'avait été déployé à la vue de quiconque. Bien sûr, le *cencio* de Roméo ne fut pas non plus brandi en signe de victoire… Une seule personne connaissait la vérité à son sujet : le serviteur qui, l'après-midi même, l'avait, sur ordre, livré dans un coffre à messire Tolomei, après l'avoir retiré du corps de Tebaldo en demandant pardon à Dieu de ce sacrilège.

Pourtant, peu après, les sorcières de la ville se mirent à l'ouvrage. Et la famille Salimbeni finit par obtenir la décoction la plus crédible que l'on pût étaler sur le drap nuptial. Le sang, seul, n'aurait pas suffi. Il fallait qu'il soit mêlé à d'autres substances.

Le linge souillé fut remis à la femme de chambre, qui le remit à l'intendante, qui le remit à la plus âgée des domestiques de la maison. La vieille, fine mouche, devina aussitôt la supercherie.

Tout le monde, alors, sut que le problème venait non de Giulietta, mais de Salimbeni lui-même.

*
* *

Achever le portrait de Giulietta ne suffisait pas. Une semaine après le mariage, maître Ambrogio se rendit au palazzo Salimbeni pour annoncer aux membres de la famille que leur fresque avait besoin d'être examinée et, sans doute, restaurée. Personne n'osa contredire le grand maestro ; et personne ne jugea utile de consulter Salimbeni à ce propos. Les jours suivants, le peintre put ainsi aller et venir à sa guise à l'intérieur du palazzo.

Il n'avait qu'une idée en tête : apercevoir Giulietta et, si possible, lui proposer son secours. Il ne connaîtrait pas la paix tant qu'il ne l'aurait pas revue pour lui assurer qu'elle comptait encore quelques amis en ce monde. Hélas, il avait beau grimper sur des escabeaux pour trouver des défauts à ses propres fresques, la jeune fille ne descendit jamais. Personne ne mentionna jamais son nom. Elle avait cessé d'exister.

Un soir, perché au sommet d'une longue échelle, examinant pour la troisième fois le même blason, il surprit une conversation entre Salimbeni et son fils, Nino, dans la pièce voisine. Les deux hommes s'étaient retirés pour aborder un sujet apparemment délicat.

– Je te demande d'accompagner Monna Giulietta à Rocca di Tentennano et de veiller à son installation, dit Salimbeni.

– Si vite ? Vous ne redoutez pas les commérages ?

– Les gens médisent déjà. La situation est explosive. Tebaldo... Roméo... Trop d'événements de mauvais augure se sont succédé ces derniers jours. On s'agite. Je suis inquiet. Il serait assez judicieux que tu t'éloignes quelque temps.

Nino réprima un ricanement.

– Tais-toi ! aboya son père. Fiche le camp et emmène-la avec toi. Libère-moi de ce fardeau. Une fois là-bas, je veux que tu restes...

– Rester là-bas ? Mais combien de temps, diable ?

– Jusqu'à ce qu'elle tombe enceinte.

Silence. Maître Ambrogio dut s'accrocher des deux mains à son échelle pour ne pas tomber.

– Non, répondit enfin Nino, abasourdi par le comique inattendu de la situation. Pas moi. Trouvez quelqu'un d'autre. N'importe qui.

Le visage cramoisi de rage, Salimbeni bondit sur son fils et le saisit par le col.

– Je ne devrais même pas à avoir à t'expliquer le problème. Il en va de notre honneur. Je me débarrasserais avec plaisir de cette fille, mais elle est née Tolomei. J'ai donc décidé de l'envoyer à la campagne, où personne ne la verra. Elle s'occupera de sa marmaille, le plus loin possible de moi. Les gens diront que j'aurai fait preuve de miséricorde.

– De sa marmaille ? s'exclama Nino, qui appréciait de moins en moins. Combien d'années voulez-vous que je couche avec ma belle-mère ?

– Elle a seize ans ! J'exige que tu m'obéisses. Avant la fin de l'hiver, je veux que tout Sienne sache qu'elle attend un enfant de moi. Si possible un garçon.

– Je m'efforcerai de vous donner satisfaction, acquiesça Nino d'un ton sarcastique.

Salimbeni leva un doigt menaçant pour contrer l'insolence de son fils.

– Surveille-la. Personne n'a le droit de la toucher, à part toi. Je n'ai aucune envie de me retrouver avec un bâtard.

– Très bien. Je serai Paris et je prendrai votre femme, père. Enfin... Elle n'est pas vraiment votre femme, si je ne m'abuse ?

La gifle qui suivit fut sans surprise. Nino l'avait cherché.

– Frappez-moi chaque fois que je dirai la vérité et récompensez-moi chaque fois que j'aurai tort. Donnez-moi des ordres : tuer un rival, éliminer un ami, étouffer une jeune fille... Je les exécuterai. Mais n'exigez de moi nul respect en retour.

*
* *

En regagnant son atelier dans la soirée, Ambrogio méditait sur la conversation qu'il avait surprise. Comment sa ville chérie pouvait-elle engendrer une telle perversité ? Pourquoi personne ne tentait jamais de modifier le cours des choses ? Il se sentait las, vieux, et regrettait d'avoir mis les pieds dans ce palais maudit. Il eût mieux valu ne rien entendre.

Il arriva devant sa porte. Elle n'était pas verrouillée. Avait-il oublié de la fermer en partant ? Nul aboiement... Et l'intérieur était éclairé...

– Il y a quelqu'un ? cria-t-il en entrant d'un pas hésitant.

Une silhouette se dressa soudain devant lui. Ambrogio fut soulagé. Et stupéfait. C'était Roméo Marescotti, accompagné de frère Lorenzo, qui tenait Dante dans les bras en lui fermant la gueule.

– Dieu du Ciel ! s'exclama-t-il en découvrant leurs barbes de plusieurs jours. Vous êtes déjà de retour de ce lointain exil ?

– Pas si lointain que ça, répondit Roméo, refermant la porte derrière le maestro, puis boitant légèrement pour aller s'asseoir devant la table. Nous étions dans un monastère, à quelques lieues de Sienne.

– Tous les deux ?

– Lorenzo m'a sauvé la vie. Les hommes de Salimbeni m'ont laissé pour mort au cimetière. Heureusement, mon ami m'a retrouvé et a pu me ramener à la vie. Sans lui, je ne serais plus de ce monde.

– Dieu a voulu que tu survives, renchérit le moine en déposant le chien. Et Il a voulu que je t'aide.

– Dieu exige beaucoup de nous, non ? rétorqua Roméo, retrouvant un peu de sa désinvolture d'antan.

– Vous ne pouviez choisir meilleur moment pour revenir, se félicita le maestro. Car je viens d'apprendre…

– Nous aussi, mais je n'en ai cure, l'interrompit Roméo. Je ne la lui laisserai pas. Lorenzo voulait que j'attende d'être entièrement rétabli, mais je ne suis pas sûr de recouvrer totalement mes forces. Cela dit, nous avons des hommes et des chevaux. Et la sœur de Giulietta, Monna Giannozza, est aussi déterminée que nous. (Roméo se cala sur sa chaise, fatigué d'avoir parlé.) Puisque tu peins des fresques, enchaîna-t-il, tu connais les intérieurs de toutes les maisons, n'est-ce pas ? Serait-ce abuser de ta bonté de te demander de me dessiner le plan du palazzo Salimbeni ?

– Pardon, Roméo, mais qu'as-tu entendu dire, exactement ?

Roméo et le frère échangèrent un long regard.

– J'ai cru comprendre, répondit Lorenzo, sur la défensive, que Giulietta a été mariée à Salimbeni il y a quelques semaines ?

– C'est tout ?

– Que se passe-t-il ? interrogea Roméo, impatient. Ne me dis pas qu'elle porte déjà un enfant !

– Dieu du Ciel, non ! s'esclaffa le peintre. Ce serait plutôt le contraire.

– Je sais qu'elle est à lui depuis un peu plus de trois semaines, murmura Roméo, comme si chaque mot lui coûtait. J'espère qu'elle n'a pas eu le temps de se laisser séduire par ses manières doucereuses.

– Mes chers amis, conclut maître Ambrogio, repérant enfin une bouteille, je vous conseille de boire une bonne lampée ! J'ai une histoire extraordinaire à vous raconter.

V, IV

Vous avez pris le péché, de mes lèvres ? Ô charmante façon
De pousser à la faute ! Rends-le-moi !

L'aube pointait quand Janice et moi nous sommes écroulées sur mon lit. Nous avions passé la nuit à aller et venir entre 1340 et aujourd'hui. J'avais découvert que ma sœur en savait presque autant que moi sur Shakespeare, les Tolomei, les Salimbeni, les Marescotti... Je lui avais montré les manuscrits, les journaux, les dessins de ma mère, les versions antérieures de la pièce. Curieusement, elle n'avait pas cherché à me contester la possession de la croix d'argent que je portais autour du cou. Elle s'intéressait davantage à l'arbre généalogique et à la lignée qui nous reliait à Giannozza, la sœur de Giulietta.

– Regarde ! s'était-elle écriée, on retrouve les noms de Giannozza et Giulietta à toutes les époques.

– Elles étaient jumelles, comme nous. Écoute ce qu'écrit Giulietta à Giannozza : « Tu m'as souvent dit que tu n'avais pas quatre minutes de moins que moi, mais quatre siècles. À présent, je comprends ce que tu sous-entendais. »

– Il y a peut-être des jumelles à chaque génération ! Et si c'était génétique ?

Hormis cette coïncidence troublante, la vie de nos deux aïeules avait été très différente de la nôtre. Au Moyen Âge, les femmes étaient les victimes muettes des égarements des hommes. Nous, en apparence, étions libres de mener notre existence comme nous l'entendions.

Un point commun nous avait pourtant frappées en lisant le journal du maestro ; un mot dont le sens n'avait pas changé : l'argent. Salimbeni avait offert à Giulietta une couronne sertie de quatre pierres sublimes, deux saphirs et deux émeraudes qui, apparemment, avaient fini sur la statue érigée près de sa tombe... Mais, à ce stade, nous étions déjà endormies.

Brusquement, le téléphone a sonné. J'ai regardé ma montre. Il était 9 heures.

– Mademoiselle Tolomei, a gazouillé le directeur de l'hôtel, ravi de jouer au rossignol, êtes-vous réveillée ?

– Maintenant, oui. Que se passe-t-il ?

– Le capitaine Santini vous réclame. Que dois-je répondre ?

– Euh… Je descends dans cinq minutes.

Les cheveux trempés après une douche hâtive, j'ai dévalé les escaliers. Alessandro m'attendait dans le petit jardin, sur un banc, jouant d'un air distrait avec une fleur de magnolia. Une vague de chaleur m'a spontanément attirée vers lui, mais je me suis rappelé les photos de ma sœur et mes picotements de joie se sont mués en picotements de doute.

– Tu es bien matinal, ai-je lancé. Tu as du nouveau sur Bruno ?

– Je suis passé hier. Tu n'étais pas là.

– Moi ? ai-je répliqué, faussement surprise.

Dans mon empressement à aller rejoindre Roméo, j'avais oublié de le prévenir.

– C'est curieux. Bon… alors, Bruno ?

– Il est mort.

– Si vite ? Qu'est-ce qui lui est arrivé ?

Peu après, nous nous promenions dans la ville et Alessandro m'a tout expliqué. Bruno Carrera, celui qui était entré par effraction dans le musée de la Chouette, avait été retrouvé mort dans sa cellule le lendemain de son arrestation. Suicide ? Meurtre perpétré par quelqu'un qui redoutait qu'il parle ? Alessandro n'a pu s'empêcher de remarquer qu'il fallait une dextérité extraordinaire pour se pendre à ses lacets sans qu'ils cassent…

– On l'a donc assassiné ?

– Selon toute probabilité, oui, a-t-il conclu en me jetant un regard soupçonneux, comme si j'en savais plus.

*
* *

Inutilisée depuis longtemps, Fontebranda est une des plus anciennes fontaines de Sienne, située au bout d'un étonnant dédale de ruelles débouchant sur un grand espace ouvert. Elle ressemble à une loggia de briques rougeâtres, à laquelle on accède par de larges marches envahies de mauvaises herbes.

Je me suis assise au bord du grand bassin de pierre, à côté d'Alessandro, admirant l'eau vert émeraude et le kaléidoscope de lumières qui se réfléchissait sur les murs et le plafond voûté.

– Je suis désolée de te le dire, ai-je lancé, mais ton aïeul était une véritable ordure.

Il a eu un rire triste.

– J'espère que tu ne me juges pas d'après mes ancêtres. Et que tu ne te juges pas d'après les tiens.

Et si je te jugeais d'après une photo que j'ai vue sur le portable de ma sœur ? ai-je pensé en agitant un doigt dans l'eau. J'ai répondu négligemment :

– Tu peux garder le poignard. Je serais étonnée que Roméo cherche à le récupérer. Quelle mort atroce… Sauf qu'il n'est pas mort, finalement. Il est revenu pour la sauver.

– Arrête ! Tu es vivante ! Regarde, le soleil brille ! Profites-en. C'est l'heure idéale pour découvrir Fontebranda. Les rayons de lumière passent à travers les arches avant de raser l'eau. À la fin de l'après-midi, la fontaine devient sombre et fraîche comme une grotte. Tu serais étonnée par sa métamorphose.

– C'est étrange qu'un lieu se transforme à ce point en une journée, ai-je murmuré, souriant en dépit de ma mélancolie. Je devrais avoir peur ?

– Les vieux Siennois te répondraient que Fontebranda possède un pouvoir très particulier.

– Continue, je te dirai quand j'aurai peur.

– Enlève tes chaussures.

– Tu rêves ?

– Allez, tu vas adorer.

Il a retiré ses souliers et ses chaussettes, retroussé le bas de son pantalon et trempé ses pieds dans l'eau.

– Tu ne travailles pas, aujourd'hui ?

– La banque a plus de cinq cents ans. Elle peut se passer de moi pendant une heure.

– Bon, parle-moi des pouvoirs de Fontebranda.

Il a réfléchi un instant avant de m'expliquer :

– Il existe deux types de folie dans le monde. Une folie destructrice, et une autre, plus positive. Or on prétend que l'eau de cette fontaine rend fou, *pazzo* en italien, mais dans le bon sens. Depuis près de mille ans, les gens boivent son eau pour s'imprégner de cette *pazzia*. Certains sont devenus poètes, d'autres saints, la plus connue étant, bien sûr, sainte Catherine, qui a grandi ici, à Oca, dans la *contrada* de l'Oie.

J'avais du mal à croire à ces légendes extravagantes.

– Ces histoires de saints qui refusent de se nourrir et se font brûler sur des bûchers, tu trouves ça formidable ? C'est du pur délire, oui !

– Pour la majorité des gens, balancer des pierres contre la police est du pur délire, je te ferais remarquer. Surtout de la part de quelqu'un qui n'ose pas tremper ses orteils dans une des plus jolies fontaines au monde.

– C'est une question de point de vue, ai-je concédé, retirant enfin mes chaussures. Ce que tu juges destructeur a pu me sembler très constructif. Tout dépend de quel bord tu es. Les théories des uns et des autres ressemblent aux dragons qui surveillent les entrées et les sorties de la tour de ton palais.

J'ai remué les pieds dans l'eau.

– Tu sais que le dragon, ici, est un symbole de virginité et de protection des faibles ? a-t-il ajouté.

– Quelle ironie ! En Chine, il représente le marié. La négation de la virginité.

Un long silence a suivi. Nous écoutions le délicieux bruissement de l'eau qui réfléchissait les rayons du soleil sur la voûte. Émue par cette impression de paix, hors du temps, j'ai murmuré :

– Tu crois que Fontebranda rend *pazzo* ?

Il a baissé les yeux sur nos pieds immergés dans l'onde. Et il a souri tendrement, conscient que ma question n'appelait nulle réponse, car la réponse était là, dans ses yeux : la promesse de bonheur dont l'éclat miroitait devant nous.

– Je ne crois pas aux miracles, ai-je dit.

– Alors, pourquoi portes-tu cette croix ?

– C'est exceptionnel. Je ne suis pas comme toi, ai-je répondu en fixant le pendentif sous sa chemise ouverte.

– Ça ? Ce n'est pas une croix. Je n'ai pas besoin de signe religieux pour croire aux miracles.

– On dirait une balle…

– Exact. Je l'appelle ma lettre d'amour. Le rapport de la police parlait de « tir ami ». Très amical, en effet. Elle s'est fichée à deux centimètres de mon cœur.

– Sacrée cage thoracique !

– Sacré partenaire ! Ces balles sont conçues pour traverser plusieurs personnes. Heureusement, celle-ci a d'abord percé le corps d'un autre. Je ne dois la vie qu'aux médecins de l'hôpital. Donc, tu vois, Dieu sait où me trouver, même si je ne porte pas de croix.

– Ça s'est passé quand ? Où ?

– Je te l'ai déjà dit : je suis allé jusqu'à la limite.

– Puisque tu refuses de m'en dire plus, je vais t'avouer ce en quoi je crois. Je crois au pouvoir de la science.

– Tu crois à plus, malgré toi, et c'est pour ça que tu as peur. Tu as peur d'être victime de *pazzia*.

– Peur ? Je n'ai absolument pas…

– D'accord. Dans ce cas, bois, m'a-t-il défiée en remplissant le creux de sa paume. Tu n'as rien à perdre.

– Arrête ! Cette eau est infestée de microbes.

– Les gens la boivent depuis des centaines d'années.

– Et ils perdent la boule.

– Tu vois, tu y crois.

– Ça, oui, je crois aux microbes !

– Tu as en as déjà vu un ?

– Les scientifiques les voient.

– Sainte Catherine a vu Jésus, là, dans le ciel, au dessus de la basilique de San Domenico. Tu crois sainte Catherine, ou les savants ? Ou bien les deux ?

J'ai gardé le silence. Il a repris de l'eau, en a bu plusieurs gorgées. Il m'en a proposé, mais j'ai reculé.

– Où est la Giulietta dont j'ai gardé le souvenir ? Mon Dieu, qu'ont-ils fait de toi en Amérique ?

– D'accord, donne !

J'ai lapé les dernières gouttes, sans réfléchir à l'intimité de ce geste.

– Trop tard ! Tu ne pourras plus échapper à la *pazzia* ! Tu viens de recevoir ton baptême de parfaite Siennoise.

– Je te rappelle qu'il y a une semaine tu m'ordonnais de rentrer chez moi !

– Heureusement, tu es restée, a-t-il murmuré en passant la main sur ma joue.

J'ai lutté pour ne pas me laisser aller. J'avais toutes les raisons de ne pas lui faire confiance, encore moins de flirter avec lui. Et je n'ai rien trouvé de mieux à dire que :

– Je ne suis pas sûre que Shakespeare aurait apprécié.

– Shakespeare n'a pas à le savoir, a-t-il répliqué, caressant la commissure de mes lèvres.

Je devais réellement paraître craintive. Il a soudain retiré sa main.

– Pourquoi as-tu peur de moi ? a-t-il chuchoté. *Fammi capire.* Explique-moi.

– Je ne sais rien sur toi.

– Mais je suis là, à côté de toi.

J'ai pointé le doigt sur son torse.

– Où est-ce arrivé ?

– Tu vas adorer… En Irak.

Mes soupçons ont fondu comme neige au soleil. Une immense vague de compassion m'a submergée.

– Je comprends. Il doit être difficile d'en parler.

– Question suivante ?

Il m'avait répondu si naturellement que j'ai mis quelques secondes à revenir sur terre. Se montrerait-il aussi spontané si je l'interrogeais sur le cambriolage de ma chambre ?

– Est-ce que… As-tu un lien avec Luciano Salimbeni ?

– Pourquoi ? Tu le soupçonnes d'avoir tué Bruno Carrera ?

– Je l'ai cru mort. Mais on m'a peut-être mal informée. Considérant ce qui s'est passé ces dernières années et le fait qu'il a peut-être assassiné mes parents, j'estime avoir le droit de savoir. Or tu es un Salimbeni, et Eva Maria est ta marraine. Je t'en supplie, dis-moi quel est le lien entre tous ces événements.

Alessandro a compris que j'étais sérieuse. Il a passé une main embarrassée dans ses cheveux.

– Je ne pense pas que…

– S'il te plaît.

– Bon, d'accord, a-t-il soupiré. Tu as entendu parler de Charlemagne ?

– Charlemagne ?

Mon estomac s'est mis à gargouiller. Je n'avais rien pris de consistant depuis le déjeuner de la veille, si l'on peut appeler « rien » un pot de cœurs d'artichauts marinés, une bouteille de chianti et un demi *panforte* au chocolat en guise de dîner.

– Si on allait boire un café ? ai-je proposé en enfilant mes sandales.

Les préparatifs du Palio avaient commencé sur le Campo. Nous sommes passés devant un tas de sable destiné à former la piste dont

Alessandro a soigneusement ramassé une poignée comme si c'était le safran le plus précieux au monde.

– Tu as vu ? *La terra in piazza.*

– Attends, laisse-moi traduire. Cette place est le centre de l'univers ?

– Presque. C'est la terre de la place, le sol. Tiens, sens, le Palio à l'état pur.

Nous nous sommes installés à une terrasse de café et il m'a montré les ouvriers qui installaient des barrières autour du Campo.

– Le monde s'arrête à ces barrières.

– Comme s'est beau ! me suis-je exclamée. Dommage que Shakespeare ait tellement tenu à Vérone.

– Tu n'en as pas ras le bol, de Shakespeare ?

J'ai réussi à ne pas répondre. Nous nous sommes longuement dévisagés, comme si une bataille muette avait lieu à propos du dramaturge et de mille autres sujets, jusqu'au moment où un serveur est arrivé. Nous avons commandé, puis j'ai posé les coudes sur la table et me suis penchée vers Alessandro.

– J'attends toujours que tu m'en dises plus sur Luciano Salimbeni. Alors, saute la partie Charlemagne et venons-en tout de suite à…

Son portable a sonné. Il a jeté un œil sur l'écran et s'est levé pour répondre. Tranquillement, je l'ai observé… Il dégageait un calme et une maîtrise de lui impressionnants. Son séjour en Irak avait dû lui servir de leçon à plus d'un titre. Ce n'était sûrement pas lui qui s'était glissé dans ma chambre en pleine nuit ! Jamais il ne l'aurait saccagée ni n'aurait fouillé mes valises en abandonnant tout sens dessus dessous, dont mes sous-vêtements sales accrochés au lustre. C'était impossible.

Cinq minutes plus tard, il est revenu. Je lui ai donné son espresso avec un sourire qui se voulait engageant. Il m'a à peine regardée. Il avait changé. Quelque chose le perturbait. Qui me concernait.

– Où en étions-nous? ai-je repris en sirotant mon cappuccino. Ah oui, Charlemagne !

– Et si tu me parlais de ton ami sur la moto ?

J'ai failli tomber à la renverse.

– Ah, celui-là ! Je ne l'ai jamais revu. Il a dû trouver que je n'avais pas d'assez jolies jambes.

– Assez pour Roméo, en tout cas.

Alessandro ne riait plus du tout.

– Tu me crois toujours poursuivie par ton ami et rival d'enfance ?

– Je ne crois rien. Je suis intrigué.

Il ne savait donc rien sur ma sœur. Mais peut-être savait-il que la Ducati qu'elle avait laissée au pied de la Torre del Mangia avait été enlevée par la police.

– Écoute, ai-je dit en espérant retrouver notre exquise complicité, ne pense pas que je… fantasme à propos de ce Roméo.

Il n'a pas réagi tout de suite, jouant avec sa cuillère à café sur la nappe.

– Tu as apprécié la vue du haut de la Torre del Mangia ?

– Tu m'as suivie ?

– Moi, non, mais les flics t'ont à l'œil depuis un certain temps. Pour ton bien, d'ailleurs, au cas où le type qui a tué Carrera te rechercherait lui aussi.

– C'est toi qui le leur as demandé ? Dans ce cas, merci. Dommage qu'ils n'aient pas été là quand cette racaille a fouillé mes affaires.

– En tout cas, ils étaient dans le coin hier soir et ils ont vu un type dans ta chambre.

J'ai éclaté de rire. La situation devenait franchement absurde.

– Mais non, ce n'était pas un homme ! Ni au sommet de la tour, du reste. Je rêve, on se chamaille comme un vieux couple !

– Si on était un vieux couple, je n'aurais pas besoin de t'interroger, et le mec dans ta chambre, ce serait moi.

– Les gènes Salimbeni ont encore frappé. Attends… Si nous étions mariés, tu m'enchaînerais dans ton donjon chaque fois que tu partirais…

– Je n'en aurais pas besoin. Une fois que tu aurais goûté mes caresses, tu ne pourrais plus te passer de moi.

Ses paroles, mi-provocatrices, mi-sérieuses, m'ont touchée et j'ai senti un millier de petites aiguilles me picoter.

– Tu ne devais pas me parler de Luciano Salimbeni ?

Son sourire a disparu.

– Tu as raison. J'aurais dû t'en parler depuis le début. Depuis l'autre soir… Mais je ne voulais pas t'effrayer.

Je m'apprêtais à me défendre lorsqu'une cliente s'est assise à la table voisine en soupirant bruyamment…

Janice !

Elle portait le tailleur rouge et noir d'Eva Maria. D'immenses lunettes de soleil lui dévoraient le visage. En dépit de cette allure peu discrète, elle a pris le menu d'un air indifférent, sous le regard perplexe d'Alessandro. Pourvu qu'il ne remarque pas sa ressemblance avec moi et ne reconnaisse pas le tailleur de sa tante !

Quoi qu'il en soit, la présence de cette cliente inattendue lui a coupé l'envie de poursuivre. Il s'est muré dans le silence.

– *Ein cappuccino, bitte,* a réclamé Janice avec un accent allemand peu convaincant, *und zwei biscotti.*

Je l'aurais trucidée sur place. Alessandro était à deux doigts de me livrer des informations cruciales !

Le serveur a taquiné ma sœur pour savoir de quelle région d'Allemagne elle était originaire, et Alessandro s'est cru obligé de revenir au Palio.

– Regarde la *balzana*, là, sur la tasse : le blason. Ici, tout est comme ça, noir et blanc ; malédictions et bénédictions.

– Malédictions et bénédictions ?

– Interprète ça comme tu veux. Pour moi, c'est un indicateur, une boussole qui me permet de reprendre pied quand je suis tourneboulé. Regarder la *balzana* me remet d'aplomb. Et, quand je t'observe, je sais…, a-t-il ajouté en posant sa main sur la mienne, ignorant Janice.

J'ai retiré ma main, par pudeur, et pour éviter les futurs sarcasmes de ma sœur.

– Pourquoi cherches-tu toujours la bagarre ? a repris Alessandro. Pourquoi as-tu tellement peur du… bonheur ?

C'était le pompon. Le nez plongé dans son guide allemand, Janice a explosé de rire. Même Alessandro a compris qu'elle avait tout écouté. Il l'a fusillée du regard, et j'ai adoré.

– Pardon, a-t-il murmuré en fouillant dans sa poche, il faut que j'y aille.

– La note, c'est pour moi. Je vais commander un second café. Tu es libre, plus tard ? Tu me dois toujours la suite de l'histoire.

– Ne t'inquiète pas, je te la raconterai, a-t-il assuré en me caressant délicatement la joue.

Dès qu'il a été suffisamment loin, j'ai violemment interpellé Janice.

– Idiote ! Tu as tout gâché. Il était sur le point de me révéler des informations capitales sur Luciano Salimbeni !

– Désolée d'avoir interrompu ton tête-à-tête avec le type qui a dévalisé ta piaule, a-t-elle gloussé. Franchement, tu as pété un câble.

– Pas si sûr…

– Oh, que si ! Je l'ai vu, tu te souviens ? D'accord, j'admets qu'il a une petite tronche de voyou irrésistible, mais quand même ! Comment peux-tu accepter d'être manipulée à ce point ? Tu sais très bien ce qu'il cherche.

– Non, je ne sais pas, ai-je asséné, glaciale. Mais puisque tu t'y connais en sales mecs, merci de m'éclairer.

– Il ne t'a jamais posé de questions sur la tombe et la statue ?

– Non, rien. Quand on était au commissariat, il m'a simplement interrogée au sujet d'une statue aux yeux d'or. Aux yeux d'or, j'insiste. De toute évidence il n'est pas au…

– Bien sûr que si. Prétendre ne pas avoir le moindre indice : c'est le plus vieux truc du monde. Il se fout de toi dans les grandes largeurs.

– Et alors ? Qu'est-ce que tu sous-entends ? Qu'il va attendre qu'on retrouve les pierres pour les voler ?

Au moment où je prononçais ces mots, j'ai compris que l'hypothèse n'était pas complètement absurde.

– Bienvenue dans la réalité, tête de mule. Laisse tomber ce dragueur illico et viens t'installer dans mon hôtel.

– Pour me cacher dans ta chambre ? Sienne n'est pas une très grande ville, au cas tu ne l'aurais pas remarqué.

– Pendant ce temps, je vais voir comment va notre cher Peppo. Non, tu ne viens pas avec moi.

*
* *

J'ai repris seule le chemin de mon hôtel. J'avais beau tourner et retourner les différentes hypothèses dans ma tête, Janice avait raison. Méfiance. Le problème, c'est que j'étais en train de tomber amoureuse d'Alessandro. J'en arrivais même à me persuader que les photos floues ne le représentaient pas, et que, s'il m'avait fait suivre, c'était en vertu d'une courtoisie d'un autre temps.

En outre, il m'avait promis de m'expliquer le lien entre toutes les pièces de mon puzzle, mais nous avions été interrompus plusieurs fois, toujours contre sa volonté. Pourtant… Pourquoi avait-il tant retardé cette conversation ? N'aurait-il pas pu me proposer d'aller à Monte Paschi avec lui pour discuter en chemin ?

J'approchais de l'hôtel quand une limousine noire est apparue, dont la vitre arrière fumée s'est baissée.

– Giulietta ! s'est écriée Eva Maria, radieuse. Quelle coïncidence ! Monte ! Tiens, j'ai de délicieux loukoums.

Elle m'a tendu une jolie boîte de loukoums recouverte de satin. Je ne me suis pas fait prier, tout en restant sur mes gardes. Était-ce un piège ?

– Je suis tellement heureuse que tu sois toujours parmi nous. J'ai appelé plusieurs fois. Tu as eu mes messages ? J'avais peur que mon filleul ne t'ait fait fuir. Excuse-le. Il n'est pas dans son état normal.

– Au contraire, il a été extrêmement gentil avec moi, ai-je répondu en léchant mes doigts pleins de sucre.

Que savait-elle de mes liens avec Alessandro ?

– C'est vrai ? Tant mieux.

Elle semblait à la fois heureuse et déçue d'avoir été tenue à l'écart.

– Je suis navrée d'avoir quitté la restaurant le jour de votre anniversaire, ai-je repris, sincèrement confuse. Et merci beaucoup pour les vêtements.

– Ils sont à toi. Ma garde-robe est dix fois trop fournie. Dis-moi, tu es libre, demain soir ? J'ai organisé une grande fête. Je serais ravie de te présenter à mes invités. Certains en savent plus que quiconque sur l'histoire de ta famille. Si tu veux, je te propose de passer le week-end entier chez moi.

Elle a souri comme une fée qui aurait fait apparaître un carrosse d'un coup de baguette magique.

– Tu vas adorer le val d'Orcia. Tu n'as qu'a venir en voiture avec Alessandro.

Comment refuser ? Sauf qu'il y avait Janice…

– J'adorerais, mais…

– Formidable ! À demain ! Ah, n'oublie pas, apporte un maillot de bain.

V, v

Combien de fois les hommes qui vont mourir
Ont ce moment de joie que les gardes-malades
Nomment l'éclair de la fin. Mais moi, comment pourrais-je
comparer cette heure à un éclair ?

Sienne, 1340.

Rocca di Tentennano était une forteresse à l'architecture saisissante, protégée par l'épaisseur de ses murs des sièges et des assauts ennemis, perchée sur une colline du val d'Orcia tel un rapace près de fondre sur sa proie, d'aussi loin qu'elle vienne.

Pendant tout le trajet, Giulietta s'était demandé pourquoi Salimbeni l'envoyait à la campagne, si loin de lui. La veille, en lui faisant ses adieux dans la cour du palais, son époux avait eu une expression presque tendre. Éprouvait-il du remords, de la honte ? Cherchait-il à se faire pardonner les souffrances qu'il lui avait infligées ?

Pleine d'espoir, elle l'avait longuement regardé étreindre Nino, croyant lire un réel amour paternel dans ses yeux au moment où il lui avait donné ses dernières instructions.

– Que Dieu te bénisse, avait-il conclu au moment où Nino enfourchait son cheval, celui sur lequel il avait disputé le Palio. Pour ton voyage et ce qui s'ensuivra.

Le jeune homme était resté muet. Il paraissait indifférent. À tel point que Giulietta avait ressenti un brin de pitié pour le père.

Plus tard, à Rocca di Tentennano, en découvrant sa chambre, elle comprit. Son renvoi n'était pas dû à la moindre générosité de la part de Salimbeni. C'était bel et bien un châtiment.

Rocca di Tentennano était une vraie citadelle : inaccessible aux étrangers à la famille, impossible à fuir pour qui n'était pas autorisé à en sortir. Voilà ce que les gens sous-entendaient quand ils évoquaient les précédentes épouses de Salimbeni reléguées dans ce nid d'aigle. Une seule issue était donc possible : la mort.

Giulietta eut la surprise de se voir accueillir par une jeune servante qui se précipita dans sa chambre pour y allumer un feu et l'aider à ranger ses affaires. C'était une journée froide du début du mois de décembre, et elle avait les doigts gourds et blancs après ce long trajet. Vêtue d'une longue robe de laine et de pantoufles sèches, elle se tourna vers l'âtre, ferma les yeux en soupirant. Quand, pour la dernière fois, avait-elle connu un simple instant de bonheur ?

Elle rouvrit les yeux et aperçut Nino, debout dans l'encadrement de la porte. Sa façon de l'observer n'était pas tout à fait hostile. *Dommage qu'il soit aussi mauvais que son père*, songea-t-elle, *car il est beau, bien bâti et adroit, et souvent son visage s'adoucit, sans doute plus facilement qu'il ne le faudrait.*

– Puis-je vous demander, proposa-t-il, s'inclinant comme s'il lui proposait une danse un soir de bal, de me rejoindre en bas, tout à l'heure, pour le souper ? Je crois savoir que vous prenez vos repas sans la moindre compagnie depuis trois semaines. Je vous présente mes excuses pour les manières un peu rustres de ma famille. N'ayez pas peur, conclut-il avec un geste charmant, nous sommes seuls.

*
* *

Ils l'étaient, en effet. Assis aux deux extrémités d'une table prévue pour une vingtaine de commensaux, Giulietta et Nino soupèrent en silence, leurs yeux se croisant parfois à travers les branches du candélabre. Chaque fois, Nino lui souriait, si bien que, finalement, Giulietta eut l'audace de lui demander :

– Est-ce vous qui avez tué mon cousin Tebaldo, le jour du Palio ?

– Bien sûr que non. Comment imaginer un tel geste de ma part ?

– Alors, qui est-ce ?

– Vous le savez. Tout le monde le sait.

Il ne semblait absolument pas troublé.

– Tout le monde connaît-il également le traitement que votre père a infligé à Roméo ?

Nino se leva. Il s'agenouilla à ses pieds et saisit sa main, tel un chevalier s'adressant à une jeune fille en détresse.

– Comment pourrais-je jamais transformer en bien tout le mal que mon père vous a fait ?

Il pressa la paume de Giulietta contre sa joue.

– Comment racheter la folie des miens ? Dites-moi, belle dame, comment pourrais-je vous agréer ?

Giulietta étudia longuement son visage avant de lâcher :

– En me libérant.

Il lui jeta un regard incrédule.

– Je ne suis pas la femme de votre père. Vous n'avez aucune raison de me retenir prisonnière. Libérez-moi et plus jamais je ne vous importunerai.

– Je suis navré. C'est impossible.

– Bon, répondit Giulietta en retirant sa main. Dans ce cas, permettez-moi de regagner ma chambre.

– Montez, après une dernière gorgée de vin.

Il lui versa une coupe, à laquelle elle toucha à peine.

– Vous n'avez rien mangé. Vous n'avez donc pas faim ?

Giulietta garda le silence.

– La vie ici peut être agréable. L'air est pur, la nourriture est saine, le pain est délicieux, loin du pain rassis qu'on nous sert à Sienne, et…

Il ouvrit les bras avec enthousiasme.

– … la compagnie y est excellente. Tout est là, à votre disposition, pour que vous en profitiez. Sachez saisir cette chance.

– Ne craignez-vous pas les réactions de votre père ?

– Nous serions tous les deux soulagés de passer une nuit sans penser à lui. Croyez-moi, je ne lui ressemble en rien.

Giulietta repoussa son siège, dédaignant sa coupe.

– Je vous remercie pour ce souper. Il est temps de me retirer. Je vous souhaite une bonne nuit.

Une main sur son poignet l'empêcha de sortir.

– Je ne suis pas dépourvu de sentiments. Je sais que vous avez souffert et je le regrette. Mais le destin exige que nous vivions ici ensemble…

– Le destin ? Ou votre père ?

– Ne comprenez-vous donc pas que je me montre généreux ? Rien ne m'y oblige. Mais je vous apprécie. Je vous estime, conclut-il en lâchant le poignet de Giulietta. Montez et faites ce que font toutes les femmes. Ensuite, je vous rejoindrai. Je vous le promets, ajouta-t-il avec une mimique insolente, quand minuit sonnera, vous n'y verrez plus la moindre offense.

Elle le regarda droit dans les yeux, n'y discerna qu'une farouche détermination.

– Je ne peux rien dire ni faire pour que vous changiez d'avis ? demanda-t-elle.

D'un air navré, il secoua la tête.

*
* *

Giulietta remonta chez elle. Des sentinelles étaient postées partout. Seule la porte de sa chambre n'avait pas de verrou. Il lui était donc impossible de s'isoler.

Elle ouvrit les volets face à la nuit glacée et admira les étoiles, si brillantes, si nombreuses. Le ciel semblait se déployer exclusivement pour elle, pour lui offrir une dernière occasion d'emplir son âme de la beauté du monde.

Ses projets, donner un vraie sépulture à Roméo, tuer Salimbeni, avaient échoué. Et elle n'avait survécu que pour se retrouver bafouée, humiliée. Une seule certitude la consolait : nul n'avait réussi à annuler les vœux échangés entre elle et Roméo. Elle n'appartenait donc qu'à lui. Oui, Roméo était son époux… Tout en ne l'étant pas. Leurs âmes étaient liées, mais leurs corps séparés par la mort. Pour peu de temps encore. Il suffisait qu'elle lui demeure fidèle jusqu'au bout. Si frère Lorenzo avait dit vrai, elle le rejoindrait dans l'au-delà.

Elle laissa les volets ouverts et alla fouiller dans ses affaires : tant de robes, tant d'atours… Ce qu'elle recherchait était niché dans une pantoufle de brocart. C'était un petit flacon de parfum, posé, au palazzo Salimbeni, à côté de son lit, et dont elle avait décidé d'user autrement.

Tous les soirs, après sa nuit de noces, une servante montait dans sa chambre pour lui administrer une cuillérée de potion soporifique.

– Ouvrez la bouche, disait-elle avec une réelle compassion, soyez raisonnable. Mieux vaut faire de beaux rêves, non ?

Au début, Giulietta recrachait la potion dans le pot de chambre dès que la femme avait tourné les talons, déterminée à demeurer éveillée au cas où Salimbeni reviendrait, afin de lui rappeler sa malédiction.

Puis, au bout de quelques jours, l'idée lui vint de vider le flacon d'eau de rose que Monna Antonia lui avait offert en cadeau d'adieu, et de le remplir avec la potion qu'elle gardait dans sa bouche.

À l'origine, elle projetait d'utiliser cette arme contre Salimbeni, mais, les visites de son époux se faisant de plus en plus rares, le flacon était demeuré là, sans but, sinon comme un avertissement : une fois plein, il serait fatal pour quiconque le boirait d'un trait.

Dès son plus jeune âge, Giulietta avait été fascinée par les histoires de femmes qui se donnaient la mort en s'empoisonnant après avoir été abandonnées par leur amant. Sa mère avait eu beau interdire aux jumelles la lecture de telles légendes, la maison était remplie de servantes qui adoraient les impressionner avec ces récits macabres. Enfants, Giulietta et Giannozza avaient passé des après-midi entiers au fond du jardin, interprétant tour à tour le rôle de la morte tandis que l'autre jouait les spectateurs affligés devant le corps gisant et le flacon vide. Un jour, Giulietta était demeurée allongée si longtemps sans respirer que sa sœur l'avait crue morte pour de bon.

– Giu… Giulietta… Arrête ! Ce n'est pas drôle. Je t'en supplie, avait-elle gémi avant de fondre en larmes.

Soudain, Giulietta s'était redressée en éclatant de rire. Mais Giannozza était restée inconsolable, au point, le soir, de quitter la table sans manger. Les deux sœurs n'avaient plus jamais joué à ce jeu.

Au cours de sa captivité, Giulietta avait passé de longues heures assise, le flacon entre les mains, rêvant qu'il fût déjà plein. Mais elle avait dû attendre, pour cela, la veille de son départ pour le val d'Orcia. La pensée de ce flacon soigneusement caché dans la pantoufle de brocart l'avait consolée pendant tout le voyage.

La potion, elle en était sûre, la tuerait. Ainsi le voulait la Vierge Marie depuis le début. Son mariage avec Roméo était destiné à être consommé au Ciel, non point sur terre. L'idée la réconforta et elle sourit.

Elle sortit la plume et l'encrier qu'elle avait dissimulés dans ses bagages, pour rédiger une dernière lettre à sa sœur. L'encrier que lui avait donné frère Lorenzo au palazzo Tolomei était presque vide, sa plume, si souvent taillée, réduite au minimum. Elle put néanmoins rédiger un ultime message, avant de rouler la feuille de parchemin et de la cacher dans une anfractuosité du mur, derrière le lit.

« Ma sœur chérie, avait-elle écrit, je t'attendrai au fond de notre jardin, là où nous nous réfugiions jadis. Ton doux baiser m'éveillera, je te le promets. »

*

* *

Roméo et frère Lorenzo arrivèrent en vue de Rocca di Tentennano avec dix cavaliers aguerris et armés de pied en cap.

Sans maître Ambrogio, ils n'auraient jamais su où se trouvait Giulietta. Et sans Giannozza, qui leur avait fourni les cavaliers, ils n'auraient jamais pu concrétiser leur plan. Alors que les deux hommes étaient réfugiés dans le monastère où Roméo se remettait lentement de ses blessures, le moine, qui avait si souvent servi de messager secret entre les jumelles, avait envoyé une missive à la seule alliée que possédait encore Giulietta. Moins de deux semaines plus tard, il recevait une réponse.

« Votre lettre, si accablante, m'est parvenue à point nommé. Je viens d'enterrer l'homme qui régnait sur cette maison et suis enfin maîtresse de ma destinée. Je ne puis vous exprimer toute la douleur que j'éprouve, cher Lorenzo, en découvrant vos malheurs ainsi que le sort de ma sœur adorée. Comment puis-je vous aider ? Je possède des hommes et des chevaux. Ils sont à vous. »

Hélas, même ses cavaliers chevronnés ne pouvaient rien contre les remparts de Rocca di Tentennano. Le crépuscule ne tarderait pas. Roméo comprit qu'il lui faudrait trouver une ruse afin de s'introduire dans la forteresse pour sauver sa bien-aimée.

– On dirait un nid de guêpes géant, déclara-t-il aux hommes pétrifiés par l'aspect terrifiant du château. Un assaut en plein jour signifierait notre mort à tous. Peut-être pourrions-nous tenter notre chance à la nuit tombée, quand seules quelques sentinelles veilleront.

Il attendit la nuit avant de sélectionner huit hommes, dont frère Lorenzo, indispensable, qu'il équipa de cordes et de poignards avant de les mener à la base de l'escarpement sur lequel avait été bâtie la forteresse.

Sous les étoiles qui brillaient dans un ciel sans lune, les assaillants gravirent le flanc de la colline. Ensuite, ils contournèrent en rampant la muraille inclinée de la citadelle, jusqu'à ce que l'un d'eux repère une ouverture à une dizaine de pieds au-dessus du sol et, d'un coup d'épaule, la signale à Roméo.

N'accordant à personne l'honneur de le précéder, Roméo enroula une corde autour de sa taille et créa un point d'appui en plantant deux poignards dans la paroi. Il entama son ascension. Comme il ne tenait que par la force de ses bras, Lorenzo retint plusieurs fois son souffle en voyant son pied glisser. Il s'inquiétait d'autant plus que Roméo n'était pas entièrement rétabli de sa blessure au ventre et que chaque mouvement le faisait souffrir.

Roméo, lui, ne sentait rien. Sa douleur était noyée par le serrement de cœur qu'il éprouvait dès qu'il songeait à l'humiliation subie par Giulietta. Il se souvenait très bien de Nino. Il avait vu l'habileté avec laquelle il avait poignardé Tebaldo et savait que nulle femme ne pourrait résister à sa violence. En outre, Nino se riait de toute menace de malédiction. Il se savait damné.

L'ouverture repérée par l'escorte de Roméo était une meurtrière, juste assez large pour qu'il puisse s'y faufiler. Il sauta de l'autre côté et constata avec stupeur qu'il était tombé dans un dépôt d'armes. Quelle ironie ! Il défit la corde qui enserrait ses hanches, la noua autour d'une torchère accrochée au mur et la secoua pour signaler à ses hommes qu'ils pouvaient monter.

*
* *

Rocca di Tentennano était aussi lugubre à l'intérieur qu'à l'extérieur. Nulle fresque n'en égayait les murs, nulle tapisserie n'arrêtait les courants d'air. Contrairement au palazzo Salimbeni, déploiement ostentatoire de richesses et de raffinement, la forteresse n'avait été construite que dans un but : vaincre. Or tout ornement était un obstacle aux mouvements, à la rapidité des hommes et des armes.

Talonné par frère Lorenzo et ses guerriers, Roméo traversa ainsi une série de larges couloirs venteux. S'il retrouvait Giulietta dans ce dédale et parvenait à s'échapper avec elle, se disait-il, il le devrait plus à la chance qu'à son intrépidité…

– Attention, chuchota-t-il soudain en levant la main, apercevant une sentinelle. Reculez !

La troupe fit alors un long détour qui finit par la ramener au même endroit, cette fois-ci accroupie dans l'ombre, hors du rayonnement des torches.

– Il y a des gardes postés à tous les coins, surtout par là, lui souffla un des hommes.

– J'ai vu, répondit-il. Il faudra peut-être les éliminer un par un. Pour l'instant, je préfère attendre.

Il n'eut pas besoin d'expliquer pourquoi. Tous étaient conscients que le nombre de sentinelles assoupies dans les entrailles du château dépassait largement leur nombre à eux. Si un conflit ouvert avait lieu, ils n'auraient plus qu'à s'enfuir. Voilà pourquoi Roméo avait maintenu trois hommes à l'extérieur, chargés de tenir les chevaux prêts et d'attraper Giulietta quand elle sauterait. Hélas, plus il réfléchissait, plus il craignait de n'avoir d'autre récit à livrer à Giannozza que celui de leur pitoyable fiasco.

Soudain, frère Lorenzo lui tapota l'épaule pour lui signaler la présence d'une silhouette familière, une torche à la main, à l'extrémité d'un grand vestibule. Nino ! Il marchait lentement. En dépit du froid, il ne portait qu'une simple tunique, mais une épée à la ceinture. Roméo comprit.

D'un geste, il ordonna à ses hommes de le suivre. Courbés, silencieux, ils emboîtèrent le pas à Nino, qui s'arrêta devant deux sentinelles protégeant une porte close.

– Je vous donne congé, leur dit-il. Allez vous reposer jusqu'à demain matin. Je veillerai personnellement sur Monna Giulietta.

Brusquement, il se retourna et s'adressa à l'ensemble de sa garde :

– À vrai dire, vous pouvez tous partir. Prévenez les cuisines que, ce soir, le vin peut couler à flots !

Toutes les sentinelles disparurent, ravies par la perspective de ces agapes inattendues. Nino tendait le bras pour pousser la porte quand un bruit l'alerta. Le chuintement d'une épée qu'on dégaine…

Il se retourna. Reconnut son rival. Et blêmit.

– Tu es mort ! cria-t-il.

– Si je l'étais, tu n'aurais pas à craindre le tranchant de ma lame, répliqua Roméo en s'avançant dans la lumière.

Nino le regarda fixement, pétrifié. Il avait devant lui un homme qui avait vaincu la mort pour venir sauver la femme qu'il aimait. Pour la première fois de sa vie, il se trouvait face à un vrai héros.

– Je te crois, dit-il calmement. Je respecte le tranchant de ta lame mais ne le crains point.

– Tu as tort.

Tapi dans un coin, frère Lorenzo écoutait l'échange d'une oreille à la fois inquiète et incrédule. Pourquoi Nino n'appelait-il pas ses sentinelles à la rescousse ? Il n'avait aucune raison de se laisser imposer cet affront. Ni Roméo.

Derrière lui, les hommes échangeaient des regards perplexes. Après tout, il ne s'agissait pas d'un tournoi pour gagner le cœur d'une dame, mais d'un vol. Nino avait volé l'épouse de Roméo.

– C'est toi qui te trompes, reprit Nino en dégainant son épée avec orgueil. Désormais, tu auras été terrassé deux fois par un Salimbeni. Tu aimes croiser le fer avec nous, semble-t-il.

– Les tiens semblent manquer de fer, ces temps-ci, dit Roméo avec un sourire narquois. J'ai cru comprendre que le fourreau de ton père était vide.

Il en fallait davantage pour déstabiliser Nino. Il contint sa colère, frôla de sa lame l'épée de Roméo.

– Certes, dit-il en contournant son ennemi, cherchant une ouverture. Mais mon père a la sagesse de reconnaître ses limites. C'est pourquoi il m'a confié la responsabilité de cette fille. Quelle grossièreté de ta part de différer son plaisir ! Elle guette ma venue derrière cette porte, ici même, les lèvres humides et les joues déjà roses.

Cette fois, ce fut au tour de Roméo de se maîtriser, d'éprouver l'épée de son ennemi qui vibrait contre la sienne.

– La dame dont tu parles, énonça-t-il avec gravité, est mon épouse. Et elle hurlera de plaisir le jour où elle apprendra que je t'aurai réduit en charpie.

– Tu te vantes, railla Nino. Il paraît qu'elle ne t'appartient pas plus qu'à mon père. Bientôt, de toute façon, elle ne sera l'épouse de personne. Elle sera ma petite catin à moi et se languira tout le jour, attendant que je vienne la combler la nuit.

Roméo frappa, mais le manqua d'un cheveu. Les deux hommes cessèrent de s'invectiver. On n'entendit plus que le bruit de leurs épées qui sifflaient, emportées dans cette joute ultime ...

Nino avait beau sautiller pour le provoquer, Roméo ne mordait point à l'appât. Il attendait le moment propice. Et s'en remettait à la Vierge Marie pour le guider.

– La chance me sourit, ce soir ! s'exclama Nino, croyant discerner chez lui des signes de fatigue. Je vais enfin pouvoir me livrer à mes deux activités favorites. Dis-moi, quel effet cela...

Roméo décela une faille chez son adversaire, un imperceptible laisser-aller dans son maintien. Il se précipita sur lui, l'accula contre le mur et lui planta son épée au milieu des côtes, avant de lui transpercer le cœur.

– Quel effet ? ricana-t-il devant le visage blême de Nino. Tenais-tu vraiment à le savoir ?

Il retira sa lame et jeta un regard dégoûté sur le corps sans vie qui s'écroula en laissant sur la pierre un ruban cramoisi.

La mort avait fauché Nino si vite que ses traits n'exprimaient que de la surprise. Frère Lorenzo, qui avait assisté au duel en se mordant les poings, se prit à regretter qu'il n'eût pas eu le temps de mesurer l'étendue de sa défaite, ne fût-ce qu'un quart de seconde, avant d'expirer. Mais le Ciel s'était montré plus miséricordieux que lui, lui épargnant toute souffrance.

Roméo enjamba le cadavre pour aller ouvrir la porte tant convoitée. Lorenzo quitta enfin sa cachette et le suivit. Roméo mit quelque temps à s'adapter à l'obscurité. Nulle lampe n'éclairait la chambre. Seules des braises rougeoyaient dans l'âtre. Quelques étoiles luisaient faiblement derrière les volets ouverts.

– Giulietta, mon amour ! s'écria Roméo, la prenant dans ses bras et la couvrant de baisers. Réveille-toi, nous sommes venus pour te libérer.

La jeune fille remua. Le moine devina aussitôt qu'elle n'était pas tout à fait elle-même. Un pouvoir plus puissant que la force de son amant semblait l'avoir saisie.

– Roméo, murmura-t-elle, s'efforçant de sourire et tendant une main affaiblie vers son visage.

– Assieds-toi un instant, insista Roméo. Mais nous devons partir avant le retour des gardes.

– Roméo…

Les yeux de sa bien-aimée se fermèrent et sa tête retomba, telle une fleur fauchée.

– Je voulais…

Elle ne put poursuivre. Roméo se tourna vers le moine.

– Aide-moi ! Elle est malade. Il faut la porter.

Voyant Lorenzo hésiter, il suivit son regard et aperçut la fiole sur la table de nuit.

– Qu'est-ce que c'est ? Du poison ?

Lorenzo saisit le petit flacon, le renifla, puis répondit :

– De l'eau de rose mêlée à autre chose.

– Giulietta ! hurla Roméo en la secouant violemment. Réveille-toi ! Qu'as-tu bu ? Ils t'ont empoisonnée ?

– Un somnifère, bredouilla-t-elle les yeux toujours clos. Pour que tu puisses me réveiller…

– Sainte Mère de Dieu ! implora Lorenzo. Giulietta, c'est moi, ton plus vieil ami !

Elle rouvrit les yeux. Découvrant les visages du moine et de son amant, elle comprit qu'elle n'était pas tout à fait morte, ni au paradis. Elle s'affola et se mit à haleter.

– Oh non ! murmura-t-elle en s'accrochant de toutes ses forces à Roméo. Ce n'est pas juste. Tu es vivant, mon amour ! Tu es…

Elle fut prise d'une violente quinte de toux et tout son corps fut secoué de spasmes. Frère Lorenzo vit le sang battre dans son cou comme si la peau allait exploser. Désemparés, les deux hommes essayèrent de la calmer en l'enveloppant tour à tour dans leurs bras. En sueur, elle s'écroula sur le lit, victime d'irrépressibles convulsions.

– À l'aide, implora Roméo, elle étouffe !

Hélas, les guerriers de Giannozza étaient plus préparés à supprimer la vie qu'à la rendre. Ils restaient là, bras ballants, tétanisés au point de ne rien entendre alors que les gardes approchaient…

Un cri d'horreur retentit dans le couloir. Un des gardes venait de découvrir le corps ensanglanté de Nino. Les autres bondirent vers la chambre. Les hommes de Giannozza dégainèrent. Roméo ne réagit pas, incapable de se séparer de Giulietta.

La porte étant étroite, ses compagnons tuèrent chaque assaillant qui pénétrait dans la pièce, et dont la plupart avaient bu jusqu'à l'hébétude. Mais le rapport de forces s'inversa très vite. D'autres gardes accoururent, innombrables. En hurlant, ils forcèrent l'entrée. Submergés, les défenseurs s'effondrèrent un par un, agonisants ou morts…

Roméo ne bougeait toujours pas.

– Giulietta, regarde-moi ! Prends cet…

Une lame le transperça entre les omoplates. Il s'affala sur le lit, étreignant celle qu'il aimait.

Sa main s'ouvrit, lâchant la bague gravée du sceau de l'aigle. Frère Lorenzo comprit qu'il avait voulu la passer au doigt de Giulietta, à qui elle appartenait de droit. Il bondit vers le lit, ramassa l'anneau consacré. Deux mains brusques le lui arrachèrent.

– Que se passe-t-il, misérable calotin ? glapit le capitaine des gardes. Qui est ce jeune homme ? Pourquoi a-t-il assassiné Monna Giulietta ?

– Cet homme, bafouilla le frère, consterné, désespéré au point d'en oublier sa peur, était son véritable époux.

– Son époux ? répliqua le capitaine, le saisissant par le rebord du capuchon et le secouant violemment. Sale menteur ! Nous saurons te faire parler !

*

* *

Maître Ambrogio le vit de ses propres yeux.

Venant de Rocca di Tentennano, le convoi arriva à Sienne tard dans la nuit, au moment où le peintre passait devant le palazzo Salimbeni. Avec indifférence, les gardes déchargèrent leur pitoyable fardeau aux pieds de leur maître, imperturbable, sur les marches du palais.

Le maestro reconnut d'abord frère Lorenzo, qui, les yeux bandés et les mains liées, eut du mal à descendre seul. À en juger par la brutalité avec laquelle le traitaient les soudards, il allait être envoyé directement dans la chambre de torture. Suivirent les corps de Roméo, de Giulietta, de Nino... Tous enveloppés dans un même drap ensanglanté.

Plus tard, certains prétendirent que Salimbeni jeta sur le corps de son fils un regard totalement dépourvu d'émotion. Le maestro, lui, ne s'y trompa point : son visage figé, dur comme la pierre, était à l'image des sentiments violents qu'il réprimait. Dieu l'avait châtié en lui rendant son fils tel un agneau sacrifié, couvert du sang des deux êtres qu'il avait voulu séparer et anéantir contre la volonté du Ciel. Lui-même était déjà en enfer. Où qu'il aille en ce monde, aussi longtemps qu'il survive, ses démons le poursuivraient, jusqu'au jugement dernier.

Maître Ambrogio regagna son atelier. Il ne se faisait aucune illusion. Si les rumeurs sur ses méthodes de torture ne mentaient pas, frère Lorenzo passerait aux aveux avant minuit.

Cela dit... Oseraient-ils vraiment le convoquer, lui, Ambrogio ? Il était l'un des artistes les plus réputés de la ville et jouissait de la faveur de nombreux patriciens. En outre, fuir et se cacher le désigneraient comme coupable et aggraveraient son cas. Plus jamais il ne pourrait revenir dans sa Sienne adorée.

Examinant son atelier, il tomba sur le portrait de Giulietta et sur son journal : deux pièces à conviction possibles. Il ouvrit son journal, rédigea deux ou trois paragraphes de conclusion sur les événements auxquels il venait d'assister, prit le manuscrit et la toile, les enveloppa dans un linge, puis les rangea dans un coffre qu'il dissimula dans une cavité creusée dans le mur où personne ne pourrait jamais les retrouver.

VI, I

Pourrai-je m'éloigner quand mon cœur reste ici ?
Ô morne terre obtuse que je suis,
Reviens donc en arrière et retrouve ton centre.

Janice ne mentait pas quand elle se disait douée pour l'escalade. Je n'avais jamais vraiment cru ce qu'elle racontait sur les cartes postales qu'elle envoyait d'endroits plus ou moins exotiques, mais j'avoue que là, appuyée à la balustrade de mon balcon, j'ai été épatée de la voir grimper le long du mur avec autant d'aisance.

J'avais passé une heure à arpenter ma chambre après son départ, avant de conclure que je n'arriverais jamais à dénouer l'écheveau de notre histoire toute seule. Même si je n'appréciais pas ses remarques désagréables sur Alessandro et sa marraine, au moins avait-elle souligné le conflit d'intérêts possible entre eux et nous.

Elle a attrapé la main que je lui tendais et s'est hissée en balançant une jambe au-dessus de la balustrade.

– Ouf ! s'est-elle écriée. On ne sait jamais quand ces tueurs fous frappent. Surtout maintenant qu'on a récupéré le coffre de maman. Il vaudrait mieux se tirer *prontissimo* et…

Elle a remarqué mes yeux rouges et bouffis.

– Julie ! Mais qu'est-ce que tu as ?

– Rien. Je viens de finir l'histoire de Giulietta et Roméo. Nino a essayé de la séduire, de la violer, même, mais elle a préféré se suicider en avalant une potion mortelle, juste au moment où Roméo débarquait avec du renfort.

– Il fallait s'y attendre ! Les Salimbeni ne changeront jamais. C'est dans leur disque dur. Main de fer ou, pire, le mal incarné dans un gant de velours. Nino… Alessandro… tous de la même étoffe. Soit tu les tues, soit ils te tuent.

– Eva Maria est différente…

– Vraiment ? Pardonne-moi, mais tu devrais ouvrir un peu les yeux. Elle te manipule depuis le début. Tu crois qu'elle était à l'aéroport par hasard ?

– Arrête ! Personne ne savait que j'arrivais à cette heure, sauf…

– Umberto, oui. Tu vois ? Ils sont de mèche, c'est évident. Je ne serais pas surprise de découvrir que c'est sa sœur. C'est comme ça que fonctionne la mafia. Des histoires de famille, de renvois d'ascenseur, je te tiens par la barbichette et tutti quanti… Alors, je veux bien servir de couverture pour ton petit copain, mais je ne suis pas sûre d'avoir envie de finir dans un cercueil.

– Tu délires !

– Pas du tout. C'est Peppo qui me l'a dit. Le mari d'Eva Maria était un vieux salaud. Mêlé à ces pourris de chez pourris, parfaitement organisés, où les types roulent en limousine et se la jouent en costumes brillants et cravates siciliennes. La totale. Certains pensent qu'Eva Maria a fait éliminer son papa chéri pour reprendre son business. Quant à ton zozo, c'est manifestement son gigolo préféré. Le hic, c'est qu'elle l'a envoyé à tes trousses. La question est donc la suivante : notre pucelle végétarienne arrivera-t-elle à éloigner le beau playboy de ses activités louches, ou sa mauvaise marraine l'emportera-t-elle et récupérera-t-elle les bijoux de famille dès que tu auras mis la main dessus ?

– Tu as fini ?

Janice a cligné des yeux, comme pour se remettre de sa tirade.

– O.K. De toute façon je n'y comprends rien. Et toi ?

– Tu dis n'importe quoi, ai-je répondu en m'asseyant sur le lit à côté d'elle, soudain épuisée. Maman s'est débrouillée pour nous léguer un trésor et on est en train de le foutre en l'air. *Je* suis en train de le foutre en l'air. Je lui dois au moins de remettre tout ça en ordre, non ?

– La seule chose qu'on lui doive, c'est de rester en vie. Allez, a ajouté Janice en sortant des clés, on s'en va.

– Qu'est-ce que c'est que ces clés ?

– La maison de maman. Peppo me les a données. Au sud-est de Sienne. Le bled s'appelle Montepulciano. La baraque est vide depuis des années. Tu viens ?

– Tu veux vraiment que je t'accompagne ?

Janice s'est redressée.

– Julie, il ne s'agit pas seulement d'une statue et de pierres précieuses. La situation est beaucoup plus grave. Peppo m'a parlé d'une société secrète, dont les membres croient qu'une malédiction poursuit la famille. Tu ne devineras jamais qui préside cette association… Ta petite reine de la mafia. Le genre de trucs que maman adorait… des histoires de rites de sang secrets pour conjurer les esprits des morts. Pardonne-moi si je suis un peu sarcastique.

– Eva Maria m'a invitée à une grande soirée dans le val d'Orcia.

– Dieu du Ciel ! Je n'y crois pas. Laisse-moi deviner : Alessandro y va, c'est ça ?

– Arrête. Autant aller jusqu'au bout, non ?

Janice a bondi du lit et s'est mise à tourner dans la chambre, en serrant les poings.

– Jusqu'au bout, je n'en doute pas. Tu finiras le cœur brisé et les pieds dans le ciment. Je te jure, si tu y vas, tu vas te retrouver morte et enterrée, comme nos ancêtres, sous les marches de la propriété d'Eva Maria.

Cela ne lui ressemblait pas. C'était la première fois qu'elle s'intéressait à mes déplacements et se préoccupait de mon sort. L'idée de me voir coincée les pieds dans le ciment aurait dû la faire hurler de rire.

– D'accord, a-t-elle ajouté, un peu plus calme, vas-y. Fais-toi tuer par leurs rites sataniques à la noix.

– Je n'ai jamais dit que j'y allais.

– Ah ! dans ce cas, fêtons ça par une bonne *gelato*.

*

* *

Nous avons passé près de deux heures à comparer les anciens et les nouveaux parfums des glaces du bar Nanini, sur la piazza Salimbeni. Pas vraiment réconciliées, mais d'accord sur deux choses : nous en savions trop peu sur Alessandro pour qu'il m'accompagne en voiture le lendemain, et les glaces, c'était finalement mieux que le sexe.

Malgré ses nombreux défauts, ma sœur est d'une persévérance époustouflante. Pendant notre balade, elle n'a cessé de surveiller l'heure, jusqu'au moment où elle m'a donné un coup de coude : de l'autre côté de la vitre, Alessandro marchait vers le Corso.

Nous avons bondi de chez le glacier en nous précipitant sur ses traces le plus discrètement possible, ce qui, avec Janice, n'était pas une mince affaire.

Alessandro s'est arrêté et nous nous sommes réfugiées dans l'entrée d'une boutique.

– Qu'est-ce qu'il fout ? ai-je demandé.

– Il parle avec un type, un type avec un drapeau jaune. Je ne sais pas ce qu'ils ont, ils ont tous des drapeaux, ici.

Quelques secondes plus tard, nous reprenions notre filature, qui finit par nous mener piazza Postierla, non sans qu'Alessandro fasse une halte tous les deux ou trois mètres pour saluer les uns et les autres.

– Il est en campagne municipale, ou quoi ? s'est exclamée Janice alors qu'il chatouillait le menton d'un bébé dans une poussette.

– Ça s'appelle les rapports humains, ai-je commenté. Tu devrais essayer.

– Écoute-moi ça, mademoiselle je papillonne !

J'allais lui balancer une repartie bien sentie quand j'ai constaté qu'Alessandro avait disparu.

– Merde! a soupiré Janice.

Nous nous sommes précipitées là où il se tenait quelques secondes auparavant, près du salon de Luigi, pour découvrir une ouverture qui donnait sur une allée sombre et très étroite.

– Tu le vois ? ai-je murmuré, cachée derrière ma sœur.

– Non, mais c'est la seule issue possible.

Nous avons poursuivi, avançant main dans la main comme lorsque nous étions gamines… Janice a eu beau me jeter un regard noir, nous avons été prises d'un fou rire inimaginable !

– Je n'y crois pas, tu nous as vues ?

– Chut ! a-t-elle sifflé. Ça craint. Tu as vu le tag ? C'est quoi un *galleggiante* ? Et qu'est-ce qu'il s'est passé en 92 ?

– La découverte de l'Amérique, pardi !

Et nous avons éclaté de rire de plus belle, telles deux petites championnes de l'école buissonnière.

L'allée tournait vers la droite, mais nous nous sommes arrêtées avant la bifurcation, aux aguets. Janice a tendu le cou pour voir.

– Il est là ! a-t-elle chuchoté.

– Il t'a vu ?

– Il y a un canasson.

– Un cheval ?

Je me suis penchée à mon tour. En effet, dans un petit enclos aux vieux pavés éclairés par quelques rayons de soleil, deux hommes étrillaient et toilettaient un cheval. Alessandro, lui, s'était de nouveau envolé.

– Qu'est-ce qu'on fait ? a demandé Janice.

Elle a voulu questionner les palefreniers, mais je me suis précipitée pour la retenir.

– Tu es dingue ? C'est sans doute un cheval qu'ils préparent pour le Palio. Ces types ont horreur qu'on vienne les…

– Je ne suis pas une touriste, je suis journaliste, a-t-elle répliqué en se dégageant.

J'étais partagée entre l'admiration et l'envie de la trucider. Soudain, j'ai entendu des volets s'ouvrir juste au-dessus de moi. J'ai levé les yeux… Alessandro ! Je me suis plaquée contre le mur en tirant Janice vers moi.

– Ne regarde pas. À mon avis, c'est là qu'il habite, au troisième étage. Mission accomplie. On rentre.

– Comment ça, mission accomplie ? On est venues voir ce qu'il tramait. On reste.

Janice a essayé la porte la plus proche, qu'elle a poussée sans problème.

– Viens !

– Tu es malade ?

J'avais les yeux fixés sur les hommes. Ils devaient se demander ce qu'on fichait et qui nous étions.

– Je ne fous pas les pieds dans cet immeuble. Il habite là, je te dis !

– D'accord. Je monte, tu m'attends.

*
* *

En fait, nous ne nous trouvions pas dans une cage d'escalier, mais face à un long couloir au bout duquel une porte était entrebâillée.

– Des drapeaux ! s'est exclamée Janice en jetant un coup d'œil à l'intérieur. Encore des drapeaux ! Une espèce de truc jaune, avec des oiseaux.

– Ce doit être un musée privé, ai-je dit en reconnaissant des *cenci* accrochés aux murs. Le musée de la *contrada*, comme celui de Peppo.

– Super, viens.

Elle est entrée.

– Tu es folle !

– Quelle drôle d'idée de vivre dans un musée. C'est un peu glauque.

– Personne ne vit là-dedans. Ils habitent au-dessus, idiote.

– Comment tu le sais ? Ils ont peut-être des momies de chevaux et c'est là qu'ils s'adonnent à leurs petits jeux sataniques.

Je l'ai regardée s'avancer en admirant les murs, comme une touriste. Elle cherchait à m'exaspérer et nous le savions pertinemment toutes deux.

– Pas mal, comme salon, non ? s'est-elle exclamée quand j'ai fini par la rejoindre. Je me demande ce qu'ils fricotent, au fond. Tu crois qu'ils sont en train de déchiffrer les entrailles de leurs victimes ?

– J'espère qu'ils déchiffreront bientôt les tiennes.

Des bruits de pas ont résonné. Paniquée, j'ai failli lui marcher dessus et me casser la figure. Je me suis rattrapée et nous avons couru nous réfugier dans une pièce voisine.

– Fais gaffe ! ai-je murmuré en la tirant derrière une vitrine remplie de vieux casques.

Une dame d'un certain âge est passée devant nous, les bras chargés de tissus jaunes parfaitement pliés. Les mains dans les poches, un enfant de sept ou huit ans la suivait d'un air morose. Malheureusement pour nous, il s'est immobilisé devant la vitrine pour contempler les vieilles épées accrochées au mur. Lui aussi semblait attendre que sa grand-mère disparaisse. Dès qu'elle a été hors de vue, il a décroché une rapière avant d'essayer deux ou trois mouvements d'escrime. Il ne se débrouillait pas si mal ! Il était tellement concentré qu'il n'a pas entendu l'homme entrer…

– Pas comme ça ! s'est écrié Alessandro en lui arrachant la rapière des mains.

Il lui a fait une petite démonstration avant d'ajouter :

– Vas-y, essaie. *Tocca a te !*

L'épée a fendu l'air. Alessandro en a décroché une autre, et tous deux se sont lancés dans un joyeux simulacre de duel, vite interrompu par les cris de la vieille dame.

– Enrico ! Dove sei ?

Les épées furent aussitôt remises en place. Lorsque la grand-mère a pointé son nez, tous deux étaient immobiles, sages comme des images, les mains dans le dos.

– Alessandro ! s'est-elle exclamée en l'embrassant sur les deux joues. Roméo !

Alessandro ? Roméo ?

Comment n'y avais-je pas pensé plus tôt ? Nous étions dans le musée de l'Aigle.

C'était évident. N'était-ce pas ce que signifiait le regard brillant de Malèna ? Alessandro n'était ni Paris, ni Salimbeni, ni Nino. Il était, tout simplement, tout bonnement, Roméo, et depuis toujours. Non pas Roméo le gandin virevoltant de bal en bal avec un chapeau d'elfe, mais Roméo l'exilé, victime des ragots et des superstitions les plus obscures, qui avait lutté toute sa vie pour devenir un autre. Roméo ne me ferait jamais la cour en me récitant des tercets rimés. Mais c'était bien lui qui s'était rendu chez maître Lippi pour boire un verre et admirer le portrait de Giulietta Tolomei. À mes yeux, cela valait toute la poésie du monde

Pourquoi m'avait-il caché la vérité ? Chaque fois que je l'interrogeais sur Roméo, il répondait comme s'il parlait d'un autre. Un autre qu'il fallait que j'évite à tout prix de rencontrer.

Je me suis rappelé le jour où il m'avait montré la balle suspendue à son cou par un lien de cuir, et le jour où Peppo m'avait dit que tout le monde le croyait mort. Et, surtout, l'expression de Peppo lorsqu'il m'avait laissé entendre que Roméo était né hors mariage. Voilà d'où venait la rage d'Alessandro envers ma famille. Personne ne connaissait sa véritable identité et tous étaient trop contents de le traiter comme un Salimbeni, c'est-à-dire comme un ennemi.

Y compris moi.

Alessandro, Enrico et la dame ont fini par quitter la salle. Janice m'a secouée.

– Reviens sur terre !

Facile à dire.

– Roméo ! Vraiment, je suis trop bête.

– Là-dessus, rien de nouveau sous le soleil. Mais qu'est-ce qui te prouve qu'il s'agit du bon Roméo ? C'est peut-être son second prénom. Il n'y a pas plus banal en Italie. Et si c'est le cas, en quoi ça nous avance ? Il est de mèche avec les Salimbeni, et c'est lui qui a saccagé ta chambre d'hôtel.

– Je ne me sens pas très bien…

– Allez, on se casse.

Elle m'a prise par la main en m'entraînant vers ce qu'elle pensait être la sortie, mais nous avons débouché dans une pièce à peine éclairée, avec de vieux *cenci* conservés dans des cercueils de verre. La salle ressemblait à un sanctuaire, au bout duquel j'ai repéré un petit escalier aux pierres sombres qui descendait au sous-sol.

De nouvelles voix ont résonné, semblant venir de tous les côtés. Nous avons dévalé l'escalier sans réfléchir.

– Oh non, c'est lui ! s'est exclamée Janice, tapie devant moi au pied des marches.

Les lumières se sont allumées et nous avons vu Alessandro descendre, s'immobilisant soudain.

J'ai échangé un regard inquiet avec ma sœur. Nous étions coincées dans ce sous-sol. Hormis trois énormes ouvertures dans le mur, fermées par d'épaisses grilles métalliques, il n'y avait aucune issue possible.

Il en fallait davantage pour décourager deux Tolomei. Excitée comme une puce, je me suis redressée, suivie par ma sœur, et nous avons examiné les grilles. Pouvait-on se glisser derrière ? Janice, elle, scrutait chaque verrou, chaque gond. Je la connaissais : dans son esprit, tout mur a une porte, et toute porte a une clé. Autrement dit, il suffit de la trouver.

– Psst !

Elle a agité la main. De fait, la troisième grille a fini par s'ouvrir, comme une simple porte et sans le moindre grincement.

– Viens, on y va !

Nous nous sommes avancées, prudemment, avant de nous retrouver dans une obscurité totale.

– Si seulement on avait une lampe ! s'est plainte Janice. Merde !

Elle avait failli se cogner la tête. Soudain, un rayon de lumière a jailli du fond du sous-sol, s'est figé sur nous puis s'est retiré.

Affolées, nous avons poursuivi notre marche, jusqu'au moment où nous sommes tombées sur une sorte de niche, assez grande pour nous abriter.

– Il est là ? Il nous suit ? a murmuré Janice, coincée derrière moi. C'est lui ?

– Oui !

J'avais du mal à distinguer quoi que ce soit, à part le rayon de la lampe torche qui oscillait de haut en bas. À un moment, le rayon s'est stabilisé. J'ai tendu le cou. C'était bien lui, Alessandro, ou Roméo. Il ouvrait une petite grille incrustée dans le mur, sa torche coincée sous l'aisselle.

– Qu'est-ce qu'il fait ? a demandé Janice.

– On dirait qu'il cherche à ouvrir une grille qui donnerait sur une chambre forte… Attends, il vient de sortir un truc, une boîte.

– C'est peut-être le *cencio* !

– Non, elle est trop petite. On dirait une boîte de cigares.

– J'en étais sûr. Il fume.

Il a soigneusement refermé la petite grille avant de revenir sur ses pas et de remonter vers le musée. L'écho de la grande grille métallique a longuement résonné dans le Bottini.

– Oh non ! a gémi Janice, terrifiée.

– Ne me dis pas que…

– Pourquoi n'était-elle pas verrouillée quand nous sommes entrées ?

– Je me le demande. Nous sommes piégées.

– Je croyais que tu aimais l'aventure ?

En dépit de ses efforts, sa voix manquait singulièrement d'assurance.

– Allez ! J'ai toujours rêvé de faire un peu de spéléologie. On finira bien par déboucher quelque part.

*
* *

Un soir, alors que nous harcelions tante Rose de questions sur l'Italie, Umberto nous avait longuement décrit les catacombes de Rome. C'était un labyrinthe de grottes secrètes dans lesquelles les premiers chrétiens se réfugiaient pour recevoir la communion sans risquer d'être dénoncés auprès de l'empereur. En outre, les chrétiens défiaient la tradition romaine d'incinération des morts, car ils enveloppaient les corps dans de grands linceuls avant de les descendre dans ces catacombes pour les allonger dans des caveaux creusés dans la pierre et procéder à ces nouveaux rites funéraires en espérant le second avènement du Christ. Si nous allions un jour en Italie, avait conclu Umberto, il nous emmènerait dans ces catacombes et nous montrerait les squelettes des fidèles, très bien conservés.

Quelle ironie ! Nous étions justement là, au cœur du Bottini, fuyant comme les premiers chrétiens à Rome, sans savoir où cela nous mènerait ni même si cela devait nous mener quelque part !

Heureusement, Janice avait sur elle un briquet. Tous les cinq ou six mètres, elle l'allumait pour vérifier que nous n'étions pas au bord d'une crevasse ou face à une gigantesque toile d'araignée.

– Janice ? ai-je demandé en lui tapotant le dos. Tu crois qu'il m'a caché son identité parce qu'il voulait que je tombe amoureuse de lui pour de vraies raisons, pas juste à cause de son prénom ?

Comment lui en vouloir de geindre au lieu d'articuler une réponse ?

– D'accord, j'ai pigé. Il ne m'a rien dit parce qu'il n'avait aucune envie qu'une pucelle végétarienne perce le secret de son nom et qu'il voulait rester incognito. C'est ça ?

– Julie ! Arrête de te prendre la tête. Qu'est-ce qui te prouve que c'est le bon Roméo ? Je te préviens, si c'est le cas, je lui botterai le cul pour avoir osé te traiter comme une chienne.

Sa sollicitude m'a touchée. Était-ce nouveau ? Ou simplement une qualité que je n'avais jamais remarquée ?

– Le problème, ai-je poursuivi, c'est qu'il ne m'a jamais vraiment dit qu'il était un Salimbeni. C'est toujours moi qui… Oups ! Pardon…

J'ai failli trébucher, mais je me suis accrochée à Janice.

– Laisse-moi deviner, a-t-elle répondu en allumant le briquet face à son sourcil narquois. Il ne t'a pas non plus soufflé un mot sur le cambriolage de ta chambre, non ?

– Mais c'était Bruno Carrera !

– Mais non, Julie, mon amour, a-t-elle répliqué en imitant Alessandro. Ce n'est pas moi qui ai volé le *cencio* de Roméo. Que ferais-je de ce vieux bout de chiffon ? Par contre, si tu me filais ce couteau pointu ? Tu risques de te blesser avec, mon bébé ! Comment tu appelles ça ? Un poignard ?

– Arrête, jamais il ne m'a parlé de façon aussi niaise.

– Ma chérie, il te mène en bateau depuis le début.

Ma sœur a éteint le briquet et repris notre marche forcée, en ajoutant :

– Plus vite tu te mettras ça en tête, mieux ça vaudra, ma vieille. Crois-moi, ce mec a zéro sentiment pour toi. Tout ça est un vaste canular pour mettre la main sur… Aïe !

Elle venait de se cogner, avec un bruit sourd, sur une surface dure comme du bois.

Elle a rallumé son briquet, deux ou trois fois avant que la flamme persiste, découvrant soudain que j'étais en larmes. Elle m'a passé un bras autour des épaules, avec une maladresse qui m'a émue.

– Excuse-moi, Julie. C'est pour te protéger. Pour t'éviter des peines de cœur.

– Je croyais que je n'avais pas de cœur ?

– Oui, mais tu as changé, ces derniers temps. Dommage, tu étais plus marrante quand tu n'en avais pas.

Elle m'a pincé le menton d'une main qui sentait le parfum moka vanille et j'ai éclaté de rire.

– C'est ma faute, a-t-elle admis. J'aurais dû m'en douter. Le mec roule en Alfa Romeo !

Si nous ne nous étions pas arrêtées là parce que je pleurais, ni l'une ni l'autre n'aurait remarqué l'ouverture circulaire dans la paroi de gauche. Je me suis agenouillée pour y jeter un coup d'œil en enfonçant la tête. Face à moi, un long boyau débouchait sur un petit bout de ciel bleu en forme de coquillage. J'ai même cru entendre l'écho d'un lointain trafic de voitures.

– Sainte Vierge ! s'est exclamée Janice. Nous voilà de retour à la vraie vie ! Après toi. L'âge avant la beauté.

L'angoisse d'avoir à marcher dans le sous-sol n'était rien à côté de l'impression de claustrophobie qui m'a saisie en pénétrant dans ce goulot. À chaque fois que j'arrivais à me hisser en m'accrochant avec les pieds et les mains, je glissais en arrière et je perdais quelques précieux centimètres.

– Allez, m'encourageait Janice derrière moi. Tiens bon !

– Tu n'avais qu'à y aller en premier. Ce n'est pas toi qui racontais que tu étais championne d'escalade ?

– Tiens. Appuie-toi là-dessus.

Elle m'a fait la courte échelle. Lentement, péniblement, nous avons fini par arriver au bout de ce boyau infernal qui, heureusement, s'était suffisamment élargi pour que Janice avance à ma hauteur. Plus nous approchions de l'issue, plus l'endroit était répugnant.

– Beurk ! s'est écriée Janice en observant les déchets que les passants jetaient à travers la grille. Dégueulasse. Tu as vu ça, on dirait un cheeseburger ?

– Il a encore du fromage ?

– Et ça ? Un portable ! Dommage, la batterie est à plat.

– Tu as fini de fourrager dans les ordures ?

Nous avons parcouru les derniers mètres au milieu des immondices avant d'arriver devant une bouche d'égout, ultime séparation entre nous et la surface de la terre.

– Je me demande où on est, a dit Janice en pressant le front contre la grille.

Des pieds et des jambes passaient au-dessus de nous.

– On est sous une immense place.

– Le Campo, je parie ! ai-je clamé en cognant contre la bouche d'égout. C'est du solide !

– Ohé ! a crié Janice. Il y a quelqu'un ? Vous m'entendez ?

Peu après, une jeune adolescente qui dégustait un cornet de glace, les lèvres vert pistache, s'est penchée et nous a vues.

– Ciao ! s'est-elle exclamée en souriant, comme devant une caméra. Je m'appelle Antonella.

– Salut, Antonella, ai-je répondu en essayant de me faire voir. Tu parles anglais, par hasard ? On est légèrement… disons, coincées. Tu ne pourrais pas trouver quelqu'un pour nous aider ?

Vingt longues minutes plus tard, elle est revenue avec deux pieds nus masculins chaussés de sandales.

– Maître Lippi ?

Je venais de reconnaître mon vieux copain le peintre. Je n'en revenais pas.

– Bonjour, maestro. Vous vous souvenez de moi ? J'ai dormi chez vous, sur le canapé, il y a quelques jours.

– Bien sûr que je me souviens. Comment vas-tu ? a-t-il répondu en s'agenouillant.

– Couci-couça. Vous croyez que vous pourriez essayer d'enlever ce truc… Au fait, je vous présente ma sœur.

– Vous n'êtes quand même pas allées fouiller là où n'aviez aucun droit de pénétrer ?

– Euh, si.

– Vous avez retrouvé la statue ? Je t'avais interdit d'y toucher !

– Mais non, on n'a rien fait. On s'est fait piéger, c'est aussi bête que ça. Vous ne pourriez pas nous aider à…

– Bien sûr, c'est très facile.

– Vraiment ?

– Cette grille, c'est moi qui l'ai fabriquée ! a-t-il répondu joyeusement.

*
* *

Le soir même, après avoir pansé nos égratignures, nous dînions dans l'atelier du maître, dégustant des *pasta primavera* agrémentées d'un brin de romarin cueilli sur le rebord de fenêtre. Il y avait à peine assez de place pour trois personnes sur la table, chargée de plusieurs tableaux en cours et de fleurs en pots à différents stades de croissance. Peu importait. Nous passions un moment exceptionnellement chaleureux.

– Tu es bien calme, m'a lancé maître Lippi en se servant une nouvelle rasade de vin.

– Julie a eu un léger accroc avec Roméo, a expliqué Janice. Il l'a comparée à la lune. Erreur majeure !

– Il est passé me voir hier soir. Il n'était pas très en forme. Je comprends pourquoi.

– Il est passé vous voir ici hier soir ? ai-je répété.

– Oui, il m'a fait remarquer que tu ne ressembles pas du tout au portrait. Que tu es beaucoup plus jolie et beaucoup plus… Qu'est-ce qu'il a dit ?… Fatale.

– Il n'a pas mentionné les petits jeux qu'il m'a imposés au lieu de me donner son vrai nom ?

– Tu ne l'as pas reconnu ?

– Non. Et lui non plus.

– Vous le connaissez bien ? a enchaîné Janice. On sait que c'est Roméo, ici ?

– Il refuse qu'on le nomme ainsi. Seuls les membres de sa famille en ont le droit. J'ignore pourquoi, mais il a décidé de se faire appeler Alessandro Santini.

– Vous êtes donc au parfum depuis le début ! me suis-je exclamée.

– J'étais persuadé que tu étais au courant. Tu t'appelles Juliette, non ?

– Pardon… Comment le saviez-vous ?

– Je… Je…

Le maestro semblait estomaqué par ma question.

– Ne me dites pas que vous l'avez connu dans une vie antérieure !

– Pas du tout, s'est-il récrié en fronçant les sourcils. Je l'ai reconnu d'après la fresque. Celle du Palazzo Pubblico. Ensuite, j'ai remarqué qu'il avait un aigle tatoué à l'intérieur de l'avant-bras. Là, juste là… Tu ne l'as jamais remarqué ?

Je me suis revue dans le sous-sol du palazzo Salimbeni, luttant pour ne pas me laisser distraire par les tatouages d'Alessandro alors que je lui expliquais que j'étais suivie. Je me doutais qu'il s'agissait d'autre chose que de souvenirs de beuveries à Amsterdam, contrairement à ceux de Janice. Mais de là à penser qu'ils indiquaient son identité réelle !

– Julie n'a pas besoin de lunettes, a répondu ma sœur. Elle a besoin d'un nouveau cerveau.

– Pardon de passer du coq à l'âne, ai-je coupé en prenant mon sac. Pourriez nous traduire ceci ?

J'ai donné au maestro le manuscrit italien que j'avais trouvé dans le coffre de notre mère. Je le transportais toujours avec moi, au cas où je serais tombée sur un traducteur fiable. J'avais bien pensé à Alessandro, mais quelque chose me retenait.

– C'est peut-être un texte important…

Maître Lippi a parcouru l'introduction et les deux ou trois premiers paragraphes.

– Il s'agit d'un récit : *La Maledizione sul muro*, « La Malédiction sur le mur ». Il est assez long. Vous voulez vraiment que je vous le traduise en entier ?

VI, II

Un fléau sur vos deux maisons !
Elles ont fait de moi de la viande pour les vers.

Sienne, 1370.

Il existe une légende que peu de gens connaissent, liée à une affaire qui, parce qu'elle mettait en jeu des personnalités importantes, fut très vite étouffée. Tout commence avec sainte Catherine de Sienne. Depuis son enfance, Catherine possédait des pouvoirs surnaturels. Les gens venaient de très loin pour la voir, afin qu'elle soulage leurs douleurs en leur imposant les mains. Sainte Catherine consacra ainsi sa vie à soigner les malades dans l'hôpital situé près de la cathédrale Santa Maria della Scala, où elle avait sa propre chambre.

Un jour, on l'appelle au palazzo Salimbeni. Elle s'y rend et sent immédiatement une atmosphère chargée d'angoisse. Quatre jours plus tôt, lui explique-t-on, un grand mariage a eu lieu au palais, unissant une certaine Mina Tolomei et un fils de la maison. Les noces ont été grandioses et les deux familles se sont juré une paix éternelle.

Vers minuit, le marié monte dans sa chambre mais n'y trouve pas son épouse. Il interroge son entourage, ses servantes : personne ne l'a vue. Il est de plus en plus inquiet. Des ennemis l'auraient-elles enlevée ? Qui oserait faire un tel affront aux deux familles ? Se serait-elle enfuie ? Non. Il ne peut imaginer qu'elle ait disparu de son propre gré. Il est jeune, beau. Pourquoi l'aurait-elle fui ?

Prévenus, son père et celui de Mina se joignent à lui. Quatre longues heures de recherche suivent, dans les chambres, les cuisines, le grenier. À l'aube, tous finissent par abandonner. Peu après descend de sa chambre la plus âgée des femmes de la famille, Monna Cecilia, qui parle aux hommes accablés.

– Tristes sires, suivez-moi, annonce-t-elle. Je sais où est Mina. Car il y a un endroit où vous n'êtes pas allés fouiller et je suis certaine qu'elle est là.

Monna Cecilia entraîne les hommes dans les sous-sols de plus en plus profonds du palazzo Salimbeni. Au passage, elle leur montre que toutes les portes ont été ouvertes avec les clés qu'on a remises à la mariée lors de la cérémonie. Or personne ne s'est aventuré dans ces caves depuis de nombreuses années. Il y règne une obscurité oppressante. Les hommes ont du mal à croire qu'on ait donné à la jeune femme les clés de toutes ces ouvertures secrètes. Ils sont à la fois furieux, terrifiés et de plus en plus anxieux. Ils savent que ces souterrains cachent la face sombre du passé de leur famille, des événements qui se sont produits avant la Grande Peste et qu'il vaut mieux oublier.

Enfin, ils arrivent devant l'ancienne chambre de torture. Tous se figent. De légers sanglots se font entendre. Le jeune marié se précipite sur la porte en brandissant sa torche et découvre, assise sur le sol dans sa jolie tenue de nuit bleue, sa jeune épouse éplorée, grelottant de froid. Elle hurle face à tous ces visages inconnus, incapable de reconnaître quiconque, pas même son père.

Les hommes la prennent dans leurs bras et la remontent à la lumière, dans la chambre nuptiale. Ils l'enveloppent dans des couvertures de laine, lui offrent de l'eau et de quoi se nourrir. Mina, tremblant des pieds à la tête, les repousse. Son père tente de la raisonner. Elle se détourne et refuse de l'écouter.

– Tu as oublié ? Tu es ma petite Mina chérie, dit-il.

– Non, répond-elle, je ne suis pas Mina. Je suis Lorenzo.

Les femmes implorent la Vierge Marie. Les hommes se lamentent, se reprochent de n'avoir pas su la retrouver plus tôt. Seule Monna Cecilia garde son calme. Assise près de Mina, elle lui caresse délicatement les cheveux pour essayer de la faire parler.

Mina s'agite, oscille d'avant en arrière, hagarde, jusqu'au moment où Monna Cecilia murmure :

– Cher, cher Lorenzo, je suis Monna Cecilia. Je sais ce qu'ils t'ont infligé !

La jeune femme lève les yeux vers elle et éclate en sanglots. Monna Cecilia l'enlace et la laisse pleurer près de quatre heures, jusqu'à ce que toutes deux, épuisées, s'écroulent sur le lit nuptial. Mina s'endort, mais son sommeil est agité. En proie à d'affreux cauchemars, elle emplit la maison de ses hurlements, jusqu'au jour où l'on décide d'aller consulter sainte Catherine.

La sainte écoute l'histoire de Mina et comprend que la jeune femme est possédée. Elle n'a pas peur. Elle se rend au palazzo Salimbeni et passe une nuit entière à genoux auprès de la jeune mariée, priant sans relâche. Le lendemain matin, Mina se réveille et se souvient parfaitement de qui elle est.

Une immense joie envahit la maison. On remercie et on loue sainte Catherine, mais celle-ci les réprimande en affirmant que seul Dieu est responsable de la guérison.

Cependant, Mina reste perturbée. Elle finit par avouer qu'elle a un message de la part de Lorenzo. Elle ne trouvera pas la paix tant qu'elle ne le leur aura pas livré. La simple mention du nom de Lorenzo terrifie tout le monde autour d'elle. Les siens acceptent néanmoins de l'écouter. Hélas, Mina a oublié le contenu du message et fond en larmes. Est-elle de nouveau en proie à la folie ?

Sainte Catherine tend à la jeune fille une plume trempée dans l'encre et l'encourage.

– Ma chérie, prends cette plume. Lorenzo écrira ce qu'il souhaite par ton intermédiaire.

– Je ne sais pas écrire !

– Lorenzo guidera ta main.

Mina prend donc la plume et passe plusieurs heures silencieuse, regardant sa main se déplacer tandis que sainte Catherine prie à ses côtés. Puis, sans un mot, elle se lève, se dirige vers l'escalier, telle une somnambule, et descend, descend jusqu'aux plus profonds sous-sols du palais. Tous la suivent. Arrivée dans la pièce où elle s'était égarée, elle court vers le mur sur lequel elle passe un doigt, comme si elle écrivait. Les hommes s'approchent, tendant leurs torches.

– Lisez ! s'exclame-t-elle.

Ils ne distinguent rien.

– Là, devant vous… Vous ne voyez pas ?

Sainte Catherine finit par envoyer un jeune garçon chez son père, teinturier, afin qu'il rapporte de la teinture. Elle demande ensuite à Mina d'y tremper son doigt et de tout réécrire. Mina, pourtant illettrée, couvre alors tout un pan de mur. Les hommes, paralysés par la peur, peuvent enfin déchiffrer le message de Lorenzo.

Un fléau sur vos deux maisons
Tous vous périrez dans le feu et le sang
Vos enfants pleureront à jamais sous la folle lune
Jusqu'au jour où vous annulerez vos péchés agenouillés devant la Vierge
Et Giulietta se réveillera pour découvrir Roméo.

Ayant à peine fini d'écrire, Mina s'écroule dans les bras de son époux. Le jeune homme, pleurant de soulagement, la transporte à la lumière. Plus jamais l'esprit de Lorenzo ne parlera à travers son épouse.

Pourtant, Mina n'a pas oublié ce qui lui est arrivé. Elle veut savoir qui est ce Lorenzo et pourquoi il a choisi de s'exprimer à travers elle.

C'est une vraie Tolomei, têtue, obstinée. Dès que son mari part pour ses affaires, elle passe des heures auprès de la vieille Monna Cecilia et l'écoute raconter des histoires du passé. Au début, Monna Cecilia s'est fait prier. Elle avait un peu peur. Puis elle a fini par se dire que se libérer du poids du passé l'apaiserait. En outre, la vérité, ainsi, ne mourrait pas avec elle.

Elle explique à Mina qu'un jeune moine a écrit les mêmes mots qu'elle, mais avec son propre sang, des années auparavant, sur le mur de la salle où il avait été emprisonné et torturé.

– Emprisonné par qui ? demande Mina. Et pourquoi ?

– Par un homme que j'ai décidé, il y a fort longtemps, de ne plus considérer comme mon père.

*
* *

Cet homme régnait sur la maison Salimbeni à l'époque de la Grande Peste, et il y régnait en tyran. Certains justifiaient sa perfidie en rappelant que lorsqu'il était enfant des bandits Tolomei avaient assassiné sa mère sous ses yeux. Cela ne l'excusait en rien, estimait Monna Cecilia. Il se montrait d'une cruauté sans égale envers ses ennemis et d'une sévérité extrême avec les siens. Quand il était las de son épouse, il l'envoyait à la campagne et l'enfermait dans la forteresse familiale, ordonnant aux domestiques de la sous-alimenter. Et, lorsque l'épouse mourait, il se remariait. Plus il vieillit, plus ses épouses rajeunirent, jusqu'au moment où la jeunesse ne lui suffit plus. Désespéré, il finit par éprouver un réel désir pour une jeune fille dont il avait fait massacrer la famille. Cette jeune fille se nommait Giulietta.

Il avait beau la savoir secrètement promise à un autre, avec la bénédiction de la Vierge Marie, il l'obligea à l'épouser. Cette forfaiture provoqua la pire vengeance qu'un homme puisse subir. Car la Vierge châtie sans pitié les impies qui martyrisent ses protégés. Le drame s'acheva dans la douleur et les larmes. Les jeunes amants se donnèrent la mort, et le fils de Salimbeni périt en essayant de défendre l'honneur de son père.

Fou de chagrin et de rage, Salimbeni fit arrêter et torturer le frère Lorenzo, le moine convaincu d'avoir aidé les amoureux. Il invita l'oncle de Giulietta, messire Tolomei, à assister au supplice.

Et le jeune moine maudit ces deux hommes dans le message qu'il écrivit sur le mur.

Salimbeni fit ensevelir son corps sous le sol de la chambre de torture, comme à son habitude. Sur son ordre, des serviteurs lavèrent le mur et le blanchirent à la chaux, recouvrant la malédiction.

Mesure dérisoire et inutile. Quelques jours plus tard, le frère Lorenzo lui apparut en rêve, déclarant qu'aucune chaux n'effacerait jamais son message. Salimbeni prit peur. Il fit condamner la pièce pour anéantir le pouvoir maléfique du mur. Il entendait des voix qui affirmaient qu'il était maudit et que la Vierge le punirait. Ces voix retentissaient partout où il se rendait, dans la rue, à l'église, au marché, et même lorsqu'il était seul.

Un soir, un incendie ravagea une partie du palais. Épouvanté, il y vit une manifestation de la malédiction.

C'est à cette époque que les premiers bruits de peste se répandirent. Des pèlerins revenant d'Orient racontaient qu'un épouvantable fléau ravageait plus de villages et de villes qu'une armée entière. Toutefois, les Siennois se persuadèrent que ce mal ne frappait que les païens. La Vierge, pensaient-ils, déploierait sa cape pour protéger leur cité. Leurs prières et leurs cierges suffiraient à repousser le malheur.

Depuis longtemps, Salimbeni, empli d'orgueil, vivait avec l'illusion que tout ce qui arrivait autour de lui était un effet de sa magnificence. Alors que le mal se rapprochait, il s'en crut la cause. L'idée qu'il était seul responsable des désastres qui allaient s'abattre sur sa ville le hantait.

Dans sa folie, il alla exhumer les corps de Giulietta et de Roméo de leur sépulture non consacrée. Il leur fit construire un tombeau digne d'eux et sanctifié par l'Église, afin d'étouffer les murmures du peuple et les voix qui le harcelaient.

Acharné à se réconcilier avec le spectre de frère Lorenzo, il passa des nuits entières à lire et relire la malédiction transcrite sur un morceau de parchemin, dans l'espoir de trouver le moyen d'« annuler ses péchés agenouillé devant la Vierge ». Il convoqua même d'illustres érudits et les conjura de réfléchir à ce qu'il pourrait faire afin que « Giulietta se réveille pour découvrir Roméo. »

S'il voulait écarter la malédiction, lui conseillèrent les savants, Salimbeni devait commencer par comprendre que la richesse est mauvaise et qu'un homme cousu d'or ne connaîtra jamais le bonheur. Dès lors, il pourrait sans regret distribuer une partie de sa fortune à des personnes prêtes à le soulager de son remords, des savants, par exemple. Il pourrait aussi commander une statue d'une exceptionnelle beauté qui l'aiderait à retrouver la paix. En sacrifiant ainsi son argent, il obtiendrait le pardon pour toute la ville de Sienne.

Érigée sur la tombe de Roméo et Giulietta, la statue serait couverte de l'or le plus pur. Cette représentation des deux amants éloignerait à jamais l'anathème de frère Lorenzo. Enfin, Salimbeni retirerait les pierres les plus précieuses de la couronne de mariée de Giulietta afin qu'elles figurent les yeux : les deux émeraudes pour Roméo, les deux saphirs bleus pour Giulietta. Sous la statue, une épitaphe proclamerait :

Ci-gît la vraie et la fidèle Giulietta
Qui par l'amour et la miséricorde de Dieu
Sera réveillée par Roméo, son époux légitime
En une heure de grâce parfaite.

En leur permettant de se contempler pour l'éternité à travers ces yeux de pierres précieuses, Salimbeni anticiperait l'instant de leur résurrection et offrirait aux citoyens de Sienne l'occasion d'admirer leur effigie, tout en louant la générosité et la piété de son commanditaire.

Pour renforcer son mérite, ajoutèrent les savants, Salimbeni ferait rédiger un récit qui non seulement vanterait sa bienveillance, mais le libérerait de son remords. Ce serait l'histoire de Roméo et Giulietta, pleine de poésie et de péripéties imaginaires, comme toute œuvre d'art digne de ce nom. Car un conteur accompli, truffant son récit de mensonges, capte bien mieux l'attention qu'un chroniqueur proche de la vérité mais ennuyeux.

Quant à ceux qui oseraient gloser sur la culpabilité de Salimbeni, il s'assurerait de leur silence, de la main à la main ou dans leur dos, par l'or ou par le fer. Seule l'élimination de ces langues de vipère lui permettrait de se racheter aux yeux du commun des mortels et du Ciel.

Salimbeni suivit les recommandations de ces doctes maîtres avec une extrême rigueur. Il commença, suivant leur avis, par les faire taire afin qu'ils ne puissent le diffamer. Ensuite, il chargea un poète local d'écrire l'histoire de deux amants maudits par le sort, dont la mort tragique n'était due qu'à eux-mêmes, puis de la faire circuler parmi les gens lettrés, non comme un conte, mais comme la vérité, honteusement ignorée jusque-là. Enfin, il demanda à maître Ambrogio de superviser l'élaboration de la statue. Une fois l'œuvre achevée, avec ses yeux de saphir et d'émeraude, il ordonna que quatre gardes, postés dans la chapelle, veillent en permanence sur les immortels amants.

Hélas, rien de tout cela ne conjura la peste. Le fléau ravagea Sienne pendant plus d'un an. La moitié de la population disparut, si bien que bientôt il n'y eut plus assez de vivants pour enterrer les morts. Les rues étaient jonchées de corps, et les rescapés mouraient de faim.

La Grande Peste prit fin, mais le monde avait changé. Telle une inscription sur une ardoise, la mémoire du peuple avait été effacée, pour le meilleur et pour le pire. Les survivants avaient trop à faire pour se soucier d'art et de vieilles légendes. Dès lors, l'histoire de Roméo et Giulietta se réduisit à un infime écho venu d'un autre monde dont on ne se souvenait que par fragments. La tombe des deux amants avait disparu, ensevelie sous un monceau de cadavres. Personne n'avait plus aucune idée de la valeur de la statue. Quant à maître Ambrogio, qui avait serti les pierres de ses propres mains, il avait été emporté par la peste.

Après avoir écouté le récit de Monna Cecilia, Mina eut une illumination : il lui restait un dernier geste à accomplir pour apaiser le spectre de Lorenzo.

Un matin, son mari étant parti pour la journée, elle ordonna à six de ses serviteurs les plus robustes de descendre avec elle dans les souterrains du palais pour briser le sol de l'ancienne chambre de torture.

Les hommes ne se montrèrent guère enthousiasmés par cette mission macabre. Mais, voyant leur maîtresse patienter à leurs côtés pendant qu'ils s'attelaient à la tâche, ils n'osèrent se plaindre, d'autant que la dame leur avait promis un repas exceptionnel en guise de récompense.

Au cours de cette étrange matinée, ils tombèrent sur les ossements non pas d'une, mais de plusieurs personnes. La découverte du charnier leur souleva le cœur. Toutefois, comme Mina ne bougeait pas, ils continuèrent à fouiller. À la fin de la journée, ils ne cachaient plus leur admiration pour le courage et la force de caractère dont elle avait fait preuve.

Mina leur demanda de ramasser tous les os, de les envelopper dans des linceuls et de les transporter au cimetière, sauf les plus récents, vraisemblablement ceux de frère Lorenzo. Elle demeura seule face aux restes du moine, méditant, contemplant le crucifix d'argent que l'on avait placé dans sa main…

Avant son mariage, Mina avait eu un confesseur, un saint homme merveilleux, originaire du Sud, de Viterbe, qui lui avait souvent parlé de la cathédrale de la ville, San Lorenzo. N'était-ce pas à Viterbe qu'elle devait envoyer les reliques du moine ? Là, au milieu de ses frères, il trouverait enfin la paix. En outre, il serait loin de Sienne, la ville qui lui avait causé tant de malheurs.

Le soir, Mina avait tout préparé. Les ossements du moine reposaient dans un cercueil prêt à être emporté, et elle avait écrit un billet destiné aux prêtres de San Lorenzo pour leur expliquer la situation. Il ne lui manquait plus que l'autorisation de son mari et un peu d'argent. Mina faisait partie de ces femmes qui apprennent en quelques mois que ce genre de faveur s'obtient en une nuit de plaisir accordée à un homme.

Le lendemain, à l'aube, alors que la brume voilait encore la piazza Salimbeni, elle assista, depuis sa fenêtre, au départ du cercueil vers Viterbe. Elle portait autour du cou le crucifix en argent de Lorenzo, nettoyé et poli. Et son mari dormait, au septième ciel.

Elle ignorait toujours pourquoi Lorenzo avait choisi de parler à travers elle, forçant sa main à révéler cette malédiction qui avait apporté ruine et désolation à sa famille. En attendant, elle porterait le crucifix en mémoire de l'homme dont les dernières pensées n'avaient pas été pour lui-même, mais pour Roméo et Giulietta.

VII, I

Je ne sais par quel nom t'indiquer qui je suis.
Mon nom m'est odieux à moi-même.

Sa lecture terminée, maître Lippi garda le silence un long moment. À l'origine, j'avais sorti mon manuscrit italien pour éviter de parler d'Alessandro-Roméo. Si j'avais su qu'il nous mènerait dans de tels abîmes de noirceur, je l'aurais laissé au fond de mon sac.

– Pauvre frère Lorenzo, a soupiré Janice en vidant son verre, il a eu une fin atroce.

– J'ai toujours pensé que Shakespeare l'abandonnait trop vite, ai-je répondu. Dans *Roméo et Juliette*, il se retrouve dans le cimetière, les mains en sang, entouré de tous ces morts. Il reconnaît qu'il est la cause de ce chassé-croisé fatal… Puis plus rien. Les Capulet et les Montaigu pourraient au moins l'accuser d'être responsable de ce cauchemar…

– Ils l'accusent, mais plus tard, a rectifié Janice. « D'aucuns seront punis, d'autres pardonnés », écrit Shakespeare, comme si l'histoire n'était pas finie, comme si elle continuait après le baisser de rideau.

– J'avoue que je suis troublé, est intervenu maître Lippi. Si la malédiction du frère est vraie, cela signifie qu'elle a toujours cours… « Jusqu'au jour où vous annulerez vos péchés agenouillés devant la Vierge… Et Giulietta se réveillera pour découvrir Roméo. »

– D'accord, a dit Janice, qui se méfiait de tout ce qui frôlait la superstition, mais j'ai deux questions. D'abord, qui est ce « vous » auquel s'adresse Lorenzo ?

– C'est évident, ai-je répliqué, puisqu'il parle d'un « fléau sur vos deux maisons ». Il s'adresse à Salimbeni et à Tolomei, qui sont en train de le torturer. Or, toi et moi, nous sommes Tolomei, donc maudites.

– Arrête ! Le nom n'est pas déterminant à ce point-là !

– Il n'y a pas que le nom. Il y a aussi les gènes. Maman avait les gènes, et papa le nom. Ça ne nous laisse pas une grande liberté de jeu.

– Très bien, s'est défendue Janice, contrariée. Mais l'origine de la malédiction, c'est le frère Lorenzo. O.K. ? J'ai une seconde question. Si tu crois vraiment à cette malédiction, comment annuler ces péchés ? Cela voudrait-il dire que nous devons aller déterrer Salimbeni pour l'obliger à revenir sur ses actes, le traîner devant l'autel de la cathédrale, ou je ne sais quoi ?

Exaspérée, elle nous a fusillés du regard, maître Lippi et moi, comme si nous étions responsables.

– On n'a qu'à quitter l'Italie et rentrer tout de suite. Qu'est-ce qu'on en a à foutre ?

– Maman ne s'en foutait pas. Elle voulait qu'on arrête la malédiction. On lui doit ça.

– On ne lui doit que dalle ! s'est-elle écriée en brandissant une branche de romarin. Sauf une chose : rester en vie. Je l'ai déjà dit.

– Exactement, ai-je approuvé en posant la main sur le crucifix pendu à mon cou. Mais si on veut rester en vie, il faut mettre fin à la malédiction.

– Comment ?

– Je ne sais pas. J'imagine que la statue a un rôle à jouer. Et aussi, sans doute, le *cencio* et le poignard…

– Mais où elle est, cette statue ? L'histoire évoque la sépulture que Salimbeni a fait construire. Elle mentionne également une chapelle, sans préciser où elle se trouve. Sans compter que tu as perdu le poignard et le *cencio*. Du reste, je suis épatée que tu aies encore le crucifix, même si ça ne nous avance pas beaucoup.

Je me suis tournée vers le maestro.

– Le livre dont vous m'avez parlé, celui qui parle de la statue et des yeux de Juliette… Vous savez où il est ? Vous m'aviez conseillé d'interroger Roméo.

– Tu l'as fait ?

– Bien sûr que non ! Je viens de comprendre qui est Roméo.

– Alors, demande-lui la prochaine fois que tu le verras.

Il était minuit quand nous sommes arrivées à l'hôtel Chiusarelli. Comme d'habitude, le directeur s'est précipité vers moi pour me remettre non pas un message, mais une pile de messages.

– Le capitaine Santini a appelé à 17 heures, et plusieurs fois ensuite. Son dernier coup de fil a eu lieu à…

Il s'est penché pour jeter un œil sur l'horloge

– … il y a dix-sept minutes.

Je l'ai remercié et nous sommes montées dans ma chambre en silence. Janice ne pouvait s'empêcher de loucher sur les messages d'Alessandro et je redoutais une nouvelle prise de bec sur le sujet. Heureusement, dès que nous sommes entrées dans la chambre, un courant d'air a soufflé du balcon, comme si la porte s'était ouverte toute seule. Vite, j'ai bondi sur le coffre de maman. Ouf ! Aucun papier ne manquait.

– Nous n'avions pas fermé la porte en partant ?

– Il ne manque rien ? a lancé Janice.

– Non.

– De toute façon, la moitié des flics de la ville surveillent ta chambre, a-t-elle ajouté en enlevant son haut devant la fenêtre.

– Tu es folle, ne te mets pas devant la fenêtre !

– Pourquoi ? Comme ça, au moins, ils sauront que tu ne couches pas avec un mec.

Le téléphone a sonné juste à ce moment-là.

– Ce type est naze, a lâché Janice.

– Parce qu'il m'aime bien ?

– Il t'aime bien ? a-t-elle répété en éclatant d'un épouvantable ricanement que j'ai étouffé en lui jetant un oreiller à la figure.

– Allô ? ai-je répondu, couvrant le combiné pour étouffer les cris de ma chère sœur.

C'était lui. Il s'inquiétait de mon silence. Il voulait savoir si j'allais chez Eva Maria le lendemain.

– Oui, ma marraine chérie, gloussait Janice derrière moi.

– Je ne…, ai-je bredouillé.

Je pensais à toutes les raisons de refuser. Soudain, mes réticences se sont écroulées. Pourquoi me méfier, maintenant que je savais qui il était ? Nous défendions la même équipe, au fond. En outre, Shakespeare et les deux maestri auraient approuvé. D'autant que rien ne prouvait que c'était lui qui avait saccagé ma chambre. Ce ne serait pas la première erreur de ma sœur. Ni son premier mensonge.

– S'il te plaît, a-t-il insisté avec une voix grave irrésistible, dont il avait dû faire ample usage… Cela me toucherait profondément.

Pendant ce temps, mon imbécile de jumelle jouait avec le pommeau de douche, comme si elle était poignardée en plein cœur.

– Je ne sais plus, ai-je bafouillé. J'ai l'impression que tout m'échappe.

– Justement, un week-end à la campagne te ferait du bien. Eva Maria compte sur toi. Elle a invité beaucoup de gens, dont pas mal connaissaient tes parents.

– C'est vrai ?

– Je passe te prendre à 13 heures, d'accord ? Et je te promets de répondre à toutes tes questions en route.

Janice est sortie de la salle de bains.

– Tu fais ce que tu veux. Mais je t'aurai prévenue.

Curieusement, je n'ai pas eu droit à une scène.

– C'est trop facile pour toi. Tu n'es pas Juliette, me suis-je défendue.

– Toi non plus. Tu es juste une petite Américaine dont la mère était un peu branque. Comme moi. Écoute…

Elle a passé un bras autour de mon épaule en s'asseyant sur le lit, à côté de moi.

– Je sais que tu meurs d'envie d'y aller. Alors, vas-y, mais garde la tête froide. Shakespeare n'est pas Dieu. Il ne t'a pas créée et tu ne lui appartiens pas.

Quelques instants plus tard, allongées sur le grand lit, nous nous sommes de nouveau plongées dans le carnet de notre mère, admirant les croquis de la statue qui prenaient tout leur sens. Rien n'indiquait le lieu où elle était conservée ou abandonnée. Pourtant, une page se distinguait, décorée d'une ronde de roses à cinq pétales, avec une citation de la pièce :

Et ce qui est obscur dans votre beau volume
Déchiffrez-le dans les marges que sont mes yeux.

Les seuls vers de Shakespeare de tout le carnet…

– C'est la mère de Juliette, lady Capulet, qui parle de Paris, ai-je expliqué. Toutefois, maman se trompe. Ce n'est pas « *votre* beau volume », ni « *mes* yeux », mais « *ce* beau volume » et « *ses* yeux ».

– Peut-être parce qu'elle n'a pas compris.

– Maman ? Ça m'étonnerait. Elle l'a fait exprès. C'est une forme de message.

Janice s'est redressée. Elle qui adorait les rébus et les charades se prenait sincèrement au jeu.

– Et quel est le message, d'après toi ? Manifestement, il s'agit de quelqu'un qui a du mal à y voir clair, mais qu'on devrait retrouver. C'est ça ?

– Elle parle de volume et de marges. Il doit s'agir d'un livre, non ?

– Pas un livre, deux : le nôtre, et le sien. Elle appelle son livre ses yeux, ce qui doit indiquer son carnet de croquis… C'est-à-dire celui-ci, a précisé Janice en tapotant le carnet en question. Tu n'es pas d'accord ?

– Mais il n'y a rien dans les marges…

J'ai feuilleté le carnet. Nous avons toutes deux remarqué qu'un tas de chiffres étaient notés, apparemment au hasard, au bord des pages.

– Tu as raison ! Qu'on est bêtes !

– Si tous ces chiffres ne font pas référence à des numéros de pages et de vers, je me flingue.

– Des pages et des vers de quoi ?

La vérité nous a sauté aux yeux. Si le carnet était *son* volume, l'édition poche de *Roméo et Juliette*, l'unique livre du coffre, était le *nôtre*. La boucle était bouclée.

Nous nous sommes jetées sur le coffre pour être la première à récupérer le livre. Hélas, comme par hasard, un seul objet manquait : cette vieille édition poche de *Roméo et Juliette* !

*
* *

Le lendemain matin, j'ai eu la surprise de découvrir Janice, championne des grasses matinées, réveillée avant moi. Debout devant la fenêtre, elle contemplait les premières lueurs de l'aube à travers les lattes des volets.

– Tu as fait de mauvais rêves ? interrogea ma sœur.

Je pensai aux fantômes sans nom qui m'avaient poursuivie toute la nuit dans ce château qui ressemblait étrangement à la cathédrale de Sienne.

– Je n'ai pas fermé l'œil de la nuit, a-t-elle murmuré. J'ai décidé d'aller voir la maison de maman.

– Tu vas louer une voiture ?

– Je vais récupérer la moto. Un des neveux de Peppo s'occupe de la fourrière. Tu veux venir ?

– Non.

À 13 heures pile, assise sur le perron de l'hôtel, j'attendais Alessandro avec un sac pour le week-end, face au soleil dont les rayons filtraient à travers les branches du magnolia. Bientôt, j'ai aperçu sa voiture. Mon cœur a battu la chamade. Parce que c'était Roméo ? Parce qu'il était peut-être entré dans ma chambre par effraction ? Parce que j'étais folle ? Il était trop facile d'y voir l'influence de la fontaine de Fontebranda. La *pazzia* avait commencé bien avant, plus de six siècles plus tôt…

– Tu t'es écorché le genou ? m'a-t-il demandé en s'approchant, dans une tenue peu médiévale, vieux jean et chemise aux manches savamment retroussées.

J'ai tiré sur ma jupe pour cacher les traces de ma folle traversée du Bottini. Il n'a rien dit. Grand seigneur, il s'est penché pour prendre mon sac. Et le tatouage de l'aigle sur son avant-bras m'a sauté aux yeux.

*

* *

Nous étions côte à côte dans sa voiture. Je brûlais d'envie de lui poser une question, une seule : pourquoi m'avait-il caché sa véritable identité ?

Bien sûr, je lui avais, moi aussi, caché des pièces du puzzle : Umberto, Janice, mes recherches sur la statue… Mais je lui avais au moins révélé mon véritable nom dès le début.

– Tu n'es pas très bavarde, a-t-il soudain dit. C'est à cause de moi ?

– Tu n'as jamais fini ton histoire de Charlemagne.

– Ah, c'est pour ça ! s'est-il écrié en riant. Ne t'inquiète pas, quand nous arriverons dans le val d'Orcia, tu en sauras plus sur moi et ma famille que tout ce que tu aurais jamais espéré. Que sais-tu, déjà ? Autant éviter les répétitions, non ?

– Sur les Salimbeni ?

Comme chaque fois que je prononçais ce nom, il a réagi par un sourire sec. À présent, je savais pourquoi.

– Raconte-moi d'abord l'histoire de ta famille, les Tolomei, me dit-il. Je veux tout savoir depuis le début, depuis cette fameuse année 1340.

J'ai rassemblé tout ce que je savais d'après le journal de maître Ambrogio, la confession de frère Lorenzo, les lettres de Giulietta à sa sœur… Pas une seule fois il ne m'a interrompue. J'ai volontairement passé sous silence l'histoire de Mina, trop bizarre et triste à mourir.

– Ils sont donc morts à Rocca di Tentennano, tués non par un poignard et une fiole de poison, mais par une potion soporifique et une épée dans le dos. Et le frère Lorenzo a tout vu, ai-je conclu.

– Je peux savoir quelle est ta part d'invention, dans tout ça ?

– Oh, presque rien. Juste de quoi remplir les blancs pour rendre l'histoire plus excitante. Les fondamentaux restent les…

Il a grimacé.

– Qu'est-ce qu'il y a ?

– Les fondamentaux n'ont aucun rapport avec ce que les gens pensent et écrivent, a-t-il asséné. Je vais te dire ce que je crois. L'histoire de Roméo et Juliette n'est pas une histoire d'amour. C'est une fable politique : quand les générations plus âgées se haïssent et s'entre-tuent, ce sont les jeunes qui trinquent et qui meurent.

– Pas très romantique, ton interprétation.

– Shakespeare ne l'était pas non plus. Tu as vu comment il présente Roméo ? Un mollasson qui n'arrête pas de gémir. Et qui boit le poison cul sec. Tu connais beaucoup de mecs qui iraient boire une potion comme ça ? Juliette, elle, se poignarde. Elle seule accomplit un geste masculin. Réfléchis. Le personnage héroïque, c'est elle.

Je n'ai pu m'empêcher de rire.

– C'est peut-être vrai pour le Roméo de Shakespeare. Mais l'original, Roméo Marescotti, n'était pas un pleutre. Il était courageux, solide comme un roc… Je comprends que Juliette en soit tombée amoureuse, ai-je ajouté, voyant Alessandro sourire.

– Qu'est-ce qui te le prouve ?

– C'est évident. Elle est tellement éprise qu'elle préfère se suicider plutôt que de céder aux avances de Nino, alors qu'ils n'ont jamais…

J'étais un peu vexée, parce qu'il souriait toujours.

– Tu trouves ça ridicule ?

– Complètement, a-t-il affirmé en dépassant une voiture. Nino n'est pas si atroce…

– Nino se comporte de façon scandaleuse !

– Il est peut-être aussi scandaleux au lit ! Elle aurait pu attendre d'en faire l'expérience avant de se suicider.

– Comment oses-tu proférer une énormité pareille ? Si tu étais Roméo, tu n'aurais aucune envie que Juliette… teste Paris.

– Arrête ! C'est toi qui prétendais que je ressemblais à Paris. Riche, beau et mauvais garçon. Cela dit, je rêverais que Juliette me teste, comme tu dis.

Il m'a regardée en coin pour voir comment je réagissais. Ma moue a paru l'enchanter.

– Sinon, je ne serais pas Paris.

– Puis-je savoir quand, exactement, tu as décidé de l'être ? ai-je répondu en tirant sur ma jupe.

– À l'instant.

J'étais tellement plongée dans la conversation que je n'avais pas remarqué que nous avions quitté l'autoroute. Nous venions d'emprunter une petite route de gravier déserte, flanquée de cèdres tristes, qui nous a menés au pied d'une colline assez haute, sur une espèce de parking où Alessandro a garé la voiture.

– Nous sommes arrivés ?

– Non. Nous sommes devant Rocca di Tentennano. Ou ce qu'il en reste.

*
* *

Nous avons gravi la colline jusqu'au pied de la forteresse en ruine. Gardant encore en mémoire la description de maître Ambrogio, j'imaginais parfaitement ce à quoi cette prison devait ressembler jadis : « Perchée sur une colline du val d'Orcia, tel un rapace près de fondre sur sa proie, d'aussi loin qu'elle vienne. » Une partie de la tour se dressait toujours, inquiétante, comme le rappel de son pouvoir d'autrefois.

– Impressionnant, ai-je dit en passant une main sur le mur.

Les pierres étaient très chaudes, à mille lieues de ce qu'avait dû ressentir Giulietta en cette fatale soirée d'hiver. Le contraste entre le passé et le présent me prit à la gorge. Le calme qui nous environnait, souligné par l'imperceptible bourdonnement des insectes, était aux antipodes de l'activité qui devait régner, à l'époque, au sommet de la colline.

– Les gens l'appelaient l'« Île », m'a expliqué Alessandro en déambulant. L'Isola. Nous avons de la chance. D'ordinaire, la colline est très ventée.

Je l'ai suivi le long d'un sentier caillouteux très étroit. Soudain, j'ai découvert la vue spectaculaire du val d'Orcia, sa palette de couleurs illuminée par le soleil. Des champs dorés comme les blés et des vignes verdoyantes s'étendaient à perte de vue, ponctués de taches rouges ou bleues, là où les fleurs l'emportaient. D'immenses cyprès longeaient les routes qui serpentaient à travers ce paysage parsemé, ça et là, de grandes fermes.

– Les Salimbeni avaient choisi le lieu idéal, ai-je fait remarquer en me protégeant du soleil.

– Le lieu le plus stratégique, oui. D'ici, on a l'impression de dominer le monde.

– Une partie du monde.

– La seule qui vaille la peine d'être dominée.

Alessandro a repris notre balade. Parfaitement à l'aise, il marchait d'un pas vif au cœur de cette nature superbe, une bouteille de prosecco et deux verres à la main. Il s'est arrêté dans un petit creux couvert d'herbes folles, s'est tourné vers moi avec un sourire de petit garçon fier. Je n'ai pu m'empêcher de rire.

– Je parie, ai-je dit en croisant les bras, que tu amènes toutes tes copines ici.

Il a eu l'air sincèrement choqué.

– Pas du tout ! Je ne suis venu qu'une fois, avec mon oncle, quand j'avais dix ans. Nous nous sommes battus à l'épée… Moi et ma cousine, Malèna… Elle… (Il s'est interrompu, puis a murmuré :) J'ai toujours rêvé d'y revenir.

– Tu en as mis, du temps ! Mais… je suis émue. Le paysage est sublime. C'est l'endroit idéal pour fêter un événement.

Comme il demeurait muet, j'ai retiré mes sandales et fait quelques pas vers lui.

– Tu ne veux rien fêter ?

Il s'est détourné pour observer le panorama, comme s'il cherchait une réponse. Quand il m'a fait face à nouveau, toute trace de jeu et d'espièglerie avait disparu de son visage. Il avait l'air angoissé.

– Il serait temps de fêter un nouveau départ, a-t-il dit.

– Un nouveau départ ? Pour qui ?

Il a posé la bouteille et les verres dans les hautes herbes, s'est approché de moi.

– Giulietta, je ne t'ai pas amenée ici parce que je me prends pour Nino. Ou pour Paris. Je t'ai amenée ici parce que c'est là que tout a fini.

Il a posé une main délicate sur mon visage.

– J'ai pensé que ce serait un endroit idéal pour tout recommencer. Pardonne-moi si je ne t'ai pas dit la vérité plus tôt. J'espérais que tu me reconnaîtrais, a-t-il conclu avec un sourire mélancolique.

Il avait raison. La solennité, la tension de cet instant m'ont bouleversée.

– Giulietta…

Je rêvais qu'il m'appelle par mon prénom italien depuis que j'avais découvert son identité.

– Tu m'as menti, ai-je dit.

– Pas vraiment. Je t'ai répondu que Roméo n'était pas celui que tu croyais.

– Tu m'as conseillé de m'éloigner de lui. Que je serais mieux avec Paris.

– C'est toi qui m'as dit que je ressemblais à Paris, a-t-il objecté en souriant.

– Tu n'as rien fait pour me détromper !

– Si. Mais tu persistes à voir en moi un ennemi.

Il avait raison.

– J'attendais que tu comprennes, a-t-il repris. L'autre jour, après notre conversation à Fontebranda, j'ai pensé pour la première fois que, finalement, tu… m'aimais un peu.

Il s'est interrompu. Son regard implorait une réponse. J'ai posé la main sur sa poitrine et j'ai senti son cœur battre. Une joie folle, irrationnelle, est montée en moi, de profondeurs que je ne soupçonnais pas.

– Un peu, oui, ai-je murmuré.

Combien de temps a duré notre baiser ? Je ne le saurai jamais. Quand j'ai atterri de l'autre bout du monde, tout, autour de moi, me semblait plus brillant, plus séduisant.

– Je suis tellement heureuse que tu sois Roméo, mon Roméo, ai-je chuchoté. Mais même si tu ne l'étais pas, je…

– Tu quoi ?

– Je serais heureuse.

Il a pouffé, sachant parfaitement que ce n'était pas ce que je voulais dire.

– Viens, a-t-il repris en m'attirant contre lui dans l'herbe. À cause de toi, j'ai oublié ma promesse.

– Quelle promesse ?

– De te parler de ma famille. Je veux que tu saches tout.

– Je n'ai aucune envie de tout savoir, l'ai-je interrompu en m'allongeant à son côté. Pas tout de suite.

– Attends !

Il m'a pris les mains.

– D'abord, il faut que je te parle de…

– Chut… l'ai-je arrêté, un doigt sur sa bouche. D'abord, tu dois m'embrasser.

– De Charlemagne…

– Il peut attendre.

J'ai mêlé mes lèvres aux siennes en un long baiser qui ne laissait place à aucune contradiction.

– Tu n'es pas d'accord ?

– Tu ne veux pas savoir qui je suis vraiment ?

– Ne t'inquiète pas. Je suis suffisamment avertie.

Il a essayé de résister, jusqu'au moment où il m'a serrée contre lui, aussi fort que le lui permettait sa bonne éducation italienne.

– Tu es sûre ?

J'ai tout oublié… Je me revois simplement couchée sur un lit de thym, riant de bonheur et de surprise. Curieusement, il a préféré mettre fin à nos ébats, non par pudeur ni pruderie, mais en vertu du code de conduite du parfait cavalier siennois.

– Tu savais que Christophe Colomb avait mis six ans à trouver le continent américain ? m'a-t-il demandé en me clouant les bras au sol pour préserver les derniers boutons de sa chemise.

– Pourquoi si longtemps ?

– C'était un gentilhomme, pas un conquistador.

– Tu parles… Il était comme tout le monde, obsédé par l'or.

– Au début, peut-être. Mais après…

Il a remis ma jupe en place.

– Il a compris à quel point il était délicieux d'explorer la côte avant de découvrir une civilisation nouvelle et mystérieuse.

– Six ans, c'est long. Beaucoup trop long.

– Pas du tout. Six cents ans, oui, c'est vraiment long. En revanche, une demi-heure, ce n'est rien. Et c'est le temps qu'il me faudra pour te raconter ma vie.

*
* *

Le prosecco avait beau être tiède, jamais je n'avais goûté de vin aussi délectable. Il sentait le miel et les herbes folles, l'amour, l'avenir radieux. Et j'étais là, assise contre Alessandro, lui-même appuyé contre un rocher, persuadée que ma vie serait éternelle et pleine de bonheur. Enfin, j'avais chassé mes démons.

– Tu es encore un peu en colère contre moi ? m'a demandé Alessandro en me caressant les cheveux. Tu redoutais que je croie que tu étais tombée amoureuse d'un nom, et pas de moi. En vérité, c'est le contraire. J'avais peur que tu ne me fuies après avoir appris mon histoire.

J'ai tenté de protester. Il ne m'en a pas laissé le temps.

– Ce que ton cousin Peppo t'a raconté… C'est vrai. Les psychologues pourraient tout expliquer. Mais, dans ma famille, on ne fait pas confiance aux psychologues. On ne fait confiance à personne. Nous, les Marescotti, nous avons nos propres certitudes, qui sont, comme tu l'as dit toi-même, des dragons au pied de nos tours, et qui ne laissent entrer ni sortir personne.

Il a fait une pause pour remplir mon verre.

– Tiens, bois. C'est moi qui conduis.

– Voilà qui ne ressemble pas au Roméo aventurier dont m'avait parlé Peppo. Je suis déçue !

Il m'a plaquée contre lui.

– Ne t'inquiète pas. Tu auras des surprises d'un autre ordre.

Pendant que je dégustais mon vin, il m'a raconté que sa mère était tombée enceinte à dix-sept ans, refusant de révéler le nom de son amant. Naturellement, son père ne cacha pas sa fureur. Il chassa sa fille de chez lui. Elle alla vivre chez une amie d'enfance de sa mère, Eva Maria. À la naissance d'Alessandro, celle-ci devint sa marraine. Elle insista pour qu'il soit baptisé suivant la tradition familiale et s'appelle Roméo Alessandro Marescotti, même si elle savait que son grand-père écumait de rage à l'idée qu'un enfant illégitime porte son nom.

En 1977, la grand-mère d'Alessandro réussit à convaincre son mari d'autoriser leur fille et leur petit-fils à revenir à Sienne. Le petit garçon fut baptisé une seconde fois à la fontaine de l'Aquila, juste avant le Palio. Cette année-là, leur *contrada* perdit l'épreuve de façon particulièrement cuisante. Le vieux Marescotti avait besoin d'un bouc émissaire. Apprenant que sa fille avait emmené son enfant visiter les écuries de l'Aquila avant la course et qu'elle l'avait autorisé à caresser les chevaux, il se mit en tête que c'était ce petit bâtard qui leur avait attiré la poisse.

Il ordonna à sa fille de retourner à Rome avec son fils, lui interdisant de revenir tant qu'elle ne serait pas mariée, et bien mariée. C'est ainsi qu'elle repartit à Rome, où elle rencontra un *carabiniere* qui permit à Alessandro de porter son nom, Santini, et l'éleva comme son propre fils, avec rigueur et amour.

Alessandro passait tous les étés dans la propriété de ses grands-parents, près de Sienne. L'idée ne venait ni de sa mère ni de son grand-père, mais de sa grand-mère. La seule chose qu'elle ne réussit jamais à obtenir fut d'autoriser le jeune Alessandro à assister au Palio. Tout le monde s'y rendait : les cousins, les oncles, les tantes. Le garçon, lui, était condamné à rester à la maison. Alessandro se consolait en chevauchant le vieux cheval de trait. Plus tard, il apprit à bricoler, à piloter les scooters et les motos des uns et des autres, comme si ces engins étaient une réplique du Palio, beaucoup plus dangereuse que le vrai.

À partir d'un certain âge, il refusa d'aller à Sienne. Il n'avait aucune envie d'entendre les commentaires de son grand-père sur sa mère qui, elle, ne mettait plus les pieds chez ses parents. À peine sorti du lycée, il décida de devenir carabinier, comme son père et ses frères adoptifs. Dès lors, il fit tout pour oublier qu'il était Roméo Marescotti. Dès qu'il le pouvait, il s'enrôlait dans les missions de maintien de la paix à l'étranger. Jusqu'au jour où il partit pour l'Irak. Il améliora son anglais en hurlant contre l'intendance américaine et survécut par miracle à une explosion le jour où des insurgés envoyèrent un camion bourré d'explosifs contre le quartier général des *carabinieri*, à Nassiriyah.

Rentré en Italie, il retourna à Sienne, sans jamais prévenir personne, pas même sa grand-mère. Une année, la veille du Palio, il se rendit à l'écurie de la *contrada* de la famille. Il reconnut son oncle et décida de se présenter. Ravi, l'oncle l'encouragea à toucher son *giubetto*, gilet jaune et noir qu'arborait le jockey de l'Aquila, pour lui porter chance.

Hélas, le lendemain, le jockey de la Panthère s'agrippa en plein galop à ce *giubetto* et ralentit le champion de l'Aquila, qui perdit la course…

Alessandro parvenu à ce stade de son histoire, je n'ai pu m'empêcher de l'interrompre.

– Tu ne crois quand même pas que c'était ta faute ?

– Je ne sais pas. En tout cas, nous avons perdu le Palio. Et nous ne l'avons jamais gagné depuis.

– Franchement…

– Chut… Écoute-moi. Après cet épisode, je n'ai pas remis les pieds à Sienne pendant très longtemps. J'y suis revenu il y a deux ou trois ans. Juste à temps. Mon grand-père était épuisé et très las… Je m'en souviens… Il ne m'a pas entendu arriver. Assis sur un banc, il contemplait ses vignes. J'ai posé une main sur son épaule. Il a tourné la tête. Et il a éclaté en sanglots. Il était si heureux de me voir ! Nous avons fêté ça au cours d'un dîner superbe. Mon oncle a juré que, plus jamais, il ne me laisserait disparaître. Je n'étais pas certain d'avoir envie de rester. Mais un drôle d'événement a tout changé. En juillet, le Palio a eu lieu. Le pire que nous ayons jamais connu. La défaite la plus humiliante de toute l'histoire de notre famille. Nous avons mené la course jusqu'au moment où, dans le dernier virage, la Panthère nous a dépassés et l'a emporté. Il n'y a pas de pire façon de perdre. Ce fut un choc pour toute la famille. En août, au cours du Palio suivant, notre *fantino*, notre jockey, a été disqualifié. Et nous avons été privés du droit de participer au Palio au cours des deux années suivantes. Un règlement de comptes politique, peut-être… Pour nous, ce fut un drame.

« Mon grand-père a été tellement choqué qu'il a eu un infarctus. Il avait quatre-vingt-sept ans. Il est mort trois jours plus tard. J'ai passé ces trois jours avec lui. Il se reprochait, avec amertume, d'avoir dilapidé tout ce temps. Il ne voulait plus se séparer de moi. Au début, j'avais peur qu'il ne m'accuse d'avoir porté malheur à la famille, mais il m'a affirmé que je n'y étais pour rien. Il clamait que c'était lui qui aurait dû comprendre plus tôt.

– Comprendre quoi ?

– J'étais le seul garçon de la famille. Et, parce que ma mère n'était pas mariée je portais son nom de jeune fille : Marescotti.

– Quel snob…

– Mais non ! Écoute, au lieu de juger. Ce que mon grand-père a compris ce jour-là, c'est qu'une vieille malédiction s'était réveillée et qu'elle m'avait pris pour cible, à cause, justement, de mon nom.

J'ai senti mes cheveux se hérisser.

– Pourquoi toi ?

– C'est là qu'intervient Charlemagne !

Il a rempli mon verre.

VII, II

Roméo, je te conjure par les yeux brillants de Rosaline,
Par son front élevé et par sa lèvre écarlate.

La Peste et l'Anneau
Sienne, 1340-1370.

Les Marescotti sont une des plus vieilles familles de la noblesse italienne. La légende veut que leur nom vienne de Marius Scotus, général écossais de l'armée de Charlemagne. La plupart des Marescotti ont vécu à Bologne, mais certaines branches de la famille sont allées s'établir et se déployer plus loin. La branche de Sienne était particulièrement connue pour son courage et sa capacité de prendre des décisions en période de crise.

Hélas, les meilleures choses n'ont qu'un temps. Aujourd'hui, très peu de gens savent quelle fut la grandeur de cette illustre maison. L'histoire retient plus volontiers ceux qui vivent pour détruire que ceux qui consacrent leur vie à protéger et à préserver.

Roméo Marescotti était né à l'époque où la famille avait encore un grand renom. Son père, le commandeur Marescotti, était admiré parce qu'il avait à la fois le sens de la modération et celui du décorum. Sa fortune était si grande que même son fils – pourtant avide – n'aurait pu la creuser. Pourtant, les qualités du commandeur furent mises à rude épreuve quand, au début de l'année 1340, Roméo fit la connaissance d'une certaine Rosalina. C'était la femme d'un boucher qui n'était pas heureuse avec son époux. Dans la pièce de Shakespeare, Rosalina est une jeune beauté qui torture Roméo en lui opposant son vœu de chasteté. La vraie Rosalina, elle, avait dix ans de plus que Roméo et devint sa maîtresse. Il passa des mois à essayer de la convaincre de fuir avec lui, mais la jeune femme était trop avisée pour prendre un tel risque.

À Noël, en cette même année 1340, peu après la mort de Giulietta et de Roméo à Rocca di Tentennano, Rosalina donna naissance à un fils, dont le boucher, de toute évidence, n'était pas le père. Rosalina, redoutant que son mari n'apprenne la vérité et ne tue le nouveau-né, prit l'enfant et l'apporta au commandeur Marescotti en lui demandant de l'élever.

Le commandeur refusa. Il ne crut pas un mot de son histoire et la congédia.

– Un jour, vous le regretterez ! clama Rosalina. Dieu vous punira pour m'avoir refusé votre clémence.

Le commandeur oublia tout jusqu'en 1348, quand la Peste noire frappa. Plus d'un tiers de la population mourut en quelques mois, et ce fut pire à l'intérieur de la cité de Sienne. Les fils abandonnaient leurs pères, les femmes, leurs maris. On entassait les corps dans les rues. Les gens semblaient avoir oublié qu'ils étaient des hommes et non des animaux.

En une semaine, le commandeur Marescotti perdit sa mère, sa femme et ses cinq enfants. Lui seul survécut. Il nettoya les corps des siens, les habilla, et les transporta en charrette jusqu'à la cathédrale, afin de trouver un prêtre qui leur assurerait des funérailles chrétiennes. Mais les prêtres avaient déserté l'église. Tous ceux qui n'avaient pas péri s'occupaient des malades à l'hôpital Santa Maria della Scala, près de la cathédrale. Même là, les cadavres étaient trop nombreux pour avoir tous droit à un enterrement digne. Un mur creux fut construit dans l'enceinte de l'hôpital dans lequel on entassa les corps, avant de le sceller.

Le commandeur arriva à la cathédrale et tomba sur les frères de la Miséricorde qui creusaient une immense fosse sur la place. Il leur proposa de les payer afin qu'ils enterrent les siens dans cette terre consacrée. Il leur expliqua qui ils étaient, ajouta qu'il les avait revêtus de leurs plus beaux atours. Les moines n'en avaient cure. Ils prirent l'argent et renversèrent la charrette. Le commandeur vit les êtres qui lui étaient les plus chers au monde tomber un à un dans la fosse, sans prière, sans bénédiction… Sans un mot d'espérance.

Il reprit le chemin de son palais, tirant la charrette vide. Éperdu. Hébété. C'était la fin du monde. Il hurla contre Dieu, Le maudit. Pourquoi l'avait-Il laissé en vie ? Pour être témoin d'une telle hécatombe ? Pour enterrer ses propres enfants ? Il s'agenouilla, prit de l'eau sale et infestée, s'en aspergea et la but, en priant de tomber malade et de mourir comme les autres.

Soudain, il entend une voix d'enfant.

– J'ai essayé. Ça n'a pas marché.

Le commandeur lève les yeux et croit voir un fantôme.

– Roméo ? Mon fils ? C'est toi ?

Ce n'est pas Roméo. C'est un gamin des rues d'environ huit ans, en haillons et sale comme Job.

– Je m'appelle Romanino, répond l'enfant. Si vous voulez, je peux tirer la charrette à votre place.

– Pourquoi ?

– Parce que j'ai faim.

– Tiens, répond le commandeur en fouillant dans ses poches. Prends ça et va t'acheter de quoi manger.

– Je ne suis pas un mendiant, réplique l'enfant en refusant les pièces.

Le commandeur le laisse se débrouiller avec la charrette jusqu'au palazzo Marescotti. L'enfant lève alors les yeux, aperçoit les emblèmes de l'aigle sur la façade.

– C'est là qu'est né mon père, dit-il.

Le commandeur est bouleversé.

– Comment le sais-tu ? demande-t-il.

– Parce que ma mère me parlait souvent de lui. C'était un homme très courageux, un chevalier extraordinaire, avec des bras grands comme ça. Il a dû partir pour aller se battre avec l'rmpereur en Terre sainte et il n'est jamais revenu. Mais maman m'a assuré qu'il reviendrait sans doute un jour et que je devrais lui dire qui je suis.

– Que devais-tu lui dire, exactement ?

Le garçon sourit. Aussitôt, le commandeur comprend.

– Que je suis un aiglon, un *aquilino*.

Ce soir-là, le commandeur n'est pas seul devant la table de la cuisine. Pour la première fois depuis des jours, il soupe de bon cœur. Face à lui, Romanino dévore une cuisse de poulet, trop affamé pour poser des questions.

– Dis-moi, quand as-tu perdu ta mère, Rosalina ?

– Il y a longtemps. Avant tout ça. Son mari la battait, vous savez. Jusqu'au jour où elle ne s'est pas réveillée. Il lui a hurlé dessus, lui a tiré les cheveux, mais elle ne bougeait plus. Je me suis approché d'elle et je lui ai parlé. Elle avait les yeux vitreux. Elle était froide. J'ai posé la main sur son visage… et j'ai compris qu'il l'avait battue à mort. Je le lui ai reproché. Alors, il s'est mis en colère et m'a roué de coups. Je me suis enfui. Il continuait à hurler, mais j'ai couru, couru, jusque chez ma tante, qui m'a recueilli. Là, je me suis mis à travailler. Je m'occupais de son bébé, je l'aidais à mettre la table. Mon oncle et ma tante m'aimaient, je le sentais. Hélas, peu à peu, tout le monde est mort : le boulanger, le boucher, le fermier qui nous vendait des fruits. Ma tante me nourrissait comme si j'étais son propre fils. Pourtant, j'ai préféré m'enfuir. Je ne voulais pas être un poids.

Le commandeur observe les beaux yeux verts de cet enfant qui reflètent une intégrité naturelle comme il n'en a jamais vu chez un homme.

– Comment as-tu fait pour survivre à tant d'épreuves ?

– Je ne sais pas… Maman m'a toujours affirmé que j'étais différent. Plus fort. Que je ne deviendrais jamais aussi fou ni aussi bête que les autres. Elle disait que j'avais la tête sur les épaules, mais une tête différente. Voilà pourquoi les gens ne m'aiment pas : parce que je ne suis pas comme eux. Mais c'est aussi grâce à ça que j'ai survécu, en me rappelant ce qu'elle me disait.

– Tu sais qui je suis ? demande enfin le commandeur.

– Un grand homme, je crois. Vous vivez dans un palais et vous mangez du poulet. Et non seulement vous m'avez permis de tirer votre charrette, mais vous m'avez autorisé à partager ce repas avec vous.

– Ce n'est pas pour ça que je suis un grand homme.

– Vous buviez de l'eau des égouts quand je vous ai rencontré. À présent, vous buvez du vin. Voilà pourquoi vous êtes exceptionnel à mes yeux.

*
* *

Le lendemain matin, le commandeur ramène Romanino chez son oncle et sa tante. Ils remontent les rues vers la fontaine de Fontebranda, enjambant les ordures, quand, pour la première fois depuis des jours, le soleil fait son apparition. Ou peut-être brillait-il déjà. Mais le commandeur, enfermé chez lui dans l'obscurité, ne le voyait pas.

– Comment s'appelle ton oncle ? demande-t-il à l'enfant.

– Benincasa. C'est un fabricant de couleurs. Moi, j'aime beaucoup le bleu, mais c'est une couleur chère.

Il lève la tête vers le commandeur et ajoute :

– Mon père portait de très belles couleurs, me racontait maman. Surtout du jaune, avec une grande cape noire qui se transformait en deux grandes ailes quand il galopait. Il faut être riche pour se le permettre.

– C'est vrai.

Romanino s'arrête devant une grande grille métallique et jette un coup d'œil maussade sur la cour.

– Nous sommes arrivés. Là-bas, c'est Monna Lappa, ma tante.

Le commandeur est surpris par la taille de la maisonnée. Il imaginait une habitation beaucoup plus humble. Trois enfants aident leur mère à étendre le linge dans la cour, tandis qu'une minuscule fillette marche à quatre pattes en ramassant les graines que l'on a jetées pour les oies.

– Romanino !

La jeune femme ouvre grandes les grilles, se précipite sur l'enfant, le serre contre elle.

– Je croyais que tu étais mort ! Petit garnement !

Personne ne surveille la fillette. Seul le commandeur la voit filer à travers la grille et court la ramasser avec ses mains maladroites. Comme elle est mignonne, songe-t-il. Il n'a plus envie de la rendre à Monna Lappa… Il dévisage l'adorable enfant, bouleversé au plus profond de lui-même, comme s'il découvrait la première fleur du printemps poussant à travers la terre encore gelée. Et sa fascination semble partagée : le bébé agite les doigts et passe la main sur le visage du commandeur, ravi.

– Caterina ! s'écrie sa mère en l'arrachant des bras de ce visiteur distingué. Je vous demande de l'excuser, messire !

– Je vous en prie. Dieu vous protège, vous et les vôtres. Votre maison est bénie des dieux, j'en suis sûr.

La femme l'observe longuement.

– Je vous remercie, messire, dit-elle en s'inclinant.

Il est sur le point de s'en aller. Il hésite. Il observe Romanino. Le garçon se tient parfaitement droit, tel un jeune arbre résistant aux vents, mais son regard semble faiblir.

– Monna Lappa, bredouille Marescotti, je voulais… Je me demandais si vous seriez prête à laisser ce garçon… à me le donner.

La femme demeure muette, incrédule.

– Je crois, s'empresse-t-il d'ajouter, que c'est mon petit-fils.

– Vous êtes le commandeur Marescotti ? demande Monna Lappa, les joues rouges d'émotion. Alors, c'était vrai ! Oh, la pauvre fille !

Confuse, elle pousse l'enfant dans les bras du commandeur en s'écriant :

– Vas-y, petit bécasson, et n'oublie pas de remercier le Seigneur !

– Viens, s'exclame Marescotti en caressant les cheveux sales de l'enfant. Il faudra que nous te trouvions de nouvelles chaussures et de nouveaux habits. Allez, arrête de pleurer.

– Je sais, répond l'enfant en reniflant, les chevaliers ne pleurent pas.

– Bien sûr que si, mais seulement quand ils sont propres, correctement habillés et chaussés. Tu pourras attendre jusque-là ?

– Je vais essayer.

Et ils s'en vont, main dans la main. Le commandeur ne parvient pas à croire à son bonheur. Comment, lui qui était ravagé de chagrin après avoir perdu tous les siens, peut-il éprouver un réconfort si profond auprès de ce petit bonhomme dont la main poisseuse s'agrippe à la sienne ?

*
* *

Des années plus tard, un moine se présenta un jour au palazzo Marescotti et demanda à parler au chef de famille. Il expliqua qu'il venait de Viterbe. L'abbé, son supérieur, l'avait dépêché pour rendre un précieux trésor à son propriétaire d'origine.

Romanino était alors un bel homme de trente ans. Il invita le moine à entrer et demanda à ses filles d'aller voir si leur grand-père, le vieux commandeur, avait la force de recevoir ce visiteur inopiné. En attendant, il lui offrit de quoi se restaurer et ne put s'empêcher de l'interroger sur la nature de ce trésor.

– J'ignore d'où il vient, répondit le moine, la bouche pleine, mais il est hors question que je reparte d'ici sans m'en être séparé.

– Pourquoi ?

– Parce qu'il porte malheur. Tous ceux qui l'ouvrent tombent malades.

– Je croyais qu'il s'agissait d'un trésor. C'est pire qu'un cadeau empoisonné !

– Pardonnez-moi, messire… En vérité, cet objet possède un pouvoir très singulier, qui protège, mais peut aussi détruire. C'est pourquoi je suis chargé de le remettre à son propriétaire légitime qui, seul, maîtrise ce pouvoir. Je n'en sais pas plus.

– Et ce propriétaire serait le commandeur Marescotti ?

– messire, poursuivit le moine, penaud, croyez-moi, je ne vous veux aucun mal, ni à vous ni à votre famille. J'accomplis ma mission. Cet écrin, précisa-t-il en sortant de sa besace une petite boîte en bois qu'il posa délicatement sur la table, nous a été remis par les prêtres de San Lorenzo, la cathédrale de notre ville, il y a peu de temps. Je crois qu'il contient, mais je n'en mettrais pas ma main au feu, les reliques d'un saint qui ont été envoyées par sa noble patronne de Sienne.

– Je n'ai jamais entendu parler de ce saint ! répliqua Romanino, non sans appréhension. Qui était cette patronne ?

– La pieuse et modeste Monna Mina, de la maison Salimbeni, messire.

Comme tout le monde, Romanino avait entendu parler de cette jeune femme et de la pseudo-malédiction sur le mur. Mais comment un saint pouvait-il être patronné par la maison Salimbeni ?

– Pourquoi ne pas remettre le trésor directement à cette femme, si je puis me permettre ? hasarda Romanino.

– C'est hors de question ! J'ai vu l'un de mes moines, né Salimbeni, mourir après l'avoir touché. Comme si le trésor lui-même refusait d'appartenir à cette famille !

– Morbleu ! aboya Romanino en se levant. Reprenez cette maudite boîte et fichez-moi le camp.

Le moine s'empressa de faire marche arrière.

– Le frère qui en est mort avait cent deux ans. Par contre, je connais des malades qui l'ont touché et qui ont été miraculeusement guéris.

C'est alors que le commandeur Marescotti pénétra dans la salle à manger, très digne, parfaitement droit malgré sa canne. Romanino aida son grand-père à s'installer au bout de la table, avant de lui expliquer les raisons de cette visite.

– Viterbe ? répéta le commandeur. Pourquoi auraient-ils entendu parler de moi si loin ?

Le moine hésitait, ne sachant si c'était à lui de répondre.

– Tenez, bredouilla-t-il enfin en donnant l'écrin au vieux patricien. Je suis venu remettre ce trésor à son propriétaire.

– Père, attention ! s'écria Romanino. Nous ignorons quels démons il contient !

– Justement, il faut l'examiner.

Une minute de silence terrible suivit. Lentement, le commandeur ouvrit le couvercle et examina le contenu de la boîte. Rassuré, Romanino s'approcha.

C'était une bague.

– Qui vous l'a donnée, disiez-vous ? interrogea le commandeur.

– Mon abbé, répondit le moine en reculant. Selon lui, les hommes qui l'ont trouvée ont prononcé votre nom avant de mourir d'une fièvre affreuse, trois jours après avoir reçu le cercueil du saint.

Romanino surveillait son grand-père, espérant qu'il reposerait l'anneau. Mais le commandeur était dans un autre monde, perdu dans la contemplation de cette bague, caressant le sceau de l'aigle et murmurant tout bas la vieille devise de sa maison, gravée en lettres minuscules : « Fidèle au-delà des siècles ».

– Tiens, mon fils, dit-il en tendant l'anneau à Romanino. C'était la bague de ton père. Aujourd'hui, elle est à toi.

Romanino était déchiré. D'un côté, il ne voulait pas décevoir son grand-père ; de l'autre, il avait peur de la bague maudite. Voyant qu'il hésitait, le commandeur Marescotti fut saisi d'une fureur inouïe et se mit à l'invectiver, le traitant de couard, exigeant qu'il accepte la bague. Romanino s'avança vers lui, main ouverte, pour la saisir. Soudain, le commandeur, foudroyé, se renversa dans son siège.

Épouvanté, le moine s'enfuit en poussant un cri d'horreur.

– Reviens ! lui cria Romanino en prenant la tête de son grand-père entre ses bras. Fais ton devoir ! Sinon, je débarquerai avec le diable à Viterbe et je t'écorcherai vif !

Terrifié par la menace, le moine regagna la cuisine et sortit de sa besace le flacon d'huile bénite que son abbé lui avait remis avant son départ, au cas où il aurait, en chemin, à administrer les derniers sacrements à un mourant. Il put ainsi donner l'extrême-onction au commandeur, qui jeta un ultime regard, apaisé, sur son petit-fils.

– Puisses-tu briller comme une étoile, mon fils.

Ce furent ses dernières paroles.

Romanino était écartelé. La bague appartenait à son père, mais elle venait de tuer son grand-père… Il finit par décider de la conserver et de la dissimuler. Il descendit au sous-sol et pénétra dans le Bottini pour l'enfouir dans un endroit introuvable. Il n'en souffla mot à ses enfants mais coucha par écrit quelques indications, scella le message et le remisa avec le reste des papiers de famille.

Romanino vécut sans jamais chercher à découvrir le secret de l'anneau de son père, et la boîte demeura cachée dans le Bottini pendant plusieurs générations. Cependant, dans la famille Marescotti, le sentiment persista qu'un sort funeste menaçait le palais. Si bien qu'elle le vendit en 1506. L'anneau, lui, demeura sur place.

*
* *

Des centaines d'années plus tard, un autre Marescotti, un vieux monsieur lui aussi, déambulait dans ses vignes par un beau jour d'été. Soudain, il aperçut une petite fille à ses pieds. Il lui demanda son nom. La fillette répondit qu'elle s'appelait Giulietta et qu'elle avait presque trois ans. Le vieux monsieur fut surpris. D'habitude, les enfants avaient peur de lui. Celle-là, pourtant, s'adressa à lui en toute confiance.

– Ma maman et ma sœur sont chez toi, lui dit-elle.

Elle le prit tout naturellement par la main et tous deux se mirent à marcher côte à côte.

En pénétrant dans sa villa, toujours en compagnie de la petite fille, le vieil homme découvrit une jeune femme ravissante qui prenait le café avec son épouse. Une seconde fillette était là, qui dévorait des biscuits. Son épouse lui expliqua qu'ils avaient le plaisir de recevoir une certaine Diane Tolomei, veuve du professeur Tolomei. Elle désirait les interroger sur l'histoire de la famille Marescotti.

Le vieil homme se prêta au jeu avec plaisir. Diane Tolomei lui demanda s'il descendait bien de Roméo Marescotti, via le dénommé Romanino, et s'il savait que ce premier Roméo était celui de *Roméo et Juliette* de Shakespeare, ce à quoi il répondit oui. Mais savait-il qu'elle descendait, elle, en droite ligne de Juliette ? Il répliqua qu'il s'en doutait, d'autant qu'elle avait baptisé une de ses deux jumelles Giulietta. Enfin, elle lui demanda s'il se doutait de la raison de sa visite. Là, le vieux Marescotti donna sa langue au chat.

Diane voulait savoir s'il possédait toujours la bague de Roméo. Le vieux Marescotti n'avait aucune idée de ce dont elle parlait. Il n'avait donc jamais vu une petite boîte en bois qui aurait contenu un objet portant malheur ? Non. Ses parents ou ses grands-parents n'avaient jamais évoqué un tel trésor ? Non plus. Diane semblait déçue.

Toutefois, lorsque le vieil homme lui demanda de quoi il s'agissait exactement, elle répondit que cela n'avait pas d'importance. Mieux valait oublier certains épisodes de l'histoire de sa famille.

Bien entendu, le vieux Marescotti ne l'entendit pas de cette oreille. Il s'était prêté au jeu et avait répondu à toutes ses questions. Alors, pourquoi cette dérobade ? Pourquoi était-il censé connaître le secret de ce mystérieux anneau ?

Diane commença par lui raconter l'histoire de Romanino et du moine de Viterbe. Son mari, dit-elle, avait consacré sa vie à effectuer des recherches sur ce sujet. C'était lui, d'ailleurs, qui avait retrouvé les archives de la famille Marescotti, dont la note de Romanino. Heureusement, précisa-t-elle, que Romanino n'avait jamais porté cette bague. Car il n'était pas son propriétaire légitime et elle aurait fait son malheur.

Ils furent alors interrompus par le petit-fils du vieux Marescotti, Alessandro, que l'on appelait aussi Roméo, qui déboula pour chiper des petits gâteaux.

– Je suis ravie de faire ta connaissance, jeune homme, annonça Diane, radieuse. Je voulais te présenter une petite fille très particulière, Giulietta, ajouta-t-elle en prenant délicatement sur ses genoux une de ses deux jumelles.

Roméo enfouit des petits gâteaux dans ses poches et dévisagea la fillette.

– C'est pas possible. Elle a des couches ! s'exclama le jeune garçon.

– Mais non, rectifia sa mère. C'est une jolie barboteuse. C'est une grande fille. N'est-ce pas, Juju ?

Roméo brûlait d'envie de filer, mais son grand-père l'obligea à aller jouer avec les deux fillettes pendant qu'ils prenaient le café entre adultes.

Diane en profita pour révéler le cœur de son histoire. La bague était celle que Roméo avait offerte à Giulietta le jour de leur mariage secret. Voilà pourquoi elle revenait à la petite Giulietta. Diane devait absolument la retrouver. C'était le seul moyen de conjurer la malédiction qui pesait sur la famille Tolomei.

Le vieux Marescotti était fasciné. Comment une jeune Américaine moderne pouvait-elle être convaincue qu'un sort remontant au Moyen Âge s'acharnait sur sa famille et, de plus, laissait-elle entendre, avait coûté la vie à son mari ? Pourtant, il comprenait qu'elle cherche à préserver ses filles de cette malédiction, d'autant que leurs deux parents étaient des Tolomei.

Malheureusement, et il en était navré, il ne pouvait pas faire grand-chose pour elle. Sans tenir compte de ses excuses, la jeune femme poursuivit :

– Si je comprends bien, cet écrin est peut-être toujours sous le palazzo Marescotti, dans le Bottini, et intact depuis l'époque de Romanino.

– Ça, alors ! s'écria le vieillard en se frappant les genoux. Ce serait du jamais vu. Il doit être si bien caché que personne ne pourra jamais le retrouver, pas même moi. Je ne vois vraiment pas comment je pourrais vous aider.

Diane insista, allant jusqu'à lui promettre qu'en échange elle lui remettrait un objet que les Marescotti serait ravis de récupérer et qui était dans la famille Tolomei depuis beaucoup trop longtemps.

Elle sortit alors une photo de son sac et la posa sur la table. Le vieil homme se signa en reconnaissant le vieux *cencio* que son grand-père lui avait maintes fois décrit. Jamais il n'avait imaginé le voir de son vivant, ni le toucher. Comment ce *cencio* avait-il survécu ?

– Depuis combien de temps votre famille le conserve-t-elle ?

– Depuis que la vôtre détient notre bague, signore. Maintenant, et j'imagine que vous êtes d'accord, il est temps que chacun rende à César ce qui appartient à César, non ? Arrêtons enfin la malédiction qui fait notre malheur.

Le vieil homme se récria. Lui et les siens, affirma-t-il, menaient une vie très heureuse.

– Honnêtement, reprit Diane en se penchant pour effleurer ses mains, ne sentez-vous pas, certains jours, qu'un mystérieux pouvoir vous surveille, comme un allié qui attendrait que vous accomplissiez votre devoir ?

Ses propos firent une grande impression sur les Marescotti. Tout à coup, un grand fracas retentit du côté de la grange. Roméo déboula avec Giulietta, qui se débattait comme une diablesse dans ses bras. Elle venait de tomber sur une fourche. Mme Marescotti dut nettoyer et recoudre sa plaie sur la table de la cuisine.

Ni elle ni son mari ne grondèrent leur petit-fils : depuis toujours, Roméo brisait tout ce qu'il touchait et ne cessait de provoquer involontairement des catastrophes, comme si un esprit mauvais s'était emparé de lui dès sa naissance. Toutefois, le vieil homme se sentait tellement coupable de ce qui venait de se produire qu'il promit à Diane de tout faire pour retrouver l'anneau. Celle-ci répondit que, quoi qu'il arrive, elle reviendrait avec le *cencio,* au plus tard d'ici à une quinzaine de jours. Elle insista pour que Roméo soit présent. Elle tenait à lui remettre en main propre ce qui lui appartenait. Elle souhaitait également « essayer quelque chose avec lui ». Elle n'en dit pas plus. Et personne n'osa l'interroger là-dessus.

Entre-temps, Marescotti pourrait faire son enquête. On se quitta les meilleurs amis du monde. Au dernier moment, Diane précisa que si le vieil homme retrouvait la bague il ne devait surtout pas la toucher. Mieux valait, en définitive, ne pas ouvrir l'écrin du tout.

Marescotti se rendit à Sienne dès le lendemain, déterminé à retrouver le trésor. Il passa plusieurs journées à fouiller le Bottini, et s'équipa d'un détecteur de métaux. Enfin, il le découvrit, caché au fond d'une étroite cavité, sous une épaisse couche de poussière de grès.

L'écrin de bois était tellement desséché, tellement fragile qu'à peine effleuré il tomba en poussière. Marescotti se retrouva avec l'anneau entre les mains sans l'avoir voulu.

Refusant de céder à des peurs irrationnelles, il le mit dans la poche de son pantalon et rentra à la campagne en voiture. À partir de ce jour-là, plus jamais la famille ne vit naître de garçon. Seules des filles venaient au monde. Roméo, son petit-fils, serait donc son unique descendant mâle. Toutefois, il doutait fort que cet enfant agité, étrange, se marie et ait lui-même des fils.

Pour l'heure, bien sûr, il ignorait tout cela. Il était simplement heureux d'avoir retrouvé la bague et de récupérer bientôt la vieille bannière de famille de 1340, pour la montrer à toute la *contrada.* Il avait prévu d'en faire don au musée de l'Aigle, persuadé qu'elle leur porterait bonheur pour le prochain Palio.

Le destin en décida autrement. Marescotti avait organisé en l'honneur de Diane une grande fête réunissant tous les membres de la famille. Son épouse avait préparé des plats succulents. Il avait rangé la bague dans un nouvel écrin, autour duquel elle avait noué un ruban rouge. Ils avaient même emmené Roméo en ville pour lui offrir une vraie coupe de cheveux.

Le grand jour arriva. Les Marescotti attendirent… attendirent. Diane ne vint pas. Ils attendirent encore. Jusqu'au moment où la nouvelle tomba. Le cousin du vieil homme téléphona pour lui annoncer l'accident de voiture. La veuve du professeur Tolomei et ses deux filles étaient mortes sur le coup. Ce soir-là, persuadé de la réalité de la malédiction, tremblant de fièvre et rongé par l'angoisse, il écrivit un mot à sa fille, avec qui il était brouillé et qui vivait à Rome, en l'implorant de lui pardonner et de revenir. Elle ne répondit jamais.

VIII, I

J'ai acheté le logis d'un amour,
Mais je n'en ai pas pris possession encore.

Alessandro venait de terminer son histoire. Nous étions allongés côte à côte au milieu d'un champ de thym sauvage, sous la cape bleue du ciel.

– Je me souviens très bien du jour où on a appris la nouvelle de l'accident. J'avais à peine treize ans, mais j'ai très bien compris. J'ai tout de suite pensé à toi, la petite fille qu'on m'avait présentée comme Giulietta. Bien sûr, je savais que je m'appelais Roméo, mais je n'avais jamais pensé à une Giulietta. À partir de là, j'ai commencé à sentir que sans Giulietta j'étais très seul.

– Arrête, me suis-je écriée en le chatouillant avec une petite violette. Ça m'étonnerait que tu aies manqué de femmes pour te tenir compagnie !

– Je t'ai crue morte. Que pouvais-je faire ?

– « Fidèle au-delà des siècles ». Telle est la devise de ta famille.

– Je te rappelle que Roméo a offert la bague à Giulietta, a-t-il répondu en nous roulant tous les deux dans l'herbe.

– C'est vrai.

– Bon, dis-moi, Giulietta l'Américaine, as-tu été fidèle au-delà des siècles ?

Comme il ne plaisantait plus vraiment, je lui ai posé la question tout de go :

– Pourquoi es-tu entré dans ma chambre pour voler ?

Il s'attendait à tout, sauf à ça. Il a plongé la tête dans ses mains en gémissant :

– *Porca vacca !*

– J'imagine que tu as une explication imparable.

– En effet, mais elle est inavouable.

– Pardon ?

Je me suis brutalement redressée.

– Tu saccages ma piaule et tu refuses de m'expliquer pourquoi ?

Lui aussi s'est redressé.

– Quoi ? Moi ? C'était déjà le boxon quand je suis entré dans ta chambre. Je te le jure ! Ce soir-là, quand tu as quitté le restaurant, je t'ai suivie jusqu'à l'hôtel pour… je ne sais plus. En tout cas, quand je suis arrivé, je t'ai vue grimper sous ton balcon…

– Tu es dingue ? Moi, rentrer par le balcon ?

– Alors, c'était peut-être une autre fille. Mais elle te ressemblait. C'est elle qui a saccagé ta chambre, je t'assure. Moi, j'y suis entré après. J'espère que tu me crois.

– Comment te croire si tu ne me dis pas qui est le, ou la coupable ?

– Je suis désolé, a-t-il répondu en retirant une branche de thym de mes cheveux. Je voudrais bien, mais ce n'est plus mon histoire. Ce n'est pas à moi de te la raconter. Avec un peu de chance, tu découvriras bientôt la vérité.

– Dans la bouche de qui ? C'est encore un secret ?

– J'en ai bien peur.

Il a eu le culot de sourire !

– Crois-moi, je n'avais pas la moindre intention maligne.

– Alors, c'est moi qui perds la tête, ai-je répondu.

– C'est comme ça qu'on dit oui, en anglais ?

– Je ne suis même plus fâchée, ai-je rétorqué en lissant ma jupe.

– Viens… Tu me connais, je n'ai jamais voulu te faire le moindre mal.

– Au contraire. Tu es Roméo, soit la seule personne au monde qui puisse réellement me blesser.

Il m'a prise entre ses bras et je n'ai pas pu résister. Toutes mes défenses se sont écroulées. J'étais de plus en plus docile, incapable de réfléchir…

– Tu y crois vraiment, à ces malédictions ? ai-je chuchoté contre son cou.

– Je crois aux bénédictions.

– Tu sais où est le *cencio* ?

– Non, mais j'adorerais.

Il m'a serrée contre lui.

– Pourquoi ?

– Parce que, a-t-il murmuré très sérieusement, où qu'il soit, sans toi, il n'a aucun sens.

*
* *

Nous avons regagné tranquillement la voiture, en suivant nos ombres qui s'étiraient sous le soleil de la fin de l'après-midi. Je craignais que nous ne nous fussions pas à l'heure à la soirée d'Eva Maria. C'est alors que le téléphone d'Alessandro a sonné. Il s'est éloigné pour répondre, expliquant à sa marraine les raisons de notre retard pendant que je rangeais les verres et la bouteille vide dans le coffre.

J'ai remarqué une caisse de vin étiquetée « Castello Salimbeni ». Discrètement, je l'ai ouverte. Elle ne contenait rien, sinon de la sciure de bois, sans doute pour protéger les verres et la bouteille qu'Alessandro avait apportés. J'ai quand même passé la main au fond, pour voir… Je suis tombée sur une surface dure. J'ai tiré et j'ai découvert une boîte très ancienne, de la taille d'une boîte à cigares.

Je me suis revue avec Janice au fond du Bottini, la veille, observant Alessandro qui sortait d'une cachette un petit coffre qui ressemblait furieusement à celui-ci ! La tentation fut la plus forte. D'une main tremblante, j'ai soulevé le couvercle. Inconsciemment, je savais. L'anneau d'or et le coussin de velours bleu… C'était évident.

Alessandro est revenu alors que j'avais à peine eu le temps de tout remettre en place.

– Tu cherches quelque chose ?

– Ma crème écran total. Le soleil, ici, est… mortel, ai-je plaisanté en ouvrant la fermeture Éclair de mon sac de voyage.

Je suis montée dans la voiture, et il a repris le volant. Je n'étais pas rassurée de savoir que nous conduisions avec cette bague maudite au fond du coffre. Après tout ce qui s'était passé entre nous, les baisers, les confessions, les secrets de famille, je venais de découvrir la preuve qu'il me cachait toujours une partie essentielle de la vérité. Certes, il avait mis cartes sur table, mais il maintenait une bonne partie cachée.

Tout comme moi…

– Ça va ? dit-il au bout de quelque temps. Je ne t'entends plus.

– Tout va bien. J'ai juste un peu chaud.

J'ai essuyé une goutte de transpiration au bout de mon nez. Ma main tremblait de nouveau. Il m'a gentiment serré le genou pour me rassurer.

– Tu verras, tout ira mieux chez Eva Maria. Elle a une piscine magnifique.

– Super.

J'avais l'impression que ma main était engourdie, surtout la partie qui avait effleuré la bague. Discrètement, je l'ai frottée contre ma jupe. Moi qui n'étais pas superstitieuse pour un sou, c'était un comble. J'ai fermé les yeux en tâchant de me raisonner…

*
* *

La demeure d'Eva Maria Salimbeni semblait née d'un songe. C'était un superbe *castello* perché au sommet d'une colline et entouré de champs et de vignes, telles les jupes d'une jeune fille assise dans un pré, non loin d'un village appelé Castiglione. Le genre de propriété qu'on admire en feuilletant les pages d'un beau livre, sans jamais imaginer y pénétrer dans la vraie vie. Je me suis félicitée d'avoir ignoré les avertissements des uns et des autres : si Eva Maria était réellement en train de tirer les ficelles d'une sombre machination, jamais elle n'aurait organisé une soirée chez elle en y invitant une étrangère.

Même la menace de la bague semblait s'éloigner. Lorsque nous sommes arrivés près de la fontaine centrale, toutes mes craintes se sont définitivement noyées dans l'eau turquoise qui tombait en cascade des trois cornes d'abondance soutenues par des nymphes nues chevauchant des griffons de marbre.

Un camion de traiteur était garé devant une entrée latérale. Deux hommes en tablier de cuir déchargeaient des cartons sous la surveillance d'Eva Maria. Dès qu'elle nous a vus, elle s'est précipitée vers nous en agitant la main pour nous indiquer où nous garer.

– *Benvenuti !* Je suis enchantée de vous voir tous les deux ensemble !

Elle m'a embrassée avec effusion, avant de se tourner vers son filleul, en tâtant ses biceps.

– Je t'attendais plus tôt, petit voyou !

– J'ai voulu montrer Rocca di Tentennano à Giulietta.

– Non ! s'est-elle écriée en lui giflant l'avant-bras. C'est l'endroit le plus sinistre de la région. Pauvre Giulietta… Je suis désolée pour toi. Qu'en as-tu pensé ?

– En fait, j'ai trouvé le lieu assez idyllique, ai-je dit avec un regard en coin en direction d'Alessandro.

Curieusement, ma réponse a paru lui plaire. Elle m'a de nouveau embrassée, cette fois sur le front, avant de nous entraîner vers la maison.

– Par là !

Elle nous a poussés vers une porte qui donnait directement dans la cuisine, où trônait une immense table couverte de plats et de cartons de petits-fours.

– J'espère que tu ne m'en veux pas de te faire entrer par la cuisine, ma chérie. Marcello ! *Dio Santo !*

Elle a levé les bras en s'adressant à l'un des livreurs, lui intimant de mettre ailleurs un carton qu'il venait de poser.

– Il faut toujours les surveiller, ces braves garçons ! Dieu les protège… Sandro !

– *Pronto !*

– Va tout de suite chercher vos bagages. Surtout ceux de Giulietta.

Alessandro n'avait pas l'air ravi de me laisser seule avec sa marraine. Sa mine penaude m'a fait pouffer.

– Allez, vas-y, nous avons besoin de parler entre filles !

Malgré l'agitation ambiante, j'ai apprécié les proportions de la cuisine. Jamais je n'avais vu de casseroles et de marmites aussi grandes ni de cheminée aussi haute. La pièce devait faire à peu près la moitié du dortoir de ma fac.

Elle donnait sur un très grand vestibule, entrée officielle du *castello* Salimbeni : un espace carré très volumineux, d'une quinzaine de mètres de hauteur de plafond, entouré d'une grande mezzanine qui m'a rappelé la Librairie du Congrès de Washington.

– C'est là que je reçois tout le monde, ce soir !

– Impressionnant, j'avoue.

Les chambres des invités se situaient au-dessus. Mon hôtesse avait eu la délicatesse de m'en réserver une munie d'un balcon avec vue sur la piscine, un grand verger et, au-delà, sur le val d'Orcia baigné d'une belle lumière dorée. Le paradis.

– Il n'y a pas de pommier ? ai-je demandé en riant, penchée au balcon. Ni de serpent ?

– De ma vie, je n'ai vu de serpent ici, a affirmé Eva Maria, très sérieuse. Or je fais le tour du verger tous les soirs. De toute façon, tu ne crains rien. Sandro est juste là…

Elle a désigné la porte-fenêtre voisine.

– Vous partagez le balcon, a-t-elle ajouté avec un petit coup de coude. Commode, non ?

Un peu estomaquée, je suis rentrée dans la chambre. En son centre se dressait un grand lit à baldaquin cerné de rideaux de lin. Eva Maria a agité les sourcils d'un air entendu, comme ma sœur…

– Superbe couche, tu ne trouves pas ?

– Ne vous faites pas d'idées sur moi et votre filleul, ai-je bredouillé en rougissant.

– Non ?

Elle avait l'air affreusement, et sincèrement déçue.

– Non, ce n'est pas mon genre. Enfin… Je le connais depuis à peine une semaine.

Elle a souri en me tapotant la joue.

– Tu es une fille bien. J'aime ça. Je vais te montrer la salle de bains…

Peu après, elle m'a abandonnée. Enfin, j'étais seule. J'ai jeté un coup d'œil sur le bikini et le kimono qu'elle avait pris soin de me montrer avant de sortir, et je me suis écroulée à plat ventre sur le lit. Son hospitalité était épatante, me garantissait un repos absolu. D'un autre côté, quelque chose me gênait chez elle, comme s'il me manquait une clé, un détail qui m'échappait, sans rapport avec ces histoires de prétendue mafia. Je n'étais pas aidée par la demi-bouteille de prosecco que j'avais vidée à jeun entre les bras d'Alessandro.

J'allais m'assoupir lorsque j'ai entendu un plongeon dans la piscine, suivi d'une voix qui m'appelait.

– Tu viens ?

– Il y a toujours des histoires d'eau, avec toi !

– Tu as un problème avec l'eau ? a rétorqué Alessandro, perplexe, et d'autant plus irrésistible.

*
* *

Il a éclaté de rire en me voyant arriver drapée dans le kimono d'Eva Maria.

– Je croyais que tu avais chaud ! m'a-t-il lancé, assis sur le rebord de la piscine et profitant des derniers rayons du soleil.

– Oui, mais ça va mieux. À dire vrai, je ne suis pas une très bonne nageuse.

– Personne ne te demande de faire des longueurs. La piscine n'est pas très profonde et… je suis là pour te protéger.

Il portait un maillot de bain réduit à sa plus simple expression, comme seuls en portent les Italiens. Assis face à la lumière du soleil déclinant, il ressemblait à une statue de bronze aux proportions parfaites.

– Viens, a-t-il insisté en glissant dans l'eau comme dans son élément naturel. Tu vas adorer !

– Sans blague, je n'aime pas beaucoup l'eau.

Il a posé les bras sur le bord.

– C'est-à-dire ? Tu te dissous ?

– J'ai tendance à couler et à… paniquer. Enfin, dans l'ordre inverse.

Comme il ne me croyait pas et soupirait, j'ai précisé :

– Quand j'avais dix ans, ma sœur m'a poussée d'un quai pour faire rire ses copains. Je me suis cogné la tête contre une bitte d'amarrage et j'ai failli me noyer. Aujourd'hui, je m'affole dès que je n'ai plus pied. Tu vois, Giulietta n'est pas très intrépide.

– Ta sœur, dis donc…, a-t-il grommelé en secouant la tête.

– En fait, c'est moi qui avais essayé de la pousser.

– Tu as eu ce que tu méritais, alors ! Allez, approche-toi, a-t-il ajouté en tapotant sur le rebord en ardoise. Assieds-toi là.

J'ai retiré le kimono d'Eva Maria, révélant le bikini miniature qu'elle m'avait prêté, avant d'aller m'asseoir près de lui, les pieds dans l'eau.

– Aïe, c'est brûlant !

– Tu n'as qu'à te laisser glisser. Mets les bras autour de mon cou, je te tiens.

– Non, je ne peux pas.

– Si, allez. On ne peut pas vivre comme ça, toi là-haut et moi en bas.

Il m'a saisie par la taille en lançant :

– Comment apprendrai-je à nager à nos enfants s'ils voient que tu as peur de l'eau ?

Sans avoir eu le temps de dire ouf, je me suis retrouvée immergée jusqu'à la poitrine, les jambes enroulées autour de ses hanches.

– Tu vois ? Ce n'est pas si terrible…

– Ne me lâche pas, je t'en supplie !

– Je ne te lâcherai plus jamais de ma vie ! Tu es rivée à moi pour les siècles des siècles !

Plus je me détendais, plus j'appréciais la sensation de son corps contre le mien. À en juger par son regard, entre autres, il partageait mon plaisir.

– « Encore que sa figure soit plus agréable qu'aucune autre, et que sa jambe l'emporte sur celle de tous les autres garçons et que, pour ce qui est de la main, du pied ou du corps, bien qu'il n'y ait rien à en dire, il soit vraiment hors pair ! Ce n'est pas la fleur de la courtoisie, mais pour la douceur, un agneau ! »

Alessandro luttait pour ne pas lorgner ce que révélait mon haut de bikini.

– Pour une fois, Shakespeare a raison à propos de Roméo.

– Laisse-moi deviner. Tu ne serais pas la fleur de la courtoisie ?

– Sois douce comme un agneau, a-t-il répété en me pressant contre lui.

– Comme un loup sous une peau d'agneau, ai-je repris en posant la main sur sa poitrine.

– Les loups sont des animaux adorables, a-t-il conclu en me baissant jusqu'à ce que nos deux visages se frôlent.

Il m'a embrassée. Ce fut si bon que j'ai tout oublié. J'en rêvais depuis que nous avions quitté Rocca di Tentennano, et je lui ai rendu son baiser avec fougue. Quand j'ai senti sa main tester le tissu du bikini d'Eva Maria, j'ai simplement fait remarquer :

– Je croyais que tu préférais explorer la côte ?

– Christophe Colomb ne t'a jamais connue.

Hélas, Eva Maria a interrompu notre tête-à-tête.

– Sandro ! *Dai, vieni dentro, svelto !*

J'ai sursauté et failli couler. Heureusement, il ne m'a pas lâchée.

– Merci. Finalement, tu n'as pas les mains si maléfiques que ce qu'on prétend.

Il a repoussé quelques mèches de cheveux qui cachaient mon visage.

– À chaque malédiction correspond une bénédiction. Je t'avais prévenue.

J'ai été surprise par le sérieux de son ton.

– Les malédictions ne fonctionnent que si l'on y croit, ai-je répliqué.

Je suis remontée dans ma chambre et j'ai éclaté de rire en pensant à ma sœur. Les rôles étaient inversés. C'était moi qui me retrouvais en train de flirter dans une piscine ! Il fallait à tout prix que je lui raconte. Quoique… Non seulement Janice serait furieuse de constater que je me fichais de ses avertissements, mais elle risquait d'être jalouse. D'une certaine façon, sa jalousie vis-à-vis d'Alessandro était attendrissante. Lorsque j'avais refusé de l'accompagner à Montepulciano pour retrouver la maison de notre mère, elle avait paru sincèrement déçue.

Plongée dans mes pensées, j'ai mis quelque temps à remarquer une odeur de fumée ou d'encens. Je suis allée sur le balcon dans mon kimono trempé et j'ai admiré le soleil qui se couchait derrière les montagnes, au loin, sur un fond couleur d'or et de sang. Une légère pointe d'humidité annonçait tous les parfums, les passions et les frissons de la nuit à venir.

Je suis retournée dans la chambre et j'ai allumé une lampe. Une robe avait été déposée sur mon lit, avec un mot : « À porter pour la soirée. » J'ai été un peu interloquée. Non seulement Eva Maria me dictait encore ma façon de m'habiller, mais elle m'imposait une tenue complètement démodée : une robe longue de velours rouge foncé, au décolleté austère, en carré, et aux manches démesurément larges. Imaginant déjà les ricanements de Janice, j'ai failli la balancer par la fenêtre.

J'ai sorti la robe que j'avais apportée et comparé les deux. En fin de compte, ma petite robe noire très osée aurait constitué un faux pas magistral. Docile, j'ai enfilé la tenue moyenâgeuse d'Eva Maria et tenté de me faire un chignon sur le haut du crâne. Je me suis arrêtée à la porte pour écouter les invités arriver au rez-de-chaussée. Derrière les rires, la musique et les bouchons qui sautaient, j'entendais mon hôtesse accueillir ses chers amis et sa chère famille, mais aussi son cher clergé et ses chers aristocrates. J'étais intimidée, et pas sûre de trouver ma place parmi ces gens… Pour me rassurer, je suis allée, sur la pointe des pieds, frapper à la porte d'Alessandro. Il n'était pas là. Soudain, j'ai senti une main sur mon épaule.

– Giulietta ! Tu es prête ?

C'était Eva Maria. La brusquerie de son apparition m'a déstabilisée. J'avais l'impression d'avoir été prise en flagrant délit de tentative d'effraction.

– Je cherchais Alessandro.

Elle portait un diadème en or et un maquillage particulièrement prononcé, encore plus outrancier que d'habitude.

– Je l'ai envoyé faire une course. Il ne va pas tarder. Viens…

Je l'ai suivie autour de la mezzanine, les yeux rivés sur son incroyable accoutrement. Même si j'avais l'impression d'être costumée comme une jeune première de théâtre, il était clair que je tenais, au mieux, le second rôle. Elle flottait dans un nuage de taffetas doré, brillant comme un soleil. Aucun convive, lorsque nous avons descendu le grand escalier, n'aurait pu ne pas la remarquer.

Ils devaient être une centaine. Tous se turent, admirant l'arrivée majestueuse de leur hôtesse, telle la reine des fleurs répandant des pétales de rose. Un véritable happening, que, de toute évidence, elle avait longuement préparé. Le vestibule était illuminé par d'immenses chandeliers et candélabres, dont l'éclat animait et semblait incendier l'étoffe de sa robe. Éblouie, je n'entendais plus que la musique, une ronde de mélodies médiévales que jouait un petit orchestre sur des instruments d'époque, au fond du vestibule.

Les invités d'Eva Maria ne paraissaient pas trop coincés. Simplement, ils semblaient surgir d'un autre monde. À première vue, personne n'avait moins de soixante-dix, voire quatre-vingts ans. Une âme charitable, ma sœur, par exemple, les aurait décrits comme de charmantes personnes ne sortant qu'une fois tous les dix ans et n'ayant pas ouvert un magazine de mode depuis la Seconde Guerre mondiale.

Dès que je suis parvenue au pied de l'escalier, une grappe de gens s'est précipitée sur moi en faisant des commentaires incompréhensibles en italien, tout en me tâtant de leurs doigts exsangues pour s'assurer que j'étais bien réelle. Manifestement, c'était moi, et non pas eux, qui, ce soir, venais de ressusciter d'entre les morts !

Eva Maria, sensible à mon embarras, les a très vite repoussés, jusqu'à ce qu'il ne reste plus que deux femmes d'un âge certain.

– Je te présente Monna Teresa, qui descend de Giulietta Tolomei, comme toi, et Monna Chiara, qui descend de Monna Mina Salimbeni. Tu n'imagines pas à quel point elles sont enchantées de te voir. Elles te croyaient morte. Toutes deux connaissent très bien l'histoire de nos ancêtres, en particulier celle de Giulietta Tolomei, dont tu portes le nom.

J'ai dévisagé les deux femmes. En effet, elles devaient connaître par cœur les événements de 1340, car elles avaient l'air de débarquer d'une carriole du Moyen Âge. Un corset et une fraise de dentelle les maintenaient parfaitement droites. L'une d'elles souriait timidement derrière un éventail noir. La seconde, affublée d'une coiffure que je n'avais jamais vue que sur des peintures, avec, cerise sur le gâteau, une plume de paon pointant sur le côté, était plus réservée.

– Monna Teresa, a repris Eva Maria en pointant celle qui agitait l'éventail noir, voudrait savoir si tu as bien une sœur jumelle nommée Giannozza. Par tradition, depuis des siècles, on baptise, dans notre famille, les sœurs jumelles Giulietta et Giannozza.

– Oui, j'ai une sœur jumelle. D'ailleurs, je regrette qu'elle ne soit pas avec nous ce soir. Elle… (J'ai balayé du regard le vestibule illuminé et sur ces étranges personnages.) Elle aurait adoré.

La vieille dame a répondu par un grand sourire fourmillant de rides et m'a fait promettre de revenir avec ma sœur.

– Si ce sont des prénoms traditionnels dans la famille, ai-je dit, il doit exister des centaines de Giulietta Tolomei.

– Pas du tout ! a objecté Eva Maria. La tradition se transmet par la lignée des femmes. Or elles prennent le nom de leur époux le jour de leur mariage. Aujourd'hui, Monna Teresa pense que vous êtes les seules, toi et ta sœur. Ta mère était d'un entêtement qui force l'admiration. Elle voulait absolument porter le nom de Tolomei. C'est pourquoi elle a épousé ton père. En plus, elle a eu des jumelles !

J'étais ravie d'apprendre tout cela, mais je ne rêvais que d'une chose : retrouver Alessandro. Où diable avait-il disparu, ce sacripant ? Je n'avais aucune envie de discuter pour la millième fois de toutes ces légendes de famille.

Hélas, ce fut au tour de Monna Chiara de m'attraper par le bras et de me plonger à nouveau dans ce maudit passé. Sa voix fragile bruissait comme du papier de soie. J'ai dû me pencher sur elle, en évitant de m'éborgner sur sa plume de paon.

– Monna Chiara te propose d'aller lui rendre visite, a traduit Eva Maria. Elle aimerait te montrer les archives qu'elle possède. Son ancêtre, Monna Mina, fut la première femme de la famille à tenter de dénouer les fils de l'histoire de Giulietta, de Roméo et de frère Lorenzo. Elle a retrouvé la confession de Lorenzo dans la chambre de torture du palazzo Salimbeni, et la plupart des lettres de Giulietta à sa sœur, dispersées à droite et à gauche. La dernière était conservée à Rocca di Tentennano.

– J'adorerais lire ces missives. J'en ai vu des fragments, mais…

– Après les avoir retrouvées, Monna Mina est allée chez Giannozza pour les lui remettre. Sans doute en 1372. Giannozza était alors grand-mère, une grand-mère heureuse, d'ailleurs, qui vivait avec son second mari, Mariotto. Cela dit, tu imagines le choc qu'elle a dû ressentir en découvrant ses lettres. Ensemble, Mina et Giannozza ont juré de tout faire pour que cette histoire soit connue des générations futures.

Eva Maria a délicatement entouré du bras les deux vieilles dames, qui ont pouffé comme deux gamines excitées.

– Voilà pourquoi nous sommes rassemblées ici ce soir. Pour nous rappeler ce qui est arrivé et nous assurer que cela ne se reproduira plus jamais. Monna Mina a commencé ce travail de mémoire il y a plus de six cents ans. Tous les ans, le soir de l'anniversaire de sa nuit de noces, elle descendait au sous-sol du palazzo Salimbeni, dans cette épouvantable chambre de torture, et allumait un cierge en souvenir de frère Lorenzo. Quand ses filles ont été assez grandes, elle les a emmenées avec elle. Ainsi, la tradition a été maintenue par plusieurs générations de femmes dans les deux familles. (Eva Maria m'a jeté un regard complice, avant de poursuivre :) Aujourd'hui, hélas, tout cela paraît très lointain à la plupart des gens. Nos grosses banques modernes ne voient pas d'un très bon œil ces processions nocturnes éclairées aux chandelles et ces vieilles femmes en robe de nuit bleutée rôdant dans les sous-sols. Demande à Sandro… Du coup, nous organisons nos réunions ici, au *castello* Salimbeni, au rez-de-chaussée. Nous sommes civilisées, vois-tu. Mais plus toutes jeunes… C'est pourquoi, *carissima*, j'ai le plaisir de t'annoncer que nous sommes enchantées de t'accueillir parmi nous ce soir, en ce jour anniversaire de la nuit de noces de Mina.

*
* *

J'ai réalisé que je n'allais pas très bien en arrivant devant le buffet. J'ai essayé de prendre un peu d'un canard rôti étalé sur un magnifique plateau d'argent. Une vague d'oubli tiède m'a submergée et j'ai vacillé. La cuillère de service m'a glissé de la main, comme si mes muscles s'étaient soudain relâchés.

J'ai respiré profondément, plusieurs fois, et réussi à reprendre mes esprits. Sur la terrasse du grand vestibule, un second buffet, spectaculaire, se déployait. La lune montait dans le ciel. De grandes torches flambaient dans le jardin, formant des demi-cercles de feu. Derrière moi, le *castello* scintillait, toutes vitres ouvertes, éclairé par des projecteurs. Il brillait tel un phare repoussant la nuit, ultime rempart de la fierté des Salimbeni contre les lois du monde, qui s'arrêtaient au portail du *castello*.

Je me suis ressaisie. J'ai ramassé la cuillère. J'avais bu à peine un verre de vin, servi par Eva Maria, qui voulait savoir ce que je pensais de son dernier sangiovese, en jetant la moitié dans un pot de fleurs. À quoi bon la froisser en remettant en cause ses talents de viticultrice ? Cela dit, il était normal que les événements de cette journée m'aient un peu tourneboulée.

C'est alors que je l'ai aperçu, lui, Alessandro, surgissant des ténèbres du parc et me regardant fixement entre deux torches. Il n'avait pas l'air fâché, mais inquiet, comme s'il venait m'annoncer un accident et me présenter ses condoléances.

Quelque chose clochait.

J'ai déposé mon assiette pour me diriger vers lui, peu rassurée.

– « Dans une minute, ai-je récité en essayant de sourire, il y a tant de jours. Oh, à ce compte je serai une vieille femme avant que je revoie mon Roméo. »

Je me suis interrompue pour l'observer et tenter de lire dans ses pensées.

– Shakespeare, Shakespeare…, a-t-il protesté. Pourquoi faut-il toujours que tu le fasses intervenir entre nous ?

– Parce que c'est un ami qui te veut du bien.

Il a embrassé la main que je lui tendais, sans cesser de me dévisager.

– Vraiment ? Et que souhaiterait-il nous voir faire, à présent ?

Il a lu la réponse dans mes yeux et hoché la tête.

– Et après ?

J'ai mis quelques secondes à comprendre. Après l'amour venait la séparation, et après la séparation, la mort… Selon Shakespeare. Malheureusement, je n'ai pas eu le temps de réécrire la fin. Eva Maria est apparue face à nous tel un cygne majestueux, sa robe flambant sous la lumières des torches.

– Sandro ! Giulietta ! *Grazie a Dio !* Venez, vite !

Nous n'avions pas le choix. Nous avons suivi son sillage étincelant, sans oser lui demander la raison d'une telle urgence. Peut-être Alessandro la connaissait-il. Pourtant, à en juger par son regard fulminant, nous étions à la merci de la Fortune, ou de Shakespeare…

Nous avons traversé le vestibule jusqu'à une petite porte, remonté un couloir. Enfin, nous avons abouti dans une salle à manger, silencieuse et sombre.

À première vue, la pièce semblait vide. Peu à peu, je me suis adaptée à l'obscurité. Alors, j'ai découvert un spectacle hallucinant. Deux candélabres garnis de bougies allumées éclairaient une grande table autour de laquelle étaient assis, sur de vieux sièges au dossier droit, douze hommes en robe de moine. Sur un des côtés, dans l'ombre, un personnage plus jeune, avec un capuchon, agitait délicatement une coupelle d'encens.

Mon cœur s'est mis à battre la chamade. L'avertissement de ma sœur m'est revenu en mémoire. Si Alessandro n'avait pas enlacé ma taille d'une main ferme et possessive, j'aurais pris mes jambes à mon cou.

– Je te présente les membres de la confrérie de Lorenzo, m'a annoncé Eva Maria. Tous sont venus de Viterbe pour faire ta connaissance.

– Moi ?

– Chut…

Elle m'a accompagnée à l'extrémité de la table pour me présenter au plus âgé des moines, avachi sur son siège qui ressemblait à un trône.

– Il ne parle pas anglais. Je traduirai.

Elle s'est inclinée devant lui. Il me fixait ou, plus exactement, contemplait la croix autour de mon cou.

– Giulietta, dit-elle, c'est un instant très solennel. Je voudrais, à présent, te présenter frère Lorenzo.

VIII, II

Ô nuit bénie, bénie ! J'ai peur, puisqu'il fait nuit,
Que tout ceci, ce ne soit qu'un rêve
Trop flatteur, délicieusement, pour être vrai.

– Giulietta Tolomei !

Le vieux moine s'est redressé pour prendre mon visage entre ses mains et me contempler. Il a posé la main sur la croix pendue autour de mon cou avec révérence. Et déposé un baiser sur mon front de ses lèvres sèches comme du bois.

– Frère Lorenzo, m'a expliqué Eva Maria, est le supérieur de la confrérie de Lorenzo. Le supérieur adopte toujours ce nom en mémoire du confident de ton ancêtre. Ce soir, ces hommes t'accordent un immense honneur en te remettant un bien qui te revient. Ils attendent cet instant depuis des siècles.

Frère Lorenzo a fait un geste afin que ses compagnons se lèvent, ce qu'ils firent, en silence. L'un d'eux se pencha pour prendre une petite boîte au centre de la table, que chacun se passa solennellement avant de la remettre au supérieur.

Je l'ai immédiatement reconnue : c'était la boîte dissimulée dans le coffre de la voiture d'Alessandro. J'ai reculé, mais Eva Maria m'a enfoncé les doigts dans l'épaule pour m'empêcher de bouger. Et frère Lorenzo s'est lancé dans une interminable explication qu'elle m'a traduite simultanément.

– Ceci est un bijou que la Vierge Marie protège depuis plusieurs siècles. Seule toi, Giulietta Tolomei, et autorisée à le porter. Il fut enterré pendant une très longue période auprès de frère Lorenzo, notre père à tous. Lorsque ses restes ont été transportés à Viterbe, les moines l'ont découvert parmi ses ossements. Il avait dû le cacher afin qu'il ne tombe pas entre de mauvaises mains. Ensuite, ce trésor a disparu longtemps, très longtemps, avant de revenir ici, afin d'être à nouveau bénit.

Le supérieur a ouvert l'écrin. La bague de Roméo était là, posée sur son lit de velours bleu roi. Tous, nous nous sommes penchés pour l'admirer.

– *Dio !* a murmuré Eva Maria, c'est l'alliance de Giulietta. C'est un miracle que le frère ait pu la sauver.

J'ai dévisagé Alessandro. Se sentait-il coupable de l'avoir transportée jusqu'ici sans m'en dire un mot ? Il avait l'air serein, pas le moins du monde perturbé. Le frère a béni la bague, puis l'a prise d'une main tremblante et l'a tendue, non pas à moi, mais à Alessandro.

– Roméo Marescotti… *per favore*.

Il a hésité avant de la prendre, puis échangé un regard avec Eva Maria, un long regard sombre et sans sourire qui devait marquer un point de non retour symbolique entre eux, et qui m'a serré le cœur.

Une seconde vague d'oubli m'a brouillé la vue et j'ai vacillé sur place. La pièce s'est mise à tournoyer. J'ai pris le bras d'Alessandro, cligné des yeux plusieurs fois, mais ni lui ni Eva Maria n'ont interrompu la cérémonie.

– Au Moyen Âge, a repris Alessandro en traduisant, c'était très simple. L'homme disait : « Je t'offre cet anneau », et le mariage était prononcé.

Il a pris ma main et m'a glissé la bague au doigt.

– Pas de diamants. Juste l'aigle.

J'étais trop sonnée pour protester et refuser cette bague maudite retrouvée dans un cercueil. Un voile mystérieux semblait avoir recouvert mes facultés rationnelles et je me laissais porter. J'ai entendu le frère invoquer le ciel en demandant qu'on lui apporte un second objet.

Le poignard de Roméo.

– Ce poignard est souillé, m'a expliqué Alessandro à voix basse, mais frère Lorenzo va faire en sorte que plus jamais il ne propage le mal.

Je n'ai pu m'empêcher de ricaner intérieurement…

– Psst ! a fait Eva Maria, très sérieuse. Tendez chacun votre main droite !

Elle a placé sa propre main droite sur le manche du poignard que le frère tendait vers nous.

– Posez chacun la main sur la mienne.

Nous nous sommes exécutés, comme dans un jeu d'enfants. Puis le vieux moine a posé la sienne, et la boucle fut bouclée par une prière.

– Plus jamais, a martelé Alessandro, cette arme ne blessera un Salimbeni, ni un Tolomei, ni un Marescotti. Le cercle de la violence est interrompu. La paix soit avec nous. Que ce poignard retourne en son lieu d'origine, au plus profond des entrailles de la terre.

Frère Lorenzo a achevé ses prières et Alessandro a déposé le poignard dans une longue boîte métallique munie d'un cadenas, avant de la remettre à l'un des moines. Enfin, le supérieur a levé les yeux sur nous et a souri, en toute simplicité, comme si notre assemblée était la plus naturelle du monde.

– À présent, a annoncé Eva Maria, une dernière chose : la lettre…

Le frère a sorti de la poche de son capuchon un petit rouleau de parchemin jauni. J'ai remarqué le sceau rouge, jamais décacheté.

– Voici une lettre que Giulietta a envoyée à sa sœur en 1340, quand elle vivait au palazzo Tolomei, a précisé Eva Maria. Elle n'a jamais été remise à Giannozza à cause des événements du Palio. Les frères l'ont retrouvée récemment dans les archives du monastère où Lorenzo avait emmené Roméo. Aujourd'hui, elle t'appartient.

– Merci, ai-je répondu en voyant le supérieur la ranger dans son capuchon.

– Et maintenant…

Elle a claqué les doigts. Un serviteur est apparu avec un plateau et d'anciens gobelets à vin. *Prego…*

Elle a tendu au supérieur le plus beau gobelet avant de remplir le nôtre et de lever le sien d'un geste solennel.

– Giulietta, frère Lorenzo vient de me dire que… lorsque tout ça sera fini, tu devras aller à Viterbe pour rendre le crucifix à son véritable propriétaire. En échange, il te remettra la lettre de Giulietta.

– Quel crucifix ?

– Celui que tu portes… Il appartenait à frère Lorenzo.

En dépit d'un arrière-goût de poussière et d'Argentil, j'ai bu mon verre d'un trait. Enfin, je possédais quelque chose qui m'appartenait de plein droit. Quant au poignard, je n'avais aucune raison de le conserver.

– À présent, a dit Eva Maria, il est temps d'entamer notre procession.

*
* *

Quand j'étais petite, blottie sur le banc de la cuisine, Umberto adorait me raconter l'histoire des processions religieuses en Italie au Moyen Âge. Les gens portaient les reliques des saints à travers les rues, souvent la nuit, éclairés par des torches, en agitant des rameaux et en brandissant des statues sacrées. Souvent, Umberto finissait par : « Aujourd'hui encore, cette procession a lieu chaque année. » J'avais toujours interprété cela comme le : « Ils se marièrent et eurent beaucoup d'enfants » qui venait clore les contes de fées. Une conclusion pleine de bons sentiments, sans plus.

Jamais je n'aurais pensé qu'un jour je serais partie prenante de ce genre de cérémonie, accompagnant douze moines austères et une petite boîte à travers une auguste demeure, et suivie par une cohorte de fidèles tenant de grands cierges.

Lentement, nous sommes montés sur la mezzanine en suivant la voie indiquée par le ruban d'encens, derrière frère Lorenzo qui chantait en latin. Soudain, je me suis demandé où était passé Alessandro. J'ai regardé autour de moi. Il avait disparu. Me voyant distraite, Eva Maria m'a prise par le bras en me chuchotant :

– Tu es fatiguée. Pourquoi n'irais-tu pas te coucher ? La procession risque de durer longtemps. Nous discuterons demain matin, quand tout sera fini.

Je n'ai pas cherché à protester. J'étais épuisée et je rêvais de me glisser dans mon superbe lit à baldaquin. Discrètement, alors que la procession passait devant ma porte, je me suis éclipsée. Sans enlever mes chaussures ni me brosser les dents, je me suis écroulée sur le couvre-lit, avec un arrière-goût du sangiovese d'Eva Maria dans la bouche.

Je suis restée allongée ainsi, attendant le sommeil. Tout à coup, ma sensation de vertige s'est dissipée. Plus rien ne tournoyait. Je me suis concentrée sur la bague, que je ne pouvais pas enlever et qui semblait diffuser une énergie singulière. La peur qu'elle avait provoquée en moi avait laissé place au désir d'en savoir davantage. Mais savoir quoi ? Je n'aurais su le dire. Il fallait que je voie Alessandro, sinon, je serais incapable de me détendre et de m'endormir. Seul lui pourrait m'expliquer calmement le sens de ce cérémonial ou me prendre dans ses bras pour me rassurer.

Je me suis faufilée sur notre balcon commun pour glisser un regard dans sa chambre. Surprise ! Il était là, habillé, les mains sur la balustrade, contemplant la nuit d'un air triste.

– Tu dois nous prendre pour des fous, a-t-il lâché en soupirant, sans se retourner.

– Tu étais au courant ? Le frère Lorenzo, les moines…

Enfin, il m'a fait face, le regard plus sombre que le ciel étoilé dans son dos.

– Si j'avais su, je ne t'aurais jamais emmenée. Je suis désolé.

– Ce n'est pas grave. C'était une scène inoubliable. Tous ces personnages… Frère Lorenzo, Monna Chiara, ces vieux fantômes… C'est de cette étoffe que sont faits les rêves.

– Pas les miens.

– En plus, regarde, j'ai récupéré la bague.

– Tu n'es pas venue à Sienne pour ça, que je sache ? Tu es venue pour retrouver le trésor de ta mère.

– La fin officielle de la malédiction est peut-être la meilleure chose qui soit, non ? Que valent les diamants et l'or, à côté ?

– C'est donc ce que tu voulais ? Mettre fin à la malédiction ?

– N'est-ce pas ce que nous sommes en train de faire ? ai-je répondu en m'approchant. Arrêter ce passé qui nous hante ? Réécrire une fin heureuse ? Si je ne me trompe, nous venons d'être mariés, non ?

– Mon Dieu ! s'est-il écrié en passant les mains dans ses cheveux. J'ai honte !

Son embarras m'a fait rire.

– En tout cas, si c'est notre nuit de noces, honte à toi ! Tu aurais dû te précipiter dans ma chambre pour me conquérir à la façon médiévale. Je crois que je vais aller me plaindre auprès de frère Lorenzo…

Il m'a saisi le poignet.

– Approchez donc, belle damoiselle…

Il m'a embrassée jusqu'à ce que je cesse de rire. Et n'a repris la parole qu'au moment où je déboutonnais sa chemise.

– Tu y crois, à : « pour toujours » ?

J'ai croisé son regard, surprise par sa sincérité, et tendu ma main baguée en répondant :

– « Pour toujours » a commencé il y a plusieurs siècles.

– Si tu veux, je te ramène à Sienne et je disparais de ta vie. Tout de suite.

– Et après ?

– Adieu les fantômes, m'a-t-il chuchoté au creux de l'oreille.

– Si tu m'abandonnes maintenant, ai-je murmuré, tu risques de mettre six cents ans à me retrouver.

Je me suis réveillée bien avant l'aube, seule au milieu d'un nid de draps froissés. Un chant d'oiseau lancinant retentissait, qui avait sans doute brisé mes rêves et troublé mon sommeil. J'ai regardé ma montre. Il n'était que 3 heures du matin. Toutes les bougies étaient éteintes. Seule la lueur crue de la pleine lune éclairait la chambre.

J'étais un peu choquée de constater qu'Alessandro m'avait abandonnée après notre première nuit. J'avais soif et une légère gueule de bois. Je me sentais d'autant plus perdue que les vêtements d'Alessandro jonchaient le sol, à côté des miens. J'ai allumé la lampe de chevet et découvert qu'il avait également laissé sur la table la lanière de cuir et la petite balle que je lui avais retirées quelques heures plus tôt.

J'ai grimacé en constatant l'état dans lequel nous avions mis les beaux draps de lin d'Eva Maria, avant de remarquer une boule d'une soie bleue très raffinée. Je l'ai dépliée… Curieusement, j'ai mis quelque temps à la reconnaître, sans doute parce que je m'attendais à la retrouver partout sauf, dans mon lit : le *cencio*.

Quelqu'un l'avait glissé dans mes draps afin que je dorme dessus.

Vingt ans plus tôt, ma mère avait pris des risques insensés pour le préserver et me le transmettre. Je l'avais retrouvé, mais perdu aussitôt. Et voilà qu'il était là, sous moi, telle une ombre incontournable. La veille, à Rocca di Tentennano, j'avais demandé à Alessandro s'il savait où était ce *cencio* et j'avais eu droit à une réponse évasive : « Peu importe, de toute façon, il ne représentait pas grand-chose à mes yeux. » Or, à présent, je le tenais entre les mains. Et tout avait enfin un sens.

Roméo Marescotti avait fait le vœu d'utiliser le *cencio* comme un drap nuptial s'il remportait le Palio. Mais le maléfique Salimbeni l'en avait empêché.

Jusqu'à aujourd'hui.

Voilà pourquoi j'avais senti un parfum d'encens en entrant dans ma chambre la veille. Frère Lorenzo et les moines avaient dû consacrer et déposer le *cencio* sur le lit que je partagerais avec Alessandro. Ils avaient à cœur d'annuler les péchés du passé et de mettre fin à la malédiction. Comment donc leur en vouloir de la petite cérémonie qu'ils nous avaient imposée ?

Toutefois, le problème n'était pas là. Quel que fût celui qui avait déposé le *cencio* dans mon lit, il était de mèche avec Bruno Carrera, donc, de près ou de loin, lié au vol au musée de la Chouette et responsable de l'agression contre Peppo. Autrement dit, le fait de me retrouver avec cette bannière n'était pas le fruit d'un caprice un peu excentrique, mais d'intentions beaucoup moins bienveillantes.

Et Alessandro ? Je me suis levée, j'ai enfilé ma robe de velours rouge et je suis retournée sur le balcon. Je me suis approchée de sa chambre. Vide. Pourtant, toutes les lumières étaient allumées.

J'ai pris mon courage à deux mains et je suis entrée. J'avais beau me sentir plus proche d'Alessandro que d'aucun homme, une petite voix en moi me rappelait que je ne connaissais pas grand-chose de lui, hormis son corps et quelques douces paroles.

J'ai examiné la pièce. De toute évidence, ce n'était pas une chambre d'invités, mais sa chambre habituelle. En d'autres circonstances, j'aurais difficilement résisté à la tentation de regarder les photos au mur et de plonger la main dans les nombreuses coupes pleines d'étranges babioles.

J'allais pointer le nez dans la salle de bains lorsque des voix ont résonné de l'autre côté de la loggia. Prudemment, je me suis faufilée hors de la chambre. Il n'y avait personne, ni sur la mezzanine ni dans le vestibule en dessous. La soirée était finie, la maison était assoupie.

J'ai traversé la mezzanine, déterminée à trouver la source de ces voix. Malgré l'impression qu'elles étaient désincarnées, j'avais clairement reconnu celle d'Alessandro. Et celle d'une seconde personne.

La porte de la pièce d'où provenaient les voix était entrebâillée. Je m'en suis approchée sur la pointe des pieds, en évitant les rayons de lumière qui tombaient sur le sol de marbre. Je distinguais les silhouettes de deux hommes et saisissais des bribes de leur conversation. Alessandro, assis sur un bureau, torse nu, en jean, paraissait particulièrement tendu. Son interlocuteur s'est retourné, et j'ai compris pourquoi.

C'était Umberto.

VIII, III

Ô cœur serpent, caché sous ce visage de fleurs !
Quel dragon a jamais vécu dans un si bel antre ?

Janice disait toujours qu'il faut connaître au moins un vrai chagrin d'amour dans sa vie pour mûrir et découvrir sa véritable identité. J'y voyais une raison supplémentaire de ne pas tomber amoureuse. Ce soir-là, devant Alessandro et Umberto qui conspiraient, j'ai compris qui j'étais : la dinde de service.

Malgré tout ce que j'avais appris sur lui, ma première réaction en voyant Umberto fut un sursaut de joie. Une joie injustifiée, ridicule, irrationnelle, que j'ai mis quelque temps à maîtriser. Deux semaines plus tôt, quand j'avais quitté les États-Unis, c'était quand même la personne qui m'était la plus chère au monde.

Ce fut un vrai choc. Le fait de le voir ici ce soir le prouvait : il s'agissait bien de Luciano Salimbeni, celui qui avait lancé Carrera à mes trousses pour voler le *cencio*.

Il n'avait pas changé. L'expression de son visage était exactement celle dont je me souvenais : un brin arrogante, ironique, ne trahissant pas la moindre de ses pensées profondes.

Celle qui avait changé, c'était moi.

Janice avait raison. Umberto était un psychopathe qui attendait l'occasion de frapper. Quant à Alessandro, là encore, elle avait raison, hélas ! Il se moquait éperdument de moi. Une seule chose comptait pour lui : le trésor. J'aurais dû écouter ma sœur. Mais il était trop tard. Pourtant, j'étais incapable de pleurer. Trop d'événements s'étaient bousculés. Je n'avais pas assez d'émotions ni de larmes en réserve.

Alessandro est descendu du bureau pour chuchoter quelques mots à l'oreille d'Umberto. J'ai reconnu les mots « frère Lorenzo »,

« Giulietta » et « *cencio* ». Umberto a répondu en sortant de sa poche une fiole verte qu'il a secouée avant de la donner à Alessandro.

Du poison ? Un somnifère ? Pour moi ? Umberto voulait-il qu'Alessandro m'assassine ? Comme l'italien me manquait pour comprendre !

Alessandro a retourné la fiole entre ses mains, comme s'il n'en croyait pas ses yeux. Puis il l'a rendue à Umberto avec un sourire dédaigneux. J'ai cru qu'il se retirait de l'affaire, si affaire il y avait avec Umberto. Ce dernier l'a déposée doucement sur une table, en haussant les épaules. Il a ensuite tendu la main, comme pour réclamer autre chose. Alessandro a froncé les sourcils avant de lui remettre l'édition poche de *Roméo et Juliette*, celle qui appartenait à ma mère !

Voilà pourquoi il avait appelé si souvent à l'hôtel : pour s'assurer que j'étais absente et voler le livre magique !

Umberto l'a fébrilement feuilleté. Alessandro est allé à la fenêtre, tranquillement. Dire que quelques heures plus tôt il me déclarait qu'il se sentait absous de ses péchés ! Il était en train de me trahir sous mes yeux, et avec le seul autre homme en qui j'avais jamais eu confiance.

Umberto a refermé le livre puis l'a jeté sur la table, à côté de la fiole. Il ne devait pas contenir les indications qu'il espérait sur la tombe des deux amants.

Il s'est dirigé vers la porte. J'ai à peine eu le temps de me cacher avant qu'il fasse signe à Alessandro de le rejoindre sur la mezzanine. Les deux hommes sont descendus dans le vestibule.

J'ai senti les larmes me monter aux yeux, de tristesse plus que de colère. Janice avait raison. Alessandro ne cherchait qu'une chose, le fric. Quant à Umberto, je lui en voulais encore plus. C'était lui qui manipulait Alessandro et le maintenait à mes trousses.

Presque malgré moi, je me suis précipitée sur le livre et la fiole, et j'ai couru dans la chambre d'Alessandro pour les enfouir dans une chemise qui traînait sur son lit.

J'ai exploré rapidement la pièce pour savoir s'il y avait d'autres indices prouvant que j'étais victime d'une machination. Je me suis dit que les clés de l'Alfa Romeo d'Alessandro seraient plus utiles. J'ai ouvert le tiroir de sa table de chevet. Il ne contenait qu'une poignée de pièces de monnaie étrangères, un rosaire et un canif.

– Roméo, Roméo, ai-je murmuré, où rangez-vous les clés de votre auguste voiture ?

Idée ! J'ai soulevé sous son oreiller : elles étaient là, à côté d'un revolver. J'ai saisi les deux objets, surprise par le poids de l'arme. Moi, la pacifiste ! Où étaient passés mes rêves d'antan, mon idéal d'un monde sans armes et fondé sur la justice ? Cette justice, le revolver me semblait à présent le seul moyen de l'obtenir…

J'ai regagné ma chambre et j'ai tout fourré dans mon sac de voyage. Mon regard s'est arrêté sur mon alliance. Elle était à moi, elle était en or, et elle était le symbole de mon union spirituelle, et désormais charnelle, avec cet homme qui m'avait volé la moitié de la carte du trésor pour la donner au meurtrier présumé de mes parents. J'ai tiré, tiré sur la bague jusqu'à ce qu'elle glisse de mon doigt et je l'ai déposée sur un des deux oreillers, en un dernier geste d'adieu théâtral destiné à Alessandro.

Le *cencio* ! Je l'ai plié soigneusement avant de le ranger dans mon sac. Je ne pouvais rien en faire. Je n'imaginais même pas le vendre à quiconque, surtout dans cet état. Mais je n'avais nulle envie que l'un ou l'autre le conserve.

J'ai ramassé le tout et je me suis glissée sur le balcon.

*
* *

Les vieilles branches de lierre étaient juste assez solides pour supporter mon poids. J'ai laissé tomber mon sac dans un buisson et j'ai commencé à descendre, centimètre par centimètre. Je suis passée près de la fenêtre d'une pièce allumée. Frère Lorenzo et trois moines étaient assis calmement, les mains jointes, dans quatre gros fauteuils, autour d'une cheminée pleine de fleurs fraîchement cueillies. Deux d'entre eux dodelinaient du chef. Frère Lorenzo, lui, avait l'air parfaitement réveillé et déterminé à le rester.

J'ai entendu des voix venant de ma chambre, au-dessus, puis les pas pressés de quelqu'un qui sortait sur le balcon, furieux. J'ai retenu mon souffle jusqu'à ce que la personne rentre. Hélas, j'avais trop tiré sur le lierre. Au premier geste, il a lâché. J'ai atterri sur des rosiers ! Heureusement, j'étais tellement affolée que je n'ai rien senti. Je me suis extraite des épines et j'ai ramassé mon sac.

J'ai plongé dans le parc sombre et déjà mouillé de rosée, avant d'émerger dans l'allée à moitié éclairée. Comment sortir l'Alfa Romeo ? Elle était coincée derrière plusieurs limousines noires qui appartenaient sans doute à la confrérie de Lorenzo. L'idée me faisait horreur, mais il ne me restait qu'une solution : rentrer à pied à Sienne.

Je maudissais mon manque de chance lorsque des chiens ont aboyé avec une violence inouïe dans ma direction. Vite, j'ai ouvert mon sac et sorti le revolver. J'ai foncé dans l'allée en invoquant mon ange gardien pour qu'il m'aide à sortir avant que les molosses ne me rattrapent. Un petit coup d'auto-stop… Je tomberais sûrement sur un chauffeur attiré par ma tenue extravagante et impressionné par mon pistolet !

Le portail, au bout de l'allée, était fermé, bien entendu. Pas le temps de chercher à comprendre le système de l'Interphone. J'ai jeté mon revolver et mon sac par dessus la grille. Pourvu que la fiole ne se soit pas brisée…. Bah… Ce ne serait pas le plus grave.

J'ai commencé à grimper. Alors que j'étais à mi-hauteur, un bruit de course a retenti sur le gravier. J'ai accéléré. Mais les barreaux métalliques étaient froids et glissants. Soudain, j'ai senti une main autour de ma cheville.

– Giulietta ! Attends ! a hurlé Alessandro.

– Lâche-moi ! Fous le camp et allez brûler en enfer, toi et ta salope de marraine !

– Descends ! Tu vas te faire mal !

J'ai réussi à libérer ma cheville et à me hisser hors de sa portée.

– Pauvre con. Plutôt crever que de jouer à vos petits jeux de détraqués !

– Descends tout de suite ! Il faut que je t'explique. Je t'en supplie !

Il était accroché à la traîne de ma robe et je fulminais, désespérée, tandis que mes bras et mes jambes lâchaient.

– Giulietta, s'il te plaît, écoute-moi !

Tout à notre affrontement, nous n'avons ni l'un ni l'autre remarqué une tierce personne surgissant de l'obscurité, de l'autre côté du portail.

– Lâche-la, Roméo.

– Janice !

– Allez, grimpe, Julie, m'a-t-elle ordonné en s'agenouillant pour ramasser le flingue. Elle l'a pointé sur Alessandro, qui m'a aussitôt libérée.

– Attention, a-t-il hurlé en reculant, il est chargé !

– Bien sûr qu'il est chargé, a ricané Janice. Les mains en l'air, Joli Cœur !

– La détente est extrêmement sensible…

– Ah ouais ? Moi aussi. Mais c'est toi qui es du mauvais côté.

Pendant ce temps, je ne sais trop comment, j'ai réussi à franchir le portail et j'ai sauté aux pieds de ma sœur.

– Juju ! Ça va ? Tiens, m'a-t-elle dit en me donnant le revolver. Je vais conduire… Attention, c'est lui qu'il faut viser, idiote !

Le temps s'est arrêté. Alessandro me fixait d'un air accablé alors que je pointais le pistolet sur lui, les larmes aux yeux…

– Donne-moi le livre, m'a-t-il simplement demandé. C'est tout ce qu'ils veulent. Ils ne te lâcheront pas tant qu'ils ne l'auront pas. Fais-moi confiance. S'il te plaît, ne…

– Viens ! a crié Janice en débarquant sur sa moto au milieu d'un jet de gravier. Prends ton sac et on y va. Grouille, la messe est dite.

Quelques secondes plus tard, nous foncions dans la nuit noire sur la Ducati Monster. Je me suis retournée une dernière fois. Alessandro s'appuyait contre le portail, désespéré.

IX, I

La mort est sur son corps, comme un gel précoce
Sur la plus douce fleur de tout le vallon.

Nous avons roulé une éternité sur de sombres routes de campagne, à travers des champs, des collines, des vallées et des villages endormis. Pas une seule fois Janice ne s'est arrêtée pour me dire où elle m'emmenait. Je m'en moquais. Je ne voulais qu'une chose : disparaître et ne plus avoir à prendre de décision.

À un moment, elle a ralenti pour prendre un sentier cahoteux à la sortie d'un village. J'étais épuisée, près de m'écrouler sur un lit de fleurs et de dormir un mois entier. Grâce au phare de la moto, nous nous sommes faufilées au milieu d'arbrisseaux et de hautes herbes, avant de nous garer devant une maison.

Janice a éteint le moteur et enlevé son casque en secouant sa chevelure.

– La maison de maman… La nôtre, quoi.

Elle a tiré sur la fermeture Éclair d'une de ses multiples poches et sorti une petite lampe torche.

– Il n'y a pas d'électricité.

Elle est descendue pour aller pousser une porte latérale.

– Bienvenue chez nous.

Un couloir étroit donnait sur une pièce qui ne pouvait être que la cuisine. La poussière et la crasse m'ont sauté à la gorge. Un parfum rance, une odeur de vêtements moisissant au fond d'un panier en osier traînaient dans l'air.

– Je propose qu'on campe ici cette nuit, m'a dit Janice. Il n'y a pas d'eau et c'est assez dégueu, mais, au-dessus, c'est pire. Et la porte d'entrée principale est totalement bloquée.

– Comment as-tu retrouvé cette maison perdue ?

– J'ai eu du mal, a-t-elle répondu, ouvrant une de ses poches et en extirpant une carte pliée. Quand vous êtes partis hier, toi et ton mec, j'ai acheté ça. Je t'avoue que trouver une adresse précise avec un nom de rue, dans ce pays…

Elle a braqué sa lampe sur mon visage.

– Tu as l'air ravagée. J'en étais sûre. Je t'avais prévenue. Tu refuses systématiquement de m'écouter.

– Excuse-moi ! Qu'est-ce que t'avait dit ta boule de cristal ? Qu'une secte ésotérique essaierait de me droguer et de me… ?

– Je sentais que ce bel étalon italien était de mauvais augure, a-t-elle répondu en me tapotant le bout du nez avec la carte. Juju, ce mec…

– Assez ! Je ne veux plus entendre parler de lui.

J'ai avancé une main pour me protéger contre le rayon de la lampe. Puis j'ai enfoui ma tête dans mes paumes.

– Stop ! J'ai mal au crâne !

– Pauvre chérie. Catastrophe évitée de justesse en Toscane… Pucelle végétarienne américaine sauvée par sa sœur… Séquelles graves, dont migraines.

– C'est ça, fous-toi de ma gueule.

Elle a écarté mes doigts de mon visage, m'a scrutée d'un air inquisiteur.

– Tu as couché avec lui !

Voyant mes larmes, elle a soupiré, m'a prise dans ses bras.

– Tu m'avais prévenue, remarque… Tu préférais te faire baiser par lui que par moi. J'espère que c'était un bon coup, a-t-elle conclu en m'embrassant sur le front.

*
* *

Dans la cuisine, allongées sur des manteaux et des coussins rongés par les mites, dix fois trop fatiguées pour dormir, nous avons disséqué mon aventure au *castello* Salimbeni. En dépit de remarques mi-figue, mi-raisin de Janice, nous étions d'accord sur presque tout, sauf sur un détail : j'avais eu tort de « faire crac-crac avec l'aigle », pour reprendre son expression.

– Au fond, ai-je avoué en me tournant vers le mur pour clore la conversation, même si j'avais su tout ce que je sais maintenant, j'y serais quand même allée.

– Alléluia ! Au moins, t'en as eu pour ton argent ; ou, plutôt, notre argent !

Peu après, rompant un long silence têtu, elle a soupiré en admettant :

– Tante Rose me manque…

Cela lui ressemblait peu. Néanmoins, j'ai évité de répondre. Je savais que notre tante aurait été d'accord avec elle pour dire que j'étais le dindon de la farce.

– Moi aussi, ai-je simplement murmuré.

Le rythme de sa respiration s'est ralenti. Peu à peu, elle s'est endormie. Quant à moi, j'ai prié pour sombrer moi aussi et tout oublier.

*
* *

Le lendemain matin, plus exactement en plein après midi, nous sommes allées nous asseoir sur les marches branlantes du perron, au soleil, pour partager une bouteille d'eau et une barre de céréales. La maison semblait veiller sur nous. Janice ne devait qu'à la gentillesse des gens du cru d'avoir fini par découvrir cette belle au bois dormant de pierre au milieu d'herbes folles qui avaient dû être une allée et un jardin.

– J'ai eu toutes les peines du monde à ouvrir le portail. Il était complètement rouillé. Sans compter la porte. C'est fou qu'une maison aussi jolie soit restée vide pendant plus de vingt ans, sans que personne n'en ait revendiqué la propriété ni cherché à l'acheter.

– On est en Italie. Vingt ans, ce n'est rien. Qu'est-ce que ça représente, quand tu es entourée de chefs-d'œuvre et d'esprits immortels ?

– Immortels, quelle angoisse ! C'est pour ça qu'ils aiment manipuler les petites mortelles bien pulpeuses comme toi, a répondu Janice en se léchant les babines de façon suggestive.

Je n'ai pas desserré les lèvres. Son sourire s'est fait plus compatissant, plus sincère.

– Tu as de la chance, a-t-elle repris, comme pour s'excuser. Tu imagines, s'il t'avait rattrapée ? Il aurait pu… je ne sais pas… En tout cas, heureusement que ta brave jumelle est arrivée à temps.

– Je sais, je te remercie. Juste un truc… Comment as-tu fait pour venir ? C'est une sacrée trotte, d'ici au *castello* Salimbeni.

– Ces salauds nous ont piqué notre livre ! Si je n'étais pas tombée sur toi dans l'allée, j'aurais dévalisé la baraque pour le retrouver.

– On a eu du pot.

Je suis allée chercher mon sac dans la cuisine.

– Tiens... Et maintenant, arrête de dire que je ne suis pas solidaire.

Elle a fouillé dans mon sac avec impatience. Soudain, elle a reculé d'un air dégoûté.

– Beurk, c'est quoi, ce truc ?

Elle avait les mains couvertes d'une substance visqueuse et rougeâtre.

– Jésus Marie Joseph ! Tu as assassiné quelqu'un ? Ou... Ne me dis pas que c'est ton sang ! Sinon, j'y retourne illico et je lui casse la gueule, à ton mec !

J'étais si peu habituée à ce qu'elle prenne ma défense que sa réaction m'a fait rire.

– Ah ! s'est-elle écriée en me voyant sourire. Tu m'as fait peur, ma vieille. Ne recommence jamais.

Nous avons pris le sac pour le retourner à deux. Tous mes vêtements sont tombés, puis le *cencio*, et l'édition de poche de *Roméo et Juliette* qui, Dieu soit loué, n'était pas trop abîmée. Sans surprise, la fiole mystérieuse était en mille morceaux.

– C'est quoi ? a demandé Janice en saisissant un bout de verre brisé.

– Une fiole, celle dont je t'ai parlé. Umberto l'a donnée à Alessandro, qui a eu l'air super contrarié.

– Au moins, on sait ce qu'elle contenait. Du sang. Va savoir pourquoi... C'est peut-être leur breuvage de vampires.

Silence. Jusqu'au moment où je me suis redressée en observant le *cencio*.

– Quel dommage ! Comment retirer du sang sur de la soie vieille de plus de six cents ans ?

Janice a pris un coin de l'étoffe pour examiner les dégâts. La fiole n'était pas la seule responsable, mais j'ai préféré ne pas en rajouter.

– Sainte Vierge ! s'est-elle exclamée. Tout le problème est là : le sang ne s'en va jamais complètement. C'est ce qu'il cherchait, du reste. Tu vois ce que je veux dire... C'est comme quand on inspectait le drap de la mariée le lendemain de la nuit de noces. Je te parie que...

Elle a ramassé deux ou trois morceaux de verre, ainsi que le bouchon de liège.

– Ça me rappelle ce truc qu'on se refile entre nanas, une espèce de spray lubrifiant qui s'appelle Instant Virgin. Pas seulement du sang, mais du sang mêlé à une autre substance.

Elle a éclaté de rire devant ma stupeur.

– Je te promets, la tradition existe encore. Tu ne me crois pas ? Tu penses que les gens ne vérifiaient les draps qu'au Moyen Âge ? Je te rappelle que, dans certaines régions, les habitants n'ont pas changé de mode de vie depuis des lustres. Imagine : tu retournes dans ton trou paumé natal pour être mariée à un cousin à la mode de Bretagne, sauf que tu as un peu batifolé à droite et à gauche… Qu'est-ce que tu fais ? Tu vas dans une clinique privée pour te refaire une virginité, au sens propre. On te recoud tout le truc et tu recommences de zéro. Ou, mieux, tu apportes un petit flacon de ça, justement, avant la nuit de noces. Ça revient moins cher.

– C'est un peu tiré par les cheveux…

– Tu sais ce que je pense ? Tu t'es fait avoir dans les grandes largeurs. Ils t'ont droguée, en tout cas, ils ont essayé, pour que tu planes après ta petite séance avec frère Lorenzo et consorts. Pendant ce temps-là, ils sont allés piquer le *cencio* et le badigeonner avec leur ersatz de sang pour faire croire que le vaillant Roméo avait brisé l'hymen de sa bien-aimée.

Je n'ai pu m'empêcher de grimacer de dégoût. Janice n'a rien vu, trop absorbée par son raisonnement scabreux.

– L'ironie, bien sûr, c'est qu'ils auraient pu s'épargner ces petites contorsions. Vous étiez prêts à passer à l'acte. Comme Roméo et Juliette. Directement de la salle de bal au pieu, en passant par le balcon, le tout en cinquante pages ! Tu cherchais à battre leur record ?

Elle m'a jeté un regard enthousiaste, comme si elle attendait un su-sucre avec une tape amicale.

– Parfois, je me demande s'il est humainement possible d'être plus triviale que toi, ai-je lâché.

– Sans doute pas, a-t-elle répliqué avec un beau sourire. Si tu préfères la poésie, retourne en rampant au pied de ton bellâtre.

Je me suis calée contre l'encadrement de la porte en fermant les yeux. Chaque fois qu'elle faisait allusion à Alessandro, même en des termes aussi vulgaires, j'avais de brefs flash-backs, certains douloureux, d'autres non, de la nuit que nous avions passée ensemble.

– Je ne comprends pas, ai-je repris. Pourquoi cette fiole ? Si le but est de mettre fin à la malédiction, quel est l'intérêt de feindre une vraie nuit de noces entre Roméo et Giulietta ? Berner la Vierge Marie ?

– Tu as raison, c'est grotesque.

– Deux personnes se sont fait avoir, dans l'histoire : frère Lorenzo et moi. Ou, plutôt, nous nous serions fait avoir s'ils avaient utilisé le truc dans la fiole.

– Mais pourquoi chercher à tromper ce vieux moine ? À moins que… que… il ne détienne la clé de l'accès à… un objet important. Genre… ?

– La tombe des amants ?

Nos yeux se sont croisés.

– Bien sûr, c'est le chaînon manquant ! s'est écriée Janice. Quand on en a parlé dans l'atelier de maître Lippi, j'ai pensé que tu étais folle. Pourtant, tu avais peut-être raison. La vraie tombe et la vraie statue sont peut-être le véritable enjeu. L'histoire serait donc la suivante : les Tolomei et les Salimbeni doivent s'assurer que Roméo et Giulietta sont enfin unis, avant d'aller sur leur tombe pour s'agenouiller devant la statue…

– La malédiction parlait de s'agenouiller devant la Vierge.

– Et alors ? La statue des amants n'est sûrement pas très loin d'une statue de la Vierge, sauf qu'ils ne savent pas exactement où elle est.

– En fait, je ne pense pas que lui le sache.

– Qui, lui ?

– Tu sais bien…

– Arrête, Julie ! Pourquoi tu défends systématiquement ce type ? Tu l'as vu avec Umberto…

Elle a tenté d'adoucir le ton de sa voix, ce qui, chez elle, était contre nature.

– Il t'a poursuivie dans l'allée pour récupérer ce vieux bouquin ! Bien sûr qu'il est au courant.

– Dans ce cas-là, il aurait appliqué leur plan, au lieu de… Tu vois ce que je veux dire…

– Coucher avec toi ?

– Exactement. En plus, il n'aurait pas eu cet air interloqué quand Umberto lui a donné le flacon. Il aurait dû l'avoir lui-même en main.

– Ma chérie ! Il a cambriolé ta chambre, il t'a menti et il a volé le livre de maman pour le donner à Umberto. Je me fous de savoir s'il fait l'amour comme un Dieu. C'est un connard de première. Quant à la reine de la mafia…

– À propos d'effraction dans ma chambre et de mensonge, pourquoi ne m'as-tu jamais dit la vérité ?

– Quoi ?

Elle a failli s'étrangler.

– Tu ne vas quand même pas le nier ! Tu dévalises ma chambre et tu lui mets tout sur le dos. Trop facile.

– Tu délires ! Je suis ta sœur jumelle !

Devant mon expression incrédule, elle s'est interrompue pour me demander, d'un ton penaud :

– Comment tu le sais ?

– Parce qu'il t'a vue. Au début, il t'a même confondue avec moi.

– Il a cru que… ? Je suis vexée.

– Janice ! Tu m'as menti. Pourquoi ? Après tout ce qui s'était passé, j'aurais parfaitement compris que tu veuilles entrer dans ma chambre. Tu me soupçonnais de te cacher une fortune ? Essayons d'être honnêtes, pour une fois.

– Super, a rétorqué Janice. Honnêtes. À propos, j'ai deux ou trois questions au sujet de cette nuit…

*
* *

Après avoir été acheter des provisions au village, nous avons passé l'après-midi à explorer la maison, en espérant retrouver des souvenirs de notre enfance. Tâche difficile. Tout était couvert de poussière, voire de moisi, les étoffes étaient trouées aux mites et il y avait des crottes de souris partout. À l'étage, les toiles d'araignées étaient épaisses comme des rideaux de douche. La moitié des volets tombaient de leurs gonds dès que nous les ouvrions.

– Oh, là, là ! s'est écriée Janice au moment où l'un d'eux a frôlé sa Ducati. Il faudrait peut-être appeler un menuisier.

– Et un plombier, un électricien…

Au crépuscule, nous avions suffisamment dépoussiéré et arrangé les lieux pour nous installer à l'étage, dans une pièce qui avait dû être un bureau. Nous avons dîné aux chandelles, autour de la table abandonnée, de pain, de fromage et d'une bouteille de rouge, tout en réfléchissant à ce que nous allions faire. Ni l'une ni l'autre n'avions envie de retourner à Sienne, mais il était impossible de s'installer dans cette maison. Nous n'avions ni l'argent, ni le temps, ni de connaissances suffisantes dans la région pour nous lancer dans sa restauration. De plus, une fois tout refait, de quoi vivrions-nous ?

– Voici ce que je pense, a dit Janice en remplissant son verre. Soit on reste ici, mais c'est infaisable, soit on rentre aux États-Unis, ce qui serait un aveu d'échec. Troisième solution : on continue la chasse au trésor et on voit où elle nous mène.

– Tu oublies que le livre, seul, est inutile. Il faut qu'on retrouve le carnet de croquis de maman.

– Magique ! a-t-elle clamé en brandissant le carnet hors de son sac.

– Finalement, je crois que je t'aime bien.

– Vas-y mollo sur les déclarations, a-t-elle répliqué en luttant pour ne pas éclater de rire.

Nous avons placé le carnet et le livre côte à côte. Très vite, nous avons identifié le code, qui n'en était pas vraiment un, mais une liste de numéros de pages, de vers et de mots habilement dissimulés. Janice lisait les chiffres gribouillés dans les marges du carnet pendant que je feuilletais le bouquin en lisant à voix haute les passages correspondants.

Mon amour
Ce livre précieux
Contient l'histoire en or
De
La pierre
La plus chère
Aussi loin que le vaste rivage lavé par la mer la plus lointaine je m'aventurerai
pour un tel bien
m'en aller
avec le confesseur fantôme
de Roméo
sacrifié avant son heure
recherchez poursuivez
avec des outils
pour ouvrir les tombes de ces hommes morts

nécessairement à la dérobée
ci-gît Juliette
telle une pauvre captive
plusieurs centaines d'années
sous
reine
Maria
où
de petites étoiles
forment un visage du ciel si fin
va-y vers
sainte
Maria
échelle
parmi une communauté de religieuses
une maison où régna la peste infectieuse qui fit sceller les portes
maîtresse
sainte
oie
visite aux malades
chambre
lit
ce saint suaire
est
l'entrée de pierre
de
l'ancienne voûte
ô laisse-nous donc
donne-moi un pic
loin de moi
la croix
et au pied, les filles.

– J'ai deux questions, a déclaré Janice. Primo : pourquoi n'avons-nous pas cherché à déchiffrer ce code plus tôt ? Secundo : je me demande ce que maman fumait. D'accord, j'ai compris qu'elle a caché son message dans son « livre précieux », qu'il s'agit plus ou moins d'un plan pour trouver la tombe de Juliette et la pierre « la plus chère ». Mais où sommes-nous supposées creuser ? Et cette histoire de peste et de pic ?

– J'ai l'impression, ai-je répondu en relisant certains passages, qu'elle parle de la cathédrale de Sienne. La reine Maria, c'est forcément la Vierge Marie. Et les petites étoiles qui font « le visage du ciel si fin » sont sûrement la voûte, puisqu'elle est peinte en bleu et émaillée d'étoiles dorées.

J'étais de plus en plus excitée...

– Et si la tombe de Juliette était là, dans la cathédrale ? Rappelle-toi... Maître Lippi a précisé que Salimbeni avait enterré Roméo et Giulietta dans le saint des saints. Or qu'il y a-t-il de plus saint qu'une cathédrale ?

– Oui, ce serait logique. Mais cette histoire de « peste » et de « communauté de religieuses » n'a pas grand-chose à voir avec la cathédrale, non ?

– « Sainte », « Maria », « échelle », murmurais-je en feuilletant le livre. « Une maison où régna la peste »... « portes scellées »... « maîtresse sainte... oie... visite aux malades »...

J'ai déposé le bouquin pour tâcher de me rappeler l'histoire que m'avait racontée Alessandro sur le commandeur Marescotti et la Grande Peste.

– Bon, tu vas penser que je suis folle, ai-je raisonné tout haut, face à ma sœur qui m'observait, fascinée par ma logique tortueuse. La Grande Peste, qui a eu lieu quelques années après la mort de Roméo et Giulietta, a tué tellement de gens qu'on ne pouvait plus les enterrer tous. À Santa Maria della Scala – *scala* signifie « échelle » –, l'immense hôpital qui fait face à la cathédrale, une « communauté de religieuses » s'occupait des malades, justement pendant cette « peste infectieuse »... Ce qui veut dire qu'elles ont entassé les corps dans un mur avant de le sceller.

– Quelle horreur !

– Donc, il faut peut-être chercher une « chambre » avec un « lit » à l'intérieur de Santa Maria della Scala...

– ... où dormait la « maîtresse » de la « sainte » de l'« oie »...

– Ou plutôt la maîtresse sainte de Sienne, née dans la contrada de l'Oie, sainte Catherine...

– Vas-y, je te suis !

– ... qui, soi dit en passant, avait une chambre dans l'hôpital, où elle dormait après avoir rendu « visite aux malades ». Tu ne te souviens pas ? C'est l'histoire que nous a lue maître Lippi. Je te parie un saphir et une émeraude que c'est là que nous trouverons l'« entrée de pierre de l'ancienne voûte ».

– Attends ! Je suis paumée. D'abord la cathédrale, ensuite la chambre de sainte Catherine dans l'hôpital, et maintenant l'ancienne voûte ? Alors, c'est laquelle des trois ?

J'ai essayé de me remémorer ce que racontait le guide anglais farfelu que j'avais entendu quelques jours plus tôt dans la cathédrale.

– Apparemment, au Moyen Âge, il y avait une crypte sous la cathédrale. Elle a disparu pendant la peste et personne ne l'a jamais retrouvée. Cela dit, certains n'y voient qu'une légende, et les archéologues ont du mal à effectuer des fouilles parce que la cathédrale est très protégée.

– Une légende ? Ça m'étonnerait ! Je suis sûre que Roméo et Juliette sont enterrés sous la crypte ! Mets-toi à la place de Salimbeni. N'est-ce pas là que tu les aurais ensevelis ? Voilà !

– Voilà quoi ?

– Quand tu t'agenouilles dans la crypte de la cathédrale, tu t'agenouilles devant la Vierge Marie.

– Si c'est le cas, il va falloir creuser ! ai-je lancé.

– Sauf si maman a découvert une entrée secrète à partir de Santa Maria della Scala. Tiens, lis.

Nous avons relu le message, ligne à ligne. Et tout est devenu évident.

– C'est clair comme de l'eau de roche, s'est exclamée Janice. Mais pourquoi maman n'y est-elle pas allée elle-même ?

Un léger courant d'air a éteint une de nos bougies, nous plongeant dans la pénombre

– Elle se savait en danger, ai-je dit. Voilà pourquoi elle nous a laissé le message codé, le livre, le coffre et tutti quanti…

– Il ne nous reste plus qu'à…

– Forcer l'entrée de la crypte d'une cathédrale archiprotégée et pénétrer dans Santa Maria avec un pic ?

– Sérieusement, c'est ce que maman voulait qu'on fasse, non ?

– Minute. Dans le message, elle nous recommande d'« aller avec le confesseur fantôme de Roméo sacrifié avant son heure ». Il s'agit évidemment de frère Lorenzo. Pas le vrai, mais sa… réincarnation. Cela implique que ce vieux moine détient un secret que maman ne connaissait pas.

– Tu voudrais le kidnapper pour le soumettre à un interrogatoire dans une salle éclairée par une ampoule de mille watts ? Attends. Relisons le message et voyons si nous obtenons le même résultat.

Janice a ouvert les tiroirs du bureau un par un, à la recherche de je ne sais quoi.

– Il doit bien y avoir un ou deux crayons qui traînent, non ?

Elle a plongé le nez dans le tiroir du bas, luttant pour retirer un objet coincé entre les planches de bois. Puis elle s'est redressée avec un air triomphal, le visage cramoisi.

– Tu as vu ça ? Une lettre !

C'était une enveloppe remplie de photos.

*
* *

Après avoir examiné les clichés, Janice a estimé que nous avions besoin d'une nouvelle bouteille de vin. Pendant qu'elle descendait dans la cuisine, j'ai, soigneusement, placé les photos l'une à côté de l'autre sur le bureau. Qui sait ? Une nouvelle histoire allait peut-être apparaître ?

Une seule s'imposa. Et me laissa sans voix.

Une jeune fille nommée Diane Lloyd était partie en Italie, avait travaillé sous la houlette du professeur Tolomei, rencontré un playboy roulant dans une Ferrari jaune, était tombée enceinte, avait épousé le professeur, donné naissance à deux jumelles, survécu à un incendie qui avait tué son mari, beaucoup plus âgé qu'elle, puis avait essayé de retrouver le playboy qui, sur chaque photo où il figurait avec les jumelles, paraissait tellement heureux qu'il était difficile de ne pas en conclure qu'il s'agissait de notre vrai père.

Umberto.

– Je n'y crois pas ! s'est exclamée Janice, qui venait de remonter et débouchait une bouteille. Toutes ces années à faire semblant d'être à notre service… C'est flippant.

– Pourtant, c'est lui, même si on ne l'a jamais appelé papa.

Janice a éclaté en sanglots, essuyé ses larmes avec rage.

– Quel salaud ! Nous obliger à vivre dans le mensonge si longtemps et, tout à coup…

– Au moins, nous savons comment il connaît l'existence de la statue. Maman lui a tout raconté. S'ils étaient vraiment… euh, ensemble, il devait être au courant du coffre déposé à la banque. D'où la fausse lettre qu'il m'a envoyée via tante Rose, en me recommandant d'aller à Sienne et de m'adresser au président Maconi.

– Et ces années perdues ! Pourquoi n'a-t-il pas tout avoué à tante Rose de son vivant ?

– Elle aurait appelé les flics.

J'ai imité la voix rauque d'Umberto.

– Rose, ma jolie poupée, mon vrai nom est Luciano Salimbeni, celui-là même qui a tué Diane et que toute la police italienne recherche. Si tu avais pris la peine d'aller voir Diane, paix à son âme, en Italie, tu serais très vite tombée sur moi.

– Mais quelle vie ! Regarde !

Janice a pointé un doigt sur une photo d'Umberto devant la Ferrari garée au sommet d'une sublime vallée de Toscane, souriant devant l'objectif, fou amoureux.

– Il avait tout ! Et, du jour au lendemain, il se retrouve larbin chez tante Rose.

– Je te rappelle qu'il était en cavale. Aless... On m'a dit que c'était un des hommes les plus recherchés d'Italie. Comme ça, au moins, il a vécu avec nous et nous a vues grandir, plus ou moins libre.

– Quand même, j'ai du mal à y croire ! D'accord, maman était enceinte le jour de son mariage, mais elle n'était pas la première. Ça ne veut pas forcément dire que le marié n'est pas le père.

– Janice ! Le professeur Tolomei avait l'âge d'être le sien. Mets-toi deux minutes à la place de maman ! C'est la seule explication possible. Regarde-le, là, sur cette photo...

J'en ai pris une sur laquelle Umberto était allongé dans l'herbe, alors que Janice et moi rampions autour de lui.

– Il nous adore...

J'ai senti une boule au fond de ma poitrine et failli fondre en larmes.

– Oh, je n'en peux plus, j'arrête !

Nous sommes restées un long moment silencieuses. Ensuite, Janice a posé son verre et saisi un cliché de groupe pris devant le *castello* Salimbeni.

– Cela voudrait dire que la reine de la mafia serait notre... grand-mère ?

La photo représentait Eva Maria jouant avec un grand chapeau et deux chiots au bout d'une laisse, maman très professionnelle, en pantalon blanc et un bloc-notes à la main, le professeur Tolomei s'adressant, les sourcils froncés, au photographe, et Umberto, tout jeune, sur le côté, appuyé contre la Ferrari, les bras croisés.

– Quelle que soit la vérité, a conclu Janice, je ne veux plus le voir. Merde ! a-t-elle hurlé.

C'est alors qu'une voix familière a résonné…

– Sympathique petite réunion de famille, a murmuré Umberto en entrant, escorté par deux inconnus. Je suis désolé de vous avoir fait attendre si longtemps.

Que nous étions naïves d'avoir choisi la maison de maman comme refuge !

– Umberto ! Mais qu'est-ce que…

– Juju, tais-toi !

Alors, j'ai vu. Une paire de menottes lui bloquait les mains dans le dos. L'un des deux inconnus avait un revolver.

– Mon ami Cocco voudrait savoir si ces dames pourraient lui être de quelque utilité, a ajouté Umberto, parfaitement calme en dépit du canon de l'arme plaqué sur sa nuque.

IX, II

Son corps repose dans le sépulcre des Capulet,
Et son âme immortelle a rejoint les anges.

Quand j'avais quitté Sienne avec Alessandro, la veille, je n'imaginais pas y revenir si vite, ni dans un tel état de saleté, encore moins menottée, escortée par ma sœur, mon père, et trois gros bras qui semblaient sortis tout droit du couloir de la mort. De toute évidence, Umberto était leur otage, au même titre que ma sœur et moi.

Ils nous avaient jetés dans leur fourgonnette, une camionnette de fleuriste sans doute volée, et la chute sur le sol métallique avait été rude. Heureusement, un amas de tiges coupées et en décomposition l'avait un peu amortie.

– Nous sommes tes filles ! s'est récriée Janice à l'intention d'Umberto. Dis-leur quelque chose ! Ils n'ont pas le droit de nous traiter comme ça ! Tu n'es pas d'accord, Julie ?

J'étais incapable de répondre, sonnée, tourneboulée, renversée. Il fallait que je m'habitue à l'idée qu'Umberto n'était pas un héros, mais un homme peu recommandable. De plus, c'était mon père, ce qui me renvoyait à la case départ : je l'aimais, mais c'était un amour interdit.

Au moment où les types nous ont claqué la porte à la figure, j'ai aperçu une autre victime qu'ils avaient dû enlever au passage : un homme relégué dans un coin, bâillonné, les yeux bandés, et que, sans ses vêtements je n'aurais jamais reconnu.

– Frère Lorenzo ! Dieu du Ciel, ils ont kidnappé frère Lorenzo !

La fourgonnette a démarré et nous avons été violemment ballottés, glissant sur le sol pendant que le chauffeur remontait l'allée d'herbes folles de maman.

Dès que la route s'est améliorée, Janice a poussé un soupir désespéré.

– O.K., tu as gagné, a-t-elle lancé tout haut dans l'obscurité. Les diamants sont à toi, ou à eux. De toute façon, je n'en veux plus. On t'aidera, on fera tout ce qu'ils veulent. Tu es notre père, c'est ça ? On ne va pas se taper dessus !

Silence.

– Écoute, a repris Janice, la voix tremblante. J'espère qu'ils ont compris que sans nous ils n'arriveront jamais à retrouver la statue.

Nouveau silence. Umberto ne pipait mot.

Nous avions tout de suite avoué aux malfrats que l'entrée secrète de la tombe se trouvait sans doute à Santa Maria della Scala. Toutefois, ils estimaient avoir besoin de nous pour retrouver les pierres précieuses. Sinon, ils ne nous auraient pas embarquées avec eux.

– Et frère Lorenzo ? ai-je demandé.

Enfin, Umberto a ouvert la bouche.

– Oui ?

– Tu crois vraiment que ce vieux moine peut vous être utile ? a poursuivi Janice.

– Oh, il chantera !

Umberto a émis un son qui ressemblait à un rire.

– Qu'est-ce que vous imaginiez ? Qu'ils allaient renoncer ? Vous avez de la chance qu'ils aient d'abord essayé la manière douce…

– La manière douce ? a croassé Janice.

Je lui ai donné un coup de coude pour qu'elle la boucle.

– Malheureusement, a poursuivi Umberto, notre chère Julie n'a pas joué son rôle jusqu'au bout.

– Ça m'aurait aidée de savoir que j'avais un rôle ! Pourquoi ne m'as-tu pas prévenue plus tôt ? On aurait pu retrouver le trésor il y a des années.

– Tu me soupçonnes d'avoir tout planifié ? a répondu Umberto en remuant dans l'obscurité, sans doute aussi mal installé que nous. Revenir ici, risquer ma vie, jouer à des rébus avec de vieux moines et me faire prendre par ces ordures, tout ça pour deux ou trois pierres qui ont sûrement disparu ?

« À votre avis, pourquoi ai-je accepté de vous envoyer chez votre tante aux États-Unis ? Parce que, sinon, ils vous auraient prises en otage pour m'obliger à retravailler avec eux. Il n'y avait qu'une seule solution : que vous disparaissiez.

– Tu parles de la mafia ? a demandé Janice.

– La mafia ! a ricané Umberto. À côté d'eux, la mafia, c'est l'Armée du Salut. Ces mecs m'ont embauché à une époque où j'avais besoin de fric. Mais, une fois que tu as mordu à l'hameçon, impossible de décrocher.

J'ai cru que Janice allait lui envoyer une de ses reparties bien vachardes. Je lui ai donné un autre coup de coude et elle s'est tue.

– Conclusion, ai-je dit, dès qu'ils n'auront plus besoin de nous, ils nous relâcheront.

– Cocco me doit une faveur. Je lui ai sauvé la vie une fois. J'espère qu'il me renverra l'ascenseur.

– Toi, a lancé Janice. Mais nous ?

Personne n'a répondu. J'ai perçu le souffle de quelqu'un qui priait.

– Et frère Lorenzo ? ai-je ajouté.

– Si Cocco est bien luné.

– Je suis paumée, a dit Janice. Qui sont ces mecs, et pourquoi leur permets-tu de nous traiter comme ça ?

– Pour des raisons qui ne sont pas avouables devant de jeunes oreilles.

– Nous, des jeunes oreilles ? Puis-je donc savoir, cher père, ce qui a déconné au pays des merveilles ?

Alors, Umberto s'est mis à parler sans discontinuer, comme s'il attendait ce moment depuis des années. Impossible de l'arrêter. Pourtant, cela ne le soulageait pas. Au contraire. Son ton devenait de plus en plus amer à mesure qu'il nous racontait son histoire.

Son père, le comte Salimbeni, avait toujours regretté que sa femme, Eva Maria, ne lui ait donné qu'un fils, Umberto, dont il surveilla l'éducation de près afin que l'enfant file droit. Inscrit contre son gré dans une école militaire, Umberto quitta Sienne pour Naples, où il comptait trouver un emploi et s'inscrire à l'université, en musicologie. Très vite, il se retrouva sans un sou. Mais son sens de la combine fit merveille. Il parada bientôt, vêtu de superbes costumes taillés sur mesure, au volant d'une Ferrari et propriétaire d'un grand appartement. Le paradis.

Il rendit alors visite à ses parents dans le *castello* familial et leur raconta qu'il était devenu agent de change. Quelques jours plus tard, pour fêter le retour du fils prodigue, ses parents donnèrent une grande réception. Parmi les invités figuraient le professeur Tolomei et sa jeune assistante, Diane.

Umberto enleva la jeune femme sur la piste de danse et l'emmena dans sa Ferrari, au clair de lune. Ce fut le début d'un long et bel été.

Les deux jeunes gens ne se quittèrent plus. Ils passaient tous leurs week-ends ensemble, sillonnant la Toscane. Un beau jour, Umberto lui proposa une escapade à Naples. Elle accepta. Là, dans un restaurant huppé, autour d'une bouteille de bon vin, il lui avoua la vérité sur ses activités.

Diane fut horrifiée. Elle ne voulut rien entendre de ses explications ni de ses excuses. De retour à Sienne, elle lui rendit tout ce qu'il lui avait offert : bijoux, vêtements, lettres. Qu'il disparaisse de sa vie, lui répétait-elle.

Umberto la perdit de vue pendant plus d'un an. Quand il la revit, il eut un choc. Elle traversait le Campo de Sienne avec une énorme poussette et deux jumelles. Peu après, on lui apprit qu'elle avait épousé le vieux professeur Tolomei. Il comprit sur-le-champ. Le père des deux bébés, c'était lui. Mais Diane n'avait pas voulu que ses filles soient élevées par un voyou.

Il en fut malade de jalousie. Diane lui avait parlé des recherches du professeur, notamment de la statue aux yeux de pierres précieuses. À Naples, il se confia à quelques personnes. Son patron l'incita à retrouver le professeur pour en savoir plus. Ce qu'il fit, aidé par deux acolytes. Un matin, ils attendirent que Diane et ses deux filles soient parties de chez elles et frappèrent à la porte de leur maison. Le professeur, très courtois, les invita à entrer.

Dès qu'il comprit la raison de leur visite, il se braqua.

Comme il refusait de parler, les deux malfrats le brutalisèrent à tel point qu'il eut une attaque et succomba sous leurs yeux. Affolé, Umberto essaya de ranimer le vieil homme. En vain. Il congédia ses deux complices et mit le feu à la maison, en espérant brûler, outre son corps, tous les résultats des recherches du professeur, afin de mettre un terme à cette histoire de statue.

Après le drame, Umberto décida de rompre avec sa mauvaise vie et de rentrer en Toscane. Quelques mois plus tard, il annonça à Diane qu'il repartait de zéro et qu'elle pouvait compter sur son honnêteté. Au début, elle ne le crut pas. Elle l'accusait d'avoir une part de responsabilité dans l'incendie. Umberto ne renonça pas. Il était prêt à tout pour la reconquérir. Elle finit par se laisser convaincre, en dépit d'un reste de soupçons.

Ils vécurent ensemble deux années, pour ainsi dire en famille. Umberto emmena Diane au *castello* Salimbeni. Bien sûr, il n'avait pas dit la vérité à ses parents sur la paternité des jumelles. Dès lors, son père lui reprocha de ne pas se marier et de ne pas avoir d'enfants. Qui hériterait du *castello* s'il n'avait pas de descendants ?

Cette période aurait été heureuse si Diane n'avait été de plus en plus hantée par la légende de la malédiction familiale. Umberto dut se rendre à l'évidence : cette femme ravissante, la mère de ses deux enfants, était d'une nature obsessionnelle, tendance que la maternité n'avait fait que renforcer. Diane préférait lire et relire *Roméo et Juliette* à ses filles plutôt que des histoires pour les enfants. Umberto avait beau cacher le livre, elle le retrouvait toujours.

Quand les jumelles dormaient, elle passait des heures à essayer de reconstituer les découvertes de son défunt époux sur la tombe et la statue. Les pierres précieuses ne l'intéressaient pas. Elle ne voulait qu'une chose : préserver ses deux filles. Elle était convaincue qu'avec un père Salimbeni et une mère Tolomei elles avaient deux fois plus de chances d'être victimes de la malédiction de frère Lorenzo.

Umberto ne mesura pas à quel point elle s'était approchée de son but, la localisation de la tombe de Juliette, jusqu'au jour où les vieux complices de son époque napolitaine se présentèrent chez lui et commencèrent à lui poser des questions. Il ordonna à Diane de prendre les filles et de se mettre à l'abri. Puis il essaya de persuader les deux hommes que ni lui ni elle ne savaient grand-chose.

Diane les entendit le molester. Elle revint avec un pistolet, menaça de les abattre s'ils ne disparaissaient pas. Ils éclatèrent de rire. Alors, elle tira, mais les manqua. Ils ripostèrent et la tuèrent. Les deux hommes firent ensuite chanter Umberto. S'il ne leur donnait pas les quatre pierres précieuses, ils reviendraient s'occuper des jumelles.

– Ce n'est pas toi qui as assassiné maman ? nous sommes-nous écriées de concert, Janice et moi.

– Bien sûr que non ! Comment avez-vous pu soupçonner une chose pareille ?

Umberto a soupiré avec lassitude et repris son histoire.

Après le meurtre, dévasté, anéanti, il resta prostré pendant des heures, incapable de prendre une décision. Que faire ? Appeler la police ? Un prêtre ? Non, car on lui retirerait la garde de ses filles. Enfin, il mit le corps de Diane dans sa voiture et conduisit jusqu'à un escarpement isolé d'où il poussa le véhicule, pour simuler un accident. Il avait même pris soin de laisser des affaires d'enfants pour que les gens croient que les jumelles, elles aussi, avaient péri.

Ensuite, il emmena les fillettes chez leurs parrain et marraine, Pia et Peppo Tolomei.

– Et la blessure par balle ? l'a interrompu Janice. La police n'a pas remarqué que maman était morte avant l'accident ?

Umberto a hésité et répondu à contrecœur :

– J'avais incendié la voiture. Malheureusement, un flic plus malin que les autres a fait des rapprochements. Et on m'a tout collé sur le dos : la mort du professeur, l'incendie, la mort de votre mère... On m'a même accusé de la vôtre... Mon Dieu, quand j'y pense !

Il avait, avant de fuir, appelé tante Rose en Virginie en se faisant passer pour un officier de police de Sienne. Il lui annonça que Diane était décédée et que les deux petites orphelines n'étaient pas en sécurité en Italie. Puis il descendit à Naples pour retrouver les assassins de Diane. Il n'en épargna qu'un, Cocco. Il était incapable de tuer un gamin de dix-neuf ans.

Il disparut plusieurs mois. La police le recherchait. Il finit par aller aux États-Unis pour voir ses filles. Il n'avait pas de projets précis. Après avoir découvert l'endroit où elles vivaient, il traîna dans les parages. Un jour, il vit une femme tailler ses roses et comprit que c'était Rose. Il lui demanda si elle n'avait pas besoin d'aide pour son jardin. Six mois plus tard, il était embauché à plein temps.

– Je ne te crois pas ! me suis-je exclamée. Elle ne s'est jamais demandé comment il se trouvait que tu étais là, juste à ce moment-là ?

– Elle souffrait de solitude. Trop jeune pour être veuve, mais trop âgée pour être mère. Prête à tout croire ; ou presque.

– Et Eva Maria ?

– Nous sommes restés en contact, mais je ne lui ai jamais dit où je m'étais installé. Ni parlé de vous.

Il avait peur qu'Eva Maria n'insiste pour que nous revenions en Italie si elle apprenait que nous étions vivantes. Il était hors de question que lui y retourne. Par ailleurs, il connaissait trop bien sa mère pour savoir qu'elle s'arrangerait pour voir les filles et mettrait en danger leur sécurité.

Le temps passa. Umberto finit par se convaincre que son passé trouble à Naples était oublié et enterré. Il se trompait. Un jour, il aperçut une limousine dans l'allée de tante Rose. Quatre hommes en descendirent, parmi lesquels Cocco. Il ne sut jamais comment ils avaient retrouvé son adresse : sans doute en soudoyant des informateurs, qui avaient mis Eva Maria sur écoute.

Les hommes dirent à Umberto qu'il leur était toujours redevable. Soit il les payait, soit ils enlevaient les gamines. Il leur répondit qu'il n'avait pas un cent. Ils lui rirent au nez et lui rappelèrent l'existence de la statue. Il finit par accepter de tout faire pour récupérer les pierres. Les malfrats lui accordèrent trois semaines.

Pour bien se faire comprendre, ils le passèrent à tabac avant de repartir. Ils renversèrent un vase vénitien, qui se brisa bruyamment. Tante Rose se réveilla, se précipita en haut des marches et hurla en découvrant le désastre. Un des hommes sortit un revolver, mais Umberto l'arrêta à temps. Elle eut tellement peur qu'elle tomba dans l'escalier. Les types décampèrent. Lui bondit vers elle. Elle ne bougeait plus.

– Je croyais qu'elle était morte dans son sommeil ! me suis-je écriée.

– Je t'ai menti, a murmuré Umberto d'une voix sourde. Elle est morte à cause de moi.

– J'aurais préféré que tu nous dises la vérité. Si tu nous l'avais révélée dès le début, nous aurions peut-être évité tout ça.

– Peut-être... Je voulais vous préserver, que vous soyez heureuses... Que vous meniez une vie normale...

Après un profond soupir, il reprit son récit.

Le soir de la mort de tante Rose, il appela Eva Maria en Italie et lui déballa tout. Y compris l'existence de ses deux petites-filles. Il voulait savoir si elle pouvait l'aider à payer les malfrats. Hélas, elle n'avait pas les moyens de rassembler une somme suffisante en trois semaines. Elle proposa de prévenir la police et son filleul, Alessandro. Umberto l'en dissuada. Il ne lui restait qu'une solution : exécuter les ordres des truands et trouver ces satanées pierres précieuses.

Eva Maria lui promit de demander aux moines de Viterbe de l'aider. Elle n'y mettait qu'une condition : faire la connaissance de ses petites-filles une fois que tout serait réglé, et qu'elles ne sachent jamais rien du passé criminel de leur père. Umberto était d'accord. Voilà pourquoi il ne voulait pas que nous découvrions son identité.

– C'est idiot ! Si on avait su, on aurait compris, me suis-je récriée.

– Pas sûr.

– Alors, on ne saura jamais, a conclu sèchement Janice.

Ignorant sa remarque, Umberto nous raconta que, dès le lendemain, Eva Maria alla à Viterbe. En discutant avec frère Lorenzo, elle apprit ce que ses compagnons et lui exigeaient avant de la conduire jusqu'à la tombe de Roméo et Giulietta : une cérémonie destinée à « annuler » les péchés des deux familles, les Salimbeni et les Tolomei. Ensuite, les moines pourraient les emmener, elle et les autres pénitents, sur la tombe, pour qu'ils s'agenouillent devant la Vierge.

Problème : cette tombe, frère Lorenzo n'était pas certain de pouvoir la localiser. Il savait qu'il existait une entrée secrète quelque part à Sienne, et savait comment aller de l'entrée au tombeau. Mais où était cette entrée ? Un jour, dit-il à Eva Maria, il avait reçu la visite d'une certaine Diane Tolomei, qui lui avait appris l'avoir découverte. Mais elle avait refusé de lui en indiquer l'emplacement. Elle redoutait que des gens mal intentionnés ne parviennent jusqu'à la statue et ne la détruisent.

Elle avait également retrouvé le *cencio* de 1340. Elle souhaitait que sa fille, Giulietta, s'allonge dessus avec un garçon nommé Roméo, ce qui contribuerait à effacer le passé. Le frère en doutait. Toutefois, il était prêt à essayer. Tous deux se mirent d'accord : Diane devait revenir quelques semaines plus tard, afin qu'ils partent ensemble à la recherche de la tombe. Malheureusement, elle ne revint jamais.

Après avoir écouté Eva Maria, Umberto se prit à espérer que le plan fonctionne. Il savait que Diane avait déposé dans une banque un coffre contenant des indications cruciales.

– Je vous promets, a-t-il ajouté, sentant sans doute mon scepticisme, que je voulais à tout prix éviter de vous mêler à cet imbroglio. Mais il ne me restait que deux semaines.

– Et tu m'as lancée sur la piste en prétendant que c'était la volonté de tante Rose, ai-je répliqué avec rage.

– Et moi ! cria Janice. Me faire croire que j'avais hérité d'une fortune !

– Tais-toi ! Estime-toi heureuse d'être en vie.

– J'imagine que je ne tenais aucun rôle dans ton plan foireux. Julie a toujours été la plus futée, c'est ça ?

– Arrête ! ai-je persiflé. Il se trouve que c'est moi, Giulietta. C'est donc moi qui étais en danger.

– Ça suffit ! a aboyé Umberto. Je n'ai pas pu faire autrement. J'ai demandé à un vieux copain de surveiller Julie.

Je n'en revenais pas.

– Tu veux dire Bruno ? Je croyais qu'il cherchait à me tuer.

– Au contraire, il était là pour te protéger. Malheureusement, il pensait se faire un peu de blé en passant. Je me suis trompé, pour Bruno.

– Et tu l'as réduit au… silence ?

– Je n'en ai pas eu besoin. Il en savait trop sur trop de gens. Ce genre de type disparaît du jour au lendemain.

Mal à l'aise, Umberto a conclu en expliquant que tout avait fini par marcher suivant leurs prévisions, une fois Eva Maria convaincue que j'étais bien sa petite-fille. Elle se méfiait tellement qu'elle avait envoyé Alessandro dans ma chambre prendre de quoi faire un test ADN. Une fois rassurée, elle joua le jeu jusqu'au bout.

Suivant les instructions de frère Lorenzo, elle demanda à Alessandro, sans lui donner d'explications, de rapporter le poignard de Roméo et la bague de Giulietta au *castello* Salimbeni. Il ne fallait surtout pas qu'il subodore ce qui se tramait. Sinon, il serait allé droit chez les *carabinieri.* À vrai dire, elle répugnait à ce qu'il participe à son plan. Mais il s'appelait Roméo Marescotti. Elle aurait donc besoin de lui pour qu'il incarne son personnage devant frère Lorenzo.

Avec le recul, a admis Umberto, il aurait mieux valu qu'elle me mette au courant, moi, dès le début. Mais les choses avaient mal tourné. Si j'avais joué mon rôle jusqu'au bout, autrement dit, si j'avais bu mon vin, si j'étais montée me coucher et si je m'étais endormie, tout se serait très bien passé.

– Attends ! ai-je crié. Tu viens de dire qu'elle m'a droguée ?

– Un tout petit peu. Pour ton bien.

– J'hallucine ! Ma propre grand-mère…

– Si ça peut te consoler, l'idée lui faisait horreur. Mais c'était la seule façon de vous épargner, toi et Alessandro. Malheureusement, lui non plus, apparemment, n'a pas bu grand-chose.

– D'accord, sauf qu'il a piqué le livre de maman. Je l'ai vu de mes propres yeux.

– Tu te trompes, a asséné Umberto, exaspéré par mon insistance et sans doute gêné d'apprendre que j'avais assisté à son huis clos avec Alessandro. Il a simplement servi de coursier. Quelqu'un lui a confié le livre à Sienne hier matin en lui demandant de le remettre à Eva Maria. Il ignorait qu'il avait été volé. Sinon…

– Ça ne tient pas debout ! a objecté Janice. Quel qu'ait été le voleur, pourquoi n'a-t-il pas embarqué le coffre ? Pourquoi uniquement ce livre de poche ?

Umberto a mis quelque temps avant de répondre :

– Parce que ta mère m'avait dit que le code se trouvait dans le livre. Si quelque chose lui arrivait, elle…

Il n'a pas pu finir.

Tout le monde s'est tu, jusqu'au moment où Janice a demandé :

– Jusqu'à quel point Alessandro était-il au courant de tout cet imbroglio ?

– Il savait que Julie était la petite-fille d'Eva Maria, mais qu'elle tenait à le lui révéler elle-même. C'est tout. Je vous l'ai déjà dit, nous voulions éviter que la police ne mette le nez dans cette affaire. Voilà pourquoi Eva Maria ne lui a parlé de la cérémonie qu'au dernier moment. D'ailleurs, il était furieux et n'a accepté d'y participer que parce que Eva Maria lui avait assuré qu'il était important, pour elle et pour toi, de se plier à ce cérémonial supposé mettre fin à la malédiction… Je suis désolé que les choses aient tourné de cette façon….

J'ai senti l'obscurité m'envelopper de tous côtés avant de pénétrer dans mon corps à travers une myriade de petites blessures. La peur que j'avais éprouvée quand Bruno Carrera me traquait, ou dans le Bottini avec Janice, n'était rien à côté de mon sentiment d'impuissance. Car, tous les trois, nous pensions la même chose : c'était la fin.

– Par curiosité, a murmuré Janice après un long silence, tu l'as vraiment aimée ? Maman, je veux dire…

Umberto n'a pas répondu tout de suite.

– Et elle, elle t'a aimé ? a-t-elle ajouté.

– Elle aimait me haïr. Voilà ce qui l'excitait. La dispute était dans nos gènes, disait-elle. Elle m'appelait… Nino.

*
* *

Quand la fourgonnette s'est enfin arrêtée, j'avais presque oublié où nous allions et pourquoi. Les portières se sont ouvertes. J'ai reconnu les silhouettes de Cocco et de ses acolytes devant la cathédrale de Sienne éclairée par la lune. Ils nous ont tirés par les chevilles comme des sacs, avant de grimper à l'intérieur pour s'emparer de frère Lorenzo.

– Regarde, m'a dit Janice, des musiciens !

En effet. Trois voitures étaient garées à un jet de pierre de notre camionnette. Une douzaine d'hommes en smoking, veillant chacun sur un étui de violon ou de violoncelle, fumaient et plaisantaient.

Leur présence m'a rassurée. Mais lorsque Cocco s'est dirigé vers eux en levant les mains, j'ai déchanté. Les musiciens étaient des hommes à lui.

Dès qu'ils nous ont aperçues, Janice et moi, ils ont sifflé en nous lançant des remarques salaces. Umberto n'a rien fait pour interrompre leur petit numéro. À ses yeux, nous pouvions, lui et nous, nous estimer heureux d'être encore en vie. En revanche, quand le vieux moine est sorti de la fourgonnette, l'entrain des hommes a laissé place à un malaise palpable. Chacun a ramassé son étui comme un écolier ramasse son cartable au moment où le maître entre dans la classe.

Pour les touristes déambulant sur la place cette nuit-là, nous devions avoir l'air d'un groupe de Siennois rentrant chez eux après quelque festivité liée au Palio. Les hommes de Cocco bavardaient joyeusement tandis que Janice et moi, dociles, marchions au milieu d'eux, enroulées dans une élégante bannière de *contrada* destinée à cacher les cordes qui nous liaient les poignets et les couteaux à cran d'arrêt pressés contre nos côtes.

Alors que nous approchions de l'entrée de Santa Maria della Scala, maître Lippi est passé lentement devant nous, portant un chevalet. Je l'ai fixé aussi intensément que possible, espérant qu'il lèverait les yeux vers nous. Il l'a fait, mais en nous effleurant à peine du regard, sans paraître nous reconnaître, ce qui m'a désespérée.

Les cloches de la cathédrale ont sonné les douze coups de minuit. L'atmosphère était calme et lourde. Un orage semblait se préparer au loin. Alors que nous arrivions au seuil du vieil hôpital, un vent violent s'est levé, balayant les déchets qui traînaient sur la place, tels des démons invisibles traquant des âmes égarées.

Les deux petites loupiotes flanquant la porte d'entrée de l'hôpital se sont éteintes, comme si le bâtiment exhalait un dernier soupir. Cocco a sorti de sa poche une grande clé en fer et a ouvert la porte avec un déclic sourd.

Je me suis mise à trembler. Ce vieil hôpital était vraiment le dernier endroit où j'avais envie de pénétrer en pleine nuit. On l'avait transformé en musée plusieurs années auparavant, nous avait appris Umberto. Pourtant, dans mon esprit, il restait lié à une longue histoire de misère, de souffrance et de mort.

Une fois la porte verrouillée derrière nous, les faux musiciens ouvrirent leurs étuis, en extirpèrent une panoplie impressionnante de torches, d'armes et d'outils de toutes sortes.

– *Andiamo !* s'est écrié Cocco en brandissant une mitraillette, nous montrant une grille de sécurité qui nous arrivait à mi-cuisse.

Les mains toujours liées derrière le dos, Janice et moi avons eu du mal à passer par-dessus. Les malfrats ont dû nous tirer violemment par les bras en raclant nos tibias contre les barreaux, nous arrachant des cris de douleur.

Pour la première fois, Umberto s'est récrié contre leur brutalité. Il s'en est pris vertement à Cocco. Il a reçu un coup de crosse en pleine poitrine qui l'a fait se plier en deux en toussant. Je n'ai pas eu le temps de me pencher pour le réconforter. Deux complices de Cocco m'ont aussitôt saisie par les épaules avant de me pousser.

Seul frère Lorenzo a eu droit à un peu de respect et a pu enjamber la grille en prenant le temps nécessaire, avec un minimum de dignité.

– Pourquoi a-t-il toujours les yeux bandés ? ai-je demandé à voix basse à Janice.

– Parce qu'ils comptent le laisser en vie.

– Chut ! a chuchoté Umberto. Plus vous serez discrètes, mieux ce sera.

Enfin, nous sommes entrés au cœur de l'hôpital, suivant les torches dont les rayons rebondissaient le long de couloirs sombres et à travers divers escaliers. Devant nous avançaient Cocco et ses acolytes, dont l'un, au teint jaunâtre et les épaules voûtées, me faisait penser à un vautour ou, plus exactement, à un urubu à tête rouge. De temps en temps, l'un ou l'autre s'arrêtait pour consulter un plan du bâtiment ; et il y avait toujours quelqu'un pour me tordre le bras ou me tirer les cheveux, m'enjoignant de m'arrêter moi aussi.

Cinq hommes marchaient devant nous, cinq derrière. Dès que je me tournais vers ma sœur ou Umberto, on me gratifiait d'un coup de crosse entre les omoplates. Janice, aussi pétrifiée que moi, était soumise au même traitement.

Sous leurs costumes et leurs cheveux gominés, les hommes dégageaient une odeur rance : eux non plus ne devaient pas être très rassurés. Plus nous nous enfoncions dans les sous-sols, plus ça sentait mauvais. Les murs avaient beau paraître propres, comme aseptisés, quelque chose était sans doute en train de pourrir et de s'infiltrer dans le plâtre.

Les hommes ont fini par s'immobiliser. Nous devions être à une quinzaine de mètres sous le sol, mais je ne savais plus si nous nous nous trouvions encore sous l'hôpital lui-même.

– *E ora, ragazze ?* a demandé Cocco en nous aveuglant avec sa torche.

– Qu'est-ce qu'il a dit ? m'a murmuré Janice.

– « Les filles », ou quelque chose d'approchant…

– Maintenant, a traduit Umberto, nous sommes dans la chambre de sainte Catherine. À partir de là, où allons-nous ?

À ce moment-là, l'urubu à tête rouge a pointé sa lampe sur un petit portail à claire-voie qui donnait sur une cellule monacale contenant un lit étroit et un autel. Sur le lit, contre un mur peint en bleu et constellé d'étoiles dorées, gisait une statue de femme : sainte Catherine.

– Ouh là ! s'est exclamée Janice, impressionnée de constater que nous étions dans la pièce mentionnée par notre mère.

– Et maintenant ? a demandé Umberto pour devancer Cocco.

J'ai regardé ma sœur. Les indications de notre mère s'arrêtaient là, avec cette fin de message énigmatique : « Et au pied, les filles. »

Je me suis soudain souvenue d'une autre partie du message.

– Attendez ! Ah oui… « Loin de moi la croix ».

– La croix ? a grommelé Umberto. *La croce*… Où ?

Nous nous sommes tous penchés pour examiner la cellule. Tout à coup, Janice s'est exclamée :

– Là, regardez ! Devant l'autel !

En effet, au pied de l'autel s'étendait une grande dalle de marbre gravée d'une croix qui ressemblait à l'entrée d'un caveau. Sans hésiter, Cocco a dirigé sa mitraillette sur le cadenas du portail. Le treillis a explosé et le portail a sauté sur ses gonds.

– Bon Dieu ! s'est exclamée Janice, il m'a crevé les tympans. Ce mec est fou à lier.

Cocco s'est retourné et l'a prise à la gorge, si violemment qu'il a failli l'étrangler. Il l'a relâchée. Elle est tombée à genoux en haletant.

– Janice ! Ça va ?

– À noter, a-t-elle bredouillé d'une voix tremblante. Notre prince charmant parle anglais.

Peu après, les hommes se sont précipités vers l'autel avec des leviers, des pics et des perceuses, libérant très vite la plaque de marbre qui retomba sur le côté avec un bruit mat, en projetant un nuage de poussière. L'entrée d'un tunnel apparut, ce qui ne surprit personne.

Nous nous étions juré, Janice et moi, de ne plus jamais mettre les pieds dans le Bottini. Pourtant, nous y étions, à nouveau, en pleine nuit, nous et escortées par des voyous !

Cocco avait consenti à couper nos liens, persuadé qu'il aurait besoin de nous pour retrouver la tombe de Roméo et Giulietta. Personne ne lui avait dit que la croix, au pied de l'autel, était la dernière indication du message de notre mère.

À quatre pattes derrière Janice, j'enrageais de porter cette robe longue ridicule dans laquelle je m'empêtrais et dont le tissu de velours raffiné ne protégeait en rien mes genoux contre le sol de grès. Heureusement, j'avais tellement froid que je sentais à peine la douleur.

Arrivée au bout du tunnel, j'ai été soulagée, comme les hommes, de constater qu'aucun tas de sable, aucun rocher ne nous obligeait à faire demi tour. Nous étions sur le seuil d'une sorte de grotte de cinq ou six mètres de longueur, et assez haute pour que tous se redressent.

– *E ora ?* a répété Cocco.

– Oh non ! m'a chuchoté Janice, on est dans un cul-de-sac.

Derrière nous, frère Lorenzo venait d'apparaître. Un des voyous avait eu la courtoisie de lui enlever son bandeau. Le vieux moine s'est avancé, les yeux écarquillés, émerveillés, comme s'il avait oublié la violence qui l'entourait.

– Comment dit-on « cul-de-sac », en italien ? a demandé Janice, à voix basse, à Umberto.

Elle s'était trompée. Après avoir longuement examiné la grotte, j'ai fini par repérer deux autres issues, en plus du goulot par lequel nous étions arrivés. D'abord, une ouverture dans le plafond. C'était un trou noir, bloqué, semblait-il par une plaque de béton. Impossible à atteindre, même avec un escabeau. Sans doute une vieille bouche d'égout. Juste à côté se trouvait la seconde ouverture : une plaque métallique rouillée, couverte de poussière et de déchets.

Voyant que Cocco nous observait, attendant nos indications, j'ai pointé le doigt sur la plaque rouillée.

– « Recherchez, poursuivez », ai-je énoncé, comme s'il s'agissait de la suite du message codé. « Observez sous vos pieds. Là gît Juliette. »

– Oui, a renchéri Janice, « Là gît Juliette ».

Cocco a ordonné à ses hommes de sortir leurs pics pour soulever la plaque. Frère Lorenzo est allé se réfugier dans un coin pour prier avec son rosaire.

– Le pauvre, a commenté Janice, il plane totale. J'espère que…

Elle n'a pas poursuivi, mais j'ai compris. Je pensais la même chose. Dans peu de temps Cocco comprendrait que ce vieux moine ne servait à rien. Et alors…

La plaque a fini par céder, révélant une anfractuosité dans le sol, assez large pour qu'un homme s'y glisse. Cocco a baissé sa torche vers le trou. Ses sbires, plus hésitants, ont fait de même, marmonnant dans leur barbe sans grand enthousiasme. Une odeur nauséabonde se dégageait de ce puits. Janice et moi ne fûmes pas les seules à nous boucher le nez.

– *Un bel niente*, a lâché Cocco en haussant les épaules.

– Il n'y a rien, a traduit Umberto.

– Qu'est-ce qu'il s'attendait à découvrir ? a lancé Janice avec un rictus méprisant. Des lettres au néon indiquant : « Pilleurs de tombe, par ici » ?

J'ai frémi en l'entendant. Lorsqu'elle a fixé Cocco d'un air plus que provocant, j'ai cru qu'il allait la reprendre par la peau du cou pour l'étrangler.

Au lieu de quoi, il lui a répondu par un regard bizarre, calculateur. J'ai compris que ma sœur cherchait à l'accrocher d'une manière ou d'une autre depuis le début. C'était notre seul moyen de nous en tirer, devait-elle penser.

– *Dai, dai !* a-t-il lancé, tandis que ses hommes sautaient dans le trou l'un après l'autre.

À en juger par les cris qu'ils poussaient en atterrissant, la chute devait être assez dure, mais pas assez pour justifier l'usage d'une corde.

Notre tour est arrivé. Janice s'est tout de suite avancée, sans doute pour montrer à Cocco qu'elle n'avait pas peur. Il lui a offert sa main pour l'aider, pour la première et dernière fois de sa vie. Elle a craché dessus avant de la repousser et de bondir dans le puits. Il a simplement souri, avec un commentaire destiné à Umberto, dont j'ai été heureuse de ne pas comprendre le sens.

Je me suis penchée. Ma sœur agitait la main pour m'encourager. Il devait y avoir deux ou trois mètres… J'ai fermé les yeux et sauté, aussitôt accueillie par une forêt de bras, dont ceux d'un homme qui a essayé de me peloter au passage. Heureusement, Janice a bondi pour s'interposer.

– Vous avez envie de vous marrer un bon coup ? leur a-t-elle lancé. C'est ça que vous voulez ? Dans ce cas-là, je vous conseille de vous en prendre plutôt à moi !

Elle a ouvert sa chemise avec une telle brusquerie que les hommes en sont restés pantois. Soudain, une fusillade a retenti, nous faisant sursauter.

Une pluie de sable et de grès est tombée. Tout le monde s'est aplati. Je me suis revue à Rome, étouffée par les gaz lacrymogènes. J'ai cru que j'allais mourir. Je toussais si violemment que j'ai failli vomir. Autour de moi, tous étaient couchés, y compris Janice.

Quelques secondes plus tard, j'ai levé les yeux et j'ai vu Cocco debout, mitraillette en main. La rafale qu'il avait tirée en signe d'avertissement avait dû provoquer une vibration telle qu'une partie du plafond s'était écroulée. Personne n'a osé broncher.

Ravi de son effet, Cocco a désigné Janice, en s'écriant d'un ton sans appel :

– *La stronza é mia !*

Même si j'ignorais le sens du mot *stronza*, j'avais saisi : personne n'avait le droit de toucher à ma sœur ; à part lui.

Janice m'a prise dans ses bras. Nous tremblions de la tête aux pieds.

– Fais gaffe, ai-je chuchoté. Ces types n'ont aucun rapport avec les benêts que tu mets dans ta poche en deux secondes. Ici, le mode d'emploi n'est pas le même !

– Tu rigoles, c'est le même pour tous les mecs. Donne-moi un peu de temps. Notre Cocco mignon va nous faire sortir d'ici en première classe, crois-moi.

– Pas si sûre, ai-je répondu, pendant que les hommes rattrapaient frère Lorenzo, qui n'en menait pas large. Je doute qu'ils tiennent beaucoup à nos vies.

– Abandonne complètement, pendant que tu y es. Couche-toi et meurs. Ce serait beaucoup plus facile.

– J'essaie simplement d'être un peu raisonnable…

Pour refermer sa chemise, elle en noua les pans sur son ventre.

– Tu n'as jamais agi de façon raisonnable. Ce n'est pas aujourd'hui que tu vas commencer.

J'ai failli m'asseoir, capituler. *Tout cela*, pensais-je, *aurait été évité si j'avais fais confiance à Alessandro et si j'étais restée au* castello Salimbeni *! À l'heure qu'il est, je dormirais dans ses bras.*

Le destin en avait décidé autrement. J'étais au fond du trou, au sens propre, dans un état indescriptible, face à un psychopathe brandissant une mitraillette en hurlant contre mon père et ma sœur…

J'ai fini par me reprendre. Je ne pouvais pas les abandonner. J'ai ramassé une torche que quelqu'un avait laissée tomber. Alors, j'ai remarqué, par terre, une pointe qui dépassait. Un morceau de coquillage ? Impossible. La mer était à cent cinquante kilomètres. Je me suis agenouillée pour examiner l'objet de plus près. Mon cœur s'est mis à cogner… J'ai cru reconnaître… un crâne.

Curieusement, j'ai très vite surmonté mon angoisse. En y réfléchissant, et si j'en croyais les indications de notre mère, il était assez probable que je tombe sur des vestiges humains. Après tout, nous étions à la recherche d'une sépulture… J'ai creusé le sol poreux, pour voir si le reste du squelette se trouvait là… J'ai creusé, creusé encore. Et j'ai vu.

Là, au fond de la cave, sous le mélange de terre et de cendres que je sentais sous mes doigts, s'empilaient des ossements humains, mêlés, éparpillés, comme jetés au hasard.

IX, III

Un tombeau ? Certes, non, jeune victime, un phare,
Car Juliette y repose, et sa beauté
Fait de ces voûtes la salle illuminée d'une fête.

Tous ont reculé face à ma découverte macabre. Janice a failli vomir.

– Quelle horreur ! s'est-elle écriée en se couvrant le nez et la bouche avec sa manche. C'est un charnier, un puits de pestiférés ! Ce doit être un nid de microbes. On va tous mourir !

Sa réaction était tellement inattendue qu'un vent de panique a soufflé sur les voyous. Cocco a dû hurler pour calmer les esprits. Seul frère Lorenzo ne paraissait pas trop perturbé. Il a incliné la tête en priant, sans doute pour le repos de l'âme des morts. Il devait y en avoir des centaines, voire des milliers…

Cocco, lui, n'était pas d'humeur à prier. Il a repoussé le moine avec le canon de sa mitraillette, avant de la pointer sur moi en aboyant.

– Il veut savoir où aller à partir d'ici, m'a traduit Umberto. Il paraît que tu lui as dit que Giulietta était enterrée ici.

– Je n'ai jamais dit ça, ai-je menti. Mais maman a écrit : « Franchissez une porte. Là gît Giulietta. »

– Quelle *Porta* ? a glapi Cocco en jetant des regards noirs dans tous les sens. Yé né vois pas de *Porta*.

– Vous savez pourtant qu'il y en a une, ai-je de nouveau menti.

Il a roulé des yeux avec mépris, s'est détourné en martelant le sol.

– Il ne te croit pas, m'a confié Umberto d'un ton las. Il pense que tu l'as embobiné. Il va interroger frère Lorenzo.

Les hommes ont encerclé le moine, l'ont bombardé de questions. Paralysé par la peur, le vieil homme essayait de les écouter alors que tous parlaient ensemble, jusqu'au moment où il a fermé les yeux en se protégeant les oreilles des mains.

– *Stupido !* s'est écrié Cocco, le menaçant de son poing serré.

– Non ! s'est écriée Janice en lui saisissant le bras pour l'empêcher de frapper. Laissez-moi, je vais l'interroger ! Je vous en supplie !

Quelques secondes ont passé… Les yeux sur son coude, qu'elle agrippait toujours, Cocco avait l'air stupéfait de son audace.

Mesurant sans doute son erreur, elle s'est jetée à ses pieds. Cocco a levé les mains avec un grand sourire et lancé à ses sbires un commentaire qui devait signifier : « Ah, les femmes ! Comment réagir, nous, les hommes ? »

C'est ainsi que, grâce à Janice, nous avons été autorisés à nous entretenir avec frère Lorenzo pendant que Cocco et ses acolytes fumaient et jouaient avec un crâne comme avec un ballon de football.

Nous nous sommes placés devant le frère pour lui cacher ce spectacle obscène. Par l'intermédiaire d'Umberto, nous lui avons demandé s'il savait où se trouvait la tombe des deux amants. Il a lâché quelques mots en secouant la tête.

– Il refuse de révéler l'emplacement de la tombe à ces sales types, nous a traduit Umberto. Ils vont la profaner. Et il prétend qu'il n'a pas peur de mourir.

– Si seulement Dieu pouvait nous venir en aide ! a murmuré Janice, avant de poser une main sur l'épaule du frère.

– Je vous comprends, lui a-t-elle dit. Mais, nous aussi, ils risquent de nous tuer. Ensuite, ils retourneront au *castello* et s'attaqueront aux autres, aux moines, aux femmes… Si personne ne leur dit où est la tombe, tout est fini.

Le frère a réfléchi un long moment, après avoir écouté Umberto traduire. Puis il a pointé un doigt sur moi et posé une question qui semblait me désigner comme coupable.

– Il voudrait savoir si ton mari sait où tu es, a repris Umberto, l'air amusé. Il trouve un peu léger de ta part d'avoir accepté de suivre ces individus alors que tu devrais être chez toi en train de vaquer à tes occupations d'épouse.

Quelque chose de fondamentalement sincère m'a touchée dans ce que venait de dire le moine, résonnant en moi d'une façon que ma sœur n'aurait jamais pu comprendre.

– Je sais, ai-je répondu en le regardant droit dans les yeux. Mais mon devoir consiste aussi à mettre fin à la malédiction. Pour cela, j'ai besoin de votre aide.

Le frère a encore écouté Umberto traduire. Il a ensuite désigné mon cou, en fronçant les sourcils.

– Il voudrait savoir où est passé le crucifix qui doit te protéger contre les démons.

– Je… Je l'ignore.

J'ai revu le moment où Alessandro me l'avait retiré, pour me taquiner, avant de le poser sur le montant du lit, là où j'avais déposé sa balle de revolver. J'avais complètement oublié l'épisode.

Je ne portais pas non plus l'anneau de Giulietta orné du sceau de l'aigle, ce qui choquait aussi le moine.

– Il est très dangereux pour toi de t'approcher de la tombe sans la croix ni la bague, m'a expliqué Umberto en essuyant une goutte de sueur sur son front. Il te demande de réfléchir.

– Réponds-lui que je n'ai pas le temps de revenir sur mes décisions. Je n'ai pas le choix. Il faut que nous trouvions la tombe ce soir. Les vrais démons, ce sont eux, ai-je ajouté en me tournant vers les hommes derrière nous. Mais la Vierge nous protégera contre eux. Je suis sûre qu'ils seront châtiés.

Le frère a fermé les yeux et entonné une imperceptible mélopée en dodelinant de la tête, comme s'il cherchait à se souvenir des paroles d'une chanson. Puis il s'est arrêté et a récité ce qui devait être un poème.

– « La peste noire garde la porte de la Vierge », a traduit Umberto. Voilà ce que dit le livre.

– Quel livre ? a demandé Janice.

– « Observe-les maintenant, a poursuivi Umberto sans répondre, les hommes et les femmes sans Dieu se prosternent devant la porte, qui demeure fermée à jamais. » Frère Lorenzo vient de nous révéler le secret : la grotte où nous nous trouvons est l'ancienne antichambre de la crypte. La question est…

Il s'est interrompu au moment où le moine se levait pour se diriger, en marmonnant, vers le mur le plus proche. Nous l'avons suivi. Il a fait le tour de la cave en passant la main sur la paroi. Sachant de quoi se composait le sol sur lequel nous marchions, je frémissais à chaque pas.

Ignorant les sbires de Cocco qui nous observaient avec dédain, le moine s'est retourné vers nous.

– La cathédrale de Sienne est orientée est-ouest, a traduit Umberto, et l'entrée fait face à l'ouest. Ce qui est normal pour une cathédrale. On pourrait donc penser que c'est la même chose pour la crypte. Cela dit, le livre dit que…

– Quel livre ? a répété Janice.

– Ta gueule, ai-je murmuré.

– Le livre dit que « la face noire de la Vierge est l'image miroir de sa face blanche », a repris Umberto. Ce qui pourrait signifier que la crypte, qui est la partie souterraine, donc noire, est en réalité orientée ouest-est, avec l'entrée à l'est. Dans ce cas, la porte qui y mène à partir de cette pièce doit être orientée plein ouest. Cela vous dit quelque chose ?

– Rien du tout, ai-je répondu à Umberto. Toutefois, au point où nous en sommes, nous sommes prêtes à tout.

Comprenant soudain la situation, Cocco a jeté son mégot et relevé sa manche de chemise pour consulter sa montre boussole. Il a repéré la direction de l'ouest, et aussitôt a donné des ordres à ses hommes.

Quelques instants plus tard, tous se sont accroupis dans la partie la plus à l'ouest de la cave, fouillant la terre à main nue, entassant les ossements comme s'il s'agissait de bois mort. C'était un spectacle hallucinant : voir ces hommes en smoking et chaussures parfaitement cirées, à quatre pattes, creuser la terre à la lueur des lampes en se souciant comme d'une guigne d'avoir à manipuler ces ossements en cours de décomposition !

Au bord de l'évanouissement, je me suis tournée vers Janice, elle aussi tétanisée par la scène. Elle a croisé mon regard et murmuré en tremblant : « Madame, quittons ces lieux de mort et d'infection, de sommeils qu'honnit la nature. Un pouvoir contre quoi nous ne pouvons rien a déjoué nos plans. »

J'ai passé un bras autour d'elle comme pour nous protéger de cette vision terrifiante.

– Et moi qui pensais que tu n'avais jamais retenu ce foutu texte…

– Ce n'est pas le texte, c'est le rôle que je n'aimais pas. Je n'ai jamais joué celui de Juliette. Cela dit, j'avoue que jamais je ne pourrais mourir d'amour.

– Qu'en sais-tu ?

Elle n'a rien répondu… Ou n'en a pas eu le temps. Au moment même, un des hommes a hurlé du fond du trou.

Nous nous sommes avancées.

– Ils ont trouvé quelque chose, nous a expliqué Umberto. Apparemment, frère Lorenzo avait raison.

La lampe frontale de l'homme n'éclairait rien d'autre que les silhouettes de ses comparses qui s'agitaient autour du trou comme une armée de scarabées déchaînés. Quelques instants plus tard, alors que tous étaient remontés pour aller chercher les outils nécessaires, j'ai dirigé ma torche vers le trou.

– Regarde ! me suis-je exclamée en prenant Janice par le bras, une porte scellée !

En réalité, c'était le haut d'un montant de bois : un vieil encadrement de porte, avec, gravée sur le sommet, une rose à cinq pétales. La porte avait été bloquée par un amas de briques brunes et de blocs de marbre. Quelle qu'ait été la personne qui avait supervisé les travaux, sans doute au cours de la terrible année 1348, elle était trop pressée pour se soucier de la qualité des matériaux et de l'esthétique.

Les gros bras de Cocco sont revenus avec des outils et ont attaqué les briques. Toute la cave s'est mise à vibrer. Des morceaux de tuf se sont écroulés, tel un déluge de grêle. Effrayées, Janice et moi nous sommes réfugiées derrière Umberto et frère Lorenzo.

Pas moins de trois couches de brique et de marbre séparaient le mur de ce qui se trouvait derrière. Après en avoir percé toute l'épaisseur, les hommes ont reculé pour prendre de l'élan et détruire à coups de pied ce qui restait. Très vite, une grande ouverture aux contours irréguliers est apparue. La poussière à peine retombée, Cocco a bousculé ses sbires pour être le premier à braquer sa torche à travers l'ouverture.

Un étrange silence a suivi. Le long sifflement de surprise de Cocco a résonné, amplifié par l'écho rebondissant sur les parois.

– *La cripta !* a murmuré frère Lorenzo en se signant.

– C'est parti. J'espère que tu as apporté de l'ail, m'a chuchoté Janice.

*
* *

Il a fallu près d'une demi-heure aux hommes de Cocco pour préparer notre descente dans la crypte. Il durent creuser encore plus profond entre les ossements, percer à mesure qu'ils s'enfonçaient, pour atteindre ce qui devait être le sol. À la fin, ils balançaient les os et les gravats à travers l'ouverture, comme pour créer un tas pouvant servir de rampe d'appui de l'autre côté.

Cocco nous a envoyées en éclaireurs. Janice et moi sommes descendues prudemment, main dans la main avec frère Lorenzo, au milieu des décombres et des ossements, en nous demandant si c'était la fin, ou le début du monde.

L'air était de plus en plus frais et de plus en plus pur. À la faveur de la lumière des torches, j'ai découvert que nous venions d'atteindre non pas une longue salle lugubre pleine de sarcophages et de sinistres épitaphes latines, mais un espace superbe, majestueux. Des piliers soutenaient le haut plafond voûté. Quelques tables de pierre, sans doute des autels, avaient subsisté, dépouillées de tout objet sacré. Le reste n'était qu'ombre et silence.

– Tu as vu les fresques ? s'est exclamée Janice en montrant les parois. Je parie que nous sommes les premières à les contempler depuis…

Longeant le mur tout en admirant les fresques, nous sommes arrivés devant une grille en fer forgé sertie de fils d'or. J'ai pointé ma torche. La grille donnait sur une petite chapelle latérale. Il y en avait d'autres, parsemées de tombes qui m'ont rappelé le cimetière de village de la famille Tolomei où m'avait emmené Peppo, il y avait une éternité.

Ma sœur et moi n'étions pas les seules à nous intéresser aux chapelles latérales. Autour de nous, Cocco et ses acolytes vérifiaient systématiquement chaque ouverture et chaque entrée, à la recherche de la tombe de Roméo et Giulietta.

– Et si la tombe n'y était pas ? a chuchoté Janice en jetant un regard anxieux sur Cocco. Ou alors, si la tombe était là, mais pas la statue ?

Je l'écoutais d'une oreille distraite. Après avoir trébuché sur ce qui devait être du plâtre, j'ai dirigé ma torche vers le haut, inspectant l'état de délabrement de la salle. Çà et là, des morceaux de plafond s'étaient écroulés sous le poids des constructions modernes invisibles bâties au-dessus.

– Tout est à deux doigts de s'effondrer ! me suis-je exclamée en me retournant.

Apercevant l'ouverture qui menait au charnier, j'ai réalisé que, même si nous parvenions à y retourner, nous ne pourrions jamais remonter à travers le puits. Avec un peu de chance, j'arriverais à soulever Janice pour qu'elle passe. Mais moi ? Et frère Lorenzo ? Umberto pourrait nous prêter main-forte. Mais lui ? Qui l'aiderait ?

Je n'ai pas eu le temps de poursuivre mes réflexions. Cocco a réclamé d'autres indices sur l'emplacement de cette maudite statue.

– Oh, elle est sûrement ici, a lâché Janice. Le tout est de savoir où ils l'ont cachée.

Voyant que Cocco ne marchait pas, elle a fait semblant de rire.

– Tu pensais qu'ils exposeraient un chef-d'œuvre de cette valeur au vu de tout le monde ? a-t-elle ajouté, d'une voix beaucoup moins assurée.

– Et frère Lorenzo, que dit-il ? ai-je demandé, en partie pour détourner l'attention des hommes de Janice. Il a sûrement sa petite idée.

Tous les regards se sont tournés vers le moine, absorbé dans la contemplation du plafond étoilé.

– « Il a placé un dragon là pour protéger leurs yeux », a murmuré Umberto. C'est tout. Sauf qu'il n'y a pas de dragon. Et pas la moindre statue.

– C'est bizarre, ai-je rétorqué. D'un côté, il y a cinq chapelles latérales régulièrement espacées, et, de l'autre, quatre. Regarde, il manque celle du milieu. Comme si l'entrée avait été murée…

Sans me laisser le temps d'achever ma phrase, Cocco s'est précipité sur l'ouverture manquante pour examiner la paroi.

– Pas seulement une entrée murée, a dit Janice en désignant une fresque colorée, mais un paysage avec un énorme… serpent rouge volant.

– Qui m'a tout l'air d'être un dragon, ai-je précisé en reculant. Vous savez ce que je pense ? La tombe est derrière.

J'ai promené l'index sur une longue fissure qui, au milieu de la fresque, trahissait le contour d'une porte.

– Il y avait sûrement une chapelle, ai-je poursuivi. Mais je parie que Salimbeni en a eu assez d'avoir à y poster des gardes vingt-quatre heures sur vingt-quatre. Du coup, il en a fait murer l'entrée.

Peu après, pics et perceuses retentissaient à nouveau. Le rugissement du métal attaquant la pierre a résonné dans toute la crypte pendant que les hommes fracassaient le cœur du dragon pour atteindre la niche présumée. Une pluie de gravats et de poussière s'est abattue. Et des morceaux de plafond sont tombés, dont quelques étoiles dorées, comme si les rouages de l'univers commençaient à lâcher.

*
* *

Le vacarme assourdissant a cessé. L'ouverture dans le mur était juste assez large pour qu'une personne se glisse de l'autre côté. Un par un, les hommes se sont faufilés. Janice et moi n'avons pu résister à la tentation de les suivre.

Quelques secondes plus tard, nous avons émergé au cœur d'une petite chapelle faiblement éclairée. J'ai failli me cogner contre les hommes, immobiles. L'un d'eux a braqué sa torche sur une silhouette massive qui semblait planer dans l'air face à nous.

– Sacré nom de Dieu ! a crié quelqu'un.

Elle était là, sous nos yeux, la statue de Roméo et Giulietta ! Beaucoup plus grande et plus spectaculaire que ce que j'imaginais, presque inquiétante, comme si le sculpteur avait voulu que les spectateurs tombent aussitôt à genoux en se repentant. Ce que j'ai été à deux doigts de faire.

Posée sur un sarcophage, elle dégageait cet éclat que le temps n'altère jamais. Dans la pénombre de la chapelle, les quatre yeux de pierre, deux émeraudes et deux saphirs, brillaient d'un éclat presque surnaturel.

Pour qui n'aurait pas connu la tragédie des amants, elle exprimait non la douleur, mais l'amour. À genoux sur le sarcophage, Roméo soulevait Giulietta entre ses bras. Tous deux se regardaient avec une telle intensité que mon cœur en vacilla. L'œuvre était très loin des croquis que j'avais vus dans le carnet de ma mère, obligée de se fier à son imagination.

Enfin ! J'avais devant moi le chef-d'œuvre pour lequel j'étais venue jusqu'à Sienne. Pourtant, je n'avais plus la moindre envie de le posséder.

– Tu penses qu'ils les ont enterrés dans le même cercueil ? m'a demandé Janice tout bas. Viens…

Elle s'est faufilée entre les hommes en me tirant par la main. À quelques centimètres du sarcophage, elle a braqué sa torche sur une épitaphe gravée dans la pierre.

– Regarde ! Tu te rappelles ? Tu crois que c'est la même ?

Hélas, nous étions incapables de déchiffrer l'italien.

– C'était quoi, déjà ? a repris Janice. Ah oui ! *Ci-gît la vraie et fidèle Giulietta. Qui par l'amour et la miséricorde de Dieu…*

– *Sera réveillée par Roméo, son époux légitime,* ai-je poursuivi, médusée par le visage éclatant de Roméo, qui me regardait fixement. *En une heure de grâce parfaite.*

Si le récit que nous avait lu maître Lippi était véridique, maître Ambrogio avait personnellement surveillé l'élaboration de la statue, en 1341. Le portrait des deux jeunes gens devait donc être d'une fidélité extrême.

Mais Cocco et sa bande n'étaient pas venus de Naples pour s'abîmer dans la contemplation d'une œuvre mythique. Deux de ses hommes grimpaient déjà sur le sarcophage pour examiner la statue et évaluer les instruments dont ils auraient besoin pour en extraire les pierres précieuses. Peu après, ils sont revenus avec une perceuse à la mèche particulièrement fine. Chacun s'est tourné vers un personnage, l'un face à Roméo, l'autre face à Giulietta, prêt à percer.

Brusquement, frère Lorenzo s'est précipité sur eux en les implorant de ne pas toucher à la statue. Il ne s'agissait pas d'un simple objet de décoration, a-t-il clamé. Le vol des yeux provoquerait un déchaînement qui nous terrasserait.

Cocco n'avait que faire des menaces du frère. Il l'a repoussé sans ménagement et a donné ordre à ses sbires de commencer.

Le bruit des perceuses fut plus strident et plus assourdissant que jamais. Janice et moi nous sommes protégé les oreilles avec nos mains, reculant pour sortir, trop conscientes d'assister à la fin de notre histoire.

Repassant par l'ouverture, nous avons regagné la partie principale de la crypte, suivies par frère Lorenzo, désespéré. Toute la structure de la crypte était en train de s'effondrer. D'immenses fissures parcouraient les murs et le plafond, créant comme une toile d'araignée qui ne demandait que quelques vibrations supplémentaires pour s'étendre à tout le souterrain.

– Vite, il faut qu'on se taille ! a dit Janice en jetant un regard inquiet autour de nous.

– Et après ?

– L'une de nous pourrait aider l'autre à sortir pour qu'elle aille prévenir quelqu'un à l'extérieur.

– D'accord. Qui y va ?

– Toi. Tu es la seule à avoir quelque chose à perdre. Et moi je suis la seule à savoir comment m'y prendre avec Noix de Cocco.

J'ai tourné la tête vers frère Lorenzo. Agenouillé devant une des tables de pierre, il priait un Dieu disparu depuis longtemps.

– Je ne peux pas vous laisser ! ai-je asséné.

– Tu n'as pas le choix. Sinon, c'est moi qui y vais.

Nous aurions pu nous épargner cette petite compétition pour être élue martyre de l'année… Au moment même, le hurlement des perceuses s'est arrêté. Les deux gros bras ont déboulé en riant, jonglant avec les quatre pierres précieuses de la taille de noisettes. Umberto les suivait. J'ai tout de suite compris qu'il se posait la même question que moi : le vol signait-il la fin de nos liens avec Cocco et le gang de Naples ?

Comme s'ils avaient lu dans nos pensées, les hommes se sont figés, jetant un long regard sur Janice et moi, blotties l'une contre l'autre. Cocco paraissait particulièrement ravi de nous voir ainsi. J'ai compris, à son rictus, qu'il estimait que nous pourrions être une valeur ajoutée à son entreprise. Il a déshabillé ma sœur des yeux. Puis il a haussé les épaules. En dépit de son attitude agressive, semblait-il dire, elle ne valait pas mieux qu'une petite nana timorée. Il a lancé à ses acolytes quelques mots qui ont fait bondir Umberto.

– Non, a-t-il hurlé en s'interposant entre lui et nous, *ti prego !*

– *Vaffanculo !* a ricané Cocco.

Un échange en italien a suivi, sans doute une avalanche d'obscénités et de suppliques, jusqu'à ce qu'Umberto passe à l'anglais.

– S'il te plaît, Cocco, a-t-il gémi en tombant à genoux. Je sais que tu es un homme généreux. Je te promets que tu ne le regretteras pas. Elles ne diront rien à personne. Je te le jure.

– Les filles, ça parle, a répliqué Cocco dans un anglais hésitant.

Janice m'a serré la main, si fort qu'elle m'a fait mal. Elle savait, comme moi, qu'il n'avait aucune raison de nous laisser filer vivantes. Il avait les pierres. Il ne voulait rien d'autre. Et il n'avait certes pas besoin de témoins.

Une vague de rage m'a submergée contre ce salaud de mafieux et parce qu'un seul homme avait eu le courage de prendre notre défense : notre père.

Frère Lorenzo se tenait légèrement à l'écart, récitant son rosaire, les yeux fermés, comme si ce qui se passait ne le concernait pas. Il est vrai qu'il ne comprenait ni l'anglais ni le mal.

– Cocco, a repris Umberto en s'efforçant de rester calme, un jour, je t'ai épargné. Tu me dois la vie. L'aurais-tu oublié ?

– D'accord. Tu m'as sauvé la vie une fois. En échange, j'en épargne une des deux. Laquelle tu préfères ? *La stronza o l'angelo ?*

– Juju, m'a chuchoté Janice en me serrant dans ses bras, je t'aime ! Quoi qu'il arrive, je t'aime, ma sœur adorée !

– Je t'en supplie, ne m'oblige pas à choisir ! s'est écrié Umberto, d'une voix méconnaissable. Je connais ta mère. C'est une femme merveilleuse. Elle ne t'approuverait pas.

– Ma mère, elle ira cracher sur ta tombe ! Je le répète, c'est ta dernière chance : *la stronza o l'angelo ?* Choisis immédiatement, ou je les descends toutes les deux.

Umberto est demeuré muet. Exaspéré, Cocco a plaqué la gueule de sa mitraillette contre sa poitrine.

– Pauvre type.

Une détonation assourdissante a fait vibrer toute la grotte.

J'ai hurlé. Pourtant, quand j'ai tendu la main vers Umberto, il était toujours là, debout, paralysé par le choc. À ses pieds gisait… Cocco. Telle la foudre tombée du ciel, un projectile lui avait arraché la moitié du crâne.

– Seigneur ! a murmuré Janice, blanche comme un linge. Qu'est-ce que c'était ?

– Allongez-vous par terre ! a crié Umberto. Et protégez-vous la tête !

Autour de nous, les hommes de Cocco tombaient. D'autres rampaient pour tenter de s'abriter tandis que se succédaient des salves auxquelles certains essayaient de riposter. Je me suis retournée pour voir qui tirait. Et, pour la première fois de ma vie, j'ai béni l'arrivée d'une armée de flics en tenue de combat. Accourus en masse, ils ont pris position au pied de chaque pilier, hurlant aux malfrats de lâcher leurs armes et de se rendre.

Je riais et pleurais en même temps. Si la police était arrivée une minute plus tard, c'en était fait de nous. À moins qu'ils n'aient été là depuis un certain temps, aux aguets, attendant le bon moment pour abattre Cocco. Quoi qu'il en soit, j'étais prête à croire que nous venions d'être sauvées par la Vierge Marie, châtiant ceux qui avaient profané son sanctuaire.

J'ai mis quelques secondes pour reconnaître… Alessandro !

Mais un grondement terrible s'est propagé au-dessus de nous, augmentant en un crescendo apocalyptique jusqu'au moment où un pilier s'est effondré sur les derniers mafieux, les écrasant.

L'écho et les vibrations dans la pierre se sont répandus dans tout le Bottini, tel un gigantesque tremblement de terre. Umberto a bondi sur ses pieds et nous a fait signe qu'il était urgent de déguerpir.

– Vite ! a-t-il hurlé en jetant un regard terrorisé sur les derniers piliers.

L'impact fut tel que le sol sous mes pieds s'est fendu, révélant non pas des pierres, ni des poutres de bois, ni une coulée de béton, mais… un immense trou noir.

Derrière moi, Alessandro me suppliait de revenir. Le carré de terre sur lequel je me tenais a commencé à craquer. Et j'ai plongé dans le néant, comme si les joints de l'univers s'étaient brisés et qu'il ne restait plus que le chaos originel et la gravité pure.

À quelle profondeur suis-je tombée ? J'ai eu l'impression de chuter à travers le temps lui-même, à travers la vie, la mort, et tous les siècles passés. En réalité, j'ai dû faire une chute de quatre ou cinq mètres. C'est ce qu'on m'a dit plus tard. J'ai eu la chance de ne pas atterrir sur des rochers ou dans les bras de démons. J'ai été accueillie par le lit de l'antique rivière souterraine qui réveille les Siennois en plein rêve et que personne n'a jamais vue.

La rivière nommée Diane.

*
* *

Il paraît qu'Alessandro s'est précipité à ma rescousse sans enlever sa tenue de combat, plongeant dans l'eau glacée mais plombé par le poids de ses bottes, de son gilet et de son fusil, avant de remonter en luttant contre le courant et de parvenir à sortir sa torche pour repérer mon corps inanimé, tel un cadavre projeté sur la grève.

Il a demandé à ses collègues de lui envoyer une corde. Les membres du groupe d'intervention nous ont hissés jusqu'à la crypte. Sourd aux cris des uns et des autres, Alessandro m'a déposée au milieu des décombres et s'est penché sur moi pour aspirer l'eau hors de mes poumons…

Janice, m'a-t-on dit, n'a pas tout de suite mesuré la gravité de la situation, jusqu'au moment où les policiers ont échangé des regards sinistres. Tous savaient ce qu'Alessandro ne pouvait admettre : j'étais morte. Elle a éclaté en sanglots. Et nul n'a réussi à étancher ses larmes.

Alessandro a fini par renoncer à me ramener à la vie. Il m'a prise entre ses bras, comme si plus jamais il ne me lâcherait. Il m'a longuement caressé la joue en me murmurant des mots qu'il aurait dû me dire quand j'étais en vie, sans se soucier de ceux qui écoutaient. Janice prétend qu'à ce moment-là, nous étions l'image parfaite de la statue de Roméo et Giulietta, sauf que j'avais les yeux fermés et que le visage d'Alessandro était déformé par la douleur.

Ma sœur a couru vers frère Lorenzo, l'a secoué violemment.

– Pourquoi ne priez-vous plus ? Allez, implorez la Vierge et dites-lui…

Se rappelant qu'il ne comprenait pas l'anglais, elle a levé les yeux vers le plafond en ruine. Et elle a hurlé :

– Faites qu'elle vive, je vous en supplie ! Je sais que vous le pouvez ! Laissez-la vivre !

Elle est tombée à genoux, en pleurs. Pas un homme n'a osé essayer de la consoler.

C'est alors qu'Alessandro a perçu un très léger frisson, un frémissement venant peut-être de lui plutôt que de moi, mais assez distinct pour qu'il reprenne espoir. Il a pris ma tête entre ses mains. Tendrement, mais fermement, il m'a apostrophée.

– Regarde-moi ! Regarde-moi, Giulietta !

Il paraît que j'ai fini par l'entendre. Je n'ai ni toussé ni haleté. J'ai simplement ouvert les yeux. Et je l'ai longuement dévisagé. Peu à peu, j'ai compris où j'étais. J'ai souri et chuchoté :

– Shakespeare aurait aimé.

Tout cela m'a été raconté plus tard. Je ne me souviens de rien. Pas même de frère Lorenzo s'agenouillant à mes côtés pour baiser mon front, ni de Janice dansant autour de moi comme un derviche tourneur et embrassant tour à tour les membres du commando. <

Je ne me souviens que des yeux de l'homme qui avait refusé de me perdre et qui venait de m'arracher aux griffes du poète pour, qu'ensemble, nous réécrivions une fin heureuse à l'histoire de Roméo et Juliette.

X

... et toutes ces souffrances
Seront nos doux propos dans nos années à venir.

Maître Lippi avait du mal à comprendre que je ne tienne pas en place. Enfin, nous étions réunis, lui face à son chevalet, moi sur mon trente et un, entourée de fleurs sauvages et baignant dans la lumière dorée de la fin de l'été. Encore dix minutes et il aurait achevé mon portrait.

– Je t'en supplie, ne bouge pas !

– Il faut que j'y aille, maestro.

– Bah ! Ce genre de formalités ne commence jamais à l'heure.

Derrière moi, les cloches du monastère juché au sommet de la colline avaient cessé de sonner depuis longtemps. Je me suis retournée et j'ai aperçu une silhouette vêtue d'une longue robe vaporeuse dévaler la pelouse.

– Julie ! a haleté Janice, hors d'haleine, j'en connais un qui va exploser si tu ne viens pas immédiatement !

– Je sais, mais...

Maître Lippi avait toujours le nez sur son chevalet. Ma sœur et moi, nous lui devions la vie. Qui sait comment notre calvaire dans la cathédrale de la crypte se serait terminé sans lui ?

Dans un exceptionnel moment de clairvoyance, le maestro nous avait reconnues au moment où nous traversions la piazza del Duomo, entourées de musiciens et enveloppées dans des bannières de *contrade*. Il avait tout de suite identifié celle de la Licorne, grande rivale de la *contrada* de la Chouette. Cette anomalie lui avait mis la puce à l'oreille. Quelque chose n'allait pas... Aussitôt, il s'était précipité dans son atelier pour appeler la police. Par le plus grand des hasards, Alessandro se trouvait au commissariat, où il interrogeait deux grosses brutes napolitaines.

Sans le coup de fil de maître Lippi, la police n'aurait jamais eu l'idée d'aller nous chercher au fond de la crypte. Alessandro ne m'aurait jamais sauvée de la rivière souterraine nommée Diane… Et je n'aurais jamais fini là, au pied du monastère de Viterbe, où vivait frère Lorenzo.

– Je suis désolée, maestro, ai-je dit en me levant. Nous finirons plus tard.

J'ai grimpé la colline en courant, riant aux éclats chaque fois que je regardais ma sœur. Elle portait une robe sublime taillée sur mesure pour Eva Maria et qui, évidemment, lui allait à ravir.

– Pourquoi ris-tu ? m'a-t-elle demandé d'un ton sec, encore un peu agacée par mon retard.

– Je… je suis sidérée de voir à quel point tu ressembles à Eva Maria ! Tu parles même comme elle !

– Merci ! Je préfère avoir ses intonations que celles d'Umberto… Euh, pardon…

– Inutile de t'excuser. Je suis sûre qu'il nous accompagne par la pensée.

Nous n'avions aucune idée de ce qu'était devenu notre père. Après la fusillade de la crypte, il avait disparu, sans doute englouti dans les souterrains au moment où tout avait explosé. Mais personne ne l'avait vu à cause de ma chute.

Les quatre pierres avaient également disparu. Je me disais que la Terre avait repris ses trésors, protégeant les yeux et Roméo et Giulietta au creux de ses entrailles, de même qu'elle avait exigé qu'on lui restitue le poignard gravé du sceau de l'aigle.

Janice, elle, était persuadée qu'Umberto avait empoché les bijoux avant de s'enfuir par le Bottini pour aller se la couler douce dans les boîtes de tango de Buenos Aires… Où ailleurs, là où ces messieurs de la mafia finissent douillettement leur vie. Après deux ou trois Martini accompagnés de chocolats au bord de la piscine du *castello* Salimbeni, Eva Maria avait adhéré à cette hypothèse. Umberto, avait-elle déclaré en ajustant ses lunettes de soleil sous son grand chapeau, avait l'art de disparaître, parfois pendant des années, avant de revenir comme si de rien n'était. Elle ne s'inquiétait pas. Même si son fils était tombé dans la rivière Diane, il avait certainement réussi à se laisser porter par le courant jusqu'à un lac, quelque part. Comment pouvait-il en être autrement ?

Avant d'arriver au cœur du monastère, nous avons traversé un petit bois d'oliviers et un jardin d'herbes aromatiques parsemé de ruches.

Frère Lorenzo nous avait fait visiter les lieux le matin même. Nous avions abouti dans une roseraie, dominée par une grande rotonde de marbre à ciel ouvert. Au milieu de ses piliers se dressait une statue de bronze qui représentait un moine ouvrant grands les bras en signe de bienvenue. Le frère nous avait expliqué que les moines l'avaient sculptée en imaginant les traits du véritable Lorenzo, dont les reliques étaient enfouies sous le marbre. Le lieu devait rester un havre de paix, destiné à la contemplation et à la prière. Toutefois, le moine avait exceptionnellement accepté de l'ouvrir pour nous.

J'ai fait une pause pour reprendre mon souffle. Tous étaient là et nous attendaient : Eva Maria, Malèna, Pia, Peppo avec sa jambe dans le plâtre, plus une vingtaine de personnes dont je commençais à peine à apprendre les noms. À côté de frère Lorenzo, Alessandro rongeait son frein, les yeux rivés sur sa montre, tendu mais irrésistible.

Dès qu'il m'a vue, il a secoué la tête, en un double signe de soulagement et de reproche. Dès que j'ai été assez près, il m'a attirée contre lui pour m'embrasser et me chuchoter à l'oreille :

– Il va peut-être falloir que je t'enchaîne dans le donjon…

– Ce serait follement moyenâgeux de ta part !

– Arrête de me provoquer.

– *Scusi ?* a demandé frère Lorenzo d'un air sévère, impatient de commencer la cérémonie.

Je me suis tournée vers lui avec respect, repoussant à plus tard ma réponse à Alessandro.

Nous ne nous mariions pas seulement pour nous, mais pour prouver à tout le monde que lorsque nous affirmions que nous étions faits l'un pour l'autre, et depuis la nuit des temps, nous étions sérieux. En outre, Eva Maria avait exigé une cérémonie pour fêter le retour de ses deux petites-filles ; et Janice aurait eu le cœur brisé si on ne lui avait pas offert un rôle de star. Toutes deux avaient passé la soirée à fouiller la garde-robe d'Eva Maria à la recherche de la robe idéale, pendant qu'Alessandro poursuivait ses leçons de natation dans la piscine avec moi.

Debout à ses côtés, ma main dans la sienne, j'ai réalisé que, toute ma vie, j'avais redouté de mourir jeune. Dès que j'essayais d'envisager mon avenir au-delà de l'âge de la mort de ma mère, je ne distinguais qu'un grand trou noir. Ce néant n'était pas la mort, mais de la cécité. Comment aurais-je deviné qu'un jour je me réveillerais comme d'un rêve, pour entamer une existence dont j'ignorais même qu'elle pouvait exister ?

La cérémonie s'est déroulée en italien, dans une atmosphère solennelle, jusqu'à ce que le témoin, Vincenzo, le mari de Malèna, remette les alliances à frère Lorenzo. Le vieux moine a eu une moue excédée en reconnaissant le sceau de l'aigle et lâché une remarque qui a fait rire l'assistance.

– Qu'est-ce qu'il a dit ? ai-je demandé à voix basse à Alessandro.

– « Sainte Marie, Mère de Dieu, combien de fois vais-je devoir recommencer ? » m'a répondu Alessandro, ravi d'en profiter pour m'embrasser dans le cou.

*
* *

La noce a été suivie d'un dîner dans le cloître du monastère, sous une treille croulant sous les raisins. La nuit est tombée. Les frères sont allés chercher des lampes à huile et des bougies en cire d'abeille posées dans des verres soufflés à l'ancienne. La lumière dorée illuminant nos tables a noyé la lueur froide qui tombait du ciel étoilé.

Alors que j'appréhendais les premiers contacts entre les uns et les autres, j'ai constaté avec plaisir qu'Eva Maria, Pia et Peppo discutaient joyeusement et chassaient les vieilles rancœurs familiales en plaisantant. Notre mariage n'était-il pas l'occasion rêvée pour une réconciliation ? Tous trois, après tout, nous avaient portées sur les fonts baptismaux, comme parrain et marraines.

La majorité des invités n'étaient ni des Salimbeni ni des Tolomei, mais des amis d'Alessandro, siennois pour la plupart, et des membres de la famille Marescotti. Je connaissais sa tante et son oncle pour avoir dîné plusieurs fois avec eux, de même que ses cousins, qui vivaient au bout de sa rue. Mais c'était la première fois que je voyais ses parents et ses frères, venus de Rome.

Alessandro m'avait prévenue : son père, le colonel Santini, n'était pas trop porté sur la littérature et sa mère parlait le moins possible à son mari de la légende de la famille Marescotti. Ils n'avaient envie ni l'un ni l'autre de remettre en cause la version officielle de notre rencontre, ce qui m'a rassurée. Je venais de serrer la main d'Alessandro sous la table en signe de soulagement, lorsque sa mère s'est penchée vers moi avec un clin d'œil taquin.

– Quand vous viendrez nous rendre visite, vous me raconterez ce qui s'est passé, n'est-ce pas ?

– Êtes-vous déjà allée à Rome ? m'a alors lancé le colonel, dont la voix tonitruante a éclipsé toutes les conversations.

– Euh, non, ai-je menti. Mais j'adorerais.

– C'est étrange... J'ai l'impression de vous avoir déjà vue quelque part.

– C'est exactement ce que je me suis dit quand nous nous sommes rencontrés, a répondu Alessandro.

Il m'a passé un bras autour de l'épaule et m'a embrassée à pleine bouche, jusqu'à ce que tout le monde racle son assiette en riant et que le sujet de conversation change, Dieu merci, pour tomber sur le Palio.

Deux jours après l'effondrement de la crypte, le Palio avait eu lieu et la *contrada* de l'Aigle avait enfin gagné la course, après presque vingt années de malchance ! En dépit des recommandations du médecin, qui me conseillait de me reposer, je m'étais laissé entraîner dans la mêlée, comme pour célébrer ma renaissance et celle d'Alessandro. Après la course, nous avions suivi Vincenzo, Malèna et tous les aiglons, courant à la cathédrale pour la messe de la victoire en l'honneur de la Vierge Marie et du *cencio* qu'elle avait eu la grâce d'offrir à la *contrada* de l'Aigle, et ce malgré la présence d'Alessandro à Sienne !

Debout dans l'église, fredonnant un cantique dont j'ignorais les paroles, je songeais à la crypte qui s'étendait quelque part sous nos pieds et à la statue dont nous étions les seuls à connaître l'existence. Un jour, peut-être, la crypte, réhabilitée, serait ouverte au public, et maître Lippi restaurerait la statue en lui offrant de nouveaux yeux. Était-ce vraiment souhaitable ? En tout cas, d'ici là, elle resterait notre secret. La Vierge nous avait permis de visiter son sanctuaire. Et tous ceux qui y avaient pénétré avec de mauvaises intentions étaient morts.

Quant au vieux *cencio*, il lui avait été rendu, suivant la volonté de Roméo Marescotti. Nous l'avions d'abord fait restaurer à Florence. Depuis, il trônait dans une vitrine de la petite chapelle du musée de l'Aigle, resplendissant malgré ses récentes aventures. Tous les membres de la *contrada* étaient euphoriques à l'idée d'avoir récupéré cet emblème de leur histoire ; et personne ne semblait s'étonner de me voir rougir dès que quelqu'un abordait le sujet de sa découverte.

Le dessert, une immense pièce montée dessinée par Eva Maria, est arrivé. Janice s'est levée, a posé un rouleau de parchemin devant moi. C'était la lettre de Giannozza à Giulietta, que le frère Lorenzo m'avait montrée au *castello* Salimbeni. Elle était intacte. Seul son sceau avait été brisé.

– J'ai un petit cadeau pour toi, a annoncé Janice en dépliant une feuille de papier. La version anglaise de la lettre qu'Eva Maria a eu la gentillesse de me traduire.

Elle semblait si impatiente que je la lise à haute voix que je me suis tout de suite exécutée.

Ma chère sœur,

Tu n'imagines pas à quel point j'ai été heureuse de recevoir une lettre de toi après ce trop long silence. Hélas, tu n'imagines pas non plus à quel point je suis chagrinée d'apprendre ces tristes nouvelles. Père et mère sont morts, de même que Mino, Jacopo et le petit Benni, et je n'ai pas assez de mots pour exprimer ma douleur. J'ai mis plusieurs jours avant de pouvoir enfin te répondre.

Si frère Lorenzo était là, il m'expliquerait que tout fait partie du grand dessein du Ciel et que je ne devrais pas pleurer pour mes âmes chéries, qui connaissent au paradis la béatitude éternelle. Mais le moine n'est plus là, et toi non plus. Je suis seule sur une terre barbare.

Comme j'aimerais pouvoir te rendre visite, ma sœur adorée ! Ou alors que tu puisses venir, pour que nous nous consolions en ces temps si sombres ! Malheureusement, je suis toujours prisonnière dans la demeure de mon époux et bien qu'il soit alité presque tout le jour, de plus en plus faible, je crains qu'il ne vive éternellement. Il m'arrive de m'aventurer dehors, la nuit, et de m'allonger dans l'herbe pour contempler les étoiles. Demain, des étrangers venus de Rome vont envahir la maison : des négociants d'une obscure famille nommée Gambacorta. Une fois de plus, ma liberté verra ses ailes coupées dès le rebord de la fenêtre. Pardon, je ne veux pas t'accabler avec mon chagrin. Il n'est rien comparé au tien.

Je suis effondrée d'apprendre que notre oncle te maintient captive et que tu es minée par le désir de te venger de S..., cet homme cruel.

Ma chère sœur, je t'en supplie, essaie de te débarrasser de ces pensées destructrices. Fais confiance au Ciel. Cet homme sera puni lorsque son heure viendra. Quant à moi, j'ai passé de nombreuses heures dans la chapelle à rendre grâce à Dieu et à la Vierge pour avoir permis que tu sois secourue lors de l'attaque de ces bandits. Ta description de ce jeune homme, Roméo, m'a convaincue que tu as trouvé le chevalier que tu attendais depuis si longtemps.

J'y vois une raison de me réjouir d'avoir accepté ce maudit mariage, plutôt que toi. Écris-moi plus souvent, ma sœur chérie, et ne m'épargne aucun détail, afin qu'à travers toi je vive l'amour qui m'a été refusé.

Je prie pour que cette lettre te trouve souriante et en bonne santé, libérée des démons qui te hantent depuis toujours. Si Dieu le veut, je te reverrai bientôt et nous nous allongerons au milieu des pâquerettes pour effacer, en riant, nos chagrins passés. Au cours du bel avenir qui s'annonce, tu seras mariée à Roméo et je serai enfin libérée de mes entraves. Prie avec moi, ma Giulietta adorée, afin que cela soit.

Ta sœur pour l'éternité,

G.

Lorsque je me suis arrêtée de lire, Janice et moi étions en larmes. Sous le regard ému des convives, je l'ai prise dans mes bras et je l'ai remerciée pour ce cadeau exceptionnel. Peu de gens avaient dû saisir le sens de la lettre. Même ceux qui connaissaient la triste histoire de Giannozza et Giulietta ne pouvaient mesurer ce qu'elle représentait pour ma sœur et moi.

*
* *

Il était près de minuit quand enfin j'ai pu m'éclipser dans le jardin en tirant par la main un Alessandro un peu réticent. Tout le monde était parti. Il était temps que j'accomplisse un geste qui me tenait à cœur depuis longtemps. J'ai ouvert le portail grinçant du sanctuaire, en observant mon amoureux, un doigt sur les lèvres.

– Nous ne sommes pas censés pénétrer ici à cette heure.

– Je sais, m'a-t-il répondu en m'attirant contre lui. D'ailleurs, je vais te dire ce que nous sommes censés…

– Chut ! C'est important.

– Cela ne peut pas attendre demain ?

– Non, parce que demain je comptais ne pas sortir du lit du tout.

Il m'a laissée l'entraîner jusqu'à la rotonde de marbre qui entourait la statue de frère Lorenzo. Sous le clair de lune, on aurait juré un être en chair et en os qui nous aurait attendus debout, les bras grands ouverts. Bien entendu, il y avait peu de chances qu'il ressemblât à l'original. Peu importait. L'essentiel était ailleurs : le sacrifice de cet homme avait été reconnu par des êtres de valeur attentionnés, qui avaient permis que nous le retrouvions et le remerciions.

J'ai enlevé le crucifix que je portais depuis qu'Alessandro me l'avait rendu. Et je l'ai passé autour du cou de la statue, à laquelle il revenait.

– Monna Mina l'a gardé en signe de leur lien. Je n'en ai pas besoin pour me souvenir de ce qu'il a fait pour Roméo et Giulietta. Remarque… Peut-être n'y a-t-il jamais eu de malédiction. Qui sait ? C'est peut-être simplement nous, nous tous, qui pensions la mériter.

Alessandro a gardé le silence. Il a caressé très doucement ma joue, comme à la fontaine de Fontebranda. Cette fois, je savais ce que cela signifiait. Que nous ayons été victimes d'une malédiction ou non, que nous ayons payé ce que nous devions ou non, ma bénédiction, c'était lui, et j'étais la sienne. Cela suffisait pour vaincre toute épreuve que le destin, ou Shakespeare, serait encore assez inconsidéré pour nous envoyer.

Note de l'auteur

Même si *Juliette* est une œuvre de pure fiction, ce roman s'appuie sur de nombreux faits historiques. La version originale de *Roméo et Juliette* se déroule en effet à Sienne, et il suffit de fouiller l'histoire italienne pour comprendre pourquoi.

Plus que les autres, la cité de Sienne fut la proie de violentes querelles de famille pendant tout le Moyen Âge. Les Salimbeni et les Tolomei étaient connus pour leur rivalité, très proche de celle qui oppose les Capulet et les Montaigu dans la pièce de Shakespeare.

Néanmoins, j'ai pris de nombreuses libertés pour créer le personnage de messire Salimbeni, si cruel avec les femmes. Et je ne suis pas sûre que le Dr Antonio Tasso, de la banque Monte dei Paschi de Sienne, qui a eu la gentillesse de faire visiter le palazzo Salimbeni à ma mère, serait ravi de constater que j'ai ajouté une salle de torture dans les sous-sols de cette vénérable institution.

Pas plus que mes amis Gian Paolo Ricchi, Dario Colombo, Patrizio Pugliese et Cristian Cipo Riccardi ne seraient enchantés de voir que j'ai fait du Palio une course si violente. Comme nous en savons très peu sur la façon dont se déroulait cette compétition au Moyen Âge, je compte sur eux pour m'accorder le bénéfice du doute.

Antonella Rossi Pugliese, archéologue, a eu l'amabilité de m'offrir une visite guidée des quartiers les plus anciens de Sienne. Grâce à elle, j'ai eu l'idée de plonger mon récit dans les mystérieux sous-sols de la ville, tels le Bottini, la crypte perdue de la cathédrale et les vestiges de la peste bubonique de 1348. Suivant ses conseils, ma mère a visité le vieil hôpital de la ville, Santa Maria della Scala, où elle a découvert la chambre de sainte Catherine, de même que l'entrée d'un charnier de pestiférés.

D'autres découvertes, moins macabres, ont été rendues possibles pour ma mère à la Biblioteca Comunale degli Intronati, aux Archivio dello Stato et à la Libreria Ancilli. Nous devons également beaucoup aux intuitions lumineuses du professeur Paolo Nardi, du père Alfred White, dominicain, et de John W. Pech, jésuite, de même qu'à l'œuvre de feu Johannes Jorgensen, poète et journaliste danois, dont la biographie de sainte Catherine de Sienne, patronne de l'Europe, dresse un tableau saisissant de Sienne et de Rocca di Tentennano au XIVe siècle. Le musée de la *contrada della Civetta* et la police municipale de Sienne nous ont énormément aidées, celle-ci surtout pour ne pas avoir arrêté ma mère alors qu'elle poursuivait ses nombreuses investigations clandestines dans le système de sécurité des banques, et ailleurs.

À propos d'activités illégales, je m'empresse de présenter mes excuses au directeur de l'hôtel Chiusarelli, M. Rosi, pour avoir mis en scène un cambriolage dans son magnifique établissement. Il n'y a jamais eu, à ma connaissance, de vol ni de tentative d'effraction dans cet hôtel ; et ni le directeur ni son personnel n'interviendraient jamais dans les mouvements de leurs hôtes, pas plus qu'ils n'enlèveraient de leur chambre certaines de leurs affaires personnelles.

Je dois aussi souligner que le véritable maestro Lippi n'est pas aussi excentrique que le portrait que j'en ai dressé. Son atelier n'est pas situé au cœur de Sienne et n'a rien d'un capharnaüm. Au contraire : c'est un superbe atelier, aménagé dans un château de la famille Tolomei, à la campagne. J'espère que maître Lippi me pardonnera mes libertés de romancière.

Deux amis siennois m'ont fourni une aide très précieuse grâce à leur connaissance approfondie de l'histoire de la ville : Alessio Piscini, qui fut une mine d'or pour tout ce qui a trait à la *contrada* de l'Aigle et à la tradition du Palio ; et Simone Berni, qui a patiemment supporté mes questions sur la civilisation italienne et les coutumes propres aux Siennois. Qu'ils sachent tous deux que, si des erreurs se sont glissées dans mon roman, elles ne sont dues qu'à moi.

Je voudrais également remercier les personnes suivantes, qui ne sont pas de Sienne : mon amie et camarade de lutte pour la liberté de l'Institute for Humane Studies, Elisabeth McCaffrey, mes consœurs de notre cercle de lecture, Jo Austin, Maureen Fontaine, Dara Jane Loomis, Mia Pascale, Tamie Salter, Monica Stinson et Alma Valevicius, qui ont eu la gentillesse de lire avec un œil critique la première mouture de mon histoire.

Deux personnes m'ont aidée à transformer cette histoire en roman : mon agent, Dan Lazar, dont l'enthousiasme, la persévérance et le bon sens ont tout rendu possible, et mon éditrice, Susanna Porter, dont le regard acéré et la compétence m'ont permis de maîtriser mon sujet. Travailler avec eux fut un honneur et un privilège.

Enfin, je dois bien plus que des remerciements à mon mari, Jonathan Fortier. Sans son amour, ses encouragements et son humour, je n'aurais jamais pu écrire ce livre. Sans lui, je serais encore endormie, et je n'en saurais rien.

J'ai dédié mon travail à ma merveilleuse mère, Birgit Malling Eriksen, à la générosité et au dévouement infinis. Elle a passé autant de temps à effectuer des recherches que moi à écrire. J'espère que mon roman est à la hauteur de ses espérances et qu'elle est prête à collaborer à une nouvelle aventure…

Composition : Compo-Méca S.A.R.L.
64990 Mouguerre

Achevé d'imprimer au Canada
sur les presses de Imprimerie Lebonfon Inc.

Dépôt légal : septembre 2010
N° d'impression :
ISBN : 978-2-7499-1263-9
LAF 1253